編集復刻版

「職場の歴史」関係資料集

第1巻

『職場の歴史』
第1号〜第10号

六花出版

序文

竹村民郎

「職場の歴史をつくる」とはどういうことなのか。

一九五〇年代――敗戦前の皇国史観を否定することはもちろん、英雄の活躍や政権の変遷をたどるだけの歴史を批判し、「民衆」「市民」の視点から考察する歴史観が、ようやく主流となっていたが、それでもまだ歴史は学者ら専門家によって叙述されるものであった。

三井三池、日鋼室蘭、近江絹糸などの労働争議とのかかわりあいのなかから誕生した「工場の歴史をつくる会」は、いわゆるブルーカラーの労働者にとどまらず、働く女性たちの積極的な参加をえて、自分たちの歴史は自分たちで書く、という活動をはじめた。これが「職場の歴史をつくる会」の誕生である。歴史学者やその卵である学生たちは「知識の革新」をもとめて運動にどっと参加してきた。

自分たちの歴史を書くということは、働く職場の記録をつづることにとどまらなかった。機関誌『職場の歴史』が一時期「職場と生活」と改題したのもそのためで、職場だけではなく、ひろく「生活」を記録することで、自分たちの現在やこれからを見つめようとしたのである。

一九五八年に書かれた職場の歴史をつくる会品川客車区のサークル誌『仲間には』では、自分の歴史を集団で書くことについて、つぎのようにまとめている。

「自分の歴史を書きあげると、分会機関誌に発表し、それを全会員や職場の人々に読んでもらい、必ず合評会を開いてその中で書いた人の考え方、生き方を自分の問題として考え、又、批判しています。」

こうした批評活動は、職場の歴史をつくる運動におけるすべての職場サークルに共通するものであった。ここで注目することは、集団で「歴史」を書くことが、書き手の対象化をうながし、結果として自己の「発見」になるということである。

近年、全国的に若い研究者や学生の間でひろく一九五〇年代に展開された生活記録運動や多彩なサークル運動と結びついた文化運動の機関誌や文集などを発掘し、その「自立」主義に基礎を置く多くの作品についての研究が目覚しく展開している。

今回復刻された職場の歴史をつくる会の機関誌や運営委員会ニュースを網羅した全四巻の記録集は、時代が大きく動いた一九五〇年代のサークル時代、自らのアイデンティティをもとめて職場に生きた若者たちの真実の姿を直視するものとして、注目に値する。

（編者）

編集復刻版『「職場の歴史」関係資料集』第1巻

刊行にあたって

一、資料集では、一九五〇年代に日本全国各地でおこった生活記録運動のひとつである「職場の歴史をつくる会」の機関誌および関連資料をあつめ、収録した。原資料はすべて竹村民郎所蔵のものである。
一、第1巻巻頭に竹村民郎氏による序文、古川誠氏・稲賀繁美氏による解説、永岡崇氏による年表を掲載した。
一、本資料集は、原寸のまま、あるいは原資料を適宜縮小し、復刻版一ページにつき一面または二面を収録した。
一、資料中の書き込みは原則としてそのままとした。
一、資料中には、ページ数などの表記に誤記と思われる箇所があるが、原本通りである。
一、資料の中の氏名・居住地などの個人情報については、個人が特定されることで人権が侵害される恐れがある場合は、[redacted]で伏せ字を施した。
一、原本はなるべく複数を照合して収録するようにしたが、原本の状態が良くないため、印刷が鮮明でない部分がある。
一、資料の中には、人権の視点から見て不適切な語句・表現・論もあるが、歴史的資料の復刻という性質上、そのまま収録した。

（編者・編集部）

［第1巻 目次］

◉全巻収録内容

第1巻	『職場の歴史』第1号〜第10号	序文＝竹村民郎　解説＝古川誠・稲賀繁美 年表＝永岡崇
第2巻	『職場の歴史』第11号〜第23号	
第3巻	運営委員会ニュース／諸資料Ⅰ	
第4巻	諸資料Ⅱ	

解説／年表

解説　「職場の歴史」とは何だったのか

古川　誠

はじめに

一九五〇年代から六〇年代にかけて、職場の歴史をつくる運動という活動があった。

それは、その当時盛んに書かれはじめていた「母の歴史」や「村の歴史」とならんで、それまで主流であった英雄や偉人の活動によって時代を描こうとする歴史観とは異なる、社会に生きている一般の人の視点から歴史をとらえようとする、戦後の新しい歴史のとらえ方の隆盛を背景とする活動であった。

さらにその活動は、職場すなわち労働者の働く場という対象の設定でわかるように、敗戦後、経済復興への道を歩み始めた資本主義国家としての日本において、労働者を主人公として、階級間の対立をいかに乗り越えるかという問題意識をもつ運動でもあった。

そうした職場の歴史をつくる運動の中心となったのは、職場で働く労働者であり、また労働者と協力して歴史をつくっていこうという若い歴史学の研究者や学生たちであった。彼らがあつまってつくりだしたのが「職場の歴史をつくる会」であり、その会が刊行に携わった雑誌や単行本が、その活動をひろく日本社会にひろめる媒体となったのである。

この解説では、そうした職場の歴史をつくる運動について、その全体像を示し、そうした活動を当時の社会的・文化的背景のなかで位置づけ、この運動が日本の近代社会でもった意味について明らかにしていきたい。

一　「職場の歴史」とは何だったのか？

職場の歴史をつくる運動とはいったい何だったのだろうか。

その全体像は、（1）作品としての「職場の歴史」、（2）職場の歴史をつくる会の活動、（3）具体的なそれぞれの職場における職場の歴史サークルや会員たちの活動、という三つの社会的領域の複合体としてとらえることができる。

以下それらの三つの領域について概要をみていきたい。

（1）作品としての「職場の歴史」

この運動はその名のとおり、職場の歴史を「つくる」ことが目的である。したがって、そこで実際につくり上げられた「職場の歴史」のテキストすなわち作品群がまず何よりも重要な成果となる。

そうした書かれたテキストには、「職場の歴史」に関する作品そのものだけではなく、職場の歴史をつくることにどのような意味があるのかをのべた論考や、書かれた職場の歴史に対する批評や感想、そして活動についてのさまざまな記録なども含まれる。

そうした、テキストとしての「職場の歴史」の主要な媒体は次の三つである。

まず、職場の歴史の活動をはじめて広く社会に知らしめたのは、一九五五年五月に刊行された雑誌『歴史評論』第66号の「職場の歴史特集号」であった。『歴史評論』は、戦後の民主主義的な科学の構築を目ざして結成された民主主義科学者協会（民科）の歴史部会が発行している雑誌である。この特集号は『歴史評論』発行以来初めてとなる増刷をすることになるほど、話題となり一般読者の注目を集めた。

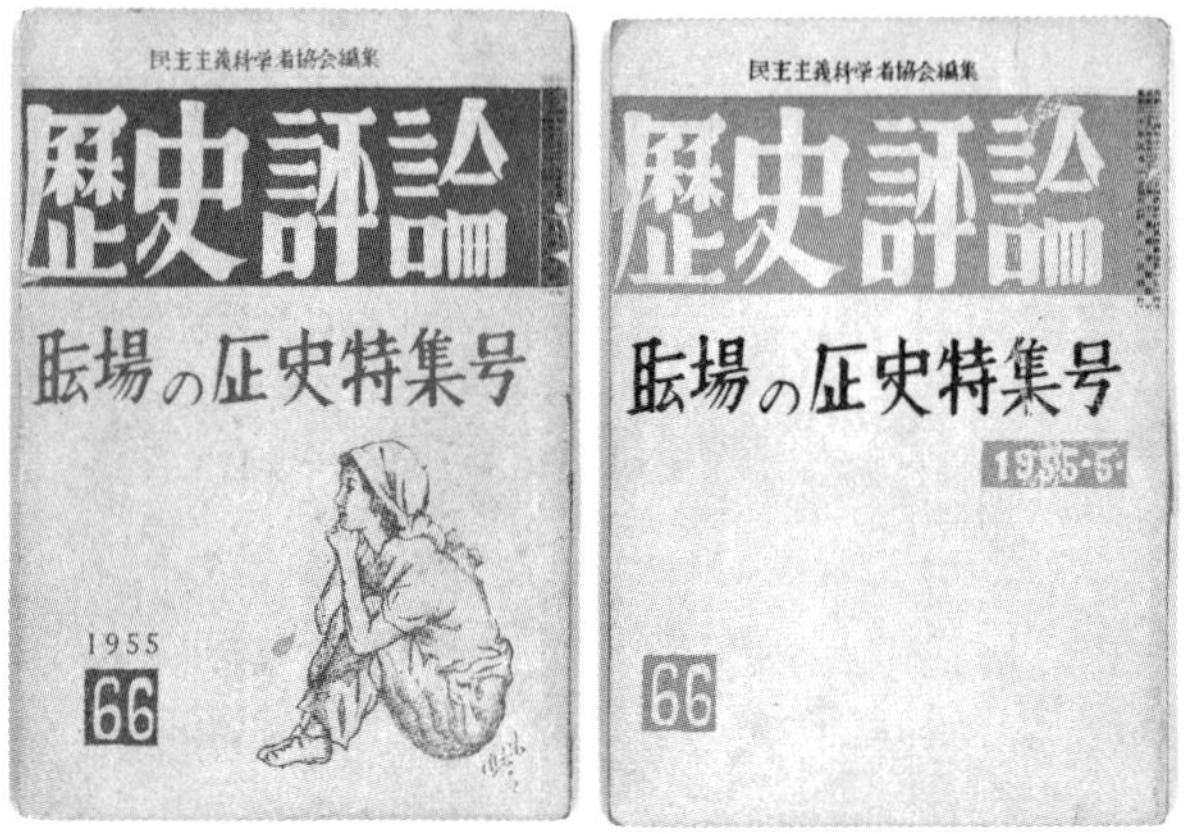

好評のため増刷した『歴史評論』職場の歴史特集号。本文は奥付までまったく同じだが、増刷した方（左）は表紙と裏表紙裏及び裏表紙の刷り色が異なっている。本編集復刻版第４巻には初版（右）を収録。

『歴史評論』特集号刊行の四カ月後の一九五五年九月、職場の歴史をつくる会は会の機関誌である『職場の歴史』を創刊した。

さらに翌一九五六年五月、河出書房から新書『職場の歴史』が刊行された。これはいくつかの職場の歴史の作品と歴史学者等による職場の歴史の意義をのべた論文からなる単行本であった。この河出新書『職場の歴史』も好評で、すぐに再版となった。

いっぽう機関誌である『職場の歴史』は、第2号発行までは半年ほどの期間があいたが、それ以降は年に数冊のペースで一九六〇年代半ばまで発行された。その後三年刊の中断期間をおいて一九六三年から六五年にかけて年一冊のペースで発行されている。

テキストすなわち作品としての職場の歴史は、以上の三つの媒体とそこに発表された作品群からなりたっている。

（2）運動体としての「職場の歴史をつくる会」とその活動

それでは次に、そうした作品群を生みだす母体となった「職場の歴史をつくる会」についてみていこう。

会設立のきっかけは、一九五四年秋に民科歴史部会の若手研究者が日本鋼管室蘭製鉄所の青年行動隊員と出会ったことにあった。この年の日鋼室蘭製鉄所は、近江絹糸とならんで、激しい労資の対立の舞台となり日本中から注目をあびていた。その労働争議の中心となっていた青年行動隊が、中央労働委員会での争議解決にむけたあっせんの交渉のため東京に来ていたのだが、その宿舎に毎晩のように歴史を研究している若い人たちが話を聞きに行った。

その出会いが、労働者による工場の歴史をつくる運動の重要性を認識させることになり、そこから「工場の歴史をつくる会」が発足した。その考えに共鳴した多くの労働者や学者がその会に参加したのだが、会にはいわゆる工場労働者だけではなく、官公庁や証券取引所といったホワイトカラーの労働者も多数いたため、発足後すぐに名称を「職場の歴史をつくる会」と変更したのである。

一九五四年一〇月の会設立以降、ニューズレターを発行するとともに、各職場に職場の歴史をつくる会のサークルをたちあげ、そのサークルで自分たちの職場の歴史をつくることを目ざしていった。

会の中心的な活動は、各職場のサークルと連絡をとり、職場の歴史作成の指導や援助を行うことであった。そして、その主な媒体が機関誌『職場の歴史』であり、その編集と刊行がもっとも重要な仕事であった。

また、会では会員どうしの交流にも力をいれ、ピクニックや忘年会、新年会、花見などの企画もひんぱんに開かれている。

それと同時に、職場の歴史をつくることの意義をめぐって、勉強会や研究会も何度も企画され、理論的かつ実践的な問題を検討していった。年に何回かひらかれる総会では、そうした職場の歴史をつくることについての議論が、作品の合評会という形式をとりながらしばしば行われた。

しかし、活動のそれぞれの時期において、会の中心となる事務局や運営委員の活動が一部の会員にかたよる傾向がつづいたこと、また会の財政上の脆弱さという問題をかかえていたことなどから、会中枢部の弱体化という状態はなかなか改善されなかった。

そのいっぽう、会は一九五五年に設立された国民文化会議とも協力関係をもち、五六年、五七年の全国集会では職場の歴史をめぐって分科会を開催するなど、対外的な活動にも力をいれていた。

機関誌『職場の歴史』の刊行のペースでもわかるように、一九五〇年代後半は会の精力的な活動がつづいたが、一九六〇年前後の安保闘争以降はおもてだった活動が見られない状態となり、六〇年代半ばには実質的な会としての活動は停止してしまった。

(3) それぞれの職場における職場の歴史をつくる会とその会員の活動

職場の歴史をつくる会は、事務局、運営委員会という会の中核となる部局と、それぞれの会員が直接所属している職場におけるサークルというふたつの組織からなっていた。

各会員は、職場での職場の歴史をつくるサークルのメンバーとともに、勉強会や機関誌や単行本の合評会をひらいたり、支部の会報や冊子を発行したりという活動にとりくんでいた。

会の歴史のなかばより、会員個人の歴史を書くという新たな方向性が加わることによって、職場のサークルでお互いの個人の歴史の作品に対する相互批評とそれをふまえた改作をくりかえすというやり方によって、共同で作品を創作していくという会の方針が実現されていったのである。

ここまでのべてきたような、つくられたテキスト、職場の歴史をつくる会の指導的な活動、それぞれの職場での活動という三つの世界の重なりを通して、職場の歴史をつくる運動は存在していたのである。以下、テキストを中心にさらに踏みこんでその特徴を明らかにしていきたい。

二　作品としての「職場の歴史」

まず最初に作品としての三つの『職場の歴史』の関係を、とりわけ社会的な影響力を一番大きくもった新書版『職場の歴史』がどのように構成されているのかを中心に考えていく。

(1) 三つの作品の関係

五六年に刊行された河出新書『職場の歴史』は、全体が五部構成となっており、それぞれ「人間の歴史」「生活の歴史」「働くものの現代史」「働くものの歴史について」「『職場の歴史をつくる会』について」というタイトルがつけられている。それぞれに二編もしくは三編が書かれており、全部で一二編の論考・エッセイ・作品がある。そのうち分量的に半分をしめているのは第一部「人間の歴史」であり二一七頁のなかで一一五頁となっている。

この新書『職場の歴史』の大部分は、それ以前に会が出していた二つの主要な刊行物『歴史評論』職場の歴史特集号と、機関誌『職場の歴史』第2号に掲載されていた作品を再録したものとなっている。具体的にみてみよう。

まず『歴史評論』からは、「N労組の歴史」と「私もついて行く――きみよの手記」が、ほぼそのままの形で新書の第一部に載せられた。その際に後者は「東証の歴史」と改題されている。

いっぽう機関誌『職場の歴史』第2号からは「（恩給局）その前夜」が「恩給局の歴史」と題名をかえて先のN労組、東証とならんで第一部に載せられている。ただし「（恩給局）その前夜」は「恩給局の歴史」の前半の部分までであり、後半部分はあらたに書き加えられている。また、新書に採録された前半部も、雑誌の文章からはかなりの推敲がなされ、多くの箇所で表現が変わっている。

第1号からもうひとつ「はだか日本現代史」という共同執筆の作品がそのまま新書第三部に掲載されている。この作品は、もともと東武労組の機関誌編集部から依頼された作品である。その依頼にこたえて会員の何名かが協力して書き上げたものであった。

また、総評の機関誌に掲載された竹村民郎のエッセイ「この手千両」も、第2号から新書へとひきつづき載せられている。

新書の第四部は「働くものの歴史について」というタイトルのもと、石母田正、林基という歴史学者がそれぞれ論考を寄せているが、民科の指導的な科学者であった地質学者の井尻正二も「歴史の職場」という長文のエッセイを書いている。これはもともと、雑誌『国民の科学』の一九五五年八月号に、『歴史評論』の職場の歴史特集号への感想として掲載されたものであった。

このように、新書の内容の多くは、それまで職場の歴史をつくる会がさまざまな媒体に発表していた作品をあらためて再編集して採録したものであり、新書のなかで新たに執筆されたものは、第二部生活の歴史の「炭鉱の生活史」「王子製紙の歴史」の二編と第四部の石母田正「『職場の歴史』をめぐって」、林基「労働運動史研究についての雑感」の二編、および会員の小野一男による詩「手」の計五編であって、ページ数にして約五〇頁、本全体からみると約四分の一にすぎない。

以上のことからわかるように、河出新書『職場の歴史』は『歴史評論』職場の歴史特集号と機関誌『職場の歴史』第2号の作品群を母体として、職場の歴史をつくる会の活動の初期の成果をまとめた出版物であるということができる。

（2）作品の反響

さて、最終的に河出新書へと収斂していくことになった、『歴史評論』特集号と機関誌『職場の歴史』との作品の関係をみてきた。そうした作品群は読者からどのように受けとめられたのであろうか。三種類の媒体の中で、会の活動の中心的な位置をしめるのは機関誌『職場の歴史』であるのだが、発行部数はだいたい一〇〇〜二〇〇部程度であり、しかも号によっては残部が多くでるという状況で、会員以外への購読者の広がりはみられなかった。機関誌という性質上、あくまでもその影響は会員のなかだけにとどまっていたのである。

これに対して『歴史評論』特集号と新書版『職場の歴史』は、会員以外の専門家や一般の読者を念頭に置いた編集がされ、実際にどちらも大きな反響をよんだ。そこで、その二つのテキストについての読者の反応を簡単にまとめていきたい。

まず『歴史評論』特集号である。先にものべたが、この特集号は雑誌創刊以来初めてとなる増刷がされるという、大きな反響をまきおこした。この雑誌の主要な読者は、歴史学の研究者や学生、学校の教員、そして歴史や歴史学に興味をもっている労働者や市民である。増刷とまでなった読者の拡大は、そのなかで労働者や一般の市民の関心をひいたことを意味している。

もちろんそれは、「職場」の歴史というタイトルが、働く人々にとって身近なものに感じられたことがまずあるだろう。しかし、広範囲の読者を獲得したのは、テーマが身近だからというだけではない。

この特集号が、いわゆる学術雑誌としての研究論文が中心の編集ではなく、労働者みずからが書いた文章や、労働争議の当事者たちと研究者との協働でつくられた作品が中心であったことが大きく影響している。専門家以外の読者にとっては、テーマを自分の事として感じられるだけでなく、書き手もまた自分たちと同じ専門家ではない労働者であること、そしてその文章が読みやすかったことが雑誌の購読につながったのである。たとえば、雑誌『職場の歴史』第1号では『歴史評論』の読者の感想がとりあげられているが、「異常な感銘をうけた」という声や、「東証には共感した」「N工場は生産性向上運動のもとでの労働者の苦しみがわかる」「日鋼はすばらしい」といった読者の共感や共鳴が書かれていると同時に、自分も「職場の歴史を書きたい」「例会に参加したい」といった会への積極的なかかわりを求める投書や、「夏休みに県下の自由民権運動の調査をする」と書いた茨城県の高校生のような、歴史をつくることへの意欲をかきたてられた人々の姿もうかびあがってくる。

こうした一般読者の肯定的なうけとめかたの中にも、「面白いがこれが〝職場の歴史〟なのか、ピンとこない」「ルポルタージュにすぎない」という批判もあった。

同様の批判は、歴史学の専門家のあいだからも強くなされた。それは、共産党の影響下にある歴史家たちが主唱していた「国民のための歴史学運動」への批判と連動していた。職場の歴史の活動は、「村の歴史」「工場の歴史」を中心とする国民のための歴史学運動とは直接のかかわりはなかったが、歴史学の専門家の多くは、その両者を同一のものとみなし、学問としてはみとめがたいという立場にたっていた。そうした批判がピークとなったのは、一九五五年一一月の民科歴史部会総会においてであった。

そこでは、「国民のための歴史学」は「作文と云う外はなく、今迄の歴史学の成果をふまえていない」とか、「研究活動を発展させる妨害になる」という批判がされた。また、「職場の歴史、村の歴史などの運動についても、民衆の生活した場でのつっこんだ研究の必要性を歴史学の一部として正しく位置づけずに、専門家を政治的に直ちにここへひきつけようとする未熟さがあった」という、政治による学問への介入として運動をとらえようとする立場もあった。

『歴史評論』が一般読者の好評と専門家からの批判という、あい反する反響を読者にまきおこしたのに対して、翌年刊行された新書『職場の歴史』は、一般読者とジャーナリズムおよび知識人の世界の両方から好意的な反応をひきだした。雑誌『職場の歴史』第4号では、新書が四月二五日に発売になってすぐの五月一〇日には再版がでたことを報じている。売れ行きの好調さは一般の読者の注目をあつめたことを意味しているが、注目すべきことは、職場の歴史をつくる運動のとりくみが、歴史学の専門家という狭い範囲をこえて広く知識人一般の興味をひいたということである。

そうした知識人一般やジャーナリズムでの評価が一番よくわかるのは『朝日新聞』関西版一九五六年五月七日付での書評である。そこでは、「自分の身近な職場の歴史をつづることによって、日本現代史に接近してゆこうという試みがあらわれたということ自体が、大いに注意されてよい」と指摘されたうえで、「この本は新しい文化運動への序曲」と位置づけられている。

このように、『歴史評論』職場の歴史特集号、河出新書『職場の歴史』の両者は、職場の歴史をつくる会の運動の成果を社会に伝えるとともに、その活動のもっている重要性をはっきりと示したのである。

三　雑誌「職場の歴史」の時期区分

さて前項で、『歴史評論』と新書『職場の歴史』の果たした役割を確認してきた。ここで、もうひとつの媒体である機関誌『職場の歴史』についてみていくことにしたい。

職場の歴史をつくる会にとって、機関誌『職場の歴史』は、作品を発表する場であると同時に、そこで発表された作品を各職場のサークルで合評会をし、自分たちの職場の歴史をつくる活動へのとりくみのヒントにする主要な題材でもあった。また、歴史について書かれた作品以外に、職場の歴史をつくることの理論、つくるうえでの実践的な課題や問題に関する座談会や評論、その他会の活動に関する報告などのさまざまな情報を共有し、会としての共通認識をもつためのもっとも重要な雑誌媒体でもあった。

その機関誌『職場の歴史』は、一九五五年の創刊から一九六五年の第23号まで一一年間にわたって発行された。その間の雑誌の内容や発行のあり方の変化をてがかりにして、いくつかの時期に分けてみたい。

まず発行時期における最大の特徴は、第19号（一九六〇・八）と第20号（一九六三・一二）の間に三年以上の空白期間があることである。また、第20号から第23号までは年間一冊のペースでしか発行されていない。

また、雑誌の誌名も一時期変更されている。第10号（一九五八・五）より第16号（一九五九・八）までの一年間弱は『職場と生活』という誌名で発行されていた。どうして『職場と生活』という誌名に変更したのか、くわしい理由やいきさつは本誌にもまた「運営委員会ニュース」にも説明されておらずよくわからない。さらに、第17号からふたたび『職場の歴史』へと誌名をもどすのだが、これについても、「やはり職場の歴史をつくる会の機関誌として『職場の歴史』の誌名が妥当であり、創刊号よりこの誌名を採用してまいりましたし、運動に変更あるいは変更の理由が生じない場合においてはやはり機関誌の継続性と持続性をつらぬくためにももとにもどすことに致しました」とその号の編集後記で簡単にふれられているていどで、事情はよくわからない。

そうした、いわば外形的な発行形態の変化以上に重要なのが、雑誌の内容そのものの変化である。

職場の歴史の一〇年間におよぶ活動についてまとめている岡村（一九六四）は、会の歴史には二つのピークがあると指摘している。ひとつめのピークは、結成時から新書版『職場の歴史』刊行まで、すなわち一九五四年一〇月から五六年五月までの時期である。ふたつめのピークは、「父の歴史」作成から「魂あいふれて」の発表にいたる一九五七年九月から一九六〇年一月の時期である。

じっさい、機関誌『職場の歴史』を読めば第8号の「いいやいかん――父の歴史から」以降、掲載される作品の傾向が大きく変わっていったことがわかる。その変化の内容については次の項でくわしく説明していくことにして、ここでは時期区分だけをのべていこう。

とりあえずここまでのべてきたような外形的発行状況と雑誌の内容の特徴から、機関誌『職場の歴史』については次の三つの時期区分を設定できる

（1）第1期　第1号（一九五五・九）～第7号（一九五七・六）

（2）第2期　第8号（一九五七・九）～（第10号～第16号は「職

場と生活」に改題）～第19号（一九六〇・八）

（３）第３期　第20号（一九六三・一一）～第23号（一九六五・一二）

さて、次にそれら三つの時期がどのような特徴をもっていたのかを明らかにしていきたい。

四　各時期の特徴

（１）第１期の特徴（職場・組合活動の歴史の時期）

第１期は会が掲げていた「職場の歴史」が次々につくられていった時期である。その代表となるのは「石川島労働運動史」（第１号）、「（恩給局）その前夜」（第２号）、「山八毛織工場の歴史」（第２号）、「炉材工場と労働者の変遷史」（第７号）、「続山八毛織工場の歴史」（第７号）といった作品群であり、そこには自分たちの歴史を書いていく＝つくっていくという書き手の熱気があふれている。

創刊号に掲載された「石川島労働運動史」は、石川島の鋳造工場で働く四四歳の労働者が一人でコツコツと石川島の歴史を調べてガリ切りをして印刷したものを再掲した作品であり、会の活動以前から存在していた、労働者によってつくられた職場の歴史として貴重な作品であった。

「山八毛織工場の歴史」と「炉材工場と労働者の変遷史」はまさに職場における働くもののあり方を中心にすえ、それを歴史的に意味づけようという会の理念を反映した作品である。

また「（恩給局）その前夜」は、当時あちこちの職場で結成されつつあった組合を結成するまでの苦闘の記録であり、同じような状況にあった多くの職場の労働者の共感をよんだ。

これらの作品の反響は大きく、第４号は全体の半分を読者からの反響や要望の紹介にあてていた。

そうした作品制作の充実や会の活動への一般の労働者からの期待の高まりという活性化の一方で、「組合の歴史をつくるための労組懇談会」（第６号）においては、実際に書かれた職場の歴史が本当に職場の人に読まれているのか、という会の活動への根本的な疑問が出されるなど、今後の運動の方向性や方法論をめぐって職場の歴史をつくる活動が一種の壁にぶつかり、活動が停滞状況となっていることがはっきりとしてきた。

（２）第２期の特徴（個人史の時期）

会の活動の停滞という状況を突破したのは、「いいやいかん――父の歴史から」、「魂あいまみれて――一職員の歴史」のいずれも第８号に掲載された二つの寄稿であった。

「いいやいかん」は、会の中心メンバーであった竹村民郎の父の追悼会をきっかけとしてうまれた作品である。それは単なる個人の伝記を書くことを目的としたものではなく、社会や歴史の矛盾の中に投げこまれた家族において、「子の斗いと父のくるしみとの差があまりに大きくひらいていった」現実から出発し、「子が父の歴史を支え、父が子の斗いに共感するという思想の高さ」をめざして書かれたものであった。

「魂あいまみれて」は恩給局で働く会員の職場での体験を描いた作品である。この作品は翌年の第11号では「都会に生きる」と改題されるとともに、形式や内容が大きく整えられて発表された。さらにその翌年の第17号では「改作・都会に生きる」、そして初出から三年後の第18号では「魂あいふれて」とふたたび改題され長編の作品として完成した。

第１期の「職場」の歴史が、大状況としての歴史ではなく、個別具体的な「職場」という共同体の歴史をつくっていこうとするものであったとすれば、第2期の個人の歴史の時期は、さらに対象を個人へと小さく絞り込むことによって、その個人の属する共同体そして社会全体を逆照射しようとする試みであった。

また「魂あいまみれて」が三回の改作によって「魂あいふれて」へと成長していったように、作品への相互の批評を通してより社会性をもった内容へと深めていくことがはかられた。これは、対象のもつ個人性という性格のもつ欠点を共同的な作業によってより大きな社会そして歴史へと結びつけていこうとする実践の具体的な成果であったといえよう。

また、そうした会の方針変更にあわせるように第10号から誌名が『職場と生活』という名前に変更された後は、「友達が家を建てた話」（第10号）、「負けちゃなんねえぞ」（第12号）、「銀座の生態」（第13～15号）、「萱屋根の下」（第16号）といった個人の生活や人生を題材とした作品が発表されている。

そして誌名がふたたび『職場の歴史』へと戻されてからは先にあげた「改作・都会に生きる」「魂あいふれて」が掲載された。

一九五九から六〇年にかけての安保闘争は、職場の歴史をつくる会の活動へも大きな影響をあたえた。それは『職場の歴史』第19号における会としての安保反対声明からもはっきりと見てとることができる。また、この号の特集は「特集たたかいの記録――自分の歴史の前進のために」という、安保反対運動へのそれぞれの個人の行動や体験をあつめた記録集となった。

（3）第3期の特徴（最終期）

安保闘争が新日米安保条約批准後に沈静化するのと軌を一にするかのように職場の歴史をつくる会の活動もいったん休止状態となり、機関誌『職場の歴史』第20号の発行まで三年以上の空白期間が生じた。

第20号の特集「特集三河島以後」は、第2期の個人史・自分史という方向性から、ふたたび「職場」へと活動の焦点を変更したことを示している。ただし、この特集は第1期のように歴史をつくることをめざしたものではなく、現在進行形で発生している職場の問題をルポルタージュ的な手法でとらえようとするものであった。

この新しい方向性は、しかしその後展開されることはなかった。

一年後に発行された第21号は、会創立一〇周年記念特集として「職場の歴史をつくる運動の伝統と創造」をかかげ、これまでの活動の総括と今後の展望を明らかにした。さらにその翌年発行された第22号と第23号において第21号の続編が掲載されるにとどまり、会としての活動が衰退していった状況があらわれている。

五 「職場の歴史」の意義

ここまで作品としての「職場の歴史」を中心にその活動内容の変遷について論じてきた。

最後に職場の歴史をつくる会の活動と、それによって生みだされた作品がどのような意義をもっていたのかについて簡単にふれておきたい。

まず何よりも、職場の歴史をつくる会というものは働くものを主体とする社会のありかたをめざす活動であった、という点である。その活動は単なる歴史の愛好家のサークルではなかった。

あくまでも、理想とする社会をつくりあげるためのひとつの重要な切り口として「歴史」をとらえていたのである。しかもその歴史は歴史の主体である自分たちとの関わりにおいてのみ意味をもつものであった。

したがって職場の歴史をつくる会という名称においては、「歴史」よりも「つくる」という語のほうが重要であった。

こうした、歴史そして社会の主体としての個人という考え方は、一九五〇年代の日本において広く湧き上がってきた新しい視点であり、そうしたものの例が冒頭にもふれた「母の歴史」「村の歴史」を書こうという試みであった。

「職場の歴史」はそれらの、個人の視点からの歴史のつくりなおしという運動と共通する基盤に立っていた。しかし、職場の歴史は母の歴史や村の歴史よりも、より社会の生産構造に密接に結びつく「職場」を主題としており、社会の権力構造がはっきりと見える地点を対象とするものであった。

そしてそのことは、職場における政治の問題、そして職場をこえた社会全体の政治的な勢力の争いに「職場の歴史をつくる会」がまきこまれることを必然的にもたらした。

しかし、「職場の歴史をつくる会」はそうした政治的な立場による指導や介入に対して一貫して徹底的に反対の態度をとっていた。政治による歴史の歪曲という戦前の皇国史観とは別の意味での戦後のいわゆる民主勢力による歴史観の押しつけという圧力に屈することはなかったのである。

ここに「職場の歴史をつくる会」の活動の戦後社会史・文化史における最大の意義を見出すことができよう。

それは、社会的なものと個人的なものの接点において、その両者のどちらか一方に偏することなく、生活する人間の存在を根本的に肯定する社会のあり方を模索する試みであったともいえる。

機関誌『職場の歴史』の第1期から第2期そして第3期への変遷は、そうした社会と個人との対極を揺れ動きながら、働くということの現実から離れることなく理想の社会をめざした、一九五〇年代の人々の誠実で真剣な集合体の活動の記録として、色あせることのない貴重な輝きを現在でも放っている。

参考文献

井尻正二、1956、「歴史の職場」、職場の歴史をつくる会編『職場の歴史』、河出新書、pp.164-183
岡村雅男、1964、「職場の歴史と生活記録（一）」、『職場の歴史』第21号、pp.4-18
岡村雅男、1965、「職場の歴史と生活記録」、『職場の歴史』第22号、pp.3-14
勝浦　純、1963、「『職場の歴史をつくる会』について」、『職場の歴史』第20号、p.26
高橋秀夫、1955、「この特集ができるまで」、『歴史評論』第66号、pp.93-95
竹村民郎、1955、「日鋼の闘争に学ぶ」、『歴史評論』第66号、pp.37-43
竹村民郎、1956、「〝職場の歴史をつくる会〟の歴史について」職場の歴史をつくる会資料
竹村民郎、1957、「職場の歴史について」、『職場の歴史』第9号、pp.3-10
竹村民郎、1960、「国民と歴史」、井上清・石母田正・奈良本辰也・竹村民郎編『現代史の方法（上）』三一書房（竹村民郎、2015、『竹村民郎著作集V　リベラリズムの経済構造』三元社、pp.441-487）
竹村民郎、2001、「戦後日本における文化運動と歴史意識　職場の歴史・個人の歴史をつくる運動に関連して」『現代社会研究』Vol.2、京都女子大学現代社会研究会（竹村民郎、2015、『竹村民郎著作集V

リベラリズムの経済構造』三元社、pp.489-514)
竹村民郎、2015、「検証『国民のための歴史学』運動『職場の歴史』をつくる運動に関連して」『竹村民郎著作集Ⅴ　リベラリズムの経済構造』三元社、pp.371-440
鳥海　光、1964、「伝統と創造」、『職場の歴史』第21号、pp.1-3
鳥海　光、1965、「職場の歴史研究の現段階」、『職場の歴史』第22号、pp.1-2
山田三郎、1964、「職場の歴史をつくる運動前進への一側面」、『職場の歴史』第21号、pp.18-20

解説　『職場の歴史』の経験とその今日的意義——歴史哲学的覚書

稲賀繁美

一　手にやどる歴史

職人の歴史は、その手に刻まれている。潰れた爪をふと眼にした若い同僚の問いかけに、普段は無口な古株の職工が、ニヤリと視線を返し、若いころの経験を、堰を切ったように訥々と語り始める。竹村民郎の「この手　千両」は、こんな逸話から語り起こされている。

ここには、貝殻の蓋がパクリと口を開くように、歴史がコトバとなる瞬間が描き留められている。発話へと開かれる以前の沈黙の歴史が、逞しい手、刻まれた皺、黒ずんだ爪のうちに蓄積されていた。だがそうした身体の痕跡が宿す物語を文字に置き換えるには、それにふさわしい技が開発されなければならない。そしてその技は、出来合いの学問や政治的教条のうちに準備されているとは限らない。むしろ、あらかじめ仕立てられた型や見本は、せっかく発芽しかかった物語を、かえって撓め、一定の政治目標に従って整序してしまいがちだ。だがともすれば、そうした好都合な「書式」を提供することが、学術には求められる。中国語で呼ぶ「歴史」とは、「史」すなわち文字による書き物へと順序だてて暦を刻むように編集する手法を指す。たしかに、そこには文字によるひとつの記録が出現する。だが皮肉にも、そうした出現した記録は、生きられた時空の、ある一面を可視化し、永続化してくれる反面、それ以外の「型に嵌らぬ」面を、文字通り「歴史」から排除してしまう。

肌の表面に刻まれた刻印の下には、ひとりの人間の生きざまや労苦、身に着けた智慧が年輪のように重なっている。それを外側から一枚一枚と、順番に引き剥がしてゆけば、現代から過去へと年代記を遡るように、その人物の足跡を復元できるはずだ。理屈のうえでは、そうした外科手術にも似た手法が求められる。だがこの発掘作業は、少し想像力を働かせれば分かることだが、一筋縄に行くような営みではありえない。過去はけっしてきれいな積層を描いているわけではなく、現時点での皮膚や筋肉や骨格は、人生の耐えてきた風雪を渾然一体に体現した新陳代謝複合体なのだから。現在の裡に宿された過去をいかに腑分けしてゆくか。そのための最適な処方箋は、どこにでも転がっているわけではない。

そして手という記憶の複合体は、けっしてその手の所有者個人の歩んだ時間の痕跡器官であるにはとどまらない。その手のうちには、ひとりの個人が生涯に結んできた交友関係や敵対関係、学習の積み上げや喪失の体験が集約されており、ひとりの人物を他の人々と結びつけてきた絆が、その手を起点として四方八方へと張り巡らされている。そしてその経脈の多くは、もはや不可視の過去の裡に沈み込み、残された手だけをいかに精緻に調べてみても、そこからだけで復元できるものではない。決裂して断ち切られた絆は、手の内にもはや喪失としてしか刻まれてはいないのだから。

ひとつの手はたしかに社会の鏡となる。だがひとつの鏡から、社会全体を、歴史の経緯を紡ぎ直すのは、容易な仕事ではない。

二　『職場の歴史』の歴史哲学にむけて

『職場の歴史』は、かけがえのない貴重な歴史史料としての価値を宿している。その所以を、「手」に託して考えてみた。「手」から語りが発生し、それを文字に起こす。その作業の工程で、いやおうなく編集時点での社会情勢が影を落とし、あるいは導きの光となり、歴史発掘、歴史編纂、さらに歴史の「作り方」に影響を与える。職工の「手」の経験に、今度は編集の「手」が上乗せされる。出発の時点では両者には深い断絶があり、それを乗り越えるのは容易ではない。年老いた職工が、自分も「賃金労働者」であるとの自覚を得るのは、たしかにひとつの覚醒だろう。だが言葉の発見にともなう覚醒とともに、それ以前の無垢の世界は失われる。そしていまや言葉という手段に頼ることなくしては、その言葉以前の世界を紡ぎだすことも叶わない。

「歴史」を記録できるという可能性は、その裏にひとつの喪失を孕み、「以前」からの離脱として自らの軌跡を描きはじめる。ところが、記録の編纂作業は、その起点に「離脱」あるいは「喪失」のあったことを、自らの営みによって覆い隠し、あたかも離反などなかったかのように「正史」を繕ってしまう。

『職場の歴史』が他の多くの公式記録や公的な歴史と異なるのは、こうした喪失、離脱あるいは離反の有様を、いわば赤裸々に描き留めているところにある。そしてその紆余曲折、試行錯誤は、その史料的価値を貶めるものではない。むしろそこかしこに窺われる転進や政治危機、挫折や財政的困難といった状況が、時代の趨勢を生け捕りにしている。

現在の時点にたって過去を合理化し、理解しやすく改竄する傾向は、たんなる誘惑という以上に、歴史家の職業病、編集者の正義感と不可分なだけに、厄介極まりない。過去の現場に発生した不協和音は、これを除去するのが「正史」編集上の鉄則であり、現在への継続性を保証するためには、過去に発生した断絶は、あたかも存在しなかったかのように抹消される。過去を理解できるための必須条件が、過去の理解不可能な事象を消去する。現在が過去に及ぼすこうした「暴力」は、しかしながら歴史編纂には不可避の力学あるいは化学的変成作用であって、それを回避したのでは、歴史は文字へと現象することはない。

ここには、言葉の真の意味で「矛盾」が露呈する。歴史の視線という矛と、史実という盾とを想定してみよう。真実を究明する「矛」は、すべての史実に透徹することを目的とする。だが史実という「盾」は、およそ後世から遡及する視点の介入を頑なに拒む。畢竟、歴史の真実とは、この矛と盾との鬩あいの火花のうえに、瞬時に閃く光芒なのではあるまいか。そしてこの矛盾の攻防は、歴史学の限界として否定的に捉えるべきものではあるまい。むしろ矛盾としてしか析出しえない認識として、歴史を捉えなおすことが、今要請されている。『職場の歴史』は、いわばこうして歴史哲学への覚醒を促す、現代史の一級史料としての輝きを発している。講壇的歴史家のメチエに骨がらみな欠陥を見据えつつ、なおかつ従来の「正史」が抑圧してきた局面を浮上させるという、方法論として矛盾を孕んだ営みがいかにして可能であり、そこにはいかなる蹉跌が不可避だったのか、をも示しつつ――。

三　「職場」の解体と喪失――現代の課題

以上を踏まえて、最後に今『職場の歴史』を問い返すことの意義に触れて、導入の一文を終えることにしたい。一九五〇年代中期以降、敗戦後の連合国軍占領を脱した再独立直後からの時代の「ごく普通」の人々の職業生活史の記録。とともに、当時の労働運動の推移に雁行して、従来の歴史学の手法では掬い取れない現場の「声」を文字へと翻訳変換した『職場の歴史』。それはまた歴史を紡ぐ編集の現場が遭遇した困難をも書き留める稀有な記録として、我々の眼前に奇跡のように生き残った。そこに「つくる」会代表・竹村民郎氏の思想史家・実践家として執念を見るのはたやすい。

と同時に、時代の熱気をそのままに保存したこのガリバン刷りの粗末な体裁の記録は、重大な事実をも我々に提起する。すなわち今日ただいまの日本社会における「職場」の崩壊、という由々しき事実である。

正規労働者が解体され、不正規雇用が社会に充満し、そのなかで若者が孤立し、勤労の倫理が底辺から揺らいでいる――。それが河出新書版『職場の歴史』(一九五六年)刊行から六〇年、すなわち干支を一巡した現在の日本列島社会の現実だろう。労働者運動の高揚期が還暦を験して直面しているこの惨状に対して、『職場の歴史』の経験は何を訴えているのだろうか。東西イデオロギー論争に学界が現を抜かしている間に、社会は人口動態や世界的な金融経済の亢進、さらには情報化社会、第四次産業革命といった経済構造の抜本的な変容のなかで、歴史を紡ぐべき母体としての「職場」そのものの崩壊と喪失を経験しつつある。

リアル・タイムにおける現在の「社会の歴史」を今日の世界でいかに「つくる」ことが可能なのか――。そうした課題を『職場の歴史』は我々に突きつけている。

「職場の歴史をつくる会」関連年表

作成　永岡　崇

本年表は、職場の歴史をつくる会編『職場の歴史年表』、職場の歴史をつくる会機関誌『職場の歴史』、職場の歴史をつくる会運営委員会編『運営委員会ニュース』をもとに、一部他の資料による情報を補って作成した。

一九五三年

6月　日産争議始まる
8月　三鉱連〈英雄なき113日の闘い〉始まる
8月　月の輪古墳発掘運動始まる

一九五四年

3月1日　アメリカ軍がビキニ環礁で水爆実験、第五福竜丸が被爆
4月22日　尼崎製鋼争議始まる
5月　原水爆禁止署名運動杉並協議会発足
6月2日　近江絹糸労働争議始まる
7月5日　日鋼室蘭争議始まる
10月26日　氷川下の歴史をつくる会結成
11月1日　民科歴史部会全国総会
12月1日　氷川下の歴史をつくる会を、工場の歴史・労働者の歴史・青年行動隊の歴史を作る会のセンターにすることを決定
12月7日　闘いの歴史を語る会開催
12月13日？　工場の歴史・闘いの歴史をつくることを提案
12月14日または21日　国鉄会館にて工場の歴史をつくる会創立
12月27日　日鋼室蘭争議で労使双方ともに中労委に斡旋案受諾を回答。総評国民文化会議主催「日鋼を守る合同文化祭」を東京で開催

一九五五年

3月15日　工場の歴史をつくる会が職場の歴史をつくる会に発展
3月29日　教育会館で第一回総会。町工場の労働者、近江絹糸、日鋼室蘭、国鉄、東京証券、地下鉄等の組合の人々、歴史学者、学生らが集まる
4月10日　井の頭公園へピクニック
5月　『歴史評論』「職場の歴史」特集号刊行
6月　富士演習地返還署名運動に参加。有志が現場に行く
6月28日　「職場の歴史」（『歴史評論』）特集号合評会
7月15日　職場の歴史をつくる会ニュース1号発行
7月17日　国民文化会議創立大会
7月27～29日　日本共産党が第六回全国協議会で武装闘争路線を放棄
9月　機関誌『職場の歴史』創刊

9月9日　王子製紙苫小牧工場の組合史編纂委員会と懇談
10月　国民文化会議に加入
10月17日　『総評新聞』に竹村民郎「この手千両」が掲載される
11月　民主主義科学協会歴史部会で、国民の歴史運動批判についての会の立場と見解を発表
11月　会則が出来あがり、大衆団体としての体制が整えられる

一九五六年

2月　恩給局女子職員サークルが「母の歴史」（音楽劇）を発表
2月　教育会館の国民文化集会で厚生省職員組合「母の歴史」（絵巻物）をめぐる座談会
5月　河出新書『職場の歴史』刊行
8月　王子製紙労働組合と青森銀行労働組合へ組合学校の講師として竹村代表および青山・藤本委員が出張
9月　「鶴鉄労組十年史」編纂委員および北海道美唄炭坑「炭鉱の生活史」編集グループと交流
9月　国民文化会議と協力し、組合史編纂講座計画を進める
10月25日　職場の歴史をつくる会三周年記念作品資料展示会
11月3～4日　国民文化全国集会に参加

一九五七年

3月　中国科学院院長郭沫若より会に書簡
7月25日　『運営委員会ニュース』第1号発行
9月14日　国鉄労働会館で父を語る会を開催
9月15日　国鉄労働会館で竹村民治郎氏追悼会
10月26～27日　会として国民文化全国集会歴史分科会に参加。組合史編纂、職場の歴史学習サークル、労働者と知識人との関係について討論を行う
11月　常任体制が始まる
11月24日　三周年記念総会

一九五八年

1月　アンケートなどを通して会のあり方についての研究を進める
2月10日　国鉄労働組合静岡大会（新潟闘争の評価）について、会で研究会を行う
5月　機関誌第10号刊行。この号から第16号まで、誌名を『職場と生活』に変更
5月　賛助会員制度導入
5月23日　運営委員会の研究会で、竹村民郎が「職場の歴史の理論」を発表
6月12日　ワルシャワ大学のW・コターニスキを囲む座談会
7月12日　白樺湖畔で夏山フェスティバル開催
8月　機関誌第11号刊行。ガリ切り・印刷・製本などを自前で行う
8月16日　勤務評定反対民主教育を守る国民大会にメッセージを送る
9月7日　高田馬場（戸塚）に会事務所移転
9月21～23日　国民文化全国集会に参加
10月　恩給局文化祭に「組合の歴史」「恩給局職場の歴史」を展示
10月　『全電通文化』「職場の歴史」特集号刊行

一九五九年

5月17日　鶴見和子、『わかもの』誌上で職場の歴史をつくる会を紹介

5月24日　竹村民郎・高橋秀夫、職場の歴史をつくる会に言及した『労働運動史研究』一五号の記事について、大河内一男に抗議する

6月16日　職場の歴史をつくる会年表発表

11月13日　第一回職場の歴史をつくる会研究会（職歴研究会）を開催

12月9日　職歴研究会で、安保阻止第八次統一行動について討論

一九六〇年

2月25～26日　東京都青年の家で「冬の夜のつどい」を開催

5月6日　井上清・石母田正・奈良本辰也・竹村民郎編『現代史の方法　上』刊行

5月19日　衆議院で日米新安保条約案強行採決

5月29日　『現代史の方法　上』の出版を祝い、歴史運動について討論

6月　職場の歴史をつくる会、新安保条約強行採決に抗議する声明を発表

6月22日　『東京大学新聞』6月22日号に、竹村民郎と荒瀬豊（思想の科学研究会）の対談「安保の中の思想戦線」掲載

7月1日　全体集会を開き、安保阻止の闘いと会の役割について議論

9月　職場の歴史をつくる会山形支部発足

一九六一年

1月12日　モスクワ宣言をめぐって討論を行う

3月25日　第一回作品研究会

6月5日　政治的暴力行為防止法案に対する反対声明

9月11日　運営委員会報告「最近の職歴の内外の状態と展望」が出される

12月3日　一二月祭。シンポジウム「組合と職場の歴史運動の関係について」「会発展途上の危機はいかにのりこえられたのか」

一九六二年

1月5日　国鉄研究会。論題「国鉄品川の研究を進めるにあたって」

4月16日　品川客車区分会で国鉄研究報告会を開催

9月5日　竹村民郎が小平に転居、事務所も移転

一九六三年

7月2日　田町電車区付属浴場前で、入浴しようとした同区労働者が、これを制止しようとした東京鉄道公安室員に乱暴したとして、裸のまま検挙される（田町ハダカ事件）

11月　機関誌第20号で、田町ハダカ事件を特集

一九六四年

12月2日　職場の歴史をつくる会十周年記念会

一九六五年

7月　合宿で理論研究会

12月　機関誌第23号刊行。最終号となる

一九六六年

6月30日　2・1スト理論研究会

7月　湯河原国鉄寮で夏期合宿、理論研究会

一九六七年

8月　秋川渓谷で夏期合宿、理論研究会

9月5日　研究会。論題「年表作成：職歴運動の史的過程の分析」

11月　『「市民社会」の運動と論理』出版交渉始まる

一九六八年

7月22～23日　夏期合宿で理論研究会。職場の歴史をつくる会の総括を出版することに決定

機関誌Ⅰ

職場の歴史

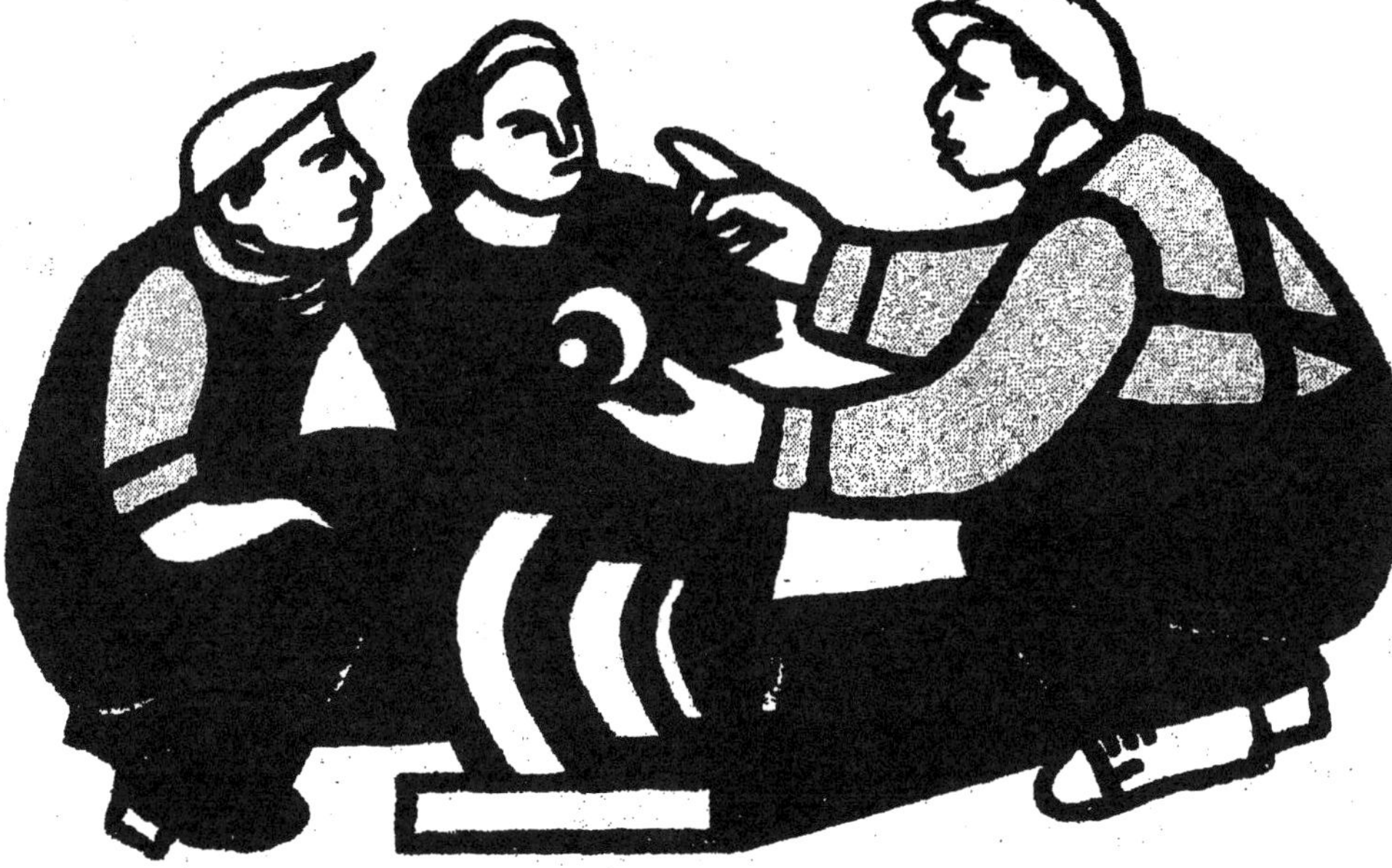

1

職場の歴史をつくる会編集

目次

石川島労仂者運動史（一）

二見　清

二見さんは今年四十四才で、石川島の鋳造工場の労仂者です。みなさんと同じように、うちに帰ればぐったりして本を読んだり字を書いたりするのがおっくうなくらい、疲れてしまいます。それで行き帰りの電車のなかで石川島の労仂運動史をまとめているのだそうです。もう五年もの間がんばってきたのです。

ここに発表したのは三年前にまとめたもので二見さんが自分でこつこつとガリ切りをやり印刷してつくったパンフレットから転載したものです。現在、二見さんは、これをもとにして、もっと詳しく、石川島で何十年も仂いている人から話を聞いたり、休みの日に図書館にいって文献をみたりしてはじめからまとめ直しています。江戸時代から百年の歴史をもっている石川島ですから、なかなか大変な苦労ですが、もう昭和のはじめまでノートができています。

この二見さんのなみなみならぬ努力が、職場のなかに拡がり、大勢の人たちの力でより良いものにしたいものです。また、学者や学生の人たちも、このような労仂者の苦労が実のるように、手足となって援助してゆきましょう。

はしがき

労仂者運動は賃上斗争の連続である。といっても過言ではない。こゝに党派の利害を越え清澄な境地にあって石川島の労仂者運動の苦難にみちた労仂者運動史の浮沈と曲折とを発端から現執行部の成立、左右対立するところの才二十三回メーデー事件の石川島の真相までを客観的に叙述した。幾多の参考文献と資料、幾人かの生きた証人から基いて著したものであり、今後新らしく進められるであろうところの石川島労組運動にとって参考に資するところも多かろうと思う。

石川島労仂者運動の沿革を明確に記すため、社会、農民、思想問題にまでのべればより判然とするが頁数の都合上、主だった年表を追いつゝ石川島労仂者運動の起伏をわかりやすく草稿した。

最初全一冊に纒るために筆をとったが、あまりにもぼう大となるため都合上全三冊に分冊とした。

才一冊を発端から昭和二十四年度定期総改選までとし、才二冊分を昭和二十四年度定期総改選から才二十四回メーデー事件（石川島）真相までとし、才三冊分を石川島に於ける文化運動並に青年婦人の組合活動の盛衰記と分けた。

社会運動のいつかんとして労仂者運動の役割の大きいことは、今改めて筆にする要はないが、一般に才一期を明治初年から日清戦争までゞ、この才一期の時代においても労仂組合が生れ、社会主義的な政党も発生した。それらのものが大衆的に発達するには、わが国の資本主義が成熟していなかったので、いわば社会運動のレイ明時代であった。こうした中においても、すでに石川島の中においては労仂組合の必要に目覚めた先ぱいもいた。

才二期の社会運動は日清戦争以後明治末期までとします。末期においては日本の社会運動の暗黒時代ともいわれ、当然労仂組合（石川島造船所）においてもそうであった。

才三期は大正時代の初頭から大正十三年の社会運仂方向転換直前までとする。最も官僚主義的であった明治時代が終って、大正時代に入ると幾分空気が変って政治的自由主義の一歩前進が見られ、大正三年に才一次世界大戦が始まると世界的な民主々義思想の刺げきを受け、わが国の思想界は活発な民主主義の展開を見せてきた。そして従来の軍国主義、官僚主義に対する反卑的な気運が大いに高まって、この気運に伴って社会主義、革命的サンジカリズム、労仂組合主義が勃興し、社会運動は新生面を打開し重大な社会的事実として国民の前に浮び上ってきた。穏健な方針で、進んだ世界思潮の激動の影きようと政府の保守的圧迫政策のため著しい急進主義となりサンジカリズム、共産主義の革命主義に支配される

＊ページの数字は原本において誤植となっています（六花出版編集部）

ようになった。

労働争議も小作争議も険悪な相貌を帯びるようになった。

第四期は大正十三年労働総同盟が方向転換を行ってから昭和六年の満洲事変勃発までとする。労働組合は法的ではないが事実的に組織を承認された。

第五期は満洲事変が終ってから太平洋戦争の終戦までとする。明治時代末期と同じように暗黒時代が再び到来したのである。

第六期敗戦后急激に発展してきた社会運動を指すものである。こうした中に石川島の労働者運動はいかに推進され、また運営されてきたのか……。

石川島高工生徒や現場で働いている人達にも、わかりやすく書いた。

一九五二年九月十四日

発端　明治時代

一、百年の歴史をもつ石川島

百年の歴史をもつという石川島重工業は、その昔徳川（斉昭）幕府の命によって隅田川の下流佃島（石川島）に嘉永六年（一八五三年）に創設した。それより二十一年後、明治七年（一八七四年）民間に払下げられて長崎の住人平野富二の個人経営となり石川島平野造船所と称した

日本の労働者の賃金および時間の沿革をみてゆくとき、当時石川島造船所においては、下等職工の日給は二十五銭、上等職工は日給五十銭であった。其頃社会問題、即ち社会運動史をみると、明治七年二月一日に宮崎県下の農民の暴動、同月十七日に佐賀県下動揺、出兵によって軍事関係については新聞社の掲載禁止、翌八年（一八七五年）九月十三日に出版條例が出たり言論の圧迫が社会上の問題となっていた。最も急進的であったフランスの民主々義に強く影響され、また血気に燃える自由党の青年分子も活溌な行動をした。

ルソーの民約論、スペンサーの社会平権論などの新思想は政府反対の立場に立つ人によって取入れられたりした。わが国の学校の講義ではじめて同志社の教授ラーネットは社会主義を紹介した。

二、石川島造船所の労仂者運動と同盟進工会

こうした中において石川島造船所にあっては、明治二十年（一八八七年）西洋鉄工の小沢辨蔵とその弟国太郎はともに労組組合の必要を感じ、労仂組合の結成を計画し、才一回を両国の井生村楼において懇談会を持った。

彼は慶応年間から鉄工であって、わが国の西洋鉄工中の最古参の一人であった。同志の鉄工相田吉五郎と労仂組合の創始を計り、はじめの中は会衆の態度は真面目であったが、中頃から会衆の間に賭博がはじまり、組合組織の下相談はメチャメチャになってしまった。それればかりではなく労仂者らは散会后連れだって洲崎遊廓にくりだし三日も四日もとまりこみ家に帰らないものが続出するという有様であった。小沢らが再度二回目の懇談会を開こうとしたとき、労仂者の妻たちが反対してついに組合は不成功に終ったのであった。

当時の労仂者の教養の一端を知ることができる。

しかし小沢らの労仂運動に対する熱意は冷めなかった。

明治二十二年（一八八九年）になって彼らは再び運動を開始した。今度は順調に進んで同年六月に同盟進工会という組合の組織に成功することができた。その発起人に石川島造船所の小沢辨蔵外五名、陸軍造兵廠の相沢清次郎外四名、海軍造兵廠千代松光蔵外十二名　中村機械製作所の天野友一外二十五名、鉄道局の本多庫源外三名、職工学校の大久保忠正、山岡定吉などであった。この組合は前途有望に見えたが、ある工場に於いて委員らが積立金（組合費）の一部を費消したという風説がたち、これが次才に拡大して解散するハメにおちいったのであった。この組合は穏健な協調主義に立らものであって、規約の才三条に「当組合は各工場との約束を結び、雇主、被雇主関係を調理し両者の便益を図る」とあり、また才六条には「雇主被雇主の間に非常の葛藤を生じ不穏の形状にあるときは其の調和を図るべし」とある。また才二十四条によれば積立金を蓄積して将来工場を設立する計画を持っていたところを見ると、創立者達は協同生産組合を組織する意図があったようである。

先駆者らがいろいろな抱負を抱き熱心に運動をはじめても、その当時の労仂大衆の自覚程度がそれに伴なわなかったようである。何しろ印刷工組合を組織す

るに社長と企てるような時代でもあった。

その後石川島造船所は明治三十一年（一八九八年）に急速に発展を遂げ、鉄工組合の支部として芝浦工場、石川島造船所、横須賀造船所などの設立を見た。この間明治二十七年（一八九四年）に日清戦争が勃発し、実業熱は三十年（一八九七年）に入って反動期に入り、経済界は不景気となり、労働者の賃金の低下と失業不安におちいることになった。労働争議は必然的に起るべき形勢となったのである。

鉄工組合の方針は、ただ「道理と法律の許す方法を以って徐々に資本家より、取るべきものを取り、争うべきものは争う」ことにあって極めて穏健着実であった。明治三十三年（一九〇〇年）に入って鉄工組合に衰頽の兆候が現われてきた。退会するもの、会費を滞納するものが続出し同年四月には入会者総数の五分の四にもたっしていなかった。このような状態の中で三十四年（一九〇一年）に入り多少復活の兆が現れ会員各自も熱心に奮起したが、ついに頽勢を支えることが出来なかった。そして四月に賃金のための同盟罷工を起し一ヶ月戦って勝利を得たものの、ただ石川島造船所の組合員だけは会社側な妻要のため敗北してしまった。この間、二十九年（一八九六年）五月、高橋幸吉、斉藤房次郎らは首唱者となって東京船工組合を組織し、組合員二百七十名、一方造船業者組合は船大工組合の撲滅を計り、組合員を買収し、それを使って臨時総会の際、不適当な人物を頭取及び副頭取に選ばしめ、この奸計が奏して、組合の統一融和を欠くようになり、ついに組合を消滅するにいたった。

明治三十五年（一九〇二年）二月十五日、普選案がはじめてわが国の議会に提出されたが、実施については大正十四年（一九二五年）で二十年の歳月を要した。

明治三十八年（一九〇五年）五月一日、平民社において堺利彦、石川三四郎らが屋内メーデーを行った。わが国最初のもので、屋外示威行進はずっとおくれて大正七年（一九一八年）五月二日であった。

労働運動は明治三十四年（一九〇一年）頃から下火となり多くの組合は消滅して、ただ活版工組合の誠友会が三十七年（一九〇四年）までつづいた。

大正元年（一九一二年）になると友愛会が八月一日、鈴木文治は同志十五名とともに組織し、陰ではこの運動を支援した一人に澁沢栄一もあった。澁沢栄一はかって、石川島造船所の社長であった。

三、社長渋沢栄一宅へ職工の生腕を送らる

明治三十六年（一九〇三年）三月二日の午前十時頃、深川区富沢町渋沢栄一方へ一個の新聞紙包の上に工業案内見本と記したるものを通運会社の配達便にて送ったものがあった。何心なく開いて見ると、血潮の未だ乾かぬ砕けた男の片腕が菓子箱に納めてあった。直ちに深川署に届出た。それは同年二月十七日午前九時頃石川島造船所煉鉄工場職工金子庄蔵（二二）という者がスチームハムマーのために腕を打砕かれ、京橋区築地明石町の田村病院にて切断することとなり、同工場の職工らが気の毒に思い見舞金を百五十円を募集して贈ったにもかゝわらず、会社は庄蔵に一銭の手当をも与えなかったため、職工等は大いに憤慨していたが、渋沢栄一は社長であったがそれをあてつけのため何者か切断した庄蔵の腕を贈った。右について当時の新聞紙上に『右につき昨日赤松勇吉という石川島造船所の職工自らその事務所に之を送りしは吾なりと名乗り出でたり、組長等は大いに驚き「何故にかゝる行為に出でたる」と尋ねしに、赤松は昂然として曰く「吾ら同勤の職工金子庄蔵は去月職務の為に其の右腕を切断されたるも会社はいさゝかも彼に向って同情することなく、一文の手当をも支給せられざるは無情も甚だし。六百人の職工は皆其酷薄を憤る、われこゝを以て挺んで此挙に及べり、われは如何なる処分に逢うも、渋沢社長が斯の生腕により一片惻隠の心を起し、相当なる扶助法を講ぜられなば遺憾なし、然も社長にして尚冷酷の心を翻さずんば、大挙して社長邸に押しかけん」と其云う所少しく過激の嫌あるも、素是れ至誠の情の発るところなるにぞ、組長等も無下に彼を叱叱し去らん様もなく、多分社長より負傷者に相当の手当を与え、尚、死傷者の扶助法をも定むる事となるべし』と。

第一篇　大正時代

一、造船工労組合と高山次郎吉

大正三年六月二十八日世界大戦の勃発後次第に萌えだした労働大衆の覚醒の気運は民主々義、社会主義の新展開、ロシア革命、米暴動の勃発などに刺激され、ますます上昇し大正八年（一九一九年）になってついに爆発点に達した。

同年に友愛会は大日本労働総同盟友愛会と改称する。同年三月にはわが国の経済界は世界的な不景気

に捲き込まれた。石川島造船所に大正七・八年頃、新に造船工労組合が組織され、組合長高山次郎吉が当っていた。

大正十年（一九二一年）にわが国はじまって以来のストライキ大旋風が起り、十月に石川島造船所も全国的大旋風の渦中にあった。時給最高三十戋、最低十五、六戋に対して賃上の斗争が四十五日間も続行され、平均時給四戋也の賃上を獲得したが犠牲者を六、七十名を出してしまった。斗争後会社は貸金として一人十円也を実施し、永勤者にはこれを支給の策を取った。

組合長高山次郎吉は組合員約四千名をよく指導していた。

大正十二年（一九二三年）になって政府は行政整理、軍縮を着々と実行したので、年末の財界不況とともに労仂不安をますます増大させて、労仂組合では失業防止運仂が活発に行はれた。同年三月十八日に失業防止労仂者同盟大会が開かれ造船工労組合も高山次郎吉が卒先して職業紹介、事業講演などに盡し、同年九月一日（午前十一時五十八分）の大震火災の罹災労仂者の救済にも当った。

十月二十五日には失業対策を中心として関東労仂者聯合協議会を成立し、これにも造船工労組合も参加し失業救済について協議対策を講じた。

大正十五年（一九二六年）第六回国際労仂会議から、はじめて労仂組合の代表が出席することになり、一千名以上の労仂組合の間に労仂者一名労仂顧問二名が選挙された。

造船工労組合としては労仂者代表に鈴木文治を推せんした。

造船工労組合に変って満州事変直前の頃全国金属労仂組合（小暮鳴五郎）と自彊組合（神野信一）との派ばつ斗争が激して、たえず斗い工場協議会（今の委協と似たもの）の委員の選出戦もおこなわれるなどがあって、争議のさい金属労組員はほとんど首を切られ、神野の全盛期を造りあげ、日本主義労仂運動に全力をつくした。彼の著書に「親分論」等があり、組合運営が自ら明確する。

二　自彊組合と神野信一

大正十五年造船工労組合に変って、石川島自彊組合が深川の佛教会館に於て結成され、国家主義者神野信一が組合長になった。なほ彼は乃木講なるものを設け月二回の例会を以って名士などを招待し、乃木精神の教化を組合員にした。

自彊組合になると、神野信一は自警団を組合内に組織し、斗争中の暴動化の警戒に当った。実際は左翼的な造機船工労組合小暮派に対する妨害組織に過ぎなかった。神野信一は自警団を組織した理由は小暮対神野両派の派ばつ斗争に基くもので、斗争中工員大久保某なる者が神野派の一人に裏切者として濃塩酸を投げつけた事件からはじまり、また守衛の役目を斗争中に神野派が果したから、小暮派の大久保某がとったのは、スト中監視団というような役割を行ったからであった。なお、神野信一は労資協調会なるものを生んでいる。

第二篇　昭和時代　一

一、神野信一と日本主義労働運動の展開

昭和七年（一九三二年）秋には、石川島自彊組合の神野信一によって浦和ドック、横浜ドックなどの社会主義組合を転向せしめ日本主義労働組合を展開させ、メーデーを亡国示威行進として、別途に示威行進を行った。

昭和九年（一九三四年）四月三日に日本産業労働倶楽部は日本主義労働組合と共同のもとに、第一回労働祭を挙行し、そのスローガンに、共産主義反対、メーデー撲滅、産業報国とかゝげた。更に昭和十年（一九三五年）十月には昭和八年以来、日本主義を標傍し、日本主義労働組合中最大の組織を以て日本産業労働倶楽部が『日本主義労働団体として使命が決定した今日、吾等は何を好んで特定の労働団体の形態に執着せし必要が未練もない。宜しく労資一体産業報国の大旗下の名実共に国家の軌道に合体協力すればいゝ』と声明して倶楽部を解散した。なお、日本主義労働倶楽部は石川島造船所の労働者を以て組織され、神野信一指導下の石川島自彊組合の推進的勢力であった。

神野信一死後西山仁三郎が組合長となったが、昭和十五年（一九四〇年）自彊組合は解散となった。組合員五千五百八十名、なお、西山仁三郎は石川島造船所健康保険組合創立十週年記念日に功労者として賞されている。（創立昭和三年九月十日）。

昭和十五年七月八日には日本総同盟はついに組織を上げて新体制に投ずるようになった。昭和十三年（一九三八年）産業報国聯盟の結成により労資一体の労働運動理念の確立運動が全国的に発展し、階級的労働運動はついに崩壊した。

昭和十五年七月日本労働総同盟の解散を最後に三十年にわたる我が国階級的労働運動は労資一体の労働運動にその思想的大転換をみるに至った。

昭和十五年十一月には産業報国会が組織された。同年十一月には大日本産業報国（産報）本部が創立され、十六年（一九四一年）五月十二日には産報運動は閣議の決定によって大政翼賛会の傘下に統合されるに至った。

二、自彊会と産報運動

石川島造船所においては昭和十六年十一月一日石川島自彊会が設けられ、初代会長に社長松村菊雄（海軍中将）があたり、引き続き社長荒木彦穂（海軍主計中将）がなった。従業員より中村秀氏が重要ポストにあった。昭和二十年（一九四五年）八月十五日終戦、日本敗戦の日までつゞいた。

石川島自彊会は工場こんだん会十八名、職員こんだん会十五名が第二回委員が改選された。同時下部組織の職場こんだん会も改選した百三十一名、そして工場こんだん会職員こんだん会は社長重役等会社首脳部全員出席の下に挙行、奉公日を設け定期的に開催し労務課より各工場に一名乃至二名づゝ出席され新体制理念の一貫に努力していた。

事業部として産報組織の指令に従って、とにかく形だけは十三部の門を設けて、これにそれぞれ部長委員を選任せしめて事務当局よりは自彊会報を発行していた。こうしたなかにおいて昭和十二年に入社した近藤孝太郎は二十年に反戦思想を理由に検挙されるまで熱心に文化運動を行い後年の組合運動家を多く生み育てた。石川島文化の先覚者でもあった。

三、近藤孝太郎と文化運動

昭和十六年（一九四一年）俳句の愛好者に名声会を設け毎月一回の句会を開いていた。翌十七年七月からは会社より予算を下附され、作品協会俳句部理事深川正一郎に指導されていた。しかし青年層にとって何か新しいものを生むべく現代詩会を生み、十七年正月に松本光男氏をはじめとする「詩友会」を見るに至った。

しかし近藤孝太郎は新しい青年達を生むべくため、熱心に「ことに角君達でやって見ろ」と表面に立つことを喜ばなかったが、近藤孝太郎は当時において反軍国主義、反戦主義者であったためそうせざるを得なかった。

会は二十日に一回位の予定を立て、互評会を行い、又詩の朗読、劇の朗読などえも進展を見せた。産報組織下にあって近藤孝太郎はいかに苦しんできたかわ、後の石川島文化活動への先覚を示したかを再認識されるわけである。

言論、集会、出版の極度の圧制と迫害の中を只黙々として労仂者の文化向上を計ってきた。

明治三十年に生れ、中学校卒業後、東京高商に入学、若山牧水に師事して詩歌、歌舞伎等に研究没トウしていた。

大正十二年九月一日大震災のため岡崎にかえり、岡崎高女の図畫の師となり傍ら「我々の会」を組織、新しい文化運動の中核をつくり青年たちの文化啓蒙に業績を多くのこした。

昭和十二年に石川島造船所に入社して、二十年反戦思想を理由に検挙されるまで、同社にあって労仂者の啓蒙の全精力を傾注した。敗戦とともに釈放され昭和二十二年（一九四七年）産別会議文化部に入り、同二十四年（一九四九年）過労のためその生涯を閉じるまで、労仂者の文化運動育成のために日夜限りない情熱を傾注した。享年五十三年。著者に「仂く者のための絵画」「仂く者のための詩」、訳書に「グレゴリー夫人」、戯曲集「セザンヌ伝」、「兄ゴッホの思い出」その他無数の論文がある。尚彼の門下に多くの組合運動家を養成し、後の石川島労組に活発なる運動をしとげ、また労仂者文化に与えた大きな影響は何人も否定はできないであろう。

才三篇　昭和時代　二

一、終戦后の石川島労仂者運動

昭和二十年八月十五日敗戦に混乱、食糧危機、肉体の疲労それに併う精神状態、原爆のもたらした新しい時代、国連軍によるデモクラシーに基く民主主義の革命、その声に各地に続々と労仂組合の結成がみられ、石川島造船所も石川島重工業株式会社と改称され、昭和二十年十一月六日に早くも工員組合たる石川島労仂組合が才二工場において結成大会を開き、中村秀氏が組合長に二階堂俊雄氏、川久保康治氏が副組合長に推された。

同年十二月二十一日、日本政府は民主勢力の圧力とポツダム宣言の要求に基いて、労仂団体に関する法律を公布しなければならなくなった。

極東委員会の採択した「日本の労仂組合にかんす

る組織原則」規定に、左の一つの目的をもって労仂組合を組織することを奨励する。
一、労仂条件を防護し改善するため。
二、右目的をもって産業労資協約を交渉するため。
三、平和的民主的日本建設に団体として参加するため、また正常の労仂組合としての利益を増進するため。
こうした中に昭和二十一年（一九四六年）一月二十二日に職員組合たる石川島職員組合が結成をした。
組合長に曾重役寺内監氏
副組合長に牧野正士氏、山田秀雄氏
庶務部長に尾沢重雄氏
組織部長に金井達雄氏
宣伝部長に萩原佐幸氏
厚生部長に深沢正太郎氏
会計部長に赤羽康一氏が選ばれた。
（萩原氏以外の人達は現在ではみな会社の重要ポストにある）
綱領として、
一、平和日本産業の民主的発展を期す。
一、自主的団結を強固にし労仂条件の改善を計り以て生産能力の向上を期す。
一、人格の陶冶と知識の啓発を計り生活文化の向上を期す。
が決定される。当日議事々項は、
一、開会の辞（進行掛）　尾沢委員
一、議長推選（近藤委員就任）
一、宣言綱領規約審議
宣言綱領　土屋委員朗読
規　約　中野委員朗読
一、役員発表
一、組合長挨拶　寺内組合長
一、祝　辞　石川島労仂組合　中村組合長
浦賀船渠職員組合副委員長
一、議事提案理由説明　萩原委員
1、団体交渉权の承認
2、最低生活权の確立
3、人事の公正明朗
4、「生産管理研究会」の設立
5、購買組合への全員加入
一、万歳三唱　寺内組合長発声
一、閉会の辞　尾沢委員
右の式次にて同日の午後四時より労仂会館に於て結成大会を見るに至り、この大会において、石川島労働組合との合流が両組合長の挨拶中に強調されたことは注目すべきであった。

機関紙石川島新聞才一号に寺内監氏は「（前略）我が国の産業が労資二つの要素により構成されている以上、この二者が常に相争っていては、我国の産業復興は其の実を結ぶことは出来ないのであって、この両者は互に相和し、相協力してこそ始めて偉大なる産業が興り得るのである（後略）」

この組合は労資協調であることは否めない。しかし、萩原佐幸氏は「労働者には筋肉、頭脳の差はない。同じ資本家に対するわれわれ労働者であれば組合運動も組合員の正しい認識と真シなる努力により発展がとげられ、その意味で現在の両組合の合体が望ましい。」

一面進歩的な人達もあって、同年八月九日月島才一小学校において工職組合の合体をみるまでになった。

二、工職組合の合同と文化協会

この間に工員組合において同年四月十一日、それより一ケ月おくれて職員組合は五月十七日にそれぞれ労働協約を得、・調印をおえる。戦後における石川島労働者の企業内に於ける、安定的基盤を建るに至った。調印式には会社より笠原社長以下四名、組合からは中村組合長以下三名出席する。

その他待遇等にしろ工職別途の交渉に不便を感じまた不自然でもあった。一切の工職の感情とゆきさつを乗越て工職合体の動きを早くも目覚めたのは、相方の青年層であった。その先がけとして両組合文化部は実質合同して「石川島文化協会」を設立を見たのは同年四月中頃であった。その「宣言」は

長い間我々を反動圧制下に閉じ込めた暗黒時代は過ぎ去ろうとしている。しかし我々の職場の中では、まだ排他的勢力と古い思想が低迷し、我々の職場の民主化を阻んでいる。

我々は新生日本の生産機構をになう人間として、お互の文化向上を図り、我々の職場にわれわれ自身の文化を打ち建て勤労者の民主的精神を昂揚しなければならない。我々は我々自身の周囲から凡ての不合理と封建的反動文化を追放し、真の人間解放のためにお互いの力を結集しよう。

十一年振りに再開された歴史的なメーデーの興奮のまだ醒めやらぬ、五月四日午後四時半「発足会」を開いた。参加するもの約三百名、思いの外、尠なか

つたけれど、しかしこれらの人達は真の労働文化建設の戦士と見てよいであろう。

会は開会とともに、文協オ一回の総会とされ、松本青年部長を議長に選び、熱心に「宣言、組織、規約」を審議した。

この間にあって、

二十年十月四日、同年十二月十三日、二十一年二月十日、同年三月七日と次々と賃上要求に貫徹を記した。

この年の二月一日に前自彊組合長西山仁三郎は死去。

四月十五日関東地方造船労働組合協議会を設立前記関東造船聯盟は発展的解消する。これは三月中旬石川島が提唱団体となり、関東地方鋼船会社たる、横浜ドック、浦和ドック、浅野造船所、鶴見造船の四社に呼びかけたところ、その反きようは非常に大きく絶大なる賛同を得、昭和二十一年三月二十五日石川島に於いて、こん談会を開き協議の結果、石川島が世話人となり規約を作製し五社に提示し、それを基礎にして、オ二回会合を四月八日に横浜ドックにおいて開き、石川島より二階堂、野田、鞠子の三氏が出席し、各社熱心に討議した結果、五社の団結の現れとして前記が誕生した。そして協議会を結成し役員を選出した結果石川島より委員として、委員長中村秀氏、組織部長二階堂俊雄氏、事務部長加持茂氏連絡部長鞠子幸三郎氏の諸君が決定した。

全国造船勤労者の単一組合の原動力の母体となった。

同年一月二十六日青年部の結成、部長に松本力氏、四月十六日に女子部の結成、部長に小清水コン氏が選ばれ、いずれも盛大裡に式を了えた。

三　全造船結成・石川島支部成る

昭和二十一年七月十一日から三日間、岡山県三井玉野造船所において全日本労働組合を結成すべく、オ一回結成準備会を開催した。

‖〝労働者団結せよ〟‖

この叫びは特に労働者にとって共感である。しかもこの欲求が各産業別の結集として、全日本の造船関係労働組合においても賠償対策に端を発し、単一組合組成の方向に進んで準備会が持たれたわけで、これが一つの大きな目的に向って進んで行った。

同年九月一日鶴見総持寺において結成大会を挙行するまでになった。参加組合六十五組合員十万余を催する全日本造船労仂組合結成の日がきた。

定刻間近になると、さしも広い、三百畳餘の大講堂も代議員三百名、多数傍聴者のためにうづめられ、午前十時、司会者萩原雄幸氏の開会の辞に厳粛裡に開幕、議長に近藤（鶴見）を選び、経過報告の後、宣言綱領規約の審議にはいる。準備時代に練られつづけただけに質疑の応答は明解率直で波瀾なく満場一致可決、来賓としてGHQ労仂課のデベラル中尉の明朗な祝辞があり、万雷の拍手を以て答礼午前の議事終了、午后一時半再開、役員選挙に入りその銓衡委員八名を議長指名、銓衡委員会を別席で開催、役員として、中央委員長　安江義蔵（三井玉野）、副中央委員長　中村秀（石川島）、会計監査　枡重雄（浦賀）、瀧山忠一（日立桜島）を各々決定、新中央委員長安江氏より新任挨拶あって、次いで組合員有志の全国造船労仂組合結成の重大性にかんがみ熱烈なる決意を表明する意見の開陳あり、四時盛大裡に閉会した。

その夜慰安としては石川島より吹奏楽団、舞踊体操、独唱が境内の広場であり好評のうちに終了。ついで九月二日は才一回総会を十時に開会、新役員として委員長を議長として選び、書記長近藤師家男（鶴見）、組織部長島野正二（浅野）、教育宣伝部長江原正（三井玉野）、渉外部長萩原佐幸（石川島）、調査部長橋本広彦（川崎艦船）、青年部長三浦次雄（東北ドック）が各々決定せられ、予算審議の後賠償対策の討議に入り、小委員の選出があり、今後の対策を練ることになり産別か、総同盟か、中立かの動議に活発な意見交換があり、全船として良心的な行動をするために暫日の審議期間を与えてほしいという委員長の意見を可決。

堂々二日間にわたる大会は熱心な雰囲気のうちに終了した。

四、石川島支部進展（食糧問題と労仂協約）

内部にあっては五月六日工廠組合合同問題に意見の一致を見るに至り、八月九日に月島才一国民学校に於て結成式を挙行、参加人員は四千名中千二百名にすぎなかったが　この間において食糧問題がメーデー後盛んに討議され、五月十七日飯米獲得人民大会が同月十九日食糧メーデーをも起き、それぞれに参加、同月二十四日食糧問題対策委員会、同二十七日飢餓突破委員を選び、二十九日、三十日の両日工廠合同にて才一回飢餓突破委員会を開き討議対策を繰った。

八月十六日定期昇給の件、女子更衣室設置要求を会社側に申入れをなす。同二十四日に発表された対日賠償オ二次措置は予期されたが一大衝撃を与えたのである。当日は死も組合では委員会を開いて食糧休暇返納の可否について討論沸騰の最中、大体は漸く休暇二分の一返納に落付かんとしていたところへ（夜の九時）此の悲報がもたらされたのであったが、これに対する方策として増産運動の必至が一言叫ばれるや忽ち会場は其の線に意見一致して「食糧休暇」全部返納の議は一瞬にして決定してしまった。しかしこれはもっと冷静に考えてみる必要があった。

賠償対策となった工場の労仂組合の立場から、もっと事態を冷静に熟思し四千の組合員の労仂不安を除去するための打つべき手を考えなければならない筈であった。

同月二十七日にオ一工場オ二工場共、笠原社長及中村組合長が全従業員を集めて賠償保全命令の内容及びこれに対する従業員の対処すべき方策に就て交々説明された。

九月四日賠償対策小委員会に中村組合長、金井書記長が出席する。

この頃労仂協約のオ六条の問題と賠償対策明示の覚書であった。

九月二十六日再考を約して別れ、十月三日に致るも会社側は依然として強硬に突ぱねて一日おいた四日の基協に於いて、オ六条に就いて会社案修正方を執行部に委任し、八日にようやく労仂協約オ六条の妥結を見るにいたった。

一方賠償指定命令は会社の将来の運命に一転機を与えたものであり、組合に取って終戦後最初の大きな衝撃であったが、此の難関を乗越える事は両者にとって重大の課題となった。然し乍ら若し会社が組合員を犠牲にする事に依って、会社の損害を償い、生き延びようとするなら特に組合員にとって重大問題である。

しかも一方において生産の昂揚は会社存続に必須の要件となっているのに従業員にとって、安心して仂けるだけの生活上の保障は何一つ確保されていない。組合として何よりもまず組合員の動揺を防止し、労仂者の団結と生活権労仂権を脅やかすすべての素因を除去する為に努力しなければならない。八月二十八日の基協の席上において、会社側から増産運動展開について申入れがあったのに対し、組合では絶

対に首切しないという確約が生産増強えの要件だと主張し、九月二十九日の団協にて、

1、会社は従業員整理は絶対にしないこと。

2、会社は右方針を実現する為、軍需補償打切、賠償指定等に伴う最悪の事態を想定して、業種転換生産復興等を強力に推進すること

の二項目を両者の覚書として取交わす事を提案した。

これに対して会社側は馘首しないという確約は出来ないと、相当強硬な態度を示した。更に十月二日の団協では整理しない事を方針としたいという妥協案を提示して来たが組合では原案を強硬に頑として主張して譲らなかった。

十月八日に至って「絶対に」という文句を抜き更に右覚書の中才一項

「会社は従業員整理をしないことは、その方針とする意味であることを確認し特に誤解ない様、後日のため覚書とする」という御念の入った訂正案を提示して来たが、組合側はその必要はないと突っ張って両者何れも相当のねばりを見せたが、遂に妥協点を見出し、才一項から「絶対に」を取ることで折合いがついて円満妥結ということになった。

さらに今回締結された労働協約に基いて、会社組合の間に「経営協議会」を持たれ、新に「生産復興委員会」が設けられた。

十月十五日午前十一時二十分、会社の来賓室に於て労働協約、賠償に併う覚書等を締結調印された。

この頃、青年部において、労調法反対の運動が活発となり、十八日に組合講堂において、放送、印刷、電産、その他組合青年部員等と反対演説会などを催し大成功であった。

翌十九日、同じく労調法反対の労働者大会を宮城前に於て開催、石川島支部として、青年部より百余名の参加をみた。

五、賃上、十割を要求

今からみると不思議に感じるが、当時十月二十一日に賃金問題に関して、会社側と事前打合せを行うなど御用組合の要素が含まれているように思える。

二十二日の委員会で執行部案として七割値上（才一案）の案の審議したが、次いで二十九日の委員会では職場の声として、才一案ではわれわれの最低生活を保証するに不足なりと遂に、十割値上案（才二案）を可決した。

ついで十一月二日午前十一時団協に於いて、この

要求案を会社側に手交した。この日、才一工場では才一工場の委員主催で交渉委員激励大会を倉庫前で開催した。

十一月四日の団協を経て七日に会社から総額三割価上の回答がなされたので、八日に組合は委員を招集し、その経過報告を行ったが、執行部並に経営協議会組合委員はあくまで組合案の貫徹を期して引き続き交渉を続行することを申合せた。よって、九、十、十一日の三日間の経営協議会では、会社の計理から原価計算の数字を挙げて、理論的根拠の上から会社側に迫り、遂にその数字の妥当性を会社側は認めさせたことができた。

しかし現在資金の面から到底支給困難だからと、三割価上に加えるに、今後三ケ月間能率給を保証することによって、総額五割二分価上を最後回答として組合に提示して来た。

この回答について十一日午前十時より委員会を開き種々検討したが、たまたま新聞紙上に報ぜられた「賃金ストップ令」が重大な議論の中心となり、えと賃上問題をからめて解決するために翌十二日午後一時から「臨時大会」を才一倉庫前で開催した。

突然の活気と波瀾を含んだ大会は、火花を発するような劇しさと重苦しさと鎮静さとの対立のうちに開かれた。

司会者は二階堂副組合長、議長に高須三郎氏（現才一勤労課長）副議長に松本力氏を選び、中村組合長及び萩原副組合長から、最初からの経緯と会社案を受け入れざるを得なくなった組合と会社の実状を述べれば、続いて組合員が賛否両論の意見を発表すると、その都度大衆は二つに分れて声援を送った。中に紅一点中村米子氏（後の須田武雄氏夫人）も交えて十八名の弁士熱弁を行った。

投票採決の結果、会社案を受ける一九〇六票、ことわる一一〇六票、無効九二票となり、組合員の動向はとに角会社案を受諾する事に決定した。

この頃の組合運動は解放されたばかりの野牛のように己の進む方向へ進展を見せた。

六、劇的越年斗争と石川島労組の新規軸

十一月十七日全造船青年部大会開催、副部長として石川島より磯谷タマ子が選ばれる。

賃上に引続き十二月三日に執行委員会において、越年資金の審議が行なわれ（九月一日全国造船の労働者団結の下に横浜市鶴見にて全日本造船労働者組

合が結成され、わが石川島にかても当然全造船支部としてその活動を重ねて来た諸般のことで結成が望れた。）

十二月十六日才一工場倉庫前広場において、組合員全員参集の下に盛大に挙行された。ときあたかも、越年資金要求中であり、「吉田内閣打倒国民大会」の前日であるだけに組合員一人一人眉宇には強い大団結の気がみなぎっていた。

結成準備……最も力を注いだことには、最近特に叫ばれた、主体性の確立であった。そして、これは組織の面に強く現われた。即ち須田武雄常任委員を中心に画期的に検討を加えた。規約草案は十二月六日の委員会において承認を得た。翌七日各委員選出区において、新委員を選出、十日に委員長の総選挙を行い、

荻原佐幸氏　一七〇八票　当選
須田武雄氏　一〇二二票
中村　秀氏　五五七票

次いで、十一日副委員長の選挙を行い、阿部泰氏松本力氏が当選し、ここに三役陣の椅子が決った。新規約の一つの特色である執行部の完全なる確立の見地から、書記長、事業部長の慎重なる選衡に入り、十四日の委員会において、その承認を行い、組合のスタッフ陣容を整い、十六日結成式の運びとなったのである。おそらく石川島労組の戦後の組合運動の新機軸はこの辺りから初まったものとみても間違いはない。

同月十六日午后一時より才一倉庫前広場に組合員は陸続と参加、肌を刺す寒天下、司会高松昇氏が開会宣言にはじまり、結成式は大会へと進められていった。

一、議長推選　大塚英三郎氏
一、経過報告　高松　昇氏
一、会計報告　西野修治氏
一、規約審議　須田武雄氏
一、役員部長発表
一、委員長の挨拶（出張のため副委員長挨拶）
一、倒閣大会参加の件　中山渉外部長
祝電披露　高松書記長
一、有志演説　五島達郎氏、若山昭弘氏、
斉藤手弘氏　大野治秀氏
江原　進氏　石黒正義氏
一、経営協議会経過報告　高橋企画部長
一、緊急動議　(イ)、社内民主化

(ロ) 斗争態勢の確立

(い) 戦線統一に対し全船態度決定　松本副委員長

一、閉会　四時

一、支部万才三唱。

翌十七日大会の決定に基き、内閣打倒国民大会へ全組合員参加。

同日始終業十分前後の廃止を会社側に申入をす。

十八日の委員会において越年資金の交渉委員の選出を行い、同日議長に大塚英三郎氏、副議長に二階堂俊雄氏が選出された。十五日に越年資金の回答はなかったが、十九日に至って、本人五百円、家族一人百円が回答として出されたが、同日昼休に越年資金要求貫徹促進大会を挙行、斗志ますます盛んに勢を増す。暮せまる二十一日に最高潮に達した。北風は肌を突きさし、川風がたゝき込んでブラスバンドは赤旗をゆるがして、中村米子氏の黄色な声で交渉の中間報告が次々され固づをのむ全組合員はウアーと喚声があがる。労仂歌が轟き渡る。午后五時二十分本人千円家族一人につき二百円の最後的回答がされるや、全員は感激にとゞろく声を残して報告大会を終る。

おそらくこのような劇的な状態は石川島にとって最初でありまた最後であったかもしれない。

翌二十二日午前九時より拡斗委員会を開き、最后的回答について検討したが拒否の決定を見、更に交渉を続けた結果、税金を会社負擔と決定、遂に要求全面的に通った。そして午後四時委員会を開催し斗争態勢解除となった。

翌昭和二十二年（一九四七年）一月に入るや、石炭飢饉は遂に石川島の工場までも、隔日停電という未曽有の悲境に追い込んだ。三月危機を前に既に石川島工場は年頭から生産の危機の足を踏みこんだ。時の政府の政治の貧困がヒシヒシと労仂者をインフレと飢餓に追いやろうとしていた。現場関係は十日から隔日出勤が実現し、奇数日には朝八時から夜六時三十分、即ち拘束時間十時間半、実仂時間十時間ということが決定せられ

同月二十一日全協の席上に於て社長より公職追放に伴う会社方針の聴取を全協委員はきく。

七、二・一ゼネスト前后

労仂階級は圧迫と迫害から解放され、洪水の如く攻勢の立場にあった。この年二月一日全国的ゼネラルストライキが石川島に於ても種々討議をつくされ

一月二十九日後一時より大会を開き、二・一ゼネラトに関し説明報告がなされ有志演説の後、スト突入の決戦投票を行われその結果スト突入一四三一票、反対四五六票、無効三八票であったが、三十一日午前十時拡大斗争委員会を開いたがスト反対の同志達は組合員の署名七六一名を集め、ゼネスト突入再確認大会開催を請求したため、規約に基いて大会を再会、再投票の結果、一六九三票対一〇六六票を持ってスト突入に再決定、直ちに組織態勢等準備完了をしたが、同日夜NHKより最高責任共斗議長伊井弥四郎氏はマッカーサ元帥の命令にしたがい中止指令を放送でされた。意気詰った一瞬であった。

生産復興会議を生んだ当時、生産復興だ、造船復興だと呼ばれたよりも、二、一ゼネストの中止命令によって占領下にある日本に労働運動は延び処に延びていったが、これを転機に大きく左右に動いた。組合デモクラシーと政治の問題が議論の中心となった。

それにともなって生産復興と組合運動の結びつけであった。

ゼネストを非とするものと、是とするものの二分がみられ、非とする意見に「我々は反省の才一として、真に民主々義を徹底して社会主義に移行すべき日本革命の指導的進歩的階級の組織労働者である。自覚を更に新にすると共に其の主体性の確立が如何に欠如たるかを認識した。更にゼネストを指導煽動した幹部（政党並に労組幹部）の日本革命に対する原則的戦略戦術の根本的誤謬とは敗戦という、例へばロシヤ流血革命当時よりどん底の悲惨な状態にある祖国の現実に対する客観的情勢の把握への無認識と、よって立つ処の公式主義的革命理論の如何に矛盾なるかの暴露と其の非指導性幹部の非民族的、勤労者への偽善的行為の責任追求への認識とである。」という批判の上に立つものと、

「ただ労働者と云う自覚を意識することによって、その共通目的のため斗争することを忘れてはならない。（中略）人の云うことも聞かず自己の主張だけを強硬に突張ることが果して、組合員の利益になることであろうか、そんなことはとうてい組合員は許すことはできない。我々の組織が分裂していては敵とその手先を喜ばし利用されるだけである。少なくとも労働者としてその階級意識のもとに団結をかためつゝ最も公平な民主的組合運動を展開すべく努力されることを願ってやまない」と是とする対立が

組合内部を育てゝいったのであった。

　組合内部の政党活動は如何あるべきかど、委員会の決議中心となった。左右の対立がはげしくなると、経営者側は今までのような弱腰になっていられる筈はなかった。人事権の問題の一方的解釈、これに対する組合員の抗議、相方は粉糾する
　この年の四月九日から十一日の三日間全造船大会（中央労働会館にて）において、全船斗争宣言を発し、四月十一日支部は会社側に賃金要求をしたが、会社では全船の名による賃金要求を拒否した。別に提案が出されてきた。しかし賃上交渉は難航を続け遂に定時就業の実施決議がされた。

　連日交渉は深更におよんで覚書作成の上、賃金暫定措置で一応妥結をみるに至った。

　四月の月には参院議員、衆院議員、地方選挙等があった。石川島支部として中央区議松本力、江東区議高須三郎（現才一勤労課長）が当選する。五月の才十八回メーデーも過ぎた。二十二日賃金に関する支部臨時大会を后一時より才一工場に於て会社回答に対する決議投票を行い拒否することに決定した。更に会社は三十日に再回答してきた。

翌六月四日賃金に関する覚書の調印がされ、組合会社は共同声明を発表した。

　同月二日かねて二・一ゼネストのさい、演説の一部がGHQに問題され阿部委氏はやむをえず副委員長を辞任す。同日副委員長補充さるる。二・一ゼネスト後は政治と組合活動を結びつけることを是とする者と非とするものの色わけが石川島においても鮮明してきた。阿部氏の件についても一段落を見るに至り委員会において辞表を受理、後任者に関して、早速候補者を推送した。その結果、書記長高松昇氏、執行委員河内三五郎氏生活部長市原明氏を候補者として七月四日各工場毎に総投票を行い、高松氏が最高点で当選。これに伴い書記長の後任に当り、事業部の一部改廃もあり、この際本部陣を更新することになった。客観状勢の推移とをにらみ合せ、現部長を一応白紙に還元して人選の結果七月十日の委員会において次の通り決定した。

書記長　土屋　敦
組織部長　河内三五郎
生産研究部長　高橋　正治
調査部長　柳沢　練造
渉外部長　中山　豊吉
厚生部長　市原　明

文化部長　内田富太郎
財政部長　西野　修治
会計監査　鞠子幸三郎、小宮山若木

八、二・一スト如何終ったか

当時全官公庁共斗議長伊井弥四郎氏に総司令部労働課のコーエン課長から出頭通知があった。部屋には課員のコンスタンチーノが同席して伊井氏を待っていたがコーエン課長はのつけからストを中止してくれと要求した。二・一ストに限らず、占領中の労働運動において日本労働者がもっとも悩まされたのは、労働課が組合代表を呼びつけてはすぐ持出してくるこのストをやめろという文句である。

二・一ストにおける日本労働者の基本的要求は「最低基本給十六才六百五十円の確立」であったが同時に、勤労所得税撤廃、総合所得税の免税点引上げ、勅令五九一号の撤回など政治的要求を掲げていたことは事実である。また共斗の斗争目標として、明らかに「吉田反動内閣打倒」を訴っていた。これらの要求点妥当性は日本中が敗戦の混乱から脱せず、やミとインフレの中に呻吟していた。当時の情勢において広汎な世論の支持を得ていたものである。

二・一ストの大きな流れは日一日と怒涛の如く、二月一日へ向って正確に推移していった。この力はもはや何人といえども阻止できないほど迄に進んでいた。一月二十一日戦後はじめて公然と街頭に右翼のテロが初まった。同夜産別議長聴濤克己氏が新鋭大衆党の手によって、自宅で傷害を受けるといったような処まできていた。

翌二十二日全官公庁共斗は伊井氏とマーカット局長との会見の顛末を聴取したのち、既定方針を再確認しただけで終っていた。

共産党は革命実現のためストそのものを最後まで目標にしていたというのは、真赤なデマであると、それは平均にして共斗の要求が手取一五〇〇円だったのにくらべて、斡旋案は税一、二〇〇円であった。額だけだと三百円のひらきであるが、手取においては相当の差があった。

共斗においてはこれでは足らず、政府はもう一歩譲歩してくれることを期待していたのであったが、期待は空しく破れた。

二十九日石橋蔵相は「これでいやなら、君らの好きなようにやれ」と会見はあっというまに、もの別れとなって了った。こうした処に政府の責任があった。かくして三十日スト突入にあと一日を残すのみとなった。

その午後二時すぎ、号外の鈴は路上に鳴りひびき、マッカーサ元帥のスト中止命令が正式な書簡として渉外部から発表された事を報じていた。

司令部から伊井共斗議長と共斗傘下各組合委員長全員出席せよが指示され、石川島より萩原委員長が出頭した。しかし伊井氏だけは他の委員長と別個にマーカット代将の事務室へつれていかれた。その時マーカット代将は「ストを直ちに中止するよう命ずる。直ちに全国にこの旨を指令せよ」と伊井氏は口頭によって指示された。更にマーカッサー司令官のスト中止に関する正式書簡をとりだし、それを伊井氏に指示してから「ストを中止するよう、ラジオ放送せよ」と命じた。

しかし伊井氏は「一度各委員長と会わせてほしい」といったが、マーカット代表は「そんな余裕はない、相談なんか君に許すことはできない」と返事であった。なお伊井氏は「どうしても委員長達に合せないというなら、私は放送しない」と、それに反応して「では鈴木（国鉄委員会）ひとりだけに、今よんでやる」と――――。

鈴木氏に話し合ったが、鈴木氏は「仕方がない放送することにしよう」となり、放送草案に対しても一行一行通訳が翻訳して、マーカット代表に伝えた。

伊井氏はけたたましいジープの音の人となった。その夜八時米人二人に両側から連れ出すように、NHKに向った。車の前后には更に二台のジープが護衛していたのであった。

いうまでもなく二・一ストは前年二十一年の秋季労働攻勢から発し、当時日本労働運動の主動权を握っていた全官公庁各組合が中核となって、ほとんど全国の組合をこの斗争にまきこみながら、二月一日のゴールへ向ってはげしく盛上っていたのであった。当時各組合に強大な影響力をもっていた共産党の首脳は、かくも公然と総司令部が争議干渉に乗出すものとは考えていなかったようであった。すでにこの時芽生え、その主体となった人々が、やがて反共民同運動の中心となってゆくのであった。

石川島においては二月会民同の結成はなっていなかったが、金杉秀信氏等はいち早くもその運動者の一人であった。

総司令部の労働政策は二・一ストを転機として大きくカーブを描き争議权の大巾な制限とかずかずの争議介入となって続いた。その反面組合内部の分裂と懐柔工作が根強く重ねられていった。

かくして石川島においても、これを転機として左右の動きと対立が明確化されつゝ移っていった。

戦後の労働者運動には三つの転機がある。第一は昭和二二年（一九四七年）二・一ゼネストであり、第二は同二十五年（一九五〇年）晩春よりはじめられた赤追放、共産党中央執行委員の公職追放、大学教授の赤追放が初まり、更に高等学校中小学校の教員に火が移り、ついに労働組合に延焼した。石川島においては萩原委員長はじめ四十三名の首切りを見る。

第三は本年、二十七年（一九五二年）五月一日、すなわちメーデー事件による転機である。この第二十三回メーデー事件後いかに労働者運動が新しくおし進められて行くのか。ひとり石川島労働者のみではなく日本の労働者運動の転機だ。

あとがき

当初はしがきにもある通り全三冊として、第一冊を昭和二十四年（一九四九年）の定期改選までとして計画を立てたが、労働運動史の編成の上からみては転機毎にくぎった方が自然でもあるようだし、分冊の場合にはよろしかろうと思い、また新らしく二月一日のスト、すなわち二・一ゼネストの中止の実相の文献が手に入ったので一応こゝに第一巻第一分冊として、当初の全三冊方針を変えて刊行することになったわけであるが、職場からの声にも応じ一日も早くと念じた。この小冊子の中から一つでもその真価をくみとって貰えれば私は幸だと思う。

なお、この参考文献資料は次の如くである。

労働年鑑、資料日本社会運動史（田中惣太郎）、産報年鑑、三代思想録（今里勝雄）、自彊会報、石川島新聞、すいしんき、組合日誌、石川島健康保険雑誌、労働科学辞典（労働研究所蔵版）、全船機関紙、新世紀（創刊号）、日本社会運動史（赤松克麿）、日本社会運動発達史（赤松克麿）戦後日本の労働運動（クライノフ）、大原社会問題研究所版日本労働年鑑、日本の労働運動（片山、西川共著）、現時の社会問題及び社会主義者（山路愛山）、社会民衆新聞（社会民衆党機関紙）。

はだか日本現代史

職場の歴史をつくる会有志

鏡をおそれる娘たち

悪夢のような戦争がおわってながい間の穴ぐら（防空壕）住いから、ふたたび地上に姿を現わした時、人々は、爆音がしなくなつた青空を不思議そうに見わたし、夜は夜で、カバーをはずした電灯の意外な明るさに驚いたものです。

ときどき「こんなに明るくしたら、空からバクダンが降ってくるのではないか」という幻想におそわれる人々もいたぐらいだったのです。

神風も吹かずに、戦争は終ったのです。年とった人々の中には、古くは元コウの役、日清、日露の役と、有史いらい今まで一度も日本は負けないし、負けそうになっても神々が必ず守って下さるという信念をもっていた人も多いことでしたから、それらの人々には敗戦の現実はどうもしっくりと感じられませんでした。

若人の多くは兵隊に行っていましたが、満員すしづめの復員列車で村に帰ってきました。若ものたちは帰るときにかっぱらってきたタバコ、毛布、かんづめ、菓子、洋服等々を村人にみせて得意気になりました。

けれど、ときどき横っ面をバンドや靴のうらでいやというほどぶんなぐられた時のことや、親しい友人がまっさおな顔をこわばらせ、特攻機にのせられて永久にいってしまった折のことを想い起してそっとするのでした。

いつまでも人々はぼんやりはしていられません。焼けあとの仕末がカンカン照りつける日の下ですすみました。娘たちも、昨日まで、からだ中にぶらさげていた防毒面、しんげん袋、救急袋をほうりだし、防空頭布もモンペもとって身がるになり、あかい唇に「リンゴの歌」を口ずさみはじめました。男たちは、曲線美を再びとりもどして来た娘たちをみて、生きるはり合いと平和のよろこびを感じとったことでしょう。ところが、広島、長崎の娘たちのうち、幸にも生き残った多くは鏡をおそれる娘となっていたのです。黒髪はくしげずるたびにずるずるぬけケロイドがからだ中にこうらをつけたようにみにくくなっている自分の姿など、どうして鏡にうつせるでしょうか！

ともかく年よりも若ものも、一時は混乱して何が何んだか考える力もわきませんでしたが、こんな大きな犠牲が戦争には、つきものであることだけははっきりと知ったのです。そしてまた人々は、アメリカ軍がやってきた時、戦時中、あれ程「鬼畜米英」「撃ちてし止まん」と国民をかりたてて叫んでいた指導者連中が、うって変ってもみ手を始めている姿を見つけたのでした。「欲しがりません、勝つまでは」を強制させられ、栄養失調でフラフラになった日本の国民は、初めて「ダマサレタ」と叫びました。

『詔書ー国体はゴジされたぞ！朕はタラフク食っているナンジ人民飢えて死ね！ギョメイギョジ』（一九四六年、東京食糧メーデーの時のプラカード）

人々はうえた狼のように、米よこせ大会に集っていったのでした。

ヤミ屋日本

こんな目にあわされては、もう頭でっかちな政府官僚の「ヤミをするな、今に喰わせてやるから配給米でがまんしろ」などというよびかけを信用する国民などいはしません。

おまわりさんなどつきとばして、民衆は通称「敗戦ぶくろ」（大型のリックサック）をかついで村々にヤミ米買いに、出かけたのです。「ヤミ米はたべない」といって栄養失調で死んでしまったたった一人の判事さんを唯一の例外として……

労働組合に組織された労働者は、職場でも「手ぶくろを出せ、石けんをくれ」と机をたたいて経営者に迫り、さらに「戦時中、俺たちをくるしめた奴はこの会社から追っ払え、会社をおれたちで民主化しよう」という強い要求が爆発していき、読売新聞社などでは警視総監上りの経営者・正力松太郎たちが危くほうり出されそうな目にあわされました。

加えて、戦時中「働く人々のもっと住みよい世の中をつくろう！」と戦争に反対したため、〃石の上にも三年〃どころか、十数年もろうごくにたたきこまれていた共産党の指導者が、続々と出獄して、徳田球一氏のごときは特急のような勢いであばれだしたのですから、労仂者対資本家の対立は、もはや何一つ力をもたぬ当時の吉田政府の力では押さえきれなくなってきました。

マック天皇　――一九四六年――

皆さんは、マッカーサーとヒロヒト天皇とが並んでいる所を写した珍妙な写真をきっとごらんになっていると思います。

マ元帥は、ふんぞりかえり、天皇はねこぜで洋服の着かたもだらしなく立っていたのです。その写真ではっきりわかったように、日本はマック天皇の治める国に変っていたのでした。彼のことを日本国民は「おへそ」とかげ口でよびました。おへそはチンの上にあるからです。

マック天皇は、臣茂（吉田）が手をやいている労仂者―「ふていのやから」のはんらんをたたきつぶすことを決意しました。

こうして、戦後はじめての大ゼネストになろうとした二・一ストを禁止し、国家公務員法等の手かせ足かせを労仂者の上にはめてきたのです。

「奴れい」の反乱は後退してゆきました。アメリカ軍は得意の絶頂でした。国鉄の品川客車区ではアメリカ軍が国鉄労仂者を使って専用車を掃除させていましたが、この頃から馬鹿におうへいになり、労仂者がちょっとでも休むとどなりつけるので、新入の労仂者はびくびくしてアメリカ人から逃げ歩かねばならなかったのです。

それに、このころ国鉄のような大組合でも分会の中の多くの労仂者は給料は上から頂くものであり、駅長さんは家長であるという考え方がふかくくいこんでいたのです。

だから職場大会に出席する人の中幹部えの義理で出席するというおよそ労仂者らしくない考え方をもつ人も多くいました。

この組合内にあった幹部と組合員のスキ間は、なんといっても労仂者側の弱味でした。ぐんぐん加わってくるマック天皇の圧力の下でこのスキ間をどううめるかが、それからの労仂組合の真剣な課題となったのです。

デス　バイ　ハンギング　――一九四八年――

この年ついに極東軍事裁判所によって戦犯東条たちはデス・バイ・ハンギング（絞首刑）にきまりました。

「東条ざまあみろ」という声とともに「なぜ、天皇族は刑にならぬのだろう」と民衆はいぶかりました。

なにか奥歯に物のつまったようなわりきれぬ気分がただよっていました。

だから、当時人々は「勝てば官軍さ」と口々に裁判の悪口をいってました。

戦争犯罪人たちの元兇は誰れなのか！　それは、戦中戦後にわたってこの連中に一番いじめぬかれた日本の民衆自身が一番よく知っていたのでしょう。動物が自分に危害を加えるものを本能的にみぬく力があるように……

蒋介石は専売局か　――一九四九年――

マック天皇により、手かせ、足かせを次々にとはめられていっても、まだ多くの職場の労働者はどちらかと言えば食う方に一生けんめいで、はっきりと世の移りかわりをつかむことはできませんでした。

しかしこの年ごろからいろいろな名目で職場の活動家の首切りがあり、しかも奇怪な下山、三鷹、松川事件が相ついで起りました。人々は奴れいにされている者の特有の鋭い感じ方で中日戦争に入る前にもこれと同じような陰謀事件があったことを思い出し何か前途にバクゼンとした不安をもちはじめたのです。


山奥の農村にも、どしどし政府の手先きが侵入しせっかく戦後せっせと農民たちがつくった葉タバコを強制的に持って帰るのでした。

農民たちは隊をくんでこれらの専売局の役人を追いだしにかかりました。このような村々の一つ山形のある農村の人々は専売局の役人は蒋介石みたいだと話し合っていました。

そのころおとなりの中国では蒋介石が毛沢東たちの農民兵に追っぱらわれて逃げ廻っていたのです。鼻高族のマック天皇をいただき異様なふんいきの中で生活するこの国の人々にとっておとなりの中国の新しい動きは、にわかに興味の的になってまいりました。

また戦争が始まった　――一九五〇年――

民衆の不安な予感は、不幸にしてあたってしまいました。朝鮮で戦争がはじまったのです。

毎日の新聞紙上には、さかんに「二つの世界の争い」という文字がみられるようになりました。このとき国民のほとんどの人が朝鮮戦争の現実から、はじめてこの地球上に「二つの世界」があることを知ったのです。

それに、毎日鉄路を東に西に移動するアメリカの兵隊や戦車、装甲車を見て、はじめて、自分たちの戦争放棄の「平和国家」がどうやら「二つの世界」のうちの一つのアメリカの軍事基地にさせられてしまったことを発見して今さらのように驚いたのです。

日本の大部分の国民にとっては、どちらが勝つか負けるかというようなことはどうでもよかったのです。

ただ戦争が長びいて世界中がピカドンでやりあうようになったらどうなるのでしょうか？　ピカドンの恐ろしさを骨のずいまでしっている人々の中から「平和を守れ！」の声がわき起ってきたのも当然です。

しかし基地周辺の町々の中には、戦争景気の米兵の落す金で繁昌する所も出たり、アメリカの兵器をつくる下うけ工場も景気よくなってきたので、これらの町や村の裕福になっていった有力者たちの多くは「平和を守れ」とはアカの宣伝だと言い、警察と協力してこの運動の拡がりをおしつぶそうとしました。

「街は案外ひっそり」——一九五一〜五二年——

この年の秋、アメリカ側だけとの単独講和が結ばれました。これを平和条約と名づけて、吉田首相は「もうこれからは平和な独立国になれる」と大みえをきりました。

しかし、二つの世界の対立をすでに知りはじめた国民は平和条約と一しょにくっついた「アメリカに軍事基地の使用を大巾にゆるします」という内容をもつ日米安全保障条約なるものの正体が気になって仕方がありません。講和問題をあつかった雑誌「世界」はそのむずかしい文章にもかかわらず空前の売れ行きでした。

さりとはいえ、大金持のアメリカについていないと世界の孤児になってしまうという考えをもった人々もいました。朝日新聞は講和が結ばれた日の街の様子を「街は案外ひっそり」と報じましたが、この日の国民の心のふくざつな表情をよく伝えていると思われます。

ところが、このモヤモヤした空気も長くは続きませんでした。翌る年の五月一日のメーデーに、人々をあっと驚かすような「血のメーデー」といわれる事件が起ったのです。

人民広場の労働者、学生と警官隊との乱戦と、アメリカの自動車がもえ上る写真は、ただちに全世界に伝わり、世界中の人々がアメリカにしたがっている日本国民の中にも「ゴーホーム・ヤンキー」の底流があることを発見したのです。

基地ニッポン　――一九五三年――

日米安全保障条約は鼻高族にとってはまことに好都合な約束でした。大砲うちの練習や戦争ごっこに気にいった土地をみつけると、いとも簡単に農民の畠や田にまで「危険……日本人立入り禁止」の杭をぶちこんでいくのでした。

政治のことは何もしらない台所の主婦でさえ「アメリカは好きかってなことをするわねエ、我がままするわ」と感じていたのです。

もし農民たちが怒って反対運動をおこせば、そのけつふきは、日本の役人の仕事で「わいろ日本」の定石どおり、知事はまず村長をだきこみ村民には道路や水道をつくってやるとか、田は高価でかいとってやるとか、金にものをいわせての無理頼みでした。

役人どもの無良振ぶりは、まさにパンパンそこのけだったのです。

少々のはした補償金をもらったとしても、先祖伝来の土地をほうり出されたらどこに行ったら良いのでしょう。それに、小川のそばの石地蔵にも、村々の盆おどりの文句一つにも祖先の長い忍苦の歴史がひめられているし、一枚一枚の田畠も自分たちの父親、祖母の耕し残したものであれば、ただ高い額なら金でたちのけるというものではありません。この杉の苗木がキャタピラーのわだちにあらされ、この松の木に砲弾の破片がつきささるということを想像すれば農民たちは、どうしてじっとしていられましょう。

"地元民たちは大地に根が生えたように、接収される土地に座りこみました。それは、土の中から同じ日本人の先祖たちがそのおしりをしっかりとつかんでいるようでもありました。こうして基地反対の斗いは、内灘に妙義山に九十九里浜に、そしてまた、私たちの山富士へと拡がっていったのです。

マグロがたべられる　――一九五四年――

この国の貧しい人々は、この年の四月から五月ごろ一ぱいひっかけた勇気で、日頃めったにたべられなかったマグロずしをぱくついていました。なぜマグロが安くなっていったのでしょうか。皆さんご存知のように、水爆マグロの上陸以来、マグロは不気味な放射能を背負った奴ということになっていたからです。

三月一日のビキニ水爆実験は日本各地にさまざまな騒ぎをまき起しました。第五福竜丸の被爆「放射能マグロ」をはじめ、放射能は雨にも野菜にも検出され、若い者はもはや放射能の影響で子供が生めなくなるかも知れないとまでいわれました。

しかし死の灰をかぶって帰った福竜丸の久保山さんたちの病がだんだん悪化してゆくとき、街々に立つ大銀行、大会社のビルはぐんぐん高くなるけれど、人々の生活はますます地にめりこみそうになって来ましたので、国民は、これ以上鼻高族のいうなりになっていたら、みな殺しにされてしまうということに気づきはじめました。

今まで生きてきたのも、みんなほかでもない私たち労仂者の力だったのです。これは大きな発見でした。それぞれの職場で、それぞれ集って一人一人が長いこと思っていたことを話し合ううちに、みんな同じ考えだということがわかってきました。人々は自信をもちました。

「私たちは仏様や夏川社長のおかげで生きてきたのではないのです。私たちの力で人間らしい生活をもとめましょう」と近江絹糸の女子工員がまず立ち上り、ついで日鋼室蘭、東京証券、そしていたる所の中小企業の仂く人々までが続きました。その列の中には街かどの牛乳屋に仂く人々まで参加していたのです。

秋には、仂く者が自分たちの力で国をつくっているという中国から李徳全さんがやって来ましたが、人々は大歓迎し新しい中国の真相を知りたいと願ったのでした。

プロレス・マンボ・うたごえ ――一九五五年――

人々の知りたいと思ったのは中国ばかりではありません。中国のよさがわかってゆくにつれ、その兄貴分のソ同盟についての興味もわいてきたのです。ロシヤ語学校、ロシヤ料理店が満員御礼となり、「カチューシャの歌」は風呂屋の中でもうたわれるようになりました。

それに、ソ同盟では、どうやら労仂者の住むアパートがぞくぞく建てられているようなのに、私たちの国では吉田が大ウソを言って国民をだまして来たと同じく鳩山の住宅建設の公約も一向に果せそうもありません。とうとう国民はなぜソ同盟では家がどんどん建ってゆくのか、その力の源を知りたいので、日ソ国交回復を政府に強く迫ったのです。この時、鼻高族の祖国から海を渡って、プロレス・マンボ、そして新発明のアクアラングまでが登場してきました。
この中のチャンピオン・プロレスの時間には町中のテレビの前は黒山の人で、組合の会議や学生の研究会すらつぶれてしまうという繁昌ぶりです。
しかしこの流行児プロレスといえども、うたごえ運動には油断することはできないでしょう。うたごえの中から生れた青年歌集は、「知られざるベストセラー」としていつのまにか、かっての流行児雑誌「平凡」を、最近では圧倒しつつあるのです。

プロレス、マンボ、日本のうたごえの三色は今の日本の現実をはっきり浮び上らせているようです。

〔この原稿は、「職場の歴史をつくる会」の国鉄N労組、東証、地下鉄等の各グループの有志が参加して作り上げたもので、それを竹村がまとめた〕

なえどこ

北海道の王子製紙労組の梅津さんからまたお便りがありました。組合の歴史をまとめる仕事の進んでいるようすがよくわかるので、お手紙を転載しておきました。

「謹啓
早速の御返事大変有難う存じました。丁度明日組合史編纂委員会の予定ですので、その席上各委員に見せようと思って居ります。
お手紙によりますと、機関紙を発行の予定のようですので、その原稿として、次の中から適当に取捨選択して載せて頂ければ幸甚です。

八月十七日第四回組合史編纂委員会を開催致しまして、次の事項を申し合せました。

一、現在各資料から抜萃して、年表の作製を急いで居りますが、明年二月十日が組合結成十周年に当りますので、その日まで完成に努力し、一方各資料を分類整理して、明年二月十日以降、結成十周年記念事業として、叙述に着手出来るようにする。

二、王子製紙労働組合傘下の東京本社及び春日井工場にも編纂委員会を設置するよう促進する。

（なおこの件で、小生九月三・四日開催の書記局会議に提案説明のため上京する予定です）

三、各資料分類整理の方法も決定しました。内容については略します。

四、組合史叙述の発想法及び方法論について相当論議されましたが、結局職場の中に持ち込み、組合員の手により、労働者の立場で叙述するという大綱だけ決定し、細かな問題については、その都度委員会を開催するということになりました。

五、組合史編纂ニュース発行を提案致しましたが、九月度より本部発行の機関紙〃ともしび〃が月三回発行になりますので、それに載せることになりました。

お手紙によりますと、組合史のつくり方、書き方のような手引書を発行の予定のようですが、小生も今、組合史編纂業務に従事しながら、思いつくままに足どりをメモして居ります。

近く上京の折、お話したいと思って居りますが、若し何か参考になることでもありましたら、それを折り込んで頂ければ幸甚です。

（口はばったいことを申し上げて恐縮です）

先日、書店で藤間生大氏の著書をもとめ、その感想と御教示を求めましたところ、早速、御返事を頂きました。心から感謝致して居ります。

王子労組本部発行の機関紙をお送り致しますが、

職場の歴史をつくる会ニュース№是非お送り下さい。
近く上京に当って、いろいろ問題を携えて参ります。どうぞよろしくお願い致します。
会員の皆さんによろしくお伝へ下さい。

王子製紙労協組合
組合史編纂委員会
苫小牧市王子町二三
梅津信行

職場の歴史をつくる会
竹村民郎様

学習運動と科学

井尻正一

最初に科学者という人間は、どういう人種かということを考えてみたいと思います。これはなにも科学者の性格とか、生活を分析しようというのではなく、科学というものを知るために「科学者」という人間からはいつていつたほうが具体的でわかりいいという意味なのです。

皆さんは、たとえ量子物理学や、生物学の第一線である生化学といつた学問がわからなくても、湯川秀樹とか、オパーリンという人の名前は聞いていると思います。それと同じことで具体的な科学者のことがわかつていくと、科学にも親しみをもつてはいつていけるのではないかと思うのです。ところで、科学者とはどういう人種かといえば、一つには変り者だということになつている。そして事実、日本では変り者が多いのです。私の親類に数学の教授がいますが、その人は夜中にフラリと散歩に出かけてしまう。そしてときどきおまわりさんに不審尋問でつかまるが、散歩もただ散歩ではなくて、電信柱を一本ずつさわつて歩くというようなことをするのです。これにはどういう意味があるのか知りませんが、なにしろそういう習慣をもつているのです。そしてそのあげくが、どぶへ落つこちて帰つてくることがあるのです。それから、風呂の中でいきなり「オーイ」と奥さんを呼んで、紙と鉛筆を持つてこさせ、風呂にはいつたままで計算を始めるのです。こういうのが科学者は変り者だということの例になつているようです。

それから私の先輩で、ある会社の技師をしている人は、最近では会社が八時に始まるが、東京駅に七時に着くように家を出ます。しかし、七時に会社へいつたのでは会社があいておりませんから、七時から八時数分前まで東京駅で本を読んでいるのです。では、どうしてそんなことをするのかといえば、ラッシュ・アワーがいやだというのです。ラッシュ・アワーで人におされ、あばら骨でも折つたら困るから、早く東京駅に着いて、駅の待合室で勉強しているというのです。こういうのも、やはり変り者の一つの型ではないかと思われます。

それから科学者はもう一つ、みなさんの印象ですと、世間知らず、ということになっているようです。これも戦前の実話なんですが、私の後輩で、当時一銭五厘のはがきに、必ず一銭五厘と書いてある印のところに一銭五厘の切手を貼ってだしていた人がいました。つまり、一銭五厘の字のところは切手をはる場所だと思っていたのです。それから、その人は友だちのところに封書をだして料金が不足だったことがありました。当時、封書が三銭だったのです。それで友人は不足で六銭のバツ金を払わされたわけです。その友だちが「お前から来た手紙は料金不足で六銭よけいにとられた」と返事のついでにいってやったら、つぎの手紙には、三銭をはったうえに、さらに六銭はってあったそうです。こういうのがだいたい科学者の世間知らずの標本になっているわけです。

それからもう一つは、科学者になる人は金持ちだということになっているのです。つまり金がなければ科学などはやっていられない、ということになっています。じじつ私の知っている人なんかは、自分のもっている株の相場を利用して、自費でしかも奥さんまで連れて洋行した科学者があります。こんなわけですから世間の印象は、変り者の、世間知らずの、金持ち、これが科学者だということになっているわけです。

こういう印象をもう少し分析してみますと、科学者には三つの要素があるのです。科学者というのは、まず頭がどんな科学者でも左に曲っているのです。つまり左へ曲っているということはいわゆる左翼だということです。反動と言われるような人さえも左翼なんです。ということは、少くとも頭の中だけは自由を愛し、進歩的であって、平和を求めているというのが、大体科学者のほんとうの姿なのです。たとえば、最近新聞に出ていたが、アインシュタインが死んでから、自分たちは原子爆弾の製造に賛成すべきでなかったというようなことを告白されていますが、あれと同じように、あらゆる科学者は自由を愛し、進歩的思想をもっているのです。

つぎに、科学者という人物の体についてみれば、みんな床屋さんといった職人のように、だれもかれも自分の腕一丁で食っていく、というところがある職人なんです。つまり、植木屋さんとか、大工さんとか、床屋さんとかいう職人気質をもっていて、非常に自我が強くて、わがままであるというのが科学者の才二の特性になると思います。

それから、さいごの科学者の足の方を見ますと、科学者というのは袴をはいておりまして、何のことはない足はお役人でして、非常に足元は古くさいのです。つまり官僚主義者であつて、ときの権力にペコペコするいくじないところをもつているのです。そして、袴の中に何がはいつているかといいますと、ファシズムという空気をためています。このように科学者は足元が非常に保守的で、反動的なのです。これはなにも科学者が生れたときお産婆さんにそう仕込まれたからではなくて、科学者を育てる日本の社会的背景が、こうしたのです。このことはあとでお話するとして、このような三つの特徴をもつています。

なかでも、自分の腕一丁で食つていくというようなことは、たとえば、お医者をみていただけばすぐわかると思います。手術を非常に正確に早くやるというようなことはお医者さんの非常な権威になるわけです。ですから、あくまで自分の腕だけを頼りにしていて、自信がたつぷりで、人の言うことを聞かない、という根性をもつているわけです。それから権勢欲といいますか、官僚的な根性といいますか、これもなかなか強いのです。したがつて、戦争中には科学者が「技術院」というようなものをつくつたのです。ここの総裁には科学者がおさまつて、軍に協力したわけです。その人たちは科学を振興したいという気持からやつたことなのでしょうが、やつたことは、ほかならぬ権勢欲であつて、権力につけば自分たちの天国がすぐできるという、非常に安直な考えがもとだつたというふうに見ることができると思います。こんなわけで、もし皆さんが中で、もつとも簡単に科学者の本質をつかまえたいと思われたら、科学者とは、簡単にいつて「自作農」だと考えればよいでしょう。科学者のなかには自家用車を運転したり、あるいはスマートな背広を着た人も多いのですが、その根性たるや自作農、つまり篤農家の気持と同じものだというふうにみていいと思います。早稲田大学の先生も、東京大学の先生も、みんな自作農なのです。そういうお前はどうかということになると、私はやつぱり自作農です。むずかしい言葉でいうと、これは「小市民階級」ということになるのでしょう。

こう申し上げると「科学者というのは変り者で、世間知らずで、金持ちで、お百姓のような人ばかりなのか。いいことを聞いた。私はもう絶対、科学者のところにお嫁にいかない」という御婦人があるかもしれませんが、そうばかりはいえないわけです。これは日本という国の、現在の科学者にはこのような人が多いというだけで、科学者が必ずしもこういった人種ではないわけです。たとえば今から百年以上も前の音楽家ベートーベンやモーツアルトの音楽は、いつ聞いても気持がよく、いまだに生きています。ところが、このごろはやっているマンボなんかになると、はじめ聞いたときにはびっくりするが、二度目は耳が痛くなって、三度目にはテンカンをおこしそうになります。これはどういうわけかというと、ベートーベン、モーツアルトの音楽は社会が発展期にあったときの作品だからいまだに生命を保つているというふうにいわれております。これと同じことで、世の中が発展期にあったときに生れた科学は非常にいきいきしているし、またその当時の科学者は変り者でもなければ片わでもない、非常に人間らしい人が多いわけです。自分の専問のことになりますが、一例をあげますと、世界で最初に「地質学会」という地質学者の集りが、一八〇七年にイギリスで生れましたが、こういう「学会」がどこで発展したと考えられますか。開会式には早大の大隈(おおくま)講堂のようなバンとしたところで、やったというふうに考えられるかもしれませんが、この地質学会ができたときには「自由な石工の酒場」というところで発会したわけです。今でいえば「本郷バー」とか「みよしの」、「渋谷食堂」といったところでしょうか。そういったところで、世界に冠たる地質学会が生れたわけです。そこに世界的な学者であるバビングトンとか、デービーというような科学者が集って英国地質学会を発会したのです。どうしてこういう学会が誕生したかというと、当時英国には王立学会があって、これは非常に封建的なものであったのです。これに反抗して若いほんとうに科学に熱心な科学者が集まって地質学会をつくったわけです。そしてこれを支持したのは当時の産業資本家、つまり工場主だとか、金融資本家、つまり銀行家、そういうイギリスの資本主義を盛り上げるような人だったのです。王立学会の方はだれが支持したかというと、貴族だとか、王様だとか、勲章をもった人がおもだったのです。そのころの社会は封建制度がますます没落していき、新しい資本主義が発展していくという空気にあったわけです。そういうときに新しい考えの人たちが、これまでの形式を破って、「居酒屋」で学会をつくるということをやらかしたわけです。日本もその例にもれませんで、明治二十六年に今でも残っておる日本地学会という学会がはじめてできましたが、それは何に対抗してできたかというと、当時あった東京地学協会という学会です。後者は明治十二年に発会しておりまして、会長には華族がなるといった学会なのです。また会員には位階勲等を持った人が多く、軍人や華族が会員にたくさんいるといった具合だったのです。こういう地学協会に対して、今度は学術を中心にして、しかも学術を国民に普及しようという精神に燃えた人たちが地質学会をつくり上げたわけです。それは余談になりますが、慶応大学の創始者である福沢諭吉という学者がおられましたが、最初この人は地学協会に入っていたのですが、四ヵ月でやめてしまったという記録があります。つまりあのような自由主義の精神をもっていた人は、こういう学会にはいられなかったのでしょう。このようにして地質学会が生れたのですが、地質学会は本郷あたりの酒屋で発会したのかというと、記録がないのでよくわかりませんが、大学の教室あたりではじまったようです。地質学会は「石工の酒屋」でこそ開会されなかったが、学会を運営したのが、ほとんどすべて若い学生だったということでその若々しい気持を学ばなくてはならないと思います。また、これが科学者の正体でもあるわけです。つまり科学者も世の中が非常によくて発展するときには、非常に普通な健全な人間になるが、世の中ががたぴしして行き詰り、不景気になり、さらにスパイだとか、暴力団が横行するようになると、科学者もさつきいったように、かわり者とか、世間知らずのようなものになってくるものと、思われるわけです。

それでは次に、こういう科学者がやっている科学とはどういうものかということを考えることにしますが、科学というのは、むずかしいものの代表になっています。つまり、科学というものは、非常にむずかしくて、しかし、冷正で、客観的なものであるという宣伝がおこなわれ、そのために世の中の人をどれくらいだますために使われているかわからないのです。特に自然科学はむずかしいということになっております。なかには、学校で科学の試験は、すべてカンニングと白紙で答案をだしたから、科学の話はやめてくれという人があるくらいです。事実、学校で教える科学というのは、皆さんの日常生活に全然関係はないし、生産とも結びついていないで、ゴチゴチの理屈ばかりを教えているわけです。ですからますます科学がいやになるのはあたりまえのことです。最近ではアメリカさんの方針なんでしょうが、科学のいろいろな知識を散漫に教えているわけです。つまりアチーヴメント・テストなどにでてくる問題のように、マルをつけたり、三角をつけたりして答えがでるような科学の知識を教えています。これは科学の実用主義といって、やはりほんとうの科学の味を教えてくれているのではないのです。私は戦争中にニューギニアへいったことがありますが、そこで、オランダ人がニューギニアの土人に対してとっていた植民地政策を体験しましたが、いま皆さんが学校で習い、皆さんの子弟が学校で習っている科学教育が、いかにオランダの政策に似ているかということがよくわかるのです。ニューギニアにはパプア人という、ものすごくどう猛だといわれる黒い人がいます。これはあくまで宣伝であって、事実に反しています。パプア人は音楽にも非常な才能があって、男も女も子供も、あっというまに四部合唱をやってのけます。そういう人たちにオランダは小学校三年の教育をほどこしておるわけです。どういうふうにして三年間教えるかというと、三年間に宗教教育と、ごく基礎的な科学知識とマレー語を教えているわけです。つまり、オランダ人がパプア人を使える程度の知識と学問をつぎこんでいるのです。そして土人の好きな踊りとお酒を禁止して、歌をうたうのは教会へいってうたいなさい、踊りを踊るのは群長さんの特別の許可をもらいなさい、というふうにしています。お酒も特別の者にあたえるというふうな餌に使っているわけです。日本の今の理科教育を見ますと、生物も、物理も、化学もほんとうに断片的に教えられているだけです。これはどういうことかというと、外国から自動車が輸入されてくるが、その自動車を運転して、機械を直すことだけはやれるように仕こまれ、ラヂオを分解して組み立てるようにだけ科学の知識は教えられている、ということになるのです。しかも新しいラジオの機械を発明したり、新しい自動車を発明したり、そういうような高い科学の知識は一般にもたせないというのが、実用主義の特色じゃないかと思います。つまり、われわれはていのいいパプア人で、そういうような教育をされているわけです。ニューギニアはほとんど道路がない国ですから、自動車なんか走りようがないわけです。ですから三年程度の教育でいいわけです。日本は幸か不幸か道路がありますから、自動車も売りこめば自動車が使われるので、自動車を使える程度の教育をした方が便利だということになつているわけです。しかしやはりこういう実用主義ではほんとうの科学の味はわからないわけです。

それから、昔、しかも今も引き続いて日本の科学にとられている政策の根本はどういうものかというと、一九四七年にアメリカ合衆国国民科学院というところから、日本の学術と技術の調査に来たアメリカ人が書いた報告につぎのようなことが書いてあります。「文化階級という観念並びに日本の文化が自由主義の世界より勝つているということを示すことによつて、日本の名誉を保持しようという観念が多くの大学人の心の中にある」というふうに書いてあります。何のことはない、科学を研究して皆さんの生活が楽になるとか、あるいは商売がうまくいくとかいうために科学をやつているのではなくて、日本の国には優秀な科学者がいるぞといつて、日本の民族主義の宣伝の用に科学が使われている、ということをアメリカさん自身が書いて、ちゃんと日本語に訳して出版しているのです。これはアメリカさんがいうばかりではなくて、私たちもそうだと思います。つまり日本は神の子孫、天皇の子供で、その一家族であるというふうな宣伝に科学が使われていたのです。

それから、第二には、侵略戦争用の武器の製造に科学者並びに科学が利用されていたのです。

それから、第三番目には、外国の特許や外国の発明を、大急ぎで学んで商品を作つて外国へダンピングして、市場をどんどん獲得していこうというパテント泥ぼう、外国の特許権を早くまねよう、しかもパテント料を払わないで焼き直しをしようというやり口、これが大体日本の科学の任務であつたのです。だからおもしろくないのは無理はないわけです。しかしよく考えてみますと、科学というのはやはりわれわれの日常生活に結びついているわけです。皆さんの毎日のお勤めでも、やはりバスに乗り、電車に乗つて往復されていると思います。これもやはり科学の知識を利用しているわけです。中には帰りがけにパチンコをやられる方もあると思いますが、あれも数学の確率の原理を利用したトバクで、数学を知つているとうんと入るかもしれません。また暑い日には氷水なんかをのまれるでしょうが、これは決して富士さんからとってきた天然氷ではないので、アンモニアを利用してつくった人造氷です。男の人はビヤホールへ寄る人もあるかもしれませんが、ビールとは何かというと、酵素を使って麦を発酵させて炭酸ガスを入れる化学反応を使ったのみものです。それから奥さんの方々は帰りがけに魚を安く値切って買って帰られるかもしれない。これもやはり、弁証法といった考え方を使って、魚屋の気持を巧みにつかまえて値切るのではないかと思います。こういうふうにいろいろ科学が日常生活に役だっているわけですが、ただ皆さんのばあいにも、それが断片的になっていて、一本の帯になっていないという欠陥があって科学の味がでてこないのではないかと思います。

では、科学とはどういうものかといえば、自然と社会と人間の考え方についての、正しい客観的な知識なのです。自然というのは、生物や山や川です。それから社会というのは、世の中のできごとで、どうして黄変米を配給するのだろうとか、あるいはどうして税金が上るんだろうとか、あるいはどうして自衛隊がうんと大きくなるのだろうか、というような社会現象のことです。それから人間の考え方というのは、人間の感情や思想のことで、こういうものについての正しい知識を科学というわけです。ですから科学のやり方というものには、自然や社会や人間の考え方についての正しい法則を見つけだすという仕事が一つあるわけです。それから物事に見通しをたてるということが科学の一つの任務です。よくいわれている例ですが、ニュートンという人が散歩していたらリンゴが落ちてきたそうです。そしてリンゴの落ちるのを見て、万有引力の法則を見つけだしたのだそうです。そのおかげでわれわれは地球がまわっていてもほうりだされないで、地球の上にちゃんとすわっていられるのです。それからつぎに見通しをたてるということは、今朝は六時にくらくなったが、明日は何時になったら朝になるかわからないという人があるでしょうか。大体明日は六時になったら薄暗くなって、五時になったら明るくなるという見通しがつくと思います。これは科学の法則を理屈では知らないけれども経験で知っているから見通しが立つわけです。こういうのが科学のやり方になるわけです。それからもう一つは自然を作り変える仕事をするということが科学のやり方の特色の一つになると思います。たとえば、あるところに運河を堀るとか、あるいは山にトンネルを作るとか、川にダムを作るとかいうことはみんな科学のやり方になります。そういわれてみると、自分の日ごろやつていることがみんな科学の仕事でべつに科学はむずかしいことではないということになるのですが、事実その通りなのです。ですから、そういう何でもないことが、どうしていやで、どうしてうまく使えないかというところに問題があるわけです。それは私から言わせれば皆さんに問題があるのではなくて、皆さんをそういうふうにさせている世の中の仕組みの方に問題があると思います。人間は生れながらにして科学的な素質をもつています。そうでなければ両方のそでの長さをぴつたり同じような長さに裁縫ができるわけはないし、ましてや科学者でなければ顔へおしろいを塗るとか、パーマネントをかけるなどということはむずかしいことになるでしょう。日本人は歌をうたうのと、映画を見るのと、みつ豆を食べるのと、お酒をのむのはすきだけれども科学はきらいだといつた、こんなばかなことはないと思います。日本人だつてやはり科学はすきだし、その能力をもつているわけです。ところがいろいろな世の中の仕組みが悪いので科学に対して親しみもなくなるし、うまくやれないということになるのではないかと思います。

では、結論的に科学の精神というのはどういうことになるかというと、一つは、実験してみるということ、ためしてみることです。二番目は、論より証拠わら人形、というやり口です。このことは実証主義ということですが、必ずものごとの証拠をはつきりみつけて、勘だけで仕事をやらないということです。三番目に見通しを立てるということ。それから四番目には、自然を作りかえるということで、新しい発明や発見をするということです。五番目に、科学でも特に自然科学に関しては、これは日本的な自然科学だとか、ソビエト的、アメリカ的自然科学というものはなくて、科学はみな人類のために尽すというところに特色があるわけです。世界人類に貢献することと、けんかしたのでは人類のためになりませんから、平和のための科学、こういうところに科学の特色があるわけです。ですから科学々々といわれるけれども、とくべつむずかしいことはないので、毎日自分たちのやつていることなのです。ただこういうような知識がばらばらでは困るので、さつきいつた自然、社会、人間の考え方に対する正しい知識を体系だてたもの、つまり知識のまとまつたものを科学といつているだけなのです。皆さんに、もし科学者として欠陥があるとすれば、それは、いろいろな知識はもつているけれども、まとまりがないというところに原因があると思います。よく小学校の五、六年から中学生、あるいは高等学校の低学年の人で、昆虫の名前だとか、電車の番号だとか、汽車の駅の名まえだとか、そういうことをものすごくよく知つている人があります。東京駅を何時何分に出て、急行は沼津で上り何々急行とすれ違つて、何輛編成でうしろはすいているなどということをよく知つている人があります。しかしそんなばらばらな知識をもつていてもしようがありません。そんなものだつたら時間表を買つてみれば書いてあることがらですから、やはりこれでは困ります。つまり知識に体系がないと困るということです。

以上、大体、科学者の性格から進んで科学というもののことをお話しましたが、科学者も人間であり、科学も世の中の出来事である以上、やはり科学は世の中の動きと結びついていると思います。それで今度はくだけたお話で、科学というものはどういうものか、もう一度世の中の上から明らかにしてみたいと思います。これから夏休みで私たち地質学者は地質調査というような仕事で山へはいつていきます。そういう話をきくと、特に学生の人とか、御婦人は、「まあ素適だ、山へ行つていいでしようね」といいます。「よかつたらついていらつしやい」といいますと、「だけど、山には蛇や、蛙や、毛虫がいて、とてもだめだ」ということをよくいいます。なかには、胸毛やすね毛が生えたレスリングの選手でさえ、蛇や毛虫を見せると「キャッ」という人がたくさんあります。また、子供たちと一しよに山へ行つても、日本人は蛇や蛙を見たらすぐ殺すのに専心します。外国にはこんなことをする人は割あいにすくないようです。まず、科学といつても昔の古い科学があります。たとえば錬金術（れんきんじゅつ）というような、何でも金にかえてしまおうとして研究した古い時代の科学もあります。私たちのように石油や石炭を主として研究している地質学者は、昔は原始的な方法で石炭を探していましたが、近代では人工地震を利用して石油や石炭をさがすというようにやり方がかわつてきています。このような近代の科学がいつ生れたかといえば、一八四〇年から一八八〇年にいたる産業革命の時代です。この時代は日本でいえば徳川様の葵(あおい)が仆れて、資本主義が生れてきたときに当るわけです。これをかりに明治のはじめとおさえますと、明治の前の徳川時代は自立経済というか、自然経済というか、正確な言葉は知りませんが、自分で自分が食うものを作る経済の時代であつたわけです。日本の農家へいつてみますと、味噌も自分の家で作る。お婆さんが自分たちの仕事着を編んでいる。屋根も自分の家でふきます。衣食住その他なんでも自分の家でおぎなつているわけです。こういう経済は封建社会の経済状態だつたわけです。こういう時代には科学は、正直のところいらないのです。というのは、自分のうちだけで作つて、自分の家だけで消費するので、ほんのわずかしかものを作りませんから、イワシの頭を神様と思つて拝んでもけつこう楽しく暮していけたわけです。イワシの頭はイワシの頭でなくて神様でもいいわけです。蛇は用水池の主でいいわけです。そう思つていた方がほがらかで楽しくいくのだから、蛇は虫類の蛇属に属する動物であるというようなむずかしいことをいう必要はないわけです。ところが資本主義の時代になりますと、今度は商品を作る時代になるわけです。何でも物は「売るために作る」、つまり前には自分が使うためにいろいろな品物を生産したが、この時代になりますと売るために品物を作るという世の中になるわけです。売るために品物を作るのですから、もう朝起きてから寝るまで、帰りの車の中でもなにか落ちていないかといつて、世の中の品物はすべて商品にならないかといつて見て歩くことになります。蛙でも蛇でも、それまでのように神がかりに見ていたのでは商品になるでしょうか。イワシの頭、これは神様だ、蛇は主だ、先祖が化けたやつだ、といつていたのでは、もうかりません。やはりイワシはイワシで、蛇は蛇だということを冷正に判断しなければ相手が承知しません。それで論より証拠試めしてみるというような科学のやり口が生れてきたのです。これで科学の本体がわかつてきたと思います。だから皆さんが蛇や蛙や毛虫をこわがつて山にいかないというのは、一つは皆さんの家庭、気持の中にやはり古いイワシの頭根性が残つているからです。またそういう教育をうけて、そのような長い習慣をつけられているという点に原因があると思います。それからもう一つは、日本は明治になつても一流の資本主義国になつていないで侵略戦争でやつと生きていけた資本主義国であつたのです。ですから国民はさんざんいじめられて軍国主義教育でザンニンにそだてられてきています。あまりいじめられると、その気持のはけ口としてどこかへバクハツさせます。それで蛇でも蛙でも何でも弱い動物は殺さないと承知しないという弱いものをいじめる習慣がついてきます。それらが一しょになつたのが、皆さんの蛇を見るとまずキャッといつて、つぎには石をなげて殺すという原因になつているのだと思います。商品を売つて金をもうけるために品物を作るということの精神が、そういうふうに冷静に自然を研究させて、近代自然科学が発達してきたのです。つぎには品物をどこかへ売らなければならないので、そのために外国では資本主義の発展にともなつて、世界じゅうを探検して歩いて、アフリカの奥地なんかにも売つてもうかるものはないか、商品を買つてくれるところはないかと血まなこになつてさがし歩いたのです。エベレストがヒラリーとテンシンによつて征服されましたが、ああいうイギリス人の探検の精神は、この時代から養なわれてきたものです。富山の薬屋の大がかりな商品販売の精神、これが科学的探検の精神なのです。

以上のべた商品になるかどうか冷正に自然を分析する精神、商品の販売路を開拓していく精神、これが近代科学をおこした精神なのです。ですから科学は絶対に封建制とは一致しません。たとえば封建的な宗教とは反対です。宗教は観念論ですが、科学者はどんな人でも唯物論です。たとえ反動と言われる人でも唯物論の精神をもつています。これで科学者の生い立ちと科学の精神ということを大体お話したのですが、ごくせんじつめていうと、近代科学というのは資本主義の精神を元に生れてきたということです。そのために非常に冷静に、客観的に物事を見るというふうな特ちようももつているわけです。

ところが科学の中に大きく分けて二つの科学の分野があります。これは御承知のこととは思います。私もよくわからないのですが、今世界中で問題になつていることで、社会科学と自然科学で、自然科学はどうもその性質が違うということが最近いわれだしてきたわけです。―以下次号―

はもん

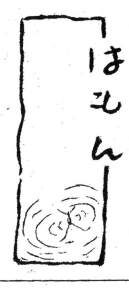

厂史評論五月号（河出書房発売）で特集した〃耺場の厂史〃について、読者からよせられたお便りをのせてみました。まだ多くありますが、あとは次号にいたしました。

○北海道苫小牧市○

謹啓、東京はもの猛暑のことと思いましたが、北海道はやっと夏らしくなっただけで朝夕は上衣を離すことが出来ません。

猛暑の下で日夜御健斗のことゝ存じます。

厂史評論〃耺場の厂史〃特集号を大変面白く拝見させて頂きました。

実は小生ら王子製紙労仂組合の大会で組合史の編纂が決議され常任となって十年間の組合資料を整理しております。

厂史評論を拝見しておりますと、組合史の在り方等について大変参考になりましたが、労組結成されて比較的新らしい組合の厂史ばかりで、戦後結成されていろいろなかたちで歩んで来た組合の厂史がないのが残念でした。

そこでお願いですが、若し大単産で組合史編纂に着手しているところがありましたら経験を交流し御意見の教示を受けたいと思いますのでお知らせ下さい。

また参考になる本がありましたなら御教示下さい。　以下略

（王子製紙労仂組合組合史
編纂委員会）

○室　蘭　市○

私達がオルグ中岩根君が竹村さんに話された〃抗動隊〃の真相を是非手元にありましたら送って戴きたいのです。今や私達の手でその抗動隊の内幕を一冊の本にすべく集約して居るのですが彼が不在なので（岩根君）行きづまった形です。早急に作り上げる様教宣部の方からも要請されて居りますので御手数乍らも御持ちでしたら御送り下さる様御願い致します。

（日鋼室蘭労仂組合青行隊　O君）

○茨　城　県○

貴誌「厂評」を書店で今年の一月頃みかけて、それ以来毎号かかさず購読しています。その中でも、耺場の厂史特集号は特に興味深いものがあった。この苦しい社会のさまざまの現場（日本資本主義の矛盾がむきだしになっている耺場）でたゝかいぬいている民衆たちの手によって、苦しみの民衆自身の厂史をかいたと

いうことは、なんてすばらしいことでしょう。

厂史の主人公は自分たちなのだという自覚、それが〃職場の厂史〃のずい所に出ているような気もする。もっと、もっと沢山の人たちが自分たちの生活の歴史を書いてもらいたいと思う。

農村の主婦の厂史、学生の厂史、ニコヨンの厂史、何でもよい、それぞれの立場で、それぞれの苦しい、生活の厂史を。

ぼくは、厂史にとくに興味をもって勉強しているのですが、今年、ぼくたちの学校へ水戸一高）で夏休み、県下の自由民権運動の調査をやります。


（学生　加藤木久雄）

〇東京都杉並区〇

僕はある小さな研究所で試験管洗いをしているものです。厂史評論の〃職場の厂史特集号〃をおどろいたり、感げきしたりしながら読みました。僕は最初、表紙を見たとき、職場の厂史ってどんなことを書くのか、ちょっと考え込んでしまいました。昔小学校で教わった厂史がすぐ頭に浮かんできました　でも、その厂史の中には〃職場の厂史〃を聯想させるようなものはなにもないような気がしました。どんなものを書くのだろう職場の厂史なんてことがあるのだろうか、僕はなんだか割りきれない気持がありましたが、本だけは買って読み始めました。

日鋼室蘭のこと、東証のこれらのことが書いてあると歴史、歴史なんてこと考えなくてすらすらと読めました。一人の労働者の歴史を読んでゆくと、あゝ、俺もこんなだったなと思いました。そうして読み終ったとき歴史ってこんなものもそうなんだなと思うようになり、ぼんやりした形だけど歴史が少しわかったような気がしてきました。今迄歴史なんてこと考えたことのない僕が、歴史っておもしろそうだな、と思うようになったこと、小さいとき教へ込まれた歴史というものゝ考え方がいくらかぐらついてきたこと、こんなことを考えると楽しくなりました。だけどこの一冊の本の中に含まれている個々の具体的なものに、僕の心が動かされることが大きければ大きいほど、僕はあとで悲しくなるのです。僕がなんにもしていないからです。信州の貧しい小作農の家庭に育ったこと、今だって一日一日を、いゝえこれからずーとどうやって過そうかと小さな頭をかゝえ込んで考えなければならないような苦しい生活、こんなことが歴史の内容になるんだとわかっても書けそうもないのです。いゝえ、書くことがないような気がしてなりません。

でも僕には今、职場の厂史や自分の厂史を書きたいという心が湧いてきています。僕は僕が何かやりだしたら厂史が書けるような気がしてなりません。厂史を書きはじめたら、僕もそれと一諸に動き出せるような気がしてなりません。

僕は僕が厂史を書くことをも含めてみんなと一緒に歩んでゆきたいと思っています。みんなと力を合はせてゆきたいと思っています、どうか〃职場の厂史をつくる会〃の例会がありましたら知らせてください。

（菊池　一徳）

0横　須　賀　市0

〃职場の厂史〃感想を、というのだけれど、実の所わからない。たしかに面白い。だがこれを〃职場の厂史〃というのか、これが即ち〃职場の厂史〃なのか、僕にはピンとこないのだ。室蘭は何か小説を読んでいるようだし、その他にしてもルポルタージュというもの以外には出ていないように思う。こうゆう所から少しずつ高いものに昇ってゆくというのならわかるけれど、これがイコール〃职場の厂史〃となると、いささか考え込んでしまう。それだけ僕が今の厂史から浮び上ってしまったのだろうか？

僕はこの特集の中から〃厂史〃がつかまれてくるのだと考えるのだが…

（公務員　石井あつし）

0静岡県島田市0

〃東証〃についてのものは私自身すごく感激しました。女子労仂者の立ら上がりとそれを支援する母親の愛にはめがしらがあつくなりました。〃日鋼室蘭〃のものはなんか青行隊長を英雄視し、行動隊員の苦しみについてもっと書いて欲しかった。N工場のものは生産性向上運動が行なわれている今日の労仂者の苦しみというものをはっきり知ることが出来ました。苦しい条件の中での労仂者の結びつきには何んかしら強い確信を与へてくれました。厂評の内容がうんと充実し、国民のもとにさらに発展されるようのぞみます。

（学生　松野裕瞭）

0京　都　市0

前略、厂評六六号を読みかけて異常な感銘を受けております。まだ読了しておりませんが、その中の「日鋼の斗争に学ぶ」という竹村民郎氏の文章、その中にある「赤旗はなびく」という詩を詳しく教えていただきたいと思います。小生うっかりしていて未だにその内容を知らないでいます。なるべくは、それだけに止らず他にもすぐれたものあれば二、三御教示願えれば幸いです。汽船神加丸が積荷なしで出航する所など実の出る思いでした。どんなに苦しかったろうと思うとつい目先きがあつくなって来るのです。この六六号は厂評、民科の行き方を実にはっきりと出し、歴史を専門としない人間にも理窟抜きで納得が行き、新しい勇気をふるい起させられます。本当に立派であり、あたりまえの行き方だ。それに比すれば我々の研究機関であるべき筈の日本フランス文学会はお恥ずかしい次才だ。仕事の関係でこの学会にも加われず、孤立している現在の小生はたゞ歯がみしているような状態です。たゞ大学の中で学び得た唯一事を支えにして時機を把みたいと考えています。それというのは例の一九五三年未から一九五四年始にかけての京大ストライキ事件。この時、L学部の学生大会で経験したことです。日鋼室蘭とか、その他の斗争に於いても常に感じられていることに違いありませんが、あのアラゴンの「異国の中の祖国にて」という云葉、それを裏返しての「祖国の中の異国にて」という実感です。議論百出でもないけれども飛びだす議論の中には、それぞれ何とかしなければという気持が感じられるのに、最後までストライキという声は出ないのです。他に何かよい方法はないか。皆頭をしぼって何も出てこない。それなのにストライキという方法にはうったえようとしない。口を開けば何か何かという事ばかりである。

そんな時に右の云葉をどんなに実感したことでしょう。以来この気持はぬけません。のみならず祖国の中から異国を何とか追い出してゆかなければならないと思うのです。一九五三年の時には幸いストライキに立ち上りはしましたが。とにかく厂評は勇気をふるいおこさせてくれます。貴誌の発展を祈ります。百姓一揆はまた小生の関心事です。がんばっていこう。

（久永　栄）

○福　岡　県○

厂史を正しく認識することによってのみ私どもは正しい人間社会のあり方を把握できると思います。そのためには、支配者の厂史でなく、名もなき地位もなき人民大衆の一人一人の毎日の生活の厂史こそ、大切なものとしてはぐくまねばならないと思います。今後、右の意味において、人民の、どんなささやかな生活であっても、それを綴ることから、本当の厂史を学ぶようにしたいものだと考えています。

（公務員　正木利輔）

○長崎県大村市○

普通雑誌をよむときは必要な記事だけよんであとはよまないことが多く、亦そんな人が多いのですが、最近の本誌はすみずみまで眼をとおさずにおれない気持です。"日鋼室蘭"の斗争記録はとにかく"すばらしい"と思って拝見しました。この記録を沢山の人によんでもらいたいと思います。

（教員　西田　博）

書評　横山源之助著『日本の下層社会』

「下層社会」というあまりききなれない言葉に、いぶかしがる方もいるかも知れませんがそれも当然で、この本は僕達のお祖父さんの時代である明治三十二年に出版されました。そして労仂者の立場に立つた仂く人々の実体調査としては日本で最初の本なのです。

横山源之助という人はこの当時、毎日新聞の記者で、実態調査や工場めぐりをしてすぐれたルポルタージュを新聞にのせていました。この本はオ一編、東京貧民状態（三十一年二月調査以下同じ）オ二編、職人社会（同七月）オ三編、手工業の現状（オ一章桐生、足利織物工場は二十九年五月、オ二章阪神地方燐火工場は三十年八月）オ四編、機械工場の労仂者（オ一章綿糸紡績工場は三十年八月と九月、オ二章鉄工場は三十一年十一月）オ五編、小作人の事情（二十九年九月と十月）という本文と附録「日本の社会運動」に分かれています。だからここに書かれているのは明治二十九年から三十年位の間の仂く人人の実態なのです。

一日、十五・六時間の労仂時間でひどい食物とボロ寄宿、しかも給料はなく三年契約で五円という賞与金、こういうひどい生活をバクロし「嫌だ〳〵よ機織やめて、甲斐絹織屋のお神さん」「お鉢引寄せ割飯眺め、米はないかと眼に涙」（本書九九頁）とうたわれる紡績工場の女子労仂者のくるしみの原因を明らかにしています。また燐火工場では六才から八才という遊びざかりの子供を一日十銭以下で使い（一三九頁）鉄工場の最も多くの労仂者は、十二時間労仂、賃金は日給と請負の二通りだが平均、三十銭から三十五銭で仂かされている。ある旋盤工は家族三人で総収入十六円二十五銭、支出二十円五十四銭、四円以上の赤字（二二七頁）という生活で労仂力の維持することができないで病気。こうした苛酷な異状に高い搾取によって日本資本主義は太り発展してきていることが赤裸々にのべられています。

しかし労仂者の立場に立つて考えている著者は、ただバクロするだけでなく、鉄工労仂者がこの状態を改善するために鉄工組合をつくつたことを特筆して「その挙の美なるを称すべし」（二一七頁）とたたえ、組合こそ労仂者がしつかりとつくり発展してゆくべきだということをも明らかにしています。だから、「日本の社会運動」は大切なものです。もちろん、いろいろ欠点もありますが、それはよんで考えて下さい。いま皆さんが職場でつきあたつている苦しみが、この本をよむことによつて一層よくわかることでしょう。

渡辺菊雄

（岩波文庫、百二〇円）

大蔵大臣よりの手紙

ニュース、機関誌発行など、ここのところ会は発展していますが、それにともなつて、孔版代、速記代など、支出がふえていますが、それに反して収入はガタ落ちで、いま、会計は危機にひんしております。

収支決算を一応左にしるしますと、

三月以降七月十五日までの決算はニュースNO1で即報しましたが、

収入、四四七八円・支出、五七七七円で一二八九円の赤字でした。

七月以降九月二日までの収支は、

収入の部

機関紙代	三九〇、〇〇
原稿料	一五〇〇、〇〇
会費	八〇、〇〇
計	一九七〇、〇〇

支出の部

交通費	二〇〇、〇〇

連絡費、雑費	六〇〇、〇〇
孔版代	六五〇、〇〇
速記代	一五〇〇、〇〇
計	二九五〇、〇〇
差引残高	赤字　二二六九、〇〇

で二千二百六十九円と赤字がふえています。このうち歴評よりの借金二千円は〃耻歴特集号〃の発行で、寄附していただきましたので、現在は二百六十九円となつてます。

これをみますと、この七月〜八月の二ヶ月の間に、支出にくらべて、会の正常維持費である会費が三人だけしか納入されていないと云うこの現状が、ニュース、その他発行物の未回収分が多いことと合せて経済行きづまりの一原因となつていると思います。

これは一つに会員相互の連絡、大蔵当局との連絡が総会席上だけでしかスムーズに行かないと云う理由にあると思います。

勿論、大臣自らが積極的に各自に請求しにでむけば問題ないのですが………。

九月末には耕関誌が創刊されますので今までのように、未回収が多いと今度は本当に首がまわらなくなります。

アルバイトをして得たわずかの小づかいを電車賃にして、動いてくれている人を見ると、早く各自ふたんのない活動が出来るようになりたいと思いますし、やれば出来ると思います。今後会費など、顔を合わせた時、そくざに請求しますから会員の方は悪しからず。

回収をスムースにするため、各耻場単位で責任を持つて回収していただきたいと思います。

各耻場で、会計責任者を決めて、連絡をとる方法をやるつもりです。

編集後記

皆さん、おまたせしました。

どうですか、枡関誌のできぐあいは？

本号のトップは、すでに本文で紹介ずみの新会員、二見さんの力作です。これは、たとえて言うならば、のだち（山から掘つたばかりの鉱石）です。会員ぜんぶの力で、この論文をいいものにしてゆきましょう。

「はだか日本現代史」は、国鉄、N、地下鉄等々の会員有志の集団作品、東武労組枡関誌〃進路〃にのつて好評だつたものです。

ことわつておきますが、ベストセラーのはだか随筆から題をぬすんだのではありません。書き上げて、さて題をと首をひねつている時、暑いのでシヤツをぬいでいたSさんを見ていた某が、「はだか……」ではどうだろうと叫んだので、この名が生れたものです。

王子製紙の梅津さんが枡関誌のためわざわざお手紙を下さいましたが次回あたりから、いままでの圣験を生かして、〃組合史をつくるなかでの一つの圣験〃とでもいつたものを書いてもらう予定です。

予告しました〃国際電信電話の歴史〃は間に合いませんでしたがこれも次号にのせるべく交渉中です。

〃門ちやん〃こと門義一君の卒業論文の概略も次号にのります。

井尻さんの講座は数回続きますが、井尻さんにはいつも会の成長についての助言を頂いており、この誌上をかりて（国民の科学8月号、井尻正二、歴史の臥場は、ぜひ読まれたし）会員一同心から御礼申し上げます。

最后に〃はさん〃欄に全部はのせられませんでしたが、全国各地で会を応援してくださいます皆さん有難うございます。

本誌の御感想をどし〳〵およせ下さい。

（R）

皆さんの原稿をお待ちしています。

(イ)毎月締切り　十五日

(ロ)送り先　本会宛

(ハ)原稿はお返ししません

(ニ)送られる方は本人の住所氏名を正確にお書き下さい

(1)私の職場の歴史
　母の歴史
　村の歴史
おじいさんの歴史
等々

枚数は自由
五〇枚をこえるものはわけてのせる場合があります

(2)読者の頁(仮題)
各職場や村の歴史をじつさいにつくつてゆく折にでてくるいろいろな問題などをみんなで話し合う頁です
枚数　十枚　以内

(3)書評
枚数　六枚　以内

(4)新らしい資料の紹介
枚数　二十枚　以内

(5)その他(内容形式自由)　枚数　制限なし
※枚数はすべて四〇〇字づめの用紙を規準としました

昭和三十年九月十五日　印刷
昭和三十年九月二十日　発行

定価　六十円

申込み送金は
編集部へ　半ケ年　三百五十円
　　　　　三ケ月　百八十円

編集兼
発行人　東京都港区芝高輪一の一
　　　　国鉄労組品川客車区分会内
　　　　職場の歴史をつくる会

東京都千代田区西神田二の一五番地
東京資料印刷株式会社
電話九段(33)二八〇八番

耺場の歴史

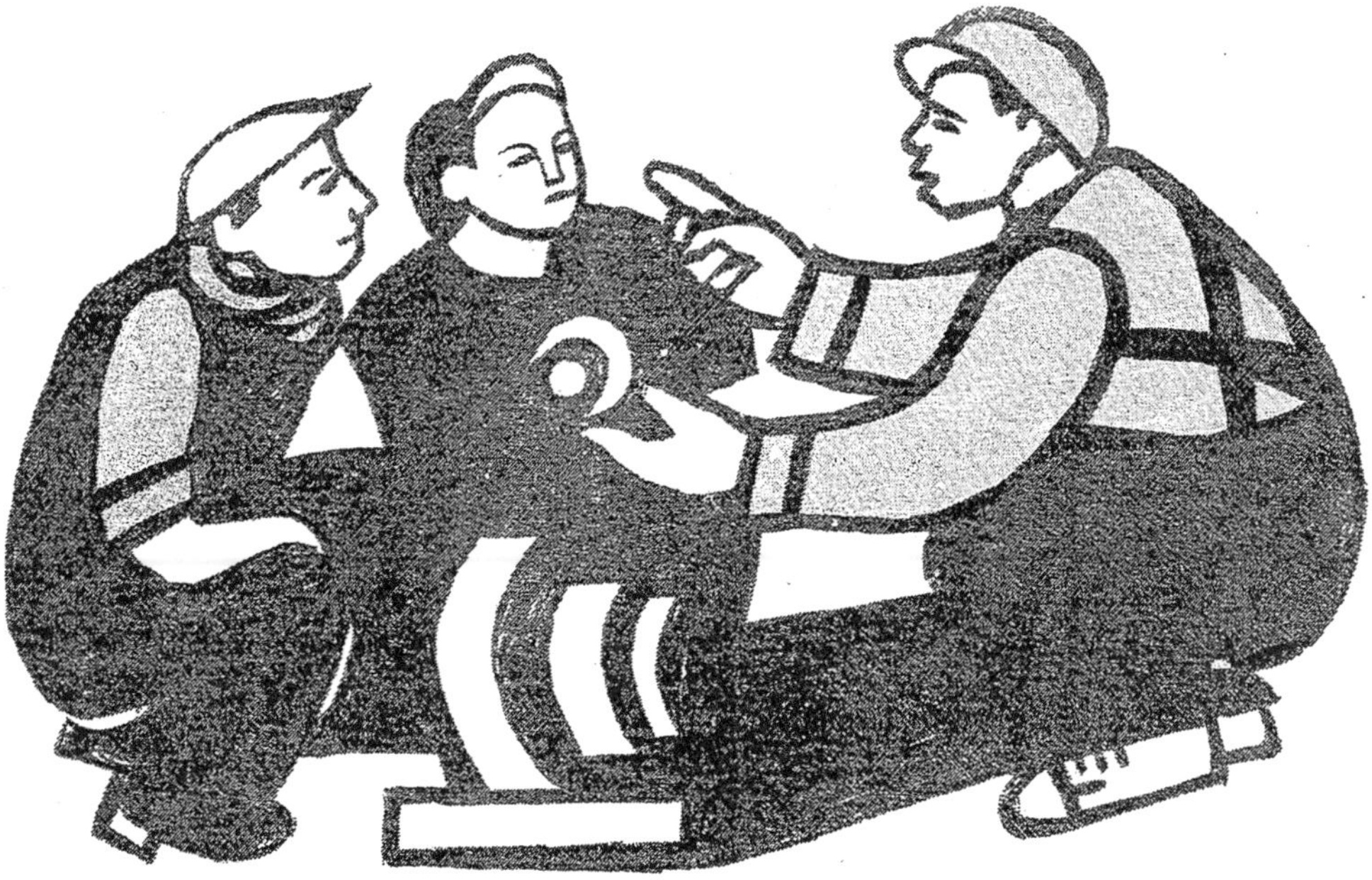

2

耺場の歴史をつくる会編集

目次

この手千両

＝職場の歴史をつくる会の発展のために＝

M工場グループ　竹村民郎

（一）

中小企業ーといつても小の部であるーにつとめているKが日曜日にぶらつとあそびにきてはなしていつた話が、妙に頭にしみついてはなれないので、それをかくことにする。

Kの工場では一日のしごとが終ると、てあらい場にみんなあつまつてごしごしとてをあらうそうだ。そのとき、しぜんに仲間のあぶらにまみれた手が目につくものだが、Kはこゝで一つの発見をしたのである。

工場にふるくからいる職人の手は、みるからにがつしりしており、一つ一つきざみこまれたしわは、ながい年月をかたり、くろくしんだつめは、むかしの労仂のはげしさを語つているのである。

「そのつめは、いつごろつぶれたのかい」Kが向うと、職人はにやりと笑つて、自分のくるしかつた若いころのことを、とくとく語りはじめるのである。それはちようど、登山家が山の地図をまえに、自分の青春をかけた想いでをかたるのにもにているのである。

一本の手、それは他人がみれば一本の手ではあろう。しかし、その職人にとつてみれば自分の歴史が一つ一つきざまれた大切な手なのである。

Kのいる工場は、去年くれ近江絹糸の会社側が空からまいたビラにしげきされて、若いものが先頭にたつて、組合をつくつたという歴史をもつている。

そのご、組合をつくる推進力となつた若い者と工場に古くからいる職人の間にみぞができ、ともするとゴタゴタすることがつねであつた。

だから、一九五五年四月、職場の歴史をつくる会の機関誌にKが職人の歴史をさぐるために、「どうして、このようなガンコな、視野のせまい職人気質がうまれてきたのか、そいつをこれからさぐりたいと考えています。職人気質の人を労仂者の気持をもった人にかえてゆくためには、職人気質がどうしてその人々のなかにうまれてきたかをしらねばならないのです」とかいたのは、とうぜんであった。

それいらい、Kは、ことあるごとに同じ工場の職人にむかしのことをたずねたり、一しょにはなしたりしたのだが、いつも、Kの努力をうす気味わるく思うのか、職人は二言か三言はなして去ってゆくのであった。

だから、この手洗い場でのKの発見はKにとっては大きなよろこびであった。

「職人の手は大きくがっちりしています。たのもしい」「このごろ、僕は電車のつり革にぶらさがりながら、だいぶんがっちりしてきた自分の手をみて、自信をもっていますよ」と頬をあからめながらKは語るのだった。

（二）

こうして、Kたち若いものと職人とがしたしさをふかめていったが、ある日のこと、十八才で軍に志願し、復員して身のまわりに気がついたら二十九才になっていたという職員のHが、Kにこんなことをいった。

「俺よ、おふくろと親父が中学え行けって云ったんだけどよお、いくら行かなくても、こんな下級サラリーマンになるとは思はなかったなあ」

「下級サラリーマンって何のことだい」とKがたずねると、

「お前、知らねえのか、官庁やでけえビルにつとめているのが上級サラリーマンさ、俺達みてえなのが下級サラリーマンさ、わかったか」と笑う。

「うんわかったような気がするけどね、サラリーは英語で月給、マンは人という意味だよ」

このKの問いにHはすっかりあわてて、

「すると、俺達はなんだい、給料は月給でくんないから?、日給とりか」

「日給のような気がするし、時間給のようにも思われるし、日やといと変らないね」とK、

「何だ!!　そりゃあ、あっそうか、俺たちは労仂者かあ!」職人はうまれてはじめて「労仂者」という言葉を発見したように驚いている。

こんなことがあってしばらくして私の所に遊びにきたKは「職人の人は、自分たちは労仂者って思っていなかったんですね、僕は組合をつくってゆく中

3

で「自分は労働者である」ということをいやというほどわからされたので、ほかの人もそう思っている。とばかり思っていました。だから円が「俺あ、労働者か！」と言ったときは、一瞬ポカンとして何の意味かすぐにはわかりませんでした。からかわれているのかと思って一寸しゃくにさわったぐらいでしたよ」と職人から労働者えのうつり変りの一こまを話してくれた。

(三)

Ｎ工場でも、くれはもち代がいくらでるかということが休み時間の話の種であった。

三十八才の職人で一ヶ月一万二千円ぐらいなのだから、Ｎ工場の人は残業につぐ残業。月平均二百五十時間～三百二十五時間も働いている。

「こゝにいるかぎり子供の顔がおがめない」と分工場のＡさんはやめていった。

怪我をしてびっこをひこうが指がぶら〱しようが、傷害保険六割ではとても休めない。結婚してもその日から働かなければならない貧しい人々のむれ。・分工場の旋盤工Ｋさんが四十過ぎなのに六十近くにもみえるように、職人は三十すぎると急にふけこんでゆく。こゝでは悲壮感は通用せず、みんなこれがあたりまえだと思っている生活、「せめてもち代ははずんでもらおう」これがみんなの正直な気持だった。

この夏、不況を理由に若い者が数名、くびをきられてから、ずっと不活発にみえた職場大会もふたゝび、息をふきかえし、組合側の要求する二十五日分とおやじさんのいう十八日分との差をどうするかでねっしんにもみあいが始った。

職場大会には大てい若い者が「我々労働者は……」式の演説をやっても、どこふく風と聞きながし、窓の外の雀をかぞえていた職人も、ことしはうって変って発言した。組合の委員をしているＫに言わせると「うちも強くなったもんだ。いまごろは職人の方がどん〱発言し若いおれたちがつきあげられるみたいな有様であった。だから大会はとてもひるの休けい時間だけではおさまらず、おやじさんにたのんで就業時間にくいこんでしまった。

おやじさんは、一こうに終りそうもない大会を気にして事務所をでたりはいったりし、若い職人から「おやじはね、もう三十五年も工場をやってるんだ。もう六十になるんだぜ。おやじはね、死ぬまでになんとかでけえ工場にしようと思ってるんだ。それをみんなで仕事もしないでいじめるたあ可あいそうじやねえか」の声もでた。

　Ｎ工場の親父さんは故郷Ｍ県の小学をおえると、上京して職工になり、からだ一つで今日をきずいた人だ。この道がどんなに困難だつたかは永年Ｎ工場で働いてきた職人にはよくわかる。

　それに、戦後、労働運動がさし潮のように日本中をおそい、Ｎ工場でも組合ができ、おやじとはげしくぶつかつたが、組合の一部があまり無茶をしたので、おやじさんは三十年近くも手しおにかけた工場をとうとう閉鎖したことがある。それからというものはおやじさんにしても古くからの職人にしても「組合とは会社をつぶすものなり」という気持がぬけない。「二十五日分ほしい」「しかし俺たちの言う通り出すとおやじは会社がもつてゆかないと言つている」「会社がつぶれる」

この壁にぶつかり、どうしたらいいだろうで二週間近くも日がたつていつた。

この「おやじさんをおがみたおそう」という意見から「ストをやろう」というさまざまな考えまでとびだしたが、みんながとにかく一致したことは、俺たちは「会社の経営のうつりぐあいをさつぱり知らなかつた」ということであつた。

交渉でおやじさんはむつかしい計算や長い数字で経営の不況を話して十八日分説の根拠にするのだが、みんなが毎日の経験からおしはかるとどうもおかしい点もある。

みんなはそれぞれ泥なわ式でＮ工場の経営の真実をさぐろうとした。

若いものは労政事務所にいつて中小企業の越年斗争についてのにわか知識をえてきたり、年よりはかつて町工場経営の経験もある五十近い旋盤工のＯさんなどを中心にＮ工場の経営を考えてもみた。

　しかし、このような急場しのぎのやりかたでは、この夏、経団連にもはいり、あたらしい経営法もまなんでいるというおやじさんにはかてず、結局はおやじさんのいう十八日分プラス五百円という線で交渉は妥結してしまつた。

　Ｎ工場の職場大会はそのあともさかんである。まえには、ほかの工場のことや労働運動などにぜんぜん興味をもたなかつた職人たちも、「来年は、近所の工場の人たちのこともさぐろう、話しもしてみたい」「会社の経営についてもおやじ以上に正しくつかみたいもんだ」と話し合つている。

(四)

一九五六年をむかえて、私は私たちの会のこれまでの運動をふりかえり、新しい一歩をふみだすために、つぎのように会の意義とこれからの見通しを考えている。

私たちの運動は、N工場のような長い間社会の下づみになってきた中小企業に働らく人々の生活にはつきり現れているように、職場にはたらく人々がはたらく喜びと、ものをつくってきたという実感にむすばれて自分たちこそ工場のにない手であるという自覚をふかめ、未来えの明るい見通しをもとめているという日本の労働者の現実にたっている。

そして今後、はたらく人々の歴史をつくる運動を中心にしながら、農村のお百姓さんたちの手による村の歴史をつくる運動、市民の母の歴史をつづる運動とも結びあって発展し、国民的なひろい基盤の上に、国民の歴史をつくる運動をすゝめたいと思う。

そのためにも、今年は会が一層団結し、あらゆる分野の人々の協力もえながら進んでゆきたいと思うのである。

その前夜

—私たちの組合はこうして生れた—

恩給局職場の歴史を作る会

5

これが私達の職場だった

民主々義の殿堂国会議事堂の真下に、この歴史の生れた私達の職場がある。

6

二十八年十月・恩給法改正に伴って大量の臨時職員が雇われた・身分は日々雇入れの臨時職員であり二百四十五円の日給に私達のあるものは数少い本を売り・煙草もつきて血まで売った・有給休暇もなく健保・失保は勿論ない・千二百もの臨職という人間が・しかもベルと局長や課長の指図で機械のように働かされ・病気になれば首にされ・仕事のあい間の私語も・煙草も・そして机の上に新聞や本を置くことも禁じられた職場・毎日日計表をつけ・そのためには休み時間も休むことが出来ず・それでもまだ係長に呼びつけられて「仕事が少い」と怒られる・仕事の能率に差しつかえるといってはきれいな水の満ちたプールの使用も禁じられ・大臣の視察があるといつては昼食ものばされる・

「君達は二百四十五円を承知で入ったんではないか」そういう課長・係長の言葉に口惜涙をのみながら誰れにも苦しみや不満を云えず黙々と働いて来たがみんなの胸には当局に対する不満が燃えていた・

「こゝで」

ここで僕たちは働いている
僕たちの心のリズムが
他の者によって打たれ
そのまゝ
喜びもなく
期待もなく
歯車のように動かされる
僕達は
ただそれだけのものか
ぼくたちは
自分を主張出来ぬ程弱いか
喜びと
希望を
創り出せぬ程
力がないのか

うなだれた首を
こゝで
真直に伸ばせないのか
暗い地面に落ちた瞳を
こゝで
晴れた青空に向けれないのか
僕たちの一人一人が

7

固く手を握いだなら
それが
どうして
不可能といえよう

よりよい生活を求めて

このような中から味気のない毎日の生活をいくらかでもよりよいものにしようと云う動きが出て来た。二十八年十一月中旬、四課に会員二十名で息吹会が結成され、親睦会や討論会などが熱心に行われた。しかも、職制Nの非行を課内で公然と追求した事件のころから課長の圧迫が強くなり、遂に翌二十九年一月「息吹会は組合を作ろうとする者に利用されるおそれがある」という理由でY四課長より解散を命じられた。しかし、息吹会の中心となっていたK君、N君などを始め、会員の不満は一層強くなって行った。丁度同じ頃、早大生の親睦会、稲門会も息吹会と同じ理由で解散を命ぜられ、あらゆる会、あらゆるサークルは公然とは活動出来ない状態にあった。

学習会と歌う会の誕生と発展

こうした中で一課のH君、O君等が農林省を中心とする「社会主義の経済的諸問題」の学習会に参加していた。丁度この頃一課では読書会が作られようとしており、その中の中心的活動家K君とN君が新しい仲間としてこの学習会に参加して来た。

寒い冬が過ぎて議事堂前の銀杏並木が一勢に新しい芽を吹き出す頃、この新しい仲間を迎えた学習会の中から自分達だけでゼミナールを作ろうと云う声が起り四月中旬、農林省の人達と討論した結果、当時各職場に普及していた「社会科学基礎講座」をテキストとし恩給局だけの学習会として正式に発足した。然し最初は、農林省の人達が時々参加し指導してやると約束はしたものの、四人だけではとても心細く最後までやり通せる自信はなかった。

だがO君が学校の友人総務課のT君を連れて来、又コーラスで知り合った四課のTさんが参加するようになってからは討議もやうやく活発となり、学習もだんだん面白くなって来だした。

この頃から学習の終った後、日計表やM君の首の事等めまぐるしく起って来る職場での具体的な問題を学習と結びつけて討論する位になり今までの学習会より異った活気あるサークルへと成長し始める。とりわけ執務中に本を読んで居たのを局長に見つかり即座に首になったM君の事件はこの学習会の人々を驚かせ怒りと惜しみをこめてた討論が徹底的になされた。

なかでもM君と親交のあったH君等は吾々だけでも課長の所におしかけようと強行に主張した。この頃から学習会中に潜在していた行動力がはっきりした当局えの怒りとなってふつ〱と胎動し始める。

　七月、四課のTさんが息吹会と進門会がY課長の弾圧により解散させられた事実を報告した。学習会も一層の警戒心を強め、集会も毎週毎にチャペルセンター・参議院グランド・お堀端と集会場所を変えテキストには各自表紙をつけ始めた。又、これと時期を同じくして職場の中ではプールの使用禁止、日計表による労働の強化等と職場の苦しみは日毎に増大しつゝあった。

この様な環境の中で学習会も漠然とした行動力から吾々の苦しみを解決する唯一の方法として〃組合を作ろうという意識が弾圧の中からはぐくまれ力強く成長して行ったのである。

八月学習会が社会科学基礎講座のテキストから公務員法の学習を併行して始める頃、総務課のU君K君S君等を中心とする「弁証法的唯物論」の学習会、又四課のT君K君を中心とする「歌う会」の活動等もあった。

　四課の歌う会は五月頃、T君K君が中心となり（後に農研のA君も加えて）「歌う会」を始めたが、だん〱と参加者が多くなり皆んなの協力の基に、ガリ切って楽譜を刷る様になってみんなの「歌う会」に発展した。場所は主としてチャペルセンター前の銅像跡を利用したが時として濠端なども使った。「唇に微笑みをもって」の合言葉のもとに窒息しそうな職場生活の不満を歌に紛わした。

八月頃、四課だけでなく、学習会のH君O君その他の人達もこれに参加し一時は会員二七名近くもなったのだが、元来、この会は歌う楽しみだけで集った人達なので、四課の会員の中には知らない人達と一緒に歌うのを快よしとしない傾向が出て来参加者はだん〱少なくなって来た。

然しこのサークルの中にも組合結成えの芽ばえはあった。当時は歌の好きな人達が集まって楽しい歌を一緒に歌うさえ当局から警戒の目を持って監視されていた。この様な状態の中で心ゆくまで、大声はりあげ、誰にはばかる事なく歌える様にするにはどうすれば良いか？
その様な討論の中に学習会がぶつかつたと同じ障害を認識し始めていた。

三度のメシを食わせろ

「歌う会」と同じ頃総務課（四号庁舎下）を中心に五、六名の学生で組織する「恩給局学生平和を守る会」と云う小さなグループがあり、第五回（二九年）メーデーには「三度のメシを食わせろ」「原水爆はゴメンだ」等のプラカードを掲げ、参加したがその後組織的に発展するに至らず、自然に消滅した。しかし、それらの人達は自分達の明るい、働き良い職場への希望は捨て去る事は出来ず、ここでも、S・K君等が中心となり多少ともまとまりのある「読書の会」を十名位で組織しスターリンの「唯物弁証法」を学び始め、特に理論と実践との結合を理論的根拠の上に立つて討論解明しようと試みた。一週二回の研究会は長く続けられ参加する人もふえて来た。然し余りにつよい当局側の力に自分達の力を過少評価した為、組合結成と云うはつきりした目標を持つ事が出来なかつた。出来るだけ仲間を作ろうと云うところからそのグループは「恩給局うたう会」を組織し三号庁舎機構でコーラスを始めた。

組合を作ろう

～各サークル、統一への動き～

この様なサークルのあるのを知つた学習会は組合は作れるんじゃないか、と云う自信を日毎に強め、各サークルに積極的に働きかけた。しかしこの学習会の働きかけに対しても最初は〝自分達で果して組合を作れるだろうか？〟と云う疑問の為、サークルの統一はなかなか実現しなかつた。だが都庁や、統計局の臨時職員の実体は大きな羨望となつて吾々を刺激した。再三にわたる学習会の呼びかけに対し、まず弁証法的唯物論の学習会からU君、K君が参加し、歌う会からK君が加わつた。

取り残されたニコヨン、泳げないプール、休み時間に新聞や将棋も満足に出来ない職場、苦しみの一切の根源はサークルの性質を問わず、この職場にあつた。

この苦しみがサークルの指導者達をしてガツチリとスクラムを組ませた。統一されたサークルは八月の末、夕暮せまる日比谷公園の芝生の上で才一回の会合をもつた。一課のO・H・A・K・M・西課のK・T・I・総務課のA・T君等自己紹介と、総体秘密を守る事、明日からただちに行動する事等、お互いの固い握手を通じて最後までやり通そうと誓い合つた。帰る途中、Aの口ずさんだインターが希望に満ちた力強い合唱となつて美しい夏の夜空に流れた。

手

この弱い手を、孤立していて
誰にも触れなかつた
白い手を僕は眺める
そして、そつと、あたりをうかがう
君の暖い手を、今、もうすぐ
しかも
力強く
がつしりと握るのだ

（準備会〃あし〃三号より）

× × × ×

組合結成準備会誕生

～〃あし〃才一号発行～

十月九日、組合結成の準備委員会が結成され才一回の委員会が二十四名参加して農研会議室で開かれた。

議題は結成大会の日と、機関紙、それに正職員を入れるかどうかなどであつたが、始めて同志が一室に会して決意を誓い合い、各責任分担（五部門）を決めて実際の活動にのり出したのである。

その後、十二、十四、十六日と委員会を持ち、各部は日比谷公園、チャペルセンターなど転々と場所を変えて討論し合つた。

十月二十三日の委員会で機関紙は「あし」と決定され情宣部員は毎晩夜遅くまでE会に集つて編集方法を論じた。一つの原稿をみんなで考え、分担して書き、十時もすぎると、コッペを買つて来て頬ばりながらガリを切つた。印刷の時は自然とみんなの口から歌が出て来た。

すばらしい希望があつた。力があつた。こうして情宣部員の感激の涙のうちに「あし」の才一号は出来

11

た。

〃あし〃オ一号配布

十月二十六日、朝、委員は朝早く出勤して、それとなく「あし」オ一号を机の上においていたり、どこからともなく、回覧形式でまわされたり　信頼のおける人たちの手に渡された。この「あし」の発行は非常に大きな反響を及ぼした。準備委員会は全日退庁後直ちに開かれ「あし」の反響を中心にオ二号の計画と新しい情勢に対処する方法が討論された。

十月二十七日の委員会では、当局の狼ばいと、あくない詮索が報告され、反に委員のだれか槍玉にあがつたとしても黙秘権を行使することを誓い合つた。二十九日、一課でI君が呼び出され『「あし」の紙が似ているが、役所のを使つているのではないか、執務時間を利用して印刷しているのではないか』と嫌味を云われた。事件などがあつて準備委員は、一層の警戒体制を構へるよう申し合せた。そして当日の委員会では、この様な当局の出方に対し、二、三の首切に対しては、経済的援助をすること、準備委員が首になつた時は、報告会の名において組合結成大会をすること、その他を決定し情宣部では「あし」にもつと積極的な内容や職員の一人一人の不満を具体的に盛る事が決められ、部数を五〇〇部多くした。と同時に各部の充分な活動のために五十円づつ出す事を申し合せた。

今日も首がつながつている

このような非公然の活動の中で委員は必要以上に警戒心が強くなり、毎日門を出るときには「今日も首がつながつている」とほつと溜息さえをもらした。

十月三十日の委員会には林野庁の組織部長が参加激励してくれ法規部を中心に規約と臨転の身分の問題が検討され、又渉外、外部団体をかけめぐつて仂きかけや、戦術を学んで来た。

十一月二日「あし」オ二号は発行された。前夜殆んど徹夜して頑張つた情宣部員のうち、A君は更に朝早く四谷駅で林野の組合員に「あし」を渡して門前で登庁する職員に配つてもらつた。

同夜、委員会では「あし」二号の反省と、各課での情勢が報告され、それに基いて斗争スケジユールが検討された。六日の委員会では規約が審議され、結成大会の日取は外部団体のオ三波実力行使前にすべきだとの渉外の説明があつたのち、十八日に決定、全力を挙げてその日のため努力することが申し合わされた．

情宣部は連日徹夜の奮斗が始まり、八日始めて組合結成準備委員会の名を表面に打ち出し「あし」号外を発行林野組合員に門前で配ってもらい声明文をもって全職員に呼びかけた．この結果物すごい反響を全局的にまきおこし「あし」と準備委員会への期待は非常に高くなっていった．

十日引きつづいて「あし」第三号を発行、主張を設けて「声明文を支持しよう」と書いているように準備委員会は強い信念と指導性を発揮して出した．

当局の弾圧激化す

一方このような準備委員会の活動と、全局の非常な反響の中で、当局は懸命になって委員の名を掴かもうと、弾圧を激しくすると共に、スパイ、尾行監視等あらゆる卑劣な手段を使ってきた．この当局の狼ばい振りは「あし」三号に掲載された「会話は踊る」が雄弁に物語っている．

また出たか
それ集れ課長殿
使い走る、西、東
おゝ忠実なる番犬よ
早くかぎ出せ
おのが敵
それ食堂だ
いざ進め

局長の顔は七面鳥、化けるタヌキは七変化

十日「あし」第三号の反響、並に情勢が報告され、規約審議のあと、渉外より外部団体の応援が報導された．あけて十一日の正午、空っ風の吹く中を、官公労の宣伝カーが、来庁、マイクで全職員を激励、その後代表は局長と会見した．それに対して局長は「組合を弾圧する意志は少しもなく．むしろ健全な発展を望んでいる」と言明．

同じ日準備委員の一人津村君は、二課長と会員として浮き上った．これらの問題について、委員会で対策を協議した結果、津村氏だけを孤立させる事なく・準備委員は積極的に職員に働きかけ浮び上った場合は、全委員の氏名を発表する事を決定、一方、結成大会までの具体的な対策を検討した．

十二日朝門前で、主として組合に関するアンケートを配り、退庁時に、投書箱に入れてもらった．

十三日「局長組合結成に賛意を表明す」と云う「あし」号外を発行、全職員に多大の影響を与えた．

同日、委員会に於て号外に対する各課報告を行い、同時に、アンケートの集計を出した、が、六項目の全てに転員の今までの不満や、要求が溢れていた。

アンケートにあふれる期待

三の華に対する感想

良い	三三五
悪い	七
判らない	一三

×××

組合が結成された時

参加する	二四七
しない	一
判らない	〇

十五日の「あしし」号外には、このアンケートの結果を、詳細に報告、その結果、転員の一人一人に力強い横のつながりを与えると共に、準備委員と転員との連がりも、強く結ばれた。この事は、連日の活動で疲れ切った準備委員に、力強い激励となった。

十六日委員会において農林林野両委員長の激励があり、十八日までやらなければいけない事の種々の決定がありなされた、輝かしい希望と、ちらっと心をかすめる不安をもったまま準備委員は最后の奮斗に没頭した。

遂に組合結成さる

十七日「あしし」を四号発行し、主張で「結成大会に参加しよう」と呼びかけ、今や大勢は總体結成される方向に傾いている事を訴えた。この日退庁間際の四時頃、当局は突如として契約書なるものを配り捺印して提出させようとした。

全転員はこの暴挙にこぞって反対し、一方林野と官公労代表は直ちに局長に会見して抗議した。そして遂に契約書を撤回させた。

同夜、契約書を撤回させた全局的な盛り上りは委員たちにすばらしい力を与えた。どの顔も張り切れんばかりの元気と喜こびをたゝえていた。当局の弾圧には絶対負けないんだという確信に立って、最后の戦術会議は開かれた。明日の大会次才が審議され執行委員長を始め、各役員の案が決定された。

こうして運命の十八日は静かに明けた。全準備委員は朝早くから庁内の壁、電柱にビラを貼った。「ノルマ制反対」「日給三百円値上」「不当首切反対」赤青白のビラはみるみる庁内を彩どった。

登庁時間には全員で「結成大会に全員結集しよう」の呼びかけのビラを配つた。準備委員は、隣りのデスクの人であり、学校の友達であり、みんな知つてる人達だつた。それと同時に官公労、農研の代表は「私たち官公労は皆さんの組合結成を全面的に応援します。皆さんのバックには官公労百万の同志が控えていますよ」との激励のビラが配られ「私たちの組合を創ろう」の気運は物凄い力となつて盛り上つて来た。

こうして正午、「官庁の近江絹糸」と云われた恩給局に職員組合は、雄々しく孤々の声を上げた。今まで口に出して云う事がえ出来なかつた、数々の不満や要求が、マイクを通じて高々と叫ばれた。インタナショナルは講堂にこだました。この瞬間千二百の魂は完全に一つになつた。

遂に出来たのだ、僕らの組合があの顔も、この顔もみんな希望に充ちた晴々とした顔だ。準備委員のT君K君Sさんの瞳にも、きらりと光るものが見えた。

学習運動と科学（才二回）

考えはお尻のおき工合から

井尻正二

表をみてください。まん中にかけてあるのは社会のしくみ、これで世の中のことが全部わかるのですから非常にべんりなものです。さしえは、両わきにかいてあることをちよつとのぞいて、まん中のところだけをみていただきます。生産様式とかいてあるところの下にある横線以下は社会という建物のたつているコンクリートの土台に相当し、土台といわれる部分です。それから上の方は、社会という建築の木造の部分にあたつているわけです。つまりこの横線が大きな境なのです。ではどういうしくみになつているかというと、世の中は非常にいろいろなことがらがあるのですけれど、原理は非常に簡単なのです。つまりわれわれが衣食住の生活にこと足りるというようにするのが一ばん大切なことで、その上に趣味とか娯楽とかいったものが発達しているということを簡単に図表にあらわしたわけです。こういう講座を学ばれる多くの方はとかく、この建物の上の方に興味がある方が多いようです。たとえば会社のかえりがけで、きっさ店でお茶をのむと、さっそくマンボは芸術であるかどうか、伊藤整の小説は小説というべきであるか、創作というべきであるか、というようなことを口角泡をとばして議論するわけです。これはこの図表でいえば社会の「建物」の方にはいるわけです。つまり芸術的な「見解」の部にはいるわけです。

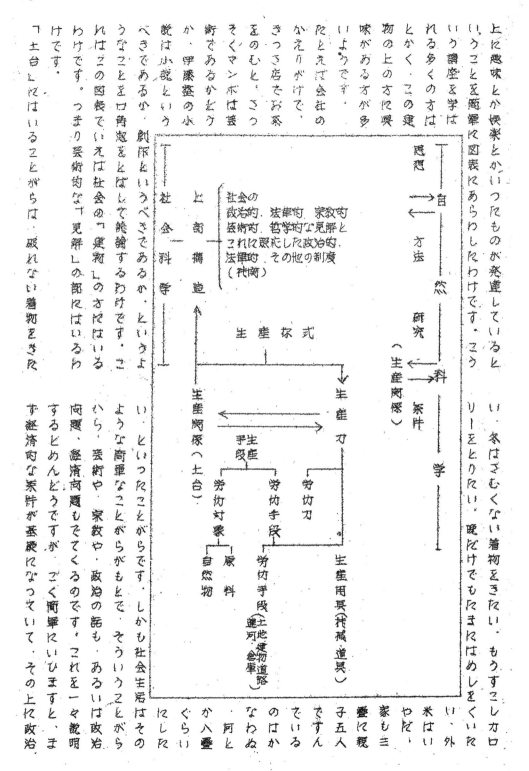

「土台」にはいることがらは、破れない着物をきたい、冬はさむくない着物をきたい。もうすこしカロリーをとりたい。晩だけでもたまにはめしをくいたい、外米はいやだ、家も三畳に親子五人ですんでいるのはかなわぬ、何とか八畳ぐらいにしたい、といったことがらです。しかも社会生活はそのような簡単なことがらがもとで、そういうことがらから、芸術や、宗教や、政治の話も、あるいは政治問題、経済問題もでてくるのです。これを一々説明するとめんどうですが、ごく簡単にいいますと、まず経済的な条件が基礎になっていて、その上に政治、

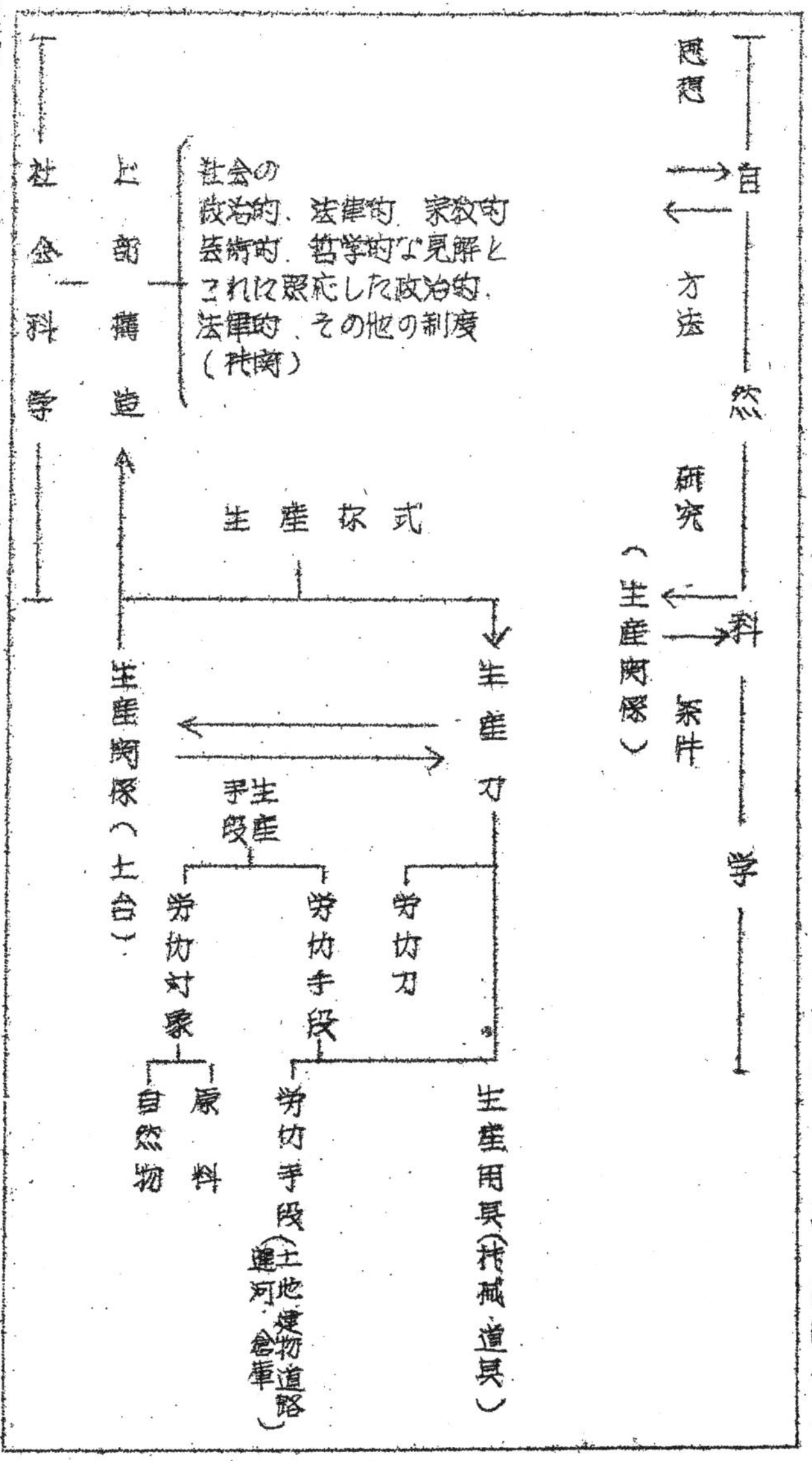

法律・芸術・宗教・哲学といったいろいろな意見がでてくるというのです。たとえば刑務所とか・裁判所とか・議会とか・学校とかいうものは・この土台の上にのっかっているということなのです。

そうして社会という上部の建物がのっかっているのは・経済関係のうちでも・経済を動かす人と人との関係・つまりだれが主人で・だれが番頭であるか・だれが社長でだれが社員であるか・だれが資本家でだれが労働者であるかというこの関係をうつしだしているというのです。

それからそういう人と人との関係は人間の社会に関するかぎり一人ぼっちの人間というものは考えられないので・人に使われるか・人を使っているか（さくしゅされるか・さくしゅするか）どっちかの立場にあるから・生産関係というのは階級関係を現わすわけです。

つぎに社会の土台は生産関係と生産力の二つからできていて生産関係が外側で生産力が中味の関係をしています。さらにこの中味を分けると・労働者と機械（生産用具）の二つからできているのです。このような社会のしくみでいろいろなものが作りだされるわけです。作るときには・人を使うものと・使われるものがでてきます　そしてこういう経済のしくみの上に・いろいろな見解が生れてくるのです。たとえば早稲田大学で先年・警官の暴行事件があって・警官に学生がぶんなぐられました。それは学生が悪いのだということをいう人は・人を使う立場の人の意見なんです。いや・学生が正しいのだというものは・人に使われるたちばの人の意見です。人間の思想や考え方というのは・生れたときからさずかっている自分の頭のしわのより方からでてくるように思われるのですが・ほんとうは・こういう土台骨に影響されてでてくるのだということを簡単にのべたわけです。

社会科学はお上品？

科学は社会科学と・自然科学の二つに大きくわかれますが・自然科学というのは・図表の右側にかいたように生産用具までに関係しています。一方・社会科学の方は上部構造にだけ関係しているのです。言葉をかえていうと・人間関係以上のものしか扱わないのです。一方・自然科学の方は生産力のもとになっている生産用具・つまり道具や生産手段・つまり土地・建物・道路・それから労働対象と言われる自然物・つまり鉱石だとか材木・および原料までとりあつかいます。その点で社会科学はもっと上品な

17

わけです。ここが社会科学と自然科学のちょっと違うところです。ところが社会科学と自然科学の共通しているところもあります。つまり、上部構造のところがそれです。まず自然科学の対象は、自然物をあつかうというところで社会科学と大きく違うけれども、人間との関係にも影響されるし、その当時の政治、宗教、哲学といった、いろいろなものにも影響されるというところで社会科学と共通点があるわけです。もういちど申しますと、社会科学の研究の対象は人間社会のことです。つまり生産関係以上のことを研究の対象にします。従って、上部構造からいろいろな影響をこうむります。自然科学は上部構造にも関係しますが、主力は土台以下のところです。つまり、その特色として自然物をおもにとりあつかいます。しかし、まえにのべたような社会科学との共通点があるわけです。

なぜこういうお話をしたかというと、戦争前までは自然科学と社会科学との区別や共通点を厳密に考えないで、いろいろな議論をしたり、政策をたてたりしていたわけです。ある人は自然科学だけが科学であって、社会科学というのは科学でないというふうに極端にいう人もあるし、ある人は、いや、自然科学といえども社会科学と同じように、非常に階級的なものであるというふうにいったりして、科学の正しい姿がわからなかったのです。ところが戦後になって、共通点があったので、社会科学者と自然科学者は手をとっておたがいの長所短所をみとめあっていろいろなことを話しあえるようになってきた、ということをお話する前提として今までゴテゴテと申してきたわけです。

——いんちきなノーベル賞——

これから戦後の科学の動きをお話するのですが、さっきお話したように、戦前科学者は陸軍の武器を作り、日本の商品をダンピングして市場を獲得するために外国のパテントをやき直しすることに努めていました。それから日本民族はこういう偉い科学者があって、こういうむずかしいことをやっているのだぞ、お前たち平民にはわからないのだ、という支配階級や天皇制の威力の宣伝に使われ、侵略の武器に使われていました。戦争中はどういうふうに使われていたかというと、まえにお話したように、科学者は、頭は進歩で、手は職人、足は役人なんですから、一部の科学者は役人風をふかせてファッショになってしまったわけです。こういう人は、はっきり軍と協力して、むしろ戦争に拍車をかけて技術院などというものをつくったりしました。

そういうふうに軍に協力した科学は戦時科学という言葉をつかい、戦時研究員という名前を賜わってジャガイモの特配があったわけです。ただそれだけです。実にかわいそうなものでした。ジャガイモの生のを少しばかりくれてやって、お前は戦時研究員だぞ、偉いんだぞ、がんばれ、がんばれと尻をたたかれたわけです。そうでない連中は片手に剣、片手にペンということで、今軍人が威張っているから逆らってもしようがない、軍人の仕事をちょっとやっておいて、あとの時間は自由な研究を続けようというので、自らを偽わったり、ごまかされたりして、結局のところ戦争に協力したということになったわけです。私たちもどっちかというと、後者の口に入るかもしれません。最後ふたをあけてみると、だまされ、かつ戦争に協力したことになったわけです。

さて、戦争が終ってから、どういうことになったかというと、まじめな科学者のなかには栄養失調で死んだ人もいますし、自殺した人もいます。どうもやみ米をかうのはいやだからといって堂々自殺した人もあるわけです。生活難がおそってくる、研究難がおそってくるので、科学者も目ざめてきて、戦争反対と平和のために活動するようになったわけです。これは、日本の歴史として非常にめずらしいことだと思います。それで、科学者の本職をやめて組合の活動家になった人がいます。外国の例ですと、フランスの科学者は戦争中からすでにドイツ軍に対抗してレジスタンスをやっていました。

有名なジョリオ・キュリーというようなフランスの科学者も、平和運動が本職になったくらい熱心にやっております。一九四六年には、初めて世界の科学者の労働組合みたいなものができました。これは専門の科学者の世界的な集まりなんです。つまり「世界科学者連盟」というものが生れてきたわけです。御承知の水爆反対運動とか、俊鶻丸のマグロの調査など、いろいろな面で科学者が動き出してきました。戦争に負けたために科学者も生活が苦しくなったこと、つまりさっきお話した科学者の足もとがぐらついて、科学者も一介の市民になり、平和のために、戦争反対のために、世の中のために働くようになったということがいえると思います。しかし一方こういう世の中になると、また逆の方向にうごく科学者もでてくるわけです。たとえばウラニウムの調査をやるともうかる、やろうとか、原子力の研究をやろうとかいうような人がでてくるわけです。そういう人は、やはり科学は頭だけでできると思っているからそういうことになるのです。しかし図表のとおり自然科学も、政治的な関係へ上部構造）に影響されるのですから、戦争を好む人が世の中を治めているかぎりはどんなにいいものを発明しても、これは違った方向に使われてしまうわけです。

社会問題に目をつぶる自然科学者は、そういうことがわからないで、ただ研究々々といってやっているだけなのです。それから小学校、中学校で歴史学をまた教えて、天皇制を教えこもうとか、修身科を復活して、日本の家族主義をまたおしつけようとか、忠君愛国の思想をおしつけようとか、いろいろな悪い動きもあるわけです。

一番悪いのは薬ですね。薬九層倍にもうけるといいますが、でたらめな薬が科学というレッテルをはって皆さんにうられています。

自然科学の悪用で極端なものは、ノーベル賞といったものにもおよび、政治のために利用されてある特定の国の、特定の人にあたえられていると思って間違いないと思います。ほんとうにノーベル賞が学問の実力とか、あるいは世の中のために貢献したということでだされるならば、何もソビエトとか中共をのぞかさなくてもいいわけではないでしょうか。今もらっているものは、いわゆる鉄のカーテンの外の人だけなのです。ノーベル賞をもらったからあの人はえらかった、おれの国はえらかったというのはとんでもない間違いで、あれは一種の思想侵略につかわれているといって間違いないと思います。それから科学者や科学は公平であるという点を悪用して、たとえば米価審議会とか、あるいは国防会議というようなものに著名な科学者を入れて、その結果を正しくみせることも行われています。国民は科学者が入って賛成してきめたのだから、政府の方針は正しいのだというような錯覚におちいるというふうに使われているわけです。

婦人雑誌に、何々の医学博士が語る離婚の真相、科学的に見た相性といった記事がたくさんでてきます。これもやはり科学を看板にして皆さんを瞞着しているにすぎないと思います。相性などというものは、科学的にきまるものではないからです。私がこういうことを申し上げたのは、前回、お話ししたような蛙でも、蛇でも毛虫でもすべてを商品になるかどうかといった、冷静な、客観的なものに即した見方はやはり世の中の婦人雑誌の記事についても、あるいは米価審議会の構成とか発表についても、ノーベル賞の決定についても、あらゆるものについてしなくてはならないと思います。またそれが科学的精神だということを申し上げたいばかりに横道にそれたわけです。

それでは最近の科学の動きをお話することにいたします。こういうふうにして科学者が戦後街頭へおどり出したといわれているのですが、そのとき科学者はばらばらにうごきだしたわけです。ある人は本職の科学をやめて、組合運動に没頭した。ある人はチンドンやみたいにやさしい科学のお話をしてあるいた。つまり科学の普及活動ばかりに没頭したというふうに、科学のもっているいろいろな側面をばらばらに使って、一人一人が勝手に動きだしたわけです。ところが最近やっとそういうことが反省されて、科学者の行き方が一つの方向を見つけだしてきました。それはどういうことかといいますと、科学者である以上研究しなくてはならないのは、当然ですから、いい研究をする研究活動と、科学を国民に知らせるという普及活動と、科学を研究する条件をよくしようという、研究費をよけいにしよう、研究設備をよくしようといった、科学界の民主化活動といった三つの大きな科学者の任務を、緒になったように統一して、しっかり結びつけてやっていこうという動きがそれで大体そういう方向に動きだしてきたわけです。

——本とうのことをしりたいため——

まず科学の研究活動はどういう意味があるかといいますと、自然科学を例にとって申しますが、ある山から金の鉱山がみつかったということにします。あるいは日本海の底からめずらしい魚がみつかったということでもいいのですが、こういうことは一体どういう意味があるか、皆さんの生活にどういう関係があるかというと、これはやはり自然の一つの真相が暴露されたということになるわけです。アメリカとソビエトの科学者が、原子力の秘密をあばいたところが、一方の国では、それが人類滅亡の恐怖となり、一方の国では平和利用になりました。原子の真相を暴露して困ったのはだれかということを考えてみてほしいと思います。

[illegible]く人はどんな自然の真相を知っても困らない。平和を好む人は困らないわけです。困ったのは逆に平和を愛せない、真理を愛せない人だけが困ったので

す。ですから科学者はそのやった研究がすぐ何かに利用されるということも、もちろん考えることはよいことですが、そういう目先のことでなくて、自然の真相を曝露していくということが正しい世の中の見方をあたえ、正しい世界観の基礎をつくる第一歩であるという確信をもって、いい研究活動をしているわけです。またこういうことをして自然の真相がわかっていくと、これは生産力の増強に役立つわけです。ほかの言葉でいうと、皆さんの商売がうまくいくとか、作物がよくできる、機械が安いコストで動くというようなことに役立つわけです。

それから科学者が普及活動をするということはどういう意味があるかというと、皆さんの中にもっておられるいろいろな疑問にぶつかって、研究テーマを学べるわけです。そういう疑問をといていくのが日本の科学者の任務であって、そういう新しい研究テーマをつかむことができるわけです。皆さんの方ではあたらしい知識をうるかもしれませんが、私の方では研究テーマをつかむことができる。やさしく科学を教えるということは、自分が非常に勉強して理解していないと教えられないものです。理解していなくて、いかに口先でうまく教えようといっても、教えられるものではありません。勉強しなくてはならないということもはっきりわかるわけです。皆さんの方では物事を正しく考えるという一つの武器がさずかるのではないでしょうか。

たとえば新聞や、婦人雑誌の記事一つ見ても、これはこういう嘘があるのではないかという疑いをもつことになると思います。それは正しい考え方を得る第一歩だと思います。

それから民主化活動というのは、今、科学者は研究費が非常にわずかです。私のように大学をでて二十年もたった人間が、一年の研究費を幾らもらっているかといいますと、一年間にたった三万円です。三万円で何ができるでしょうか、三万円で研究しろなんていわれたってできやしません。こういうわけで、どうしても研究条件をよくしなければ科学の研究はできないわけです。

これをやろうとするとすぐ壁にぶつかってしまうわけです。これをだしてくれといっても大蔵省がうんといわないでそのかわり自衛隊にたくさん金を使っているのです。市民の方は税金の問題、学校給食の問題、教科書の問題いろいろなかべにぶつかっているようです。学界でぶつかる壁は皆さんと共通な壁だと思います。こういうところで科学者がこの科学の三つの側面をやって、皆さんと一緒に進んでゆくということは、お互いにもうかる商売じゃないかというふうな考え方をこのごろしてきて、科学者が動き出してきたわけです。一例を申し上げますと、ある大学の学生と教授が農村へ調査に行こうということになりました。まずその大学では、農村へ行って新しいテーマをつかんでいい研究をしたいという気持で始まったわけです。そうしてそのためには農村へ行って、農村の人とよく話し合わなくてはなりません。ですから当然いい研究するために学生と教授は農村へ出かけていくわけです。そうすると役場の方では、あれは赤の工作隊ではないか、学校の方では教授が学生をせんどうして農民運動をやらせに行くというようなひがみをもちます。ですから三つが一緒になって一つの突破口をつくってやっていかないと、研究も、普及も、民主化も進まないということがどこでもでてきているわけです。これを一つどれか切離そうというのは間違いであって、これはどうしても、三本立でやっていかなくてはならないわけです。科学はこの三本立以外、逃げ道はないようです。これはなまやさしいものではないのですが、どうしてもやっていかなくてはならない道です。

今お話した農村調査のほか、工場調査、厂史評論に発表された皆さんがたの職場の厂史をつくる運動、つまり職工さんたちが、自分たちの組合や、工場の厂史を作るというような運動、そこへ学生や研究者が参加していく運動、井戸水が汚なくなる、それを調査して解決する問題、その他いろいろな問題が出てきているわけです。科学者はこういうふうに統一して進んでいきたいというのですから、ぜひ市民の中にもこういう科学者の受入れ態勢を作っていただきたいと思います。科学者は決してへんくつや片わはかりではなくて、もう今の世の中がくさりにくさってしまって、すぐ目の前に新しい世の中がみえているようなときには、科学者の中にも必ずいきいきとした若い科学者がでてきています。

そういう人たちと手を組んで皆さんの問題を解決して、あなたがただけもうけないで、科学者にももうけさしてくれというういき方で、手を組んでいっていただきたいというのがわれわれの希望なんです。たとえば市民の方で工場をやられている方が、何とかして工場の経営を能率を上げたいという希望をもっておられると思います。また税務所が差押えにき

23

たら困る、どうしたらいいかというような向題もあると思います．このようなときに積極的に相談していただけるといいと思うのです．そうすると科学者は、たとえば法律学者はそこへ行って法律原論とか法律史とかいうようなむずかしいことは知っていたけれども、自転車の差押えのところをどういうふうにして突破するかということを具体的には知らなかつたが新しく学ぶことができてもうかります

それから技術者は技術者で外国のむずかしい技術は知っていますが、身近なことになると同じことです

たとえば。ソビエトでは泥をしゃくう機械に非常に大きいのがあつて．腕の長さが百メートルもあり．そのシャベルの中にはトラックが一台入ってしまうということはよく知っていても．どう改良したら場末の萬年筆工場の能率が上るかということがわからないというようなことがあります．

そういうところに行くと技術者も反省させられるわけです．皆さんの方はそこで解決の糸口がついてもうかることができると思います．

それから家庭では子供の勉強会．学習会．あるいは主婦が集まって何々会をつくって話をききたいとか世の中の疑問をときたいといった考えをもっておられるときに．科学者をよんでいただければ．科学の専門家あるいは学生の人たちがいって．法律なら法律．自然科学なら自然科学．原爆なら原爆のお話をして、そちらはなまの質向をだしてくれると．われわれは．まだ研究していないが、また研究しましょうというようなことになってわれわれももうけるし皆さんも渋茶一ぱいくらいで．ただでいい話をきけてもうかるということになると思います．最近は非常に主婦の方．あるいは町の方．工場の方々のところで勉強会が盛んで．経済学教科書や女性の歴史、あるいは経済学教程というようなものを勉強しておられます．そういうときにやはり科学者に援助をもとめられれば学生なり専門の方々がいってお互いに勉強することができると思います．こういうふうにお互いにもちつ．もたれつの関係が．科学者の側にも受入れ態勢ができて、また市民の皆さんにもそういう要求が上ってきています．ここであとはただ実行することがいるのではないかと思われるのです．ぜひ．科学者．科学者の卵の学生さんと手をとって職場のみなさんも勉強してほしいと思います．

＝書＝評＝

日本繊維労仂者の歴史

小野一男

日本の資本主義経済の発展は、繊維産業の発展に負う所が大きいといはれている、そして繊維産業には多くの女子労仂者が仂いてゐて、その一本一本の指によって織り上げられたのが現代の繊維産業である。だから、日本の産業を築き上げたのは女子労仂者であり、現在の資本主義産業の発展は、女性の功績であるといはれるのは、あながち誇張ではない。

日本経済を築き上げた功労者である女子繊維労仂者が、どの様な待遇をうけ、どの様な生活をして来たのか・どの様な人生観を持っていたのか・そして現在はどうだろうか・此の様な事を、現代に仂く私達が、私達自身の姿を正しく理解し、私達の生き方を見付け出すための大切な鏡として役立てなければならないと思う・特に、繊維産業は近代以前の原始的な技術の頃から、現在の近代的な産業として発展するまで、絶えまなく、日本のそして世界の歩みの通り歩んで来ているから、繊維産業の歴史は日本全体の歴史であり、繊維労仂者の歴史は、日本労仂者の歴史そのものであると思う。そして「職場の歴史」に集った私達に多くの参考となると思うので、二、三、感想を述べて見たい。

「日本繊維労仂者の歴史」を読んで、特に興味深かったのは、機械や技術が輸入されて、工場産業として動き始めた頃である。当時、教育水準の低かった女子労仂者の中で、多少の読み書きの能力を持ってゐる地方の中地主や士族の娘が書き残した日記が資料として採り上げられている事が、当時の労仂者の生まの声を聞く思いで胸をうたれた。そして生まのまゝの生活を訴えたくても、訴える手を持たなかった一人一人の労仂者の胸ぐらをとうつかまえて、ゆさぶってやりたい様な衝動を感じた、更に、労仂者が多少の組織を持つようになった頃の、寺の境内や、教会の慈善ホームで語り合った訴えの言葉が、どんな国会代議士の名演説より力のこもったものであつた事か．労仂者の団結を訴へる宣言文や．生活を守るための抗議文が如何に私の胸に食ひ込んで来た事か．

　現在．労仂者の力は非常に大きくなつた．正当な生活の保障を求めて斗いが続けているが．とうてい当時のもの程の迫力がない．

一人一人の労仂者の顔が見えて来ない．

そして．こうゆう傾向は．この「日本繊維労仂者の厂史」自身の内容にも表はれてゐると云へよう．現在に近づけば近づく程．労仂者は自らの訴へる手段を多く持つて来る筈であるのに．採り上げられた内容は　宣言文、議事録．統計等が主であつて、一人一人の顔がうき出てゐない．その様なもの即．労仂者自身の力である事は事実であるが．何か迫力に欠けてゐて　主張の正当さが薄れて感ぜられる事は．どうしようもない事実だと思う．こゝに．私達「転換の厂史」が築かれて行く路があると思う．私達自身の立場で綴る厂史．而もそれだけではない．私達の顔を．表情を．心を訴へる厂史でなくてはならないと思う．その事に依つて．議事録も統計資料も血が通つて来る．初期の女子労仂者の綴つた日記は．格別に．はげしい調子や．たくましい言葉で綴られてはいない．淡々と自らの姿をえがくだけである

　次に感じた事は．現在の私達は過去の労仂者の積み上げた斗いの厂史の上に来つてゐると云う事ともう一つは．過去の労仂者の生活は．現在の私達の生活と根本的に変つた所がないと云う事である．

現在私達の生活のすべてに起る厂史の一コマ一コマは非常に複雑な問題として．私達のまわりに渦巻いているけれども．そのすべての問題は．原始的で単純であるけれども．明瞭で具体的な形で過去の労仂者の生活を構成してゐたのだとゆう事を感じた．法律や．規則の正体．為政者と財界との関係．経営者と労仂者との関係．帝国主義者．植民地主義者の常套手段等々．私達の生活そのものが浮き彫りされてゐる様である．

　最后に感じた事は．やはり私達の厂史は私達自身が書かなくては誰もかく事が出来ないと云う事．そして私達は．一つのまとまつた「○○の厂史」として書く事も大事だが．日常の生活を正確に書き溜める事．そしてそれを正しく評価し．動く厂史の中での正しい位置を知る事だと思う．

　私達は厂史を調べる時．正しい資料をどんなに苦労して求めねばならない事か．これからはその資料

は私達自身の手で残す事をやつて行かなければ又同じ困難が続く事だろう．これが「駐場の歴史」がやらねばならぬ重大な仕事の一つだと思う．書評というより感想になつてしまつたが、「駐場の歴史」のゆくべき方向の一つとして読后に思いついた事を述べて見た．

山八(やまはち)毛織工場の歴史

山八毛織の歴史を語る会

――しぼられた私たち――

杉浦明平さんの〃基地六〇五号〃にでてくる試射場反対で有名な，伊良湖(いらこ)岬を尖端にもつ渥美(あつみ)半島と知多半島にだかれる三河湾，この波静かな内海に面した一角に三河織物の産地蒲郡(がまごおり)市がある．東海道線にそつてまるで帯をひろげたように細長くのびているこの蒲郡の町には中小のせんい工場が千近くもあり，一万人からの女工さんたちが働いている．

この山八工場はその中で三つある毛織工場の中の一つだつた．山八毛織の社長鈴木明次氏を昔からしつている年寄りたちは「子供のころにゃあ親父といつしょにリヤカーを引いて塩の小売をやつとつたもんだが，えれえ出世をしたもんだし」と感心する．それもその筈，現在では六億からの現金をにぎつているといわれ，毎年の長者番付には名古屋国税局管内（愛知，三重，岐阜）で第一位をさがつたことがない程の，ちょつとまねの出来ない大金持になつたからである．終戦后わずか十年，その間にこれほどまでにのしあがつた明次氏はいつたいどのような秘伝をもつていたのであろうか．

今から五年前の昭和二五年に中学を卒業してすぐ入社したM子さんはその当時のもようを，

「あの頃はまだ三〇名位しか働いていなかつた．工場は雨もりがはげしく，こんな日には一日中雨だれを受けているバケツのとりかえにいそがしかつた．毎朝三時半か四時にはおこされて工場に入り，交替時間の午后一時半まで働く，けれどこれですんだのではなく午后四時ごろまでいつも残業があつた．け

27

れどこの残業の分には賃金はつかなかったといっているようにいくら仕事をしても残業手当などついたことがなかった。

昭和二六年になって新工場が増築され、雨もりのひどい工場はとりこわして新しくたてなおした。織機もふえたので多ぜいの娘たちが工場へ入って来、操業も全部二部制にきりかえられた。このころ寮の部屋長が一人一人の残業時間をくわしく記録し、残業手当を会社に要求したことがあった。自分の織った傷反は全部自分で責任をもってなおすようになっていたが、みんなあまり仕事をしなかったので、会社は手当をつけた方がよく仕事をするからいいといってこれを機に残業手当をつけるようになった。山入に養子に入った専務、それに家付娘の専務夫人は毎日女工さんと一緒におきて工場に入り、「このくらい働かなければしんしょうがたまらん」といっていつも二部制ぶっとおして働いていた。夫人の着物は明けても暮れてもきたきり雀だった。そしてしばしば監場を見廻りながら、屑かごのなかにすこしでも糸くずが入っているとおこって「こんなことでは給料はあげられん」とどなりちらした。機械が悪く管に糸がゆるくまけるときには、本人の不注意だといってできたビリ管(糸のゆるくまけた管)をいつまでもなおさせられていくら時間がのびても手当はつかなかった。こんななかで会社にみこのいい人(ひいきにあずかっている人)と悪い人との差別がはなはだしくつきだし、みこのいい人はすこし位サボっていてもおこられなかった。

この年の始め横山という男工が入社してきた。山入より小さな工場から転動してきた横山は無茶苦茶に働いたので会社にすごくみこみがよくなっていった。そしてこの男は気にいらないことがあるとみんなをどなったりなぐったりしたので、前からいた男工二人が工場をやめてしまったりした。専務夫人はよく「あの人はあまり働かないからもうやめてもらってもいい」とその働かないという本人にきこえよがしに口走った。これをきいてみこのいい部屋長がまたわざわざ働かないといわれた本人にそのことを告げ、専務夫人の立場に立っておこった。けれどこの会社にみこのいい人たちも最后にはみじめなやめ方をしていった。

十年働いた岡田というおばさん(四〇才位)は朝みんなのねているうちから仕事にかかり、夜十一時ごろまで会社のため会社のためといって働いていたけれど結核になり家にかえされた。しばらくしてなおったからと工場にきたが専務夫人はまあおばあ（お婆さん）になったからといって入れなかった。やめるときには退職金だといって純毛のコート地一着分だけもらい泣いて家にかえっていった。この人も私たちが会社のことをとやかくいうとむきになっておこったが、それでも山八の娘が裁縫も知らんではいかんからといっておしえてくれた。すると社長（明次氏）がきてたのみもせんことをやってくれるな　仕ごくさしつかえるといつもおこった。

また岐阜の別の工場から技術者としてまぬかれた林さん（四〇才位）という男の人も毎朝四時半から夜十一時ごろまで働きとおした。はじめは林さんでなければ織技がなおらなかったが　横山さんが入ってきて林さんの仕事を全部おぼえてしまうと、横山さんと前からいた手島さんの二人は林さんから仕事をとりあげてしまい、私たちが林さんに機械の故障をみてもらっても、なぜ俺にいわんのかとおこった。会社もあんなじじいに給料払うのはもったいないというようになった。林さんはとうとう病気になり家に帰った。そのあと林さんの息子の孝一という人が代りに工場へきたが横山や手島は親父にいじめられたからといって孝一さんをすごくいじめた。まじめで親切な人だったがあまりいじめられたので頭が変になってしまった。其の後林さんは死んだ。

（M子思い出より）

八年も十年も働いた人たちで、いらなくなるとこうしてスーツ地一着分であっさり追はれて行った人は二人や三人ではなかった。会社は、やめる時もっとたくさん品物を家に送ってあげるからと約束するが、一度も送ってきたためしなどなかった。

残業手当がつき出してからは、特に若くからいる人たちは少しでも給料をよけいとろうと、せっせと残業に出て行った。入社間もない少女たちが残業に出ないでいると、監督（男工）からみんな出ているのにお前たちだけ出られないわけはないと叱られ、結局みんな残業に引きずられて行った。一ヶ月に残業だけで百時間を突破する人はざらで、手当は二千二、三百円見当だった。ところが残業に出れば出る程、ふしぎにも給料の絶対額がへった。こうした残業の毎日に、更に今までにない方法で強制残業がおつかぶせられてきた。それは

一、織布者全員を四班にわけ、各班で織下した反物は班の者が責任を持って縫うこと。

29

二、早番・遅番合せて各班とも一日七本縫うこと・

三、定められた本数が縫えぬ場合は・何時までかかつても縫いあげること・

補修反がたまるのはお前たちがなまけているからだ・精いつぱいのことをすればこんな筈はないといつて・一日の残業の分量をきめてきた・部屋長始め年の多い人も、日頃おとなしい人もこの時ばかりはふんがいしたが・とに角やろうということになり実行された・一日目は各班ともサージや・ピッケや、杉あや等縫いよいものばかりだつたので定められた七本はらくに縫いあげることが出来たが、翌日三班で晝食休みもせず全員でかかつて夕食までに六本しか出来ないという結果が出てきた・

このことをかんとくの一人（尾崎）にいうと「俺は上から（手島から）の命令を伝えるだけだ・俺は單なるロボットにすぎないのだから俺にいつても無駄だ」ととりあわなかつた。三班の人たちは・手島さんに直接、無理な仕事についていわなければどうにもならないということをさとり・工務室まで出かけて行つたが、工ム室にずらりと並んでいる社長や専務等のおえら方にしりごみしてしまい・結局・夜の九時半までかかつて規定の七本を縫いあげた・（こんな日でも翌日は四時半から出勤しなければならなかつた・検反係をしている尾崎たち男工も、朝七時から終業までぶつ通して働き・終業后も反物をたたんで工場から出してしまわなければ自由な体にならなかつた）

其の後各班とも六本位縫えば、必ず夜の八時頃になつた・これではたまらぬと・各班の代表者が手島さんのところへ行くと、「きめた通り」とに角七本縫うこと・補修反がこんなにたまつたのではどうしようもないから、えらいだろうがやつてくれ」というだけで引こうとしなかつた・（手島自身も反物の返品や傷反その他いつさいの責任で専務に始終説教され・泣いていることがしばしばあつた・専務は手島に・手島は横山始め他の男工に・そして彼等は女工にと・順送りに下に自分のうつぷんを晴らしていた）

こうした残業をするようになつてから、今日は反物を何本縫つたとか・体がえらいとか毎日みんなで話すようになつた・ひどい残業についてはみんな怒つていた・遅番（B番）の人たちは、夜おそくまで残業をする早番（A番）の人が気の毒だからと、朝六時頃（朝食前）から必ず十二時過ぎまで縫い・晝食をして一時三十分から出勤する・（実働十六時間位）A番の人は一時三十分に仕事を終えると、昼食を五分位でかきこみ、八時半頃まで残業をした・（実働十五時間位）どんなに体がえらくても、一人休めばその人の分を他の人が肩代りしてやらなければならなかったので休むことも出来ず、残業に出ては自分の出勤時間に休む人が出て来た、

それでも傷反の補修はたまり、休日も返上して残業をしなければならなくなった・みんな捨てばちな気持に追いやられて行った・そんな或る日B番の人たちが、「あまりにも無茶です」と専務夫人にいった・夫人は「そんなにひどい残業をしてはいけない・どうして手島さんはそんなことをしたのだろう」と同情したいい方をし、「夕食后や朝食前に残業しているのはあなたたちが好きでしているのかと思った」ととぼけていった・みんなこの言葉にいっそうふんがいした・二、三日してB番の人たちは十二時以后の残業を拒否し、A番の人たちに夕食後の残業を拒否するよう連絡した・みんなさんせいしたがだまってサボルより一度会社に抗議しようということになり、部屋長全員が専務と話合うことになった・話し合いの結果、今后は朝と夕食后の残業は出なくてもいいということになった・

——夜 あ け ま え——

このような全く物思うひまさへあたえられない或日のこと、傷反の事で話があるからと手島はこん談室に、B番の人たちを集めた・そしてひと通り補修の方法を話したあと、「これは別な話だがみんな趣味の会を作る気がないか」と持ち出してきた・少し前入社したばかりの北沢和子さん（横山さんのいとこ）が手島に、朝から晩まで働きどおしではあまりにもなさけないから、何か趣味の会といった様なものを作るように、みんなに話してみてほしいと、たのんでおいた事だったが、それを知らないみなは、手島の日頃と思い合せてわけがわからなかった・それでも、本等はもちろんのこと新聞すら誰もよめないまゝに、毎日部屋の隅につまれてゆくといったような毎日に、すっかり気力を失っていたみんなは、疑いながらも会をつくることにさんせいした・そして早速手島さん始め男工を中心に、文化部、生花部裁縫、演劇部等を作り、それぞれ希望の部に入ることになった・特にその中の文化部へは三十名ほどの人が集り、休みの日など必ず会を持って、汚職事件等の政治問題から、自分たちの苦しい残業の問題に

31

ついてまで話をするようになっていった。尾崎・石川の二人の男工も入っていたが、部長には北沢さんが満場一致で推せんされた。一ケ月程して、この二人の男工が専務に叱られたといって会にあまり出て来なくなった。女子だけでも続けようと話し合っていたが、会社の圧迫とはげしい労働のために、みんなくたくたに疲れ、次才に会にも出て来なくなった。そしてたまたま北沢さんが「わたしも以前はあまりつまらない人とは口をきかなかったけど、この頃では誰とでも話をするのよ」等ともらしたことから、北沢さんのようなえらい人にはついて行けないという人も出て、二ケ月ぐらいたつと約十名にへってしまった。その頃、文化部の中から文化部という名がはく然としていておもしろくないという問題がおき〃さざなみ会〃にかわった。しかしこの会はごく少数の人に限定された会になったが集りはつづけられ、やがて機関誌を出そうということになった。最初は映画の批評や、母の苦しみや、人間らしい生活等をテーマに一人一人が書き、その原稿をとじて〃さざなみ〃という表題をつけ各部屋に回覧し始めた。また流行歌の問題もとりあげ、もっと自分たちの生活に合った歌を覚えたい、働く者の歌を求めるふんいきが出て来た。北沢さんの故郷にコーラスがあったので、帰郷のたびに覚えてきた歌を会のみんなに教え、会員はまた、部屋で覚えた歌を歌って他の人にきかせるという方法をとった。

こうして歌はさざなみ会員以外の人の中にもしみこみ始めた。

北沢さんは入社早々から会社に対する不平や不満をづけづけと口に出していっていた。始めはあきれていた人たちも、北沢さんのいうことはみな私たちの思っていることばかりだというようになり、次才に北沢さんに近ずき始めた。その頃〃雑草〃に北沢さんの投稿した文章がのり、それを部屋の人が買ってきてみんなにまわした。始めて手にした雑草をみんな、私にも、私にもと、むさぼるようによんだ。それからは、北沢さん北沢さんとみなが北沢さんの話をきくようになった。これをきっかけに〃葦〃だの〃人生手帖〃を知るようになり、新女性もよまれるようになった。またこの雑草から静岡県の農村サークル〃デルタ〃との文通が始まり、会員は農村青年と大いに意見の交換をし始めた。こんな中でいち番親しまれたのは人生手帖で、多い時には一ケ月三五〜三六部入るようになった。北沢さんは相変らず食堂などの人の多く集るところで不平や不満をぶちまけていた。これにはげまされてだん／＼不満な事は、不満だとはっきりいう人がふえてきた。さざなみ会員は依然としてふえなかったが、それでも〃さざなみ〃には、今まで会員と話をしたこともなさそうな人たちまで書き始めページ数も多くなった。その頃から北沢さんのところに毎日外部から手紙がくるようになった。

三十年に入ってから人生手帖に「人生手帖の愛読者はここへお知らせ下さい」と岡崎のKさんの住所がのっていたので、さざなみ会員は早速文通を始めた。しばらくしてから会ってみようということになった。Kさんからも「いち度みなさんとお話ししたい」と返事があり二月の末、工場の近くの海岸で会った。反対番のA番には縁の会員になっていたY子さんだけに連絡したのでY子さんは勤務を他の人と交替して出てきた。会ってみて始めてKさんは学生であることがわかった。その初対面のKさんにみんな工場の苦しい生活についていろいろ話した。同じ頃さざなみ会員や会員外の若干の人たちは、蒲郡に出来たばかりの縁の会に出るようになり、その席でも工場の苦しい生活についてみんなに話した。

外部との接触を何よりもきらう会社では、ひどく神経をとがらせ、北沢がきてから外との連絡はふえるし、本をよむ人間も多くなったし、文句も多くなった。これではしようがないから北沢をやめさせればいいだろうということで、いとこの横山を通じて三月十三日「文句が多すぎるから近日中に首をきる」と会社の意向をつたえてきた。北沢さんの他にも六名の名前があげられていた。横山もこれにはふんがいし、「今までだまっていたけれど、もうがまん出来ない。いっしょにやろう」とまず労働組合を作らなくては駄目だと強調した。このごろ知り合った国鉄のTさんが組合の必要な事を話してくれた。

工場が二部制だったので殆んどA番、B番の人がいっしょに話合う事は出来なかったが、幸い残業が毎日つづいたので、みんないっしょになる機会が出来ていた。補修の針を動かしながら故郷の事や、着物の事や、毎日の残業について、さざなみ会の人たちは意識的に話をすゝめていった。機械の騒音で話声は他へは聞えなかった。組合の事については会社へ洩れる事を恐れ、さざなみ会員と名前をあげられた六名の人が中心になって一人が一人にあたるという具合に話していった、そして三月十四日残業の終る十一時頃までには、B番へ中心的な人が殆んどB番に入っていた）の人たちの中へずっと組合の話はひろがった．A番には会社にみこのいい人が多く入っていたので組合の話はすぐには出せなかった．十一時に仕事が終ったあとB番の有志だけ一号室に集ることを打合せた，有志だけということだったが殆んど全員が集り．苦しい毎日の生活について口々に訴えた．組合結成については誰も異議を出さず次々に廻される用紙にみんなさん成の署名をし拇印をおした．この頃には男工も；横山を中心に八割が賛成を表明していたが行動は消極的だった．（組合に入るか入らんかわからんが署名はするという男工もいた）こうしてB番だけの意志の統一はとれたが、問題はA番にのこされていた．どのようにして呼びかけるかが、話し合いの中心になってきた．

A番全体の実権を握っていると思はれるSさんとAさんに仲の良いNさんがまず口火をきることがきめられた．寮の空気は日毎に緊張し出した、十八日にはA番の署名も二十五名に達した．北沢，荒木，平塚の三人は国鉄労組のTさんへ工場内の様子を連絡にゆき．そこで始めて福祉労協の井田さんへ全てい）を紹介された．いろ〳〵と工場内の様子を井田さんに話したあと，今のような緊張状態が長引くと心配な事態がおきそうだというと：井田さんは急なようだが二十三日に結成大会を行ってはどうかと指示した．二十三日は二度目の休日にあたっていた．三人ともその意見にさん成し事務的な準備いっさいを労協に依頼することにきめて帰った．

慎重をきしたこのような組合結成の準備も二十日になって男工の横山が会社に呼びつけられ，そのようすからどうやらばれた事がわかった．すでに署名は七名をのこして全員完了していた．十一時仕事が終ったあと予期した通り横山はみんなを講堂に集め「君たちは何故主人と交渉しなかったか，要求さへ通れば組合などいらん」と話し出した．みんなどうなるだろうと不安はつのり一人，二人とみな泣き出してしまった．北沢さん始め二，三名の人が雨の中をぞうりばきのまゝ裏門から外にとび出し国鉄へ連絡に走った．二十三日までとても待てないから，女だけでも立ちあがりましょう、明日にでもとはげまし合いながら――。

二十一日B番の人たちはいっせいに残業に出ないことを申し合せた．午前十時労協の人たちが十数名工場に来た。事務はすっかり驚きて「お前たちの要求はみなきこう。残業もやめる。組合など作らなくてもいいではないか」と頭を下げんばかりにたのみにきたりしたがみな動揺しなかった。

―― 組合たん生 ――

夕食のとき、今晩十一時に組合結成をすることがみんなに伝わった。終業と同時に指定された十七号室にみんな集った。明朝四時三十分から作業に出るA番の人たちも静かに集ってきた。廊下のあかりをたよりに宣言文を北沢さんが朗読した。

一、労働時間を基準法通りにして下さい。
二、強制残業をやめて下さい。
三、賃金値上げをして下さい。
四、退職金制度を作って下さい。
五、生理休暇、年次休暇を与えて下さい。
六、休日の確定と週休制を完全に実施して下さい。
七、残業手当、深夜作業手当を基準法通りに出して下さい。
八、労災保険を適用して下さい。
九、食事、休憩時間を四十五分以上にして下さい。
十、後番の夜の食事時間に非番者が出勤して運転するのをやめて下さい。
十一、言論の自由を認めて下さい。
十二、発言者の個人攻撃をやめて下さい。
十三、サークル活動の自由を認めて下さい。
十四、裏門を従業員の通用門に開放して下さい。
十五、外出時間を午后十時まで延長して下さい。
十六、正当の理由のある外泊は認めて下さい。
十七、男女の交際の自由を認めて下さい。
十八、私生活の干渉をやめて下さい。
イ、お化粧の小言をいわないで下さい
ロ、服装のことをトヤカクいわないで下さい。
ハ、外出先をいちいち聞かないで下さい。
ニ、買物をいちいちセンサクしないで下さい。
ホ、馬鹿野郎、チョンマ呼ばわりはやめて下さい。
十九、私事にきた手紙は無断で受取拒絶したり御主人様の点検かないと渡さないようなことはやめて下さい
二十、作業中の面会を拒絶した時は連絡して下さい
二十一　各部屋に火針を入れて下さい
二十二　医者の選択を自由にさせて下さい。
二十三　大根切り干やジャガ芋ばかりのお菜はやめ

て下さい。
二十四　おかゆと梅干ばかりの病人食はやめて下さい。
二十五　和裁・洋裁・編物等外へ習いに行く事を認めて下さい
二十六　ハサミ・油ツボ等工場内附属品の個人負担をやめて下さい
二十七　风呂その他の附属設備に掃除婦を入れて下さい
二十八　寮で療養している場合でも傷病手当をつけて下さい
二十九　健康保険手帖を個人に渡して下さい
三十　給料は会計から直接渡して下さい
三十一　設備課品は必要の都度無料で自由に使はせて下さい

の三十一項目にのぼる要求書をよみあげ、女子全員組合結成を確認した。專務がおろおろしながら入ってくる。そして「今日は親父もいないから明日にしてくれ」の言葉も終らないうちに、「駄目だ、今日やるんだ」「お店へ行こう」とみんな口々に叫びはだしで玄関に走った。組合が出来れば八時間労仂になる。その事以外に何も考えなかった。みんなこうふんしていた。十一時かっきりに労協の人やKさんたち7名が応援にかけつけてきた。工場内の講堂にみんな引返し、新に結成大会を開き役員選出を行った。委員長に北沢さん、副委員長に荒木、平衆さん、その他さざなみ会の会員が殆んど役員についた。それから一人も出席しない男工をみんなで起しにゆき、眠そうな目をこすりながら講堂に入場する男工をみんな拍手で迎え入れた。

こうしてみんなの力で組合は出来上った。

会社は全くうろたえ、第三項、第四項を保留してあとは殆んど受入れる約束をした。そして三月二十八日、会社は第三項については一ケ月一人七千円ベースを四月から実施すること。第四項については給与問題が解決したあと円満解決することを回答してきた。この会社案、七千円ベースは旧制級の人も入れてのベースであって組合員平均ベースは六、四四一円。女子のみだと六、〇六四円九一銭ということになる。残業の多かった昨年に比べて五、〇八％減の給与ベースであったが、残業一時間やれば昨年一ケ年の平均ベースになるという事で組合はこの案を受け入れた。給料が少くなるということはみんなにとって大きな問題だったが、八時間労仂になったそのことは何にもまして嬉しいことだった。

私達は人間に解放されました。（C子）

工場に入っていちばん嬉しかったことは、みなさんが親切であったこと、もう一つは、組合が出来たことであった。今まで苦労に苦労を重ねてきた姉さんたちは洋裁や和裁　　へ通えるようになり、どんなに嬉しいことでしょう。みなが団結し、よりよき文化国家の成育に努力しようではありませんか。自由の世の中へ入った。明るくたのしい職場を作るには団結だ。団結　団結。みなでしっかり力を合せてがんばろう。（E子）

組合が出来たから人間らしい生活が出来るようになったとみな口々に組合の結成をよろこんだ。

組合結成と同時に浦郡労働組合協議会に参加したので事務局長の井田さんはしばしば工場を訪れ組合の話をして行った。しかし六法全書からでも引き出してきたような組合の話は、みんなにはさっぱりわからなかったので、井田さんの学習のある時は海岸に遊びに出てしまう人が多くなった。組合ってこんなにむつかしいものか、こんなわからんものだったら組合なんていやだといい出す人も出てきた。

五月に入って会社は中経連から祖父江七郎（大隈労組出身）という男を六ケ月の契約でやとい入れた。

それからはこのよちよち歩きの組合に対して会社はもうれつな攻勢に出てきた。組合員一人一人の引きぬきを行い、分裂させようとしてきた。この会社の手にのって男工全部が会社側へついてしまい、女子組合員でも九州出身者とそれに同調する人三十名位が裏ぎり行為に出、組合に結集しようとする人六十名位、中間でどっちつかずの人三十名位と、労働者が三つに分裂してしまった。

若しい組合活動が続いたがいったん目覚めた多くの組合員の欲求はつきず、職の会に出よう、世の中をもっと知るために学習しようとみな延々として沸いた。学習の手引きとして社会科学基礎講座が七〇部余りも一度に工場内で買われ、一部の人たちは職の会の人たちと学習を始めた。また一方、Kさんは若潮会にきて、「自分も山八の人たちといっしょに学習をしてゆきたいが学校へ帰らなければならないからこちらでして頂きたい」と話し、執行部の平栗

荒木副委員長を紹介した。井田さんはこの学習に出る人たちの後をよくつけてゆき、あとで、学習に行くようだが間違いをおこさんようにと中傷したりした。間違いとは何ですかとただしたら、アカの勉

強はするなということだった。公然と工場内で学習出来ないものだろうか、みなじんけんに考え、結局井田さんにやってもらうのがいちばんいいという事になってこのことを井田さんにたのんだ。井田さんはぐずぐずといつまでもみんなの要求を受け入れず、とうとう「この本を六冊みな学習するとなると世の中を割切って考えてしまうようになる。そうなれば生きてゆけないからやめた方がいい」と一笑に附してしまった。

―― 組合から手をひけ ――

組合が出来て一ヶ月半ばかりたった五月十五日、組合役員の一部改選があった。この選挙少し前から男子工員が急に組合に協力的になってきた。そして男がいるのに女の役員ばかりでは話にならん。今度男を役員に入れなければ自分が世話して工場へつれてきた女工や恋人を引っぱって第二組合を作る等と執行部をおどし始めた。しかしみんなの団結はくずれず中学を出たばかりの丁子さんが役員に当選した。この間に就任したばかりの祖父江は寮に自治会を作り、組合と自治会を真向から対立させようと工作をすすめていた。そして役員改選から一週間目の二十二日、自治会役員選挙が行なわれることになった。

自治会長にはB寮（北沢委員長始め活動家が比較的集っていた）から大沢さん一人、A寮から内山、藤田さんの二人が立候補することになった。（内山さんは二四才でみんなより年上であり、工場に来るまでは女給をしたり、いろいろ派手な職業についていた。ボリュウムのある体をゆすりながら男でも女でもかまわず大声でどなって歩くので、年少の人たちは内山さんの前では何も話せない程こわがっていた）B寮の人たちは内山さんの人柄もあり、またA寮から二人も出ていることから票も割れるだろうし、一週間前の組合役員の選挙の例もあるので、今度も絶対大丈夫だと北沢さん始めみな安心して手ばなしでこの選挙にのぞんだ。投票二時間前になってA寮の藤田さんが突然立候補を辞退した。そしてB番が作業に出てしまったあと男工や会社側についた執行部の若干の人たちが年少の人たちをおどして票集め工作をしだし、結局内山さんの当選にきまった。

組合結成当時要求書のあらましをみとめた会社は再び組合員から一つ一つもぎとり、隣の部屋にも風紀上よくないと自由に出入り出来ない状態に追いやってきた。また学習も井田さんがだめなら、三輪さん（井田と同じ全ていい）でもいいからと執行部で井田ただのむと・やはり風記の同意を出して「まあもう少し待ちなさい」とおさえた・この頃から荒木、平栗さんは度々学習のため若潮会を訪れるようになった・組合役員に対する圧迫は甚しく、書記長の安井さんには、山八が親代りになって嫁がせた姉さんをおどして組合から手を引けとせまらせた（嫁入先が米屋で山八に米を入れていた）また長野県の家にも会社は圧力をかけていったので、家からも組合から手を引くようにいってきたり、電報で呼びもどされたりした・けれど安井さんが役員をやめると次点の男工がくり上り　すべてを会社側にとられてしまうのでやめるわけにはいかない・どうしたらいいだろうかと若潮会に持ちこんできた・二ケ月たては補欠選挙が出来るというので、とに角それまでやめますやめますといって引きずるようみんなで話合った

同じ頃、組合結成当時力になった光和光器のMさんが急に東京へ転動させられる事になったといって、あいさつをかねて激励に荒木副委員長を職場に訪れた・するとそのすぐあと荒木さん姉妹は伯父にあたる警察署長から呼び出しがあり・「お前たちはいつから共産党と連絡をとっていたのか」ときつくただされた・また二日おいて警備主任からも呼び出しがきた、そして料理屋でたくさんの御ち走を出されあなたたちにはお父さんがないから親代りになってあげようとか、共産党は世の中を破壊する団体だから近ずいてはいけないとか、どんな風な世の中になればいいと思っているのか等、二人がかりでせめたてた・けれど荒木さんたち二人は御ち走には手もつけず、「私たちはお母さんがあるからお父さん等いらない」とせい一ぱい斗った・

自治会長に内山さんが当せんしてからは自治会内に生活部を設け、洗濯をする時間まできめて、時間外にはハンカチ一枚洗ってもにらまれた・それだけでなく会社は生産能率増進のためといって、A、B番の一部人事交替を強行し、寮も同じように強制入れかえを行ってきた・組合に協力的な人たちばかりをB番に集めてA番との接触を全くさけ、いつでも首切りが出来る態勢を作ってきたのである・しかしみんなはこれに負けず、苦しみのはけ口を外に向ってもとめていった・その頃から若潮会や民主々義科学者協会豊橋支部の外部団体とも親しさをましていった・たとえば執行部では「組合と文化活動の在り方」といったようなことなどで民科の人たちと話しあった、その話し合いで組合内の統一を大きく保つ

ていく方法として、ピンポンとかバレー等みんなの出来る試合を他の単産とやり、それを応援するというかたちで自他の団結を強めたらどうだろう。学習会などでもお母さんの歴史や自分の歴史などを書いてみるといまの自分の立場をはっきりさせるうえで役立つのではないかといったことが話し合われた。

―嵐のまえに―

七月の始めOさんが外出する時自分あてに二通の手紙のきていることを会社のお店で見て、帰ってきたら受取ろうとそのまゝ外出したところ、その留守中に一通がなくなったまゝ翌日渡された事件がおきた。岡崎のKさんから来た手紙だった。これで会社は明らかに手紙を開封し、検閲していることが確認された。この頃には組合の委員会を開くにもまた他の集りでも会社の承だくがなければ開けなかった。七月の中旬に入ってすぐ夏季手当要求の問題が出てきた。紡行部では一ケ月の要求を出したが男工の方は自分たちだけ二ケ月要求を出し足並みがみだれた・だからいつも一ケ月プラスアルファをつけなければいけない。

こうしたいろいろな問題を内にはらみながらも組合内の統一はみんなの中で最大の眼目になっていった。七月十三日どちらかといえば組合にあまり好意をもっていないA番の人が風呂でふともらした「八月三日になればはっきりするからいい」という言葉をきいてB番の人たちは首切りの事ではないかと心配した。

このころから、組合内の文化活動も活発になっていった。組合では三河大島へのリクリエーションを実行し国鉄労組の人もお招きした。

この日には六十名位の人が参加しその中にはA番の人たちも十二名ばかり入っていた。この時も一しよにいった男工の中には参加者のメモを取ったり、途中で連れもどしたりいやがらせをする人もいた。また、二十日、二十一日はA大学の人といっしよに新しい歌を覚え、二十四日にはA大学に出かけて八名の学生や先生もまじえ座談会を持つことが出来た。このような活動の中から学習えの熱望も深まり間もなく八名ずつの小さい班を作って工場外で学習会をひらくようになった。適当な会場のみつからないときは木陰を利用した。また多勢希望者がのこったがこれらの人たちには外で学習した人たちが更に工場内で学習会をひらき、みんなの欲望をみたすという方法をとった。

学習活動と平行してもたれたうたごえは工場内でもみんなの人気をよび三十一日に行ったはじめてのコーラスには六十名の人が参加した。しかしそれは工場内では許されず近くの海岸で行う他なかったが二度目には工場内の講堂を会場にすることが出来た。

この間に以前から話していた母の厂史の原こうが二十篇ばかり集っていた。最初のうちは教宣部で文集を作るといっていたがいつまでたってもとりかかろうとしないので北沢委員長が原稿を受け取り、みんなでガリを切り印刷して文集を作った。この文集は〃仂く仲間〃とされた。盆休みには自分たちで作った文集を家に持って帰りお母さんにみせながらもう一度よく話をきいて書きなおすことと、休みがすんだらすぐ二号にとりかかる。九州の人たちは手紙でお母さんにいろいろきいて書く事等話合った。

今年は盆休みが十日間もある。どうも何かありそうだと荒木、平栗の二人は学習の席でもらした。「首切りをやるかもしれないしみんなのカンはするどくなり、最悪な事態のおきた場合を考慮して休み中でも統一をかためひろげる意味で集会を多く持つよう話し合った。こうして学習や、うたや、文集をつくったり、みんなではげましあいつゝ、八月十二日から十日間の盆休みを迎えたのである。毎年だったら糸もたくわえがあり仕掛けた仕事も工場の中にはあるのに今年は全く何もない。糸を買入れようともしないので工場はガランとあいたままだ。今までの会社のとってきた態度からおして今度こそ本当に首切りがあるのではないかという不安があちこちでささやかれ始めた。ほんとうにその予感はあたるかも知れない。

しかしなんといっても休みは母の顔もみれるし、思いきりねられもする。喜びに胸をはずませながらみんなそれぞれ伊那谷にある自分たちの村へ帰って行ったのである。（みんなの出身の村は長野県の飯田から赤穂近辺に大体まとまっていた。）

ポーランドからの便り

—ワルシャワ大学教授の手紙—

コタンスキー

段々秋らしくなってきます、その後御元気でお過しの事と存じ上げます。西江孝之君も大丈夫にワルシャワ祭典からお帰りになりましたと思って居ります。西江氏の御同行で民科の友達から頂いた手紙や色々なおみあげは有難う御座いました。一番面白いのは、「耺場の厂史特集号」ですと思います。あなた方のこの特集をつくるまでの労仂者との協力は真に成功に成りました。このような、仂く人々が厂史学者と一緒に労仂者や農民の厂史を話合い、研究し書く運動は非常に重要な行為です。ポーランドでもこのような運動は、入要ですと思っています。先年ここでいわゆる「農民の思い出の記」が出版されました。近頃「労仂者の思い出の記」が発表されようと思います。それらは戦前の同じ発表の続きです。それも全ポーランドで大きな影響を及ぼしました。残念ながら、その〃思い出の記〃はポーランド語でばかり出版されたのです。その外「農民の思い出の記」もすっかり売り切れたのです。けれどもポーランドの事は日本の事と同じ状ではない。ポーランドではこれはこんなに偉大な運動でなくて小さなグループばかりで資料を集めていました。日本の厂史家の仕事に感心致します……（以下略）

コタンスキー

耺場の歴史をつくる会々則

第一章　総　則

第一条　この会は耺場の厂史をつくる会という。

第二条　この会の連絡先を東京都新宿区四谷一丁目十八番地国民文化会議、教育文化部会内にしている

第三条　目的、耺場の厂史を作る会は、耺場の人

たちと自然や社会についての科学を学ぶ人たちとをむすびつけ、これによって職場から生れてくる「働くものこそ厂史の主人公である」という確信と、未来への明るい見とおしをたぶしく発展させてゆきます。そしてこの運動のなかから働くものがつくり出してきた歴史の遺産をまもりそだてて日本国民の厂史をつくりだしその成果をひろめて国民の厂史にたいする希望にこたえていくことを目的とします。わたくしたちは、この目的にさんかする人々のそれぞれの立場をみとめあいながら、この仕事を通じて、世界のはたらく仲間の厂史の流れとふれあい平和で建康な日本をつくりたいと思います。

第四条 この会の目的に賛成し、会則にしたがうものは、誰でも会員となることが出来る。
会員は全て総会に出席し討論議決に加わる権利を有する。

第二章 役 員

第五条 この会の運営をはかるために左の役員をおく。
一、会長 二、書記局員 三、連絡会議員
四、会計監査

第六条 役員の任期は各一ケ年とする。

第七条 書記局が必要と認める場合、常任（有給）または準常任をおくことが出来る。
但しこれは総会の承認を得るものとする。

第八条 連絡会議が認めた場合、顧問若干名を置くことが出来る。
但し、これは総会の承認を得るものとする。

第三章 機 関

第九条 第一章第三条の目的をすすめるために左の機関を置く。
一、総会 二、連絡会議 三、書記局

第四章 総 会

第十条 総会はこの会の最高議決機関である。

第十一条 総会には全ての会員は出席することが出来る。

第十二条 総会は隔月に開く

但し連絡会議が必要と認めた場合臨時に開くことが出来る。

第十三条　総会の議長及副議長は、出席全員の推薦及その承認を得てこれにあてる。

第五章　連絡会議

第十四条　連絡会議は総会につぐ議決機関である。

第十五条　連絡会議は、各会員からの代表及その他の有志によって開かれ、総会及び職場の意志を正しく反映しなければならない。

第十六条　連絡会議は毎月一回開くことを原則とする。

但し、会員より要求があり、書記局が必要と認めた場合開くことが出来る。

第十七条　連絡会議の議長一名、副議長一名、書記二名は出席者の中から選出される。

第六章　書記局

第十八条　書記局はこの会の執行機関である。執行はすべて総会及び連絡会議の意向を正しく反映して行うものとする。

第十九条　書記局は会長及び書記局員若干名でその役目を執行する。会長及び書記局員は総会で選出される。

第二十条　書記局は左の三部で構成される。

一組織　二情宣　三会計

第二十一条　書記局の執行する主な事項は左の通りである。

(一)総会及び連絡会議で議決された事項・

(二)執行上必要な具体案の作成

(三)執行上必要な規約及び改正案の作製

(四)予算及び決算報告書の作製。

(五)その他

第二十二条　書記局から会長及び書記局員一名以上連絡会議に出席しなければならない。

第七章　会計

第二十三条　この会の経費は会費及び事業収入をもってこれにあてる。

会費は月額六十円とする。但し会機関誌、ニュース代を含む。

第二十四条　新入会員は会費に添えて入会費四十円を納めなければならない。

第二十五条　会計報告は次の場合行はれる。

（一）定期総会毎

（二）総会及び連絡会議の要求があった場合

第八章　補　則

第二十六条　労働組合およびその他の文化団体は団体加入することができる。但し会費は月額五百円とする

第二十七条　この会則変更は総会の承認を必要とする。

編集后記

せんじつ、ある町の交叉点で信号が変るのをじっと待っていたときのこと、どうしたのか、普通二十秒もすれば変る信号が一分たっても二分たっても変らない。ふきさらしの交叉点にたっているとすきっ腹にやけに北風がふきこむようでやり切れない。そのうちに電車は行列し出すし、自動車はブウブウ、フォンフォンとさまぐ〃な警笛のならしっこをやり始める。

この信号燈の管理？は交叉点の角にたっている交番の巡査の仕事であるが、そこのお巡りさんは、「

職場の窓から

職場の歴史をつくろう

平井　茂

（終）戦以来すでに十一年、幾多の変遷をへて全電通労働組合は真に組合員の利益代表として斗う態勢をきずきつゝある。

中電史を編集しようという動きは心ある人の中にすでに数年前から計画されていた。それは人类がはげしい斗いの後、静かに自らの生活を反省し明日からの斗いにそなえんとするえい知に似て社会生活を営むわれ〃にとって、団結を唯一の力とする労働組合にとって必須のものである。

×　×

（東）京電信支部機関紙創刊号の冒頭にも「中電従組発展小史」（昭和二十一年四月、阿部書記）が掲げられている。

「東京都内における各局は二十年十月より十一月にかけて従業員組合をつくり、逓信同志会のメンバーたりし人々を中心とする全逓信従組の

お巡りさんもチャッチャッチャレではないが：仲間同志の話に夢中らしく、目前の小事件をいっこうにごぞんじない。

そのとき、たまりかねたように先頭の電車が動き出した。すると、それを合図したように一斉に人も車も自転車も横断し始めたのである。信号は依然として赤のまゝである。流れの先陣が交叉点をわたりきるころ、やっと信号は青にかわった。

赤信号の中をどう〳〵と人々や電車、自動車が一せいに動いているのを、おくればせながらも発見したお巡りさんがあわてゝとび出して、信号の故障をなおしたからである。

こんな町の一小事件は、どこでも見かけることではあるが、こんな時、私共はいろ〳〵なことを勉強するものである。

私たちの会の機関誌第二号は、昨年中に出すはずであったが、おくれるだけおくれてやっと本日みなさんにお渡しすることができた。皆さんからこの仕事をたくされている私ども書記局員一同は、会員の各位におくれた責任をふかく感じている。

丁度、ぶっこわれた信号燈がいつまでも赤を出しつゞけたように、私共は会員の皆さんにたいへん御迷惑をおかけしてしまったと思う。

結成をも見て益々活発の度を加えてきた。中電においてもこれに呼応して十月初旬より空気は漲っていたが、オール中電一丸とした組合結成までにはいかなかったのである。

こゝにおいて組合結成の必要を痛感した一部青年有志がその労をとり、十一月末、準備委を結成、十二月二十九日午後三時を期し盛大なる結成大会を開催することゝなったのである。

その時代々々にわれ〳〵ははげしい生活の生息を感ずる。終戦以来すでに十一年、昨年秋の大会に組合結成十周年記念行事として中電史編集が予算化された。そして二通三課野里君を中心として、すでに正代支部長懇談会、レット、パージ当時幹部の懇談会と数回の資料集収の会合がもたれ着々とその成果をあげている

二年後に機械化中継をひかえ、組合は未曽有の苛練に迫られている。それだけに中電史編集はその文化的意義にとゞまらず、完成への二千組合員の努力は苛練に斗いぬく力となることは疑いない。関係各位の努力を期待すると共に、組合員各位心からなる声援を切望するものである。（中央電報局文化委員）

会員のみなさん!!　ぶっこわれた信号燈がいつまでも赤を出しているとき、動き出した電車の車しょうさんのように、〃まず実践〃というセンスを会のすみずみにまでみなぎらしていくことこそ、わたしたちの会のモタモタ（＝非実践性）を克服し……この運動を全国にひろげていく早道だと思うがどんなものだろうか？

二月　節分の日　（R）

×　×　×

やっと第二号ができました。
第一号が出てからもういゝかげん半年になろうとしています、あまりもたついていたので原稿を寄せて下さったかたから、まだ出ないのかという催促をいたゞいたりしてしまいました。皆さんに発行がおくれたことを深くおわび致します。

この期間、近く河出新書で出る「職場の歴史」（へ定価百円の予定）を作るために、ある期間こちらに力をそゝいだこともありますが、おくれた責任の才一は編集グループにあると思います。

会全体がまだ多くの困難な問題、例えばおのおのの生活條件のちがうことから一諸に話し合う時間をなかなかもてないことなど大きな悩みです。会の中の幾人かの人は忘年会か新年会をやりたいと思って計画しましたが、皆の都合や会場の問題でとうとうお流れになってしまいました。

皆が共通の場——ゆっくりひざをまじえて話し合う——ことがなかなかむずかしいので、会の機関誌でその点をできるだけ果していきたいと思います。その為には、忘れた頃に出したりしていたのではちょっと困ります。編集グループは機関誌の発行を定期的にきちんとすることを目ざしていますから、皆さんがどしどし書いてくださることをおねがいします。

なお、第一号の編集後記で予告しておいた〃国際電信電話の歴史〃と門君の卒業論文は都合によりのせることができませんでしたのでそのことをつけくわえておきます。

（高　橋）

昭和三十一年二月十日　発行
定価　五十円
申込送金は編集部へ
編集兼発行人　東京都港区芝高輪一ノ一
国鉄労組品川客車区分会内
職場の歴史をつくる会
印刷所　東京都港区芝新橋七ノ一二
丸山孔版社
電(43)八七八一(呼)

職場の歴史

3

1956.4

東京都港区芝高輪一ノ一
国鉄労働組合品川客車区分会内
職場の歴史をつくる会編集
書記局

会のことば

宮沢 武人

今迄私たちがやってきた職場の歴史を考えてみると職場の歴史というものでないと思えるようになってきた。今迄学生の人達が中心になりはじめられてきたので、例えば職場の歴史にかく場合でも本の内容が労働者の思っていることからはなれているように思える。

私が職場の歴史第三号を職場の人に見てもらったとき「これでも歴史か、これくらいやるなら学者にまかしておいた方がもっとよくやってくれるのではないか。これを見てもなにがなんだかわからない」といわれた。

例えば大昔の人達が生活していくことが、石やかべにきれいにきざんである。あれを見ると、その時代の人達の生活様式がわかるし、どのようにして生きていたかもわかってくる。あれこそ立派な歴史ではないかと私は思う。それが私達の職場の歴史を見た場合、むつかしい事やうわべばかりやってきたのではないか。

これからの職場の歴史をかく場合、誰もがよんで面白い本を作っていくことにし、又、労働者に一番愛される本にしようではないか。

2

私たちの会の三月のうごき

二月十日に「職場の歴史」第二号が出ましたが、その後日には「初春の集い」が開かれました。共同印刷、国際電信電話、厚生省、中央電報局、恩給局、日本火薬、国鉄等の人たち約六十人位がたのしく一夜をすごしました。その時、会の焦点がぼけた理由として、準備の不十分なことが指摘されたのですが、その点は三月二日の書記局会議でも反省されました。

三月二十三日に国鉄の六さんこと富沢、竹村、門、松崎ら書記局で日本鋼管鶴見製鉄所を訪れました。こゝは組合史を編纂しているのですが、五千人の組合員をもつこの工場の内でわずか二〇〇人の人が黙々と働いている口材工場のことは私たちの頭にやきつけられました。口の材料となるレンガをつくるこの工場は、石の粉がとびちっていて働いている人たちは皆ケイハイ(へよろけ病)にかゝってしまうのです。働いている状態は、形に入れられた石の粉を木のツチで力いっぱいたゝくといった、ローマの奴れい労働とはこんなものかと思わせるようなものです。

こうした中で働く労働者が親をケイハイで失ったというはげしい怒りをこめて職場の歴史をかいていたのです。私たちははっとしました。一番下積みの労働者がこうしてだまってかいているのです。こういうところに職歴の今後の方向があるようです。(職歴のニュース参照)

その帰りに、国際電々、中電恩給局をまわっ(二ページへつゞく)

現代寓話

三年寝太郎

竹村 民郎

これからかく話は、時の焦点となっている砂川の百姓のじい様から聞いたものである。

老人は若いころ、十年計画で一万円也の金もうけを決心し、とうとう七年目には当時にしては大金の七、〇〇〇円をためるまでになった。(老人に金もうけの秘密をたずねると「人より倍はたらいたからさ」ということであった)

ところがである。その七年目に丁度、関東大震災がおこった。老人は「人間の一生にはどんな天災がふりかゝってくるかもわからぬ。あくせくして金をためるより、のんびり食ったり寝たりして、くらすにこしたことはない」とさとりそれからすぐ嫁をもらって、今日まで生きてきたというのである。

話はかんたんであるが、試みにこのころの経済の様子をしらべてみよう。老人が金もうけを決心して努力していたころは、一九一七年(大正六年)ー一九二三年(大正十二年)ー第一次世界大戦の余波をうけて、工業を発達し、好景気が日本をとらえていたころである。(都会ではビールや化粧品の売れゆきがこのころからふえていった)農村でも、町の工場や鉱山のでかせぎにゆく連中がどんどんふえ、農産物(とくに生糸)の海外需要がふえるにつれて、余ゆうのある百姓たちは、この機会をのがしてはならじと、人々をやとって、養蚕、製茶、野菜、果樹園等をひらいていった。このような工合なので、農業労仂賃金も騰貴していったのである。

だから老人が七年間に七十円もためた秘密も、老人がこのような時代の波にうまくのっていったということによるのであろう。

ところで、老人が夫もつけをやめた原因については、一九二三年（大正十二年）の天災をはかなんでといっているが、これはどうだろうか。

ふたゝび経済の様子をみると、世界大戦により異常な発展をした日本資本主義も、一九二〇年（大正九年）の反動恐慌、一九二三年（大正十二年）の震災恐慌によってガタガタとなり、農村にもえんりょなくその波はおそい、農産物価格は急落、都会からは失業者が帰ってくる等のテンヤワンヤで、かつての農村景気はみるみるうちにしぼんでしまった。

だから老人が天災に世をはかなまなかったとしても、この年以降はもはやまえのような工合にはいかなかったであろう。

経済の書（山田勝次郎「農業における資本主義の発達」日本資本主義講座所収）には この時期を農業における資本主義のもっともすゝんだ時期として、教育に要祭とまとめ

られているが、それにしても、結婚という最も人間的な要求を犠牲にしてまでも、この時期を生きぬこうとしたのが、当時の農民の真実だったのだろう。

「アメリカをおっぱらってしまうのもまずい、そのすきに今度は赤がねらう。今は日本が生産をあげて力をたくわえるときだ」その力のもとの百姓をいじめてどうするし

今日も砂川のじいさまは、このような信念にもえて、労働者や青カストのもみ合う五日市街道をじっとみつめていることであろう。

時の表裏、砂川は日本のあらゆる人々に問題をなげかけているのである。

（題名の三年寝太郎は、江戸時代の民話の題からとった。―それはある百姓が、代官から働け〳〵くらしがよくなるしといわれて、三年のまずくわずに働いたが一向にくらしがよくならない。それからは、代官のおだてにのらず、ねてくらしたという物語なのである）（一九五五年十一月十五日、東京証券労組機関紙〝声〟掲載）

大学の暗黒
―上智大学への公開状―

私の学校はカトリック教会の教育機関としての学校です。三月十七日の卒業式をもって、私は社会に出たわけですが、いろいろの事情で就職できませんでした。この事を簡単に報告したいと思います。

　正史科の卒業生は九人、そのうち就職希望者七人（信者五人、未信者二人）です。私は未信者の二人のうちの一人ですが、もう一人のＩ君も共に失業者となったのです。私は大体、埼玉県のある学校に就職が決っていたのですが昨年の夏頃より情勢が変ってきました。埼玉の方の話を進めてくれた人が「教授会―学校の方で君の就職について反対の意向が強い」と云って「正しいと思うことでも、自分から云にはやらないた方が今後もよい」と注意をうながしたのです。その後私のきいた事情は大体次のようでした。一言でいえば反カソリック的立場にあって学校としては絶対にすいせん出来ないということなのです。これは就職にあたって思想調査、身上調査を必要とするのですから致命的なことなのです。

　最後に信者の就職は大体決った事と共に（学校の就職名簿には信者、求道中、未信者の区別が明記してあるそうです）史学科あてに東京の某高校から教員採用の申入れがあり、他の科の人がもう二人推せんされたこと、もしくその学生が史学科は全員決ったのだろうと話したことを記しておきます。現に史学科の二人の学生が就職できずにいるのに、私は今回前記就職を[illegible]

7

はもん

▼清瀬市

職場の歴史ありがとうございました。大阪へ行った八人の人たちから、自分たちのした事があのまま消えてしまうのかと思っていたところ、あのような立派な本にのせて頂いて全国の人たちに読まれ、わかって頂けると思うとほんとにうれしいと云ってきました。

三谷の郵便局（特定局、現在は無集配）の人たち、ごく一部ですが、原本をよんだから自分たちの歩みもかきたいというふんいきが出てきました。私の以前の職場ですし、この人たちと一緒にやってみたいと思っています。（竹内香江）

▼北海道

昨日東京から帰ってきた者の話をききますと東京はもう梅だそうですが、北海道はまだ雪がふり寒さはまだまだという感じです。組合史編纂の業務も順調に進んでいます。近くその具体化案をお送りしますから御批判御教示下さい。

先日〝職場の歴史〟第三号送

人　田島博の場合

おだやかな物言いが彼の性格を語っている。どちらかといえば地味で縁の下の力もち的な職場での存在であるが彼の発言でこの会もこれ迄になったのではないかと思う。理論的に事物を語ると共に、人格的に厚みのある人柄が人をそらさない。お父様と弟さんとの男性ばかりの〝新家庭とか〟できたくさんいるのと思わせる反面、もうちょっぴり若さがほしいもの。足と筆のこの会に彼の活躍を期待したい。（生公代）

8

ったとの連絡頂きましたがまだ届きません。如何したものでしょうか。お調べ下さい。是非早くみたいと期待しているのですが、目次だけは歴史評論でみました。ではよろしくお願い致します。

（梅津信行）

▼京都府

「職場の歴史」お送り下さるわけに参りませんか。ここに同誌No2には書評「製糸労働者の歴史」がのっているので是非拝見致したく、右の価格が出来なければ、この号だけでもよろしい。とくにお右お願いします。（加藤宗一）

▼東京都

先日偶然の代会に「職場の歴史」第一号を拝見しました。早速「新日本通信」（別送）で簡単な紹介をしました。この通信は労組機関紙に記事を提供しているものです。今後もぜひ引きつゞき紹介したいと思いますので御寄贈ねがえれば幸甚です。ご健斗を祈ります。（吉田一人）

▼名古屋

「職場の歴史」No2二冊お送り下さい。金百二十円同封します。（川浦栗次）

▼ 会計から一言 ▲

今までの会の動きで会計がはっきりしない事が最大の欠陥だった。今までの収支は機関誌の売上の集りまじって報告できないような状態だ。これは会則オ七章オ三十五条に違反する。そこで新しく会計になった者として、次の事を考えている。

(1)会の運営維持と機関誌代金の収支、とをわける。(2)会の運営は月額三十五円として、会員章を発行し、会と納入の状態をはっきりさせる。その他会に金を集める方法など

（二九ページ下段へつゞく）

9

全国にひろがる歴史運動の現状 I

（三月二十五日までの分）

▽北海道

王子製紙労組編

王子製紙労働組合運動史

——別冊——

一九五六年二月発行

三菱美唄炭鉱労組内文学会編

炭鉱の生活史 オ三輯

目次

古老を囲む座談会

炭鉱の生活史のやりかたと

反響他（一九五六年一月十五日発行）

西高生徒会小史編集委員会編

札幌西高生徒会小史

〃（一九五五年十月発行）

▽東北地方

山形大学歴史学研究会月報

文二集文一号

父の歴史を書こう(1)……

教育学部四年 川崎利夫

▽京浜工業地帯

全国金属藤河電機労組編

私達の十年の歩み（アルバム）

目次

創立十周年を迎えて……

支部長 真鍋光男

団結の土台をつくろう……

高野 実

—十年にしておもう労働者の道—

写真で見る十年史（五大新聞）

いすゞ自動車労働組合編

組合十年史

目次

記録写真十年史

組合十年史 他多数

（一九五六年二月十八日発行）

この他 日本鋼管つるみ製鉄所 川崎製鉄所労働組合に於ても、百三十万、六十万円の予算で組合史をつくる仕事が

10

すゝめられている。中央電報局でも会員野里君が原稿〆切りを前にねじりはち巻で中電十年史を書きつゝある、国鉄品川客車区では昨年からもちこされていた十年史の編集を今年中に仕上げることが分会大会できめられた。

此の冬鎌倉で開かれた全電通中央委員会でも職場の歴史をつくる運動をひろげることが討議された。

全銀連横浜支部傘下の組合でも職場の歴史をつくる運動が拡がりすでに作品ができ上っているそうである。

国給局労組婦人部では、母の歴史のシュプレヒコールを昨年のくれに完成、去る二月の職場総会にひろうされた。

▼関西

「山中一揆を語る会」(岡山市)

岡山県北に起った「山中一揆」の顕彰運動は今年に入って急に活発になり現地では青年団や郷土史家、町会議員などで顕彰のための発起人会が二月十二日の旧正月にひらかれた。来年三月の二三〇周年をめざして運動がすゝめられる予定。岡山市でも演劇文学関係の人たちで「山中一揆を語る会」が生れた。岡山大学の人々のまねきで会員杉崎君がこの運動を援助するため現地に三月初旬たずねている。

▼九州

九州大学でも「九州の炭鉱の歴史資料」の編集が始められている。やっているうちに文書資料も大切だが「労働者の歴史」を掘りだすことが一番大切だということを改めて知ったそうである。そして杵島やその他の組合の青年たちが「われわれの歴史をしろう」と動きはじめたことが斗争の底力の一部になっているそうである。

（九大[illegible]）

学生の頁

凡人のための研究勉強プランのたて方

井尻　正二

私はこれまで、いろいろなかたから、勉強や研究の方法について質問をうけた。今回お話することは、このような質問と、それに対する答えを中心にして私の経験をまとめたものであって、みなさんの勉強のプラスになれば、無上の光栄である。

ソビエットの心理学の本（ソビエット心理学…　三一新書、上下、一二〇円、一四〇円）には、"創造活動"の要因を分析した一節があって（第十一章、第五節）われわれの研究や勉強には、大へん役立っている。

その要旨をまとめるとつぎのようになる。（できるだけ原書をよんでくださるように希望する。）

(1) 創造性（オリジナリティー・インスピレーション）を発揮するためには、当面する問題やテーマにたえず注意を集中すること。

(2) 当面する問題やテーマの資料を、うんとたくさん集めること。

(3) 将来のために、すぐ役立たない資料もできるだけ集めておくこと（これを一般準備という。）

(4) 系統的に、しかも規則正しい作業（勉強・学習・研究労働）すること。

これらは、かならずしも、創造性の要因のすべてをふくむものとは考えられないが、大体、この分類と順序にしたがって話をすすめていきたいと思う。

まず (1)注意力を集中する。

ということについては、誰もが異存がないと思う。ところが、われわれ凡俗は、邪念のほうが多いので、このような習慣が、なかなか身につかない。これに対する、よい対策があったら教えていただきたいものである。

(2) 近いテーマ（当面の問題）と遠いテーマ（将来の問題）の資料をたくさん集める。という

ということ。これについては、いろいろ工夫や、反省を要することがらが多いように思われる。いろいろと経験をだし合ってみよう。

たとえば、ボーヴェニズムがどうの、有孔虫の生態をテーマにするの、粘土鉱物を卒業でどうするのといった、テーマの理想や夢につつつをぬかす前に、まず、十年間を生きぬく、具体案をたてて、十年間を頑張りとおす、決心が必要である。それなくしては、研究も、教育も、夢も、理想も、砂上の楼閣となってしまうからである。これをどうしたらよいか？

また、十年を一周期として、下図のような勉強プランも大切だと思われる。

一日の勉強の量（時間のわりふり）（かりに八時間としておく）

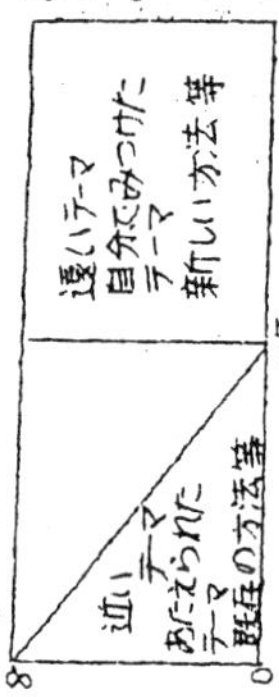

すなわち、一日の作業時間を、最初のうちは、近いテーマ・上（先生やつとめ先）からあたえられたテーマ・学校でならった

13

方法などに多くさき、その一部で、遠いテーマや、自分でみつけたテーマや、新しい方法の基礎の勉強をする。

こうして、しだいに実績をだしつつ、その実積（現実をつくること）に応じて、テーマと勉強時間の主力を右上側にうつしかえていく、といったことも必要であろう。では、みなさんの当面のテーマはなにか…また、将来のテーマは…ロさきだけではない基礎の勉強は…実際はどうなっているか？

(3) 規則正しい勉強、という点は、われわれにはかけているもののように思われる。ここで規則正しい勉強というのは、ねいもうに自分の勉強プランを、くりかえし、かつ長くつづけていくことだと思われる。これについても、やはり"一週間の勉強プラン"を各人がもっていることが絶対に必要だと思われる。

たとえば、大学の入試のためにたてた勉強プランもその一例であるが、あのような馬車馬プランでは長つづきがしないから、もっとゆとりのあるプランをつくる必要がある。

つぎにこのような一週間の勉強プランは、やたらに改更してはならないと思う。中国の大人のように、一〜三ケ月ためしてから、悪ければかえるといった点が大切である。また、このプランには、いろいろな事故によって時間がつぶれる危険率も充分にもりこんでおく必要がある。そして、計画の時間がつぶされても、その時間の勉強をくり下げたり、くり上げたりする、といった小細工は、絶対にしないことである。

私の場合、月火水木金土を午

14

前・午后・夜の三部にわけて、それぞれに仕事をわりふることにしている。しかしおかげさまで 私のプランはつぎつぎにつぶれ、ならして一週三日分だけ、仕事ができればよい方だとあきらめていて、あわてないことにしている。

しかし問題の要点はあくまで、プランの〝規則正しい反覆〟にあるものと思われる。すくなくとも十年間の反覆が！

さいごに、このような創造活動の原理を、この不公平で不合理な世の中で、どう具体的に活用してゆくかを考えてみたい。

それには、研究を組織化することが一ばん大切であると思われる。この点でも われわれは組織を運用し（活用し）組織の力で（組織にのっかって）勉強することがまことにまづいと思われる。（民主々義科学者協会地学団体研究部会機関紙（総会資料集）より転載）

井尻正二氏紹介

一九一三年　東京で生れ北海道で育つ。

一九三六年　東大理学部、地質学科卒

一九三六年　科学博物館に就職。

一九四九年　国立科学博物館を退職。現在著述を主とする。

現在　民主々義科学者協会日本地質学会日本地理学会会員。理学博士

著書　古生物学論（平凡社）地質学の根本問題（民科地団研）地球（毎日新聞社・兵書）現代の進化論（理論社兵書）ともに学ぶよろこび（東大出版会編著）科学

（20頁へつづく）

○「職場の歴史」（河出新書版）ができます。四月二十五日発売、定価百円予定。全国の有名書店で発売。内容はでるまでのおたのしみにしておきます。職場の歴史をつくる運動に必読本だけではなく組合十年史を書いている方々にも役立つように編集されてあります。だれです〝立読みするよ〟なんていっている人は!!

○日鋼鶴見製鉄所の仲間の仕事―「炉材の厂史」を応援しよう。もうすでに一万字近くも書きあがったそうです。ここは有名な小説〝れんが女工〟のモデル工場です。今この工場の歴史を書いているA君の父さんもここの工員でしたがケイハイで亡くなりました。皆さんこの仕事を応援して下さい。

飛耳帖

○映写機が会にはいる!! 会員松崎幸八郎さん（教育大）のお父さん（新潟県柏崎市）が有益に使ってほしいと会に申しでられたもの。さつ影機はできれば後から送るそうです。この使用については書記局で考えています。名称エクラ、東京映写機製作所製（映光源一五〇Wの電球が映機新品は50,000円）

○カッパブックス「顕微鏡」（一橋大助教授南博著）に私鉄の紹介。これ一冊読めば現在の日本の政治経済文化等一切のことがわかるという広告入りで宣伝されベストセラーにもなっている「顕微鏡」なる本の国民文化の項に私鉄のことが紹介されています。このほか私鉄新聞関東版（私鉄労組新聞）2月11日号にも私達の運動が紹介されて私鉄の教宣部長より機関紙を送ってほしいという手紙が会宛にとどきました。又遠く福岡の教員組合の機関紙にものせられているのを偶然発見しました。

書評

王子製紙労組編

「王子製紙労働組合運動史―別冊―」

高橋秀夫

王子製紙労組の人が組合史を作ることで職場の歴史を作る会と連絡しあった経過についてはさきに機関誌一号の「はえぎこ」欄にのっている。

今度『王子製紙労働組合運動史―別冊―』として出来上ったのが送られてきた。現在、会に参加しているる職場のうち国鉄の品川客車区が戦后十年の組合の歩みをまとめる計画を持っているし川崎の川鉄、鋼鉄などの組合でも近く組合史を出す予定と聞いている。このような仕事が本当に充実したものにするためにも、既に出されているものをできるだけ検討し、その良い面をどしどし伸ばしていくことが必要ではないだろうか。

× × ×

この本は最初に組合史編纂委員会の「組合運動史の方向」という題で、組合大会で組合史編纂が決議されてからできあがるまでのような経過をたどったか書かれている。そこでは、他の経験――国鉄、三菱美唄炭鉱や職場の歴史をつくる会など――が大変参考になったと述べているが、この意味を我々は深く考えてみる必要がないだろうか。

この別冊では戦後十年の組合の動きを中心にまとめているが、その経験と他の組合の仕事を学ぶことによって、更に戦前にさかのぼり、日本資本主義の発達の過程で、その中で「王子労働者の歴史」にしようという方向をたどることを将来の課題にしている。

17

このような手順によって、系統的なまとめは将来に待ちこされたので、この組合史は一貫した叙述のスタイルという形式をとっていない。

内容は「組合結成前後を語る」座談会と「斗争の思い出を語る座談会」の二つの座談会を中心に、「初の団体交渉」、「組合結成当時の女子部」「二〇時間ストの回想」といった個人のまとめた十六の論文と王子製紙労組年表などが主なものである。

それらは大別して、組合が作られる前後の動きについてのもの、斗争を回顧したもの、退職工が本工に繰入れられるまでのことについてのものの三つになっている。

戦後十年間の組合の発展の様子はどの論文からも感じられる。なかでも私は、「斗争の思い出を語る」座談会の何気ないような発言からとても強く感じた。

× × ×

(A)「日頃はそうだし、どこの斗争でも王昇段ができるのだ、三回も斗っても王子はできなかった――」

(B)「家庭の主婦の動員もよいがその前にやることがあるね、組合員が家へ帰って細君の前にでも、いま組合がどういうことをして、どういうふうに進んでいるかというようなことは是非やるべきだと思うね――」

(C)「私の家内も意識が低かったが私が中央に出てから非常に高まった。今なら赤旗巻で一緒に歩こうといったら歩くでしょう」(笑声)

(D)「――生活を度外視した組合運動はあり得ないと思うし如何なる形の斗いでも組めるかというと必ずしもそうではない。そこで考え方の

18

の進んでいる労働者も言い、おくれている労働者も居る中で、日頃の労働者がいつ[illegible]ているように、一人で百歩進むより百人で一歩、という言葉[illegible]した組合運動を進めていくべきだと思います」

(正)「……今までは、ベースアップで何でも全組合員に共通した問題で斗ってきたが、今後は一の組合員のものであってもストをかけても斗わねばならない段階にきていると思うんです。ただ一人でも不幸な人があれば皆で斗ってやるという事が大切であり、そういう方向に斗いを前進させるべきだと信じて居ります。」

(百三十二頁)

× × ×

この「組合運動史」が最初に述べたように「王子労働者の歴史」にまとめられるまでには未だだいぶいろいろ困難な件うと思うが、できあがるまでは長い期間がかかっても、ガッチリしたプランで取組んでもらいたい。

その際には、座談会の中の発言にもある様に、多くの人たちに理解できるようにグラフや写真なども多くするとかといった点にも考慮してもらいたい。年表も当然書き込むものと思うが、もう一工夫——国内・国外の大きな事件や日本労働運動の大きな[illegible]なども[illegible]頂きたいと思う。(一九五六年三月・東京都中央区銀座[illegible]・三王子製紙労組[illegible]発行)

—九ページより—

は現在書記局で[illegible]中であるが、[illegible]の[illegible]準備したい[illegible]。当然会則[illegible]第二十三条[illegible]される必要があるが[illegible]えつけ加えられ[illegible]。

19

(三ページより)

て帰をしました。三月三十日には、ことしはじめての連絡会議がひらかれた。小雨の中学生諸、Mデパート、国鉄、教師の人たち十数人集まりました。共同研究をめぐって討論がかわされました。今まで共同研究ではとにかく職場で会わなければということから始って、いろんな意見が出ました。その結果、出来た共同研究がこれです。(K)

(十五頁より)

論(理論社)古生物学(理論社)

デスモ会のおしらせ

四月十五日(日)午后六時三十分井尻氏宅(豊島区雑司谷町六ノ一一六二)

科学論 理論的方法 理論的方法について(四六頁～八八頁)

この会の事務は会員青山恭(教育大専攻科)です。

今年の卒業論文を書く学生会員

長谷川加代(お茶大史学科)日本近代史

平尾三郎(東京大学 東洋史)中国史

高橋秀夫(教育大史学科)日本近代史

熊倉(〃)アメリカ黒人問題

追記 高橋秀夫君は五月名古屋で開かれる社会経済史学会に他の大学の人々と共に共同研究の成果を発表予定。

おめでた

石村尚一(上智大学史学科 アメリカ黒人問題)

20

円　彰一（上智大学史学科日本近世史）

右両君は三月十七日に同校を卒業した。円君のお母さんは当日の朝早くおきて赤飯をたいていわってくれたそうである。なお、両君の就職事情については本誌「大学の暗黒」を参照されたい。就職先のあっせんを皆さんにおねがいしたい。

〜〜〜〜〜〜

本が安く買えます。

「ともに学ぶよろこび」井尻正二編　東大出版会　二四〇円

「科学をわれらの手に」民科地団研編　春秋社　二〇〇円

民科地団研の全経験をまとめた団体研究の方法をまとめたもの。

会員諸兄姉に三割引でおわけいたします。

（申込は販売書記局まで）

五月の東京例会

―ハイキング―

日時　五月三日午前九時[illegible]

集合地　新宿京王帝都駅前

行先　深大寺

会費　百円

書記局のお花見

日時　四月二十二日午前八時

集合地　新宿西武線改札口

行先　西武園

会費　百五十円

書記局員以外の方もどうぞ。[illegible]

書記局員の紹介

[illegible]（会計）　[illegible]（渉外）

[illegible]（団体）　円　彰一

岡島　彰（団体）　高橋秀夫（総務）

杉田　[illegible]　長谷川[illegible]

藤本康雄（機関誌）　小野一男（[illegible]）

◇[illegible]

◇[illegible]

[illegible]です。[illegible]えます。

◇機関誌二号は百五十部位ありますので、ご希望の方は書記局までお申しこみ下さい。

なお、三号にのった「山へ　毛織工場の歴史」の続きは日本鋼管つるみ製鉄所労働組合炉材部工場の人々がつくった職場の歴史と一緒に、いずれ[illegible]のせます。紙上をかりてお知らせしておきます。

21

職場の歴史

東京都港区芝高輪一ノ一
国鉄労働組合品川客車区分会内
職場の歴史をつくる会編集
書記局

4
1956.5

会のことば

竹村 民郎

国鉄品川の宮沢武人君は、職場ではいつも「六ベエ」とよばれている。宮沢武人という侍の子のような名まえは西鶴や町人の子孫ばかりの職場の連中にはピンとこないのだろう――（ちなみに宮沢の身の丈は六尺余である。）それと同じようにN工場のKも職場では〝物しり〟というあだ名を奉つられている。この間なども職場で、結核のおそろしさのことが話題になったときも職人はすぐ彼のところにかけつけてその意見をもとめてきた。

そのKが中心になって一年まえ、〝N労組の歴史〟は書かれたが、最近、河出新書に再びのったその文章を読み直してKは次のようにいっている。「組合ができる勢いのよい瞬間を書いたがあゝなるには長い長い苦しい時間がかゝった。それこそ歴史といえるものがあっただろうし、それからあの瞬間にもひとりひとりの思いがあったし、変ってゆき方もいろいろあっただろう。こんご発展させる方向としてはそういうことなどに気をつけながら、労働者の中に根強くひそんでいる職人かたぎという奴をさぐってみたいということを考えています。（新読書新聞五月七日号、傍点は筆者）

・たしかに職場の「物しり」はその職場の人々にとっては大切な存在ではあるが、しかし

2

その「物しり」の知識といえども限りがある。職場の歴史を考える場合にも、その職場ではおそらく大勢の人々のいれかわりたちかわりの生活があり、その月日が重ねられて今日に至っている。だからその職場の歴史の幅と厚みは、とても「物しり」の知識だけではとらえることはできない。KがN工場の長い歴史の中でもっとも輝かしい闘争＝改革期をより正しくとらえることにより、明日の生き方の教訓とするために（本当の「物しり」となるために）「物しり」でない人々の長く苦しかった時間とその思いを尊重し学ぼうと努めていることは、とかく「職場の物しり」だけの歴史になりがちな、私たちの会の在り方に大きな教訓を与えてくれるのである。（一九五六年五月十四日） 3

私たちの会の動き

五月三日に京王帝都線の深大寺にハイキングに行き、私坂屋、国鉄N工場、学生日本クリナー等の組合員に四十名位と丁度そこにきていた他の職場の人達もまじえてフオークダンス、バレー、ソフトボール等で一日を楽しくすごし、うちとけた雰囲気のなかで職場の交流を行った。

五月十一日、書記局会議を開き、最近職征の会としい交流をしたいという便りが多くなったので、まだ不充分な組織の確立（書記局、連絡会議、総会等を定期的に開くこと、共同紙の定期発行）職場との連絡、会計の確立等で話し合った。（O）

職場のうごき

共同印刷では「職場の歴史を作る運動」なんてまだ〱これからというところです。又この運動に参加し始めている人達の中でもまだ暗中モサクといったところで私自身いつもよくわかっていない点が多いのですが、私なんか情宣部の仕事をやっている関係で特に興味を感じるのは、昨年共同印刷といわず色々の労働組合で話し合いによる組合活動ということがよくいわれて、これは相当大きく前進した。私は今年は「書き合い」の組合活動をもっと前進させるべきではないかと考えています。これは一寸変に聞えるかもしれませんが私の経験をいうと私の職場の一人の青年がいるんですが、昨年迄、唯何という事のない平凡なジャズや、パチンコにしか興味持たないような生活していたんですけど、丁度夏山へ行ったその時、私の職場で出していた職場新聞に出すから是非まとめてみてくれと山へ行くずーっと前から頼んでおいたら、山から帰って二・三週間一生懸命かゝっていたがまとめてきた。まあその人にとっては生れて始めての事だったのだろうと思う。それからその青年書くという習慣をだん〱と身につけてきた。その中で彼自身がいうように「俺はこんな生活いつまでも続けていゝいんだろうか」と色々と自分の生活の事振りかえっ 4

て整理するようになってきている。そして現在ではホークダンスや、うたう会と積極的に参加するようになっている。これはささ細な例ですが、すべての点を通じて整理し新しい方向を見つけていく事が特に重要になってきていると思う。共同印刷の労働組合としても、この点には大きくぶつかっている。というのは一昨年、私達は企業のために労働条件の切下げを猛反対の中で行った。そして、一年間余り又しても会社からは第二次の労働条件切下げが出されようとしている。この中で会社つぶしたら明日の飯をどうする。という事と、こんなひどい生活、残業百二十も百三十時間もやらなければならない生活。この矛盾の中でじゃこれからどういって行くのか、会社のためと思って労働条件切下げと行って一生懸命働いたけど、又々会社はつぶれそうだという。この中で第一次労働条件切下げ以来の事を本当に皆んなで整理して行かなければ唯いきり立ってアジッたりしても始まらないところへきている。

いずれにしても、私達の生活の中で職場の歴史という事が何んだかむずかしい現在みたいな文学ではなくて、必要とされてくるのではないかと思うのです。まだまだこれからなので報告とはゆきませんが、職場の歴史を作る運動に参加させてもらった一人として述べさせていただきました。　（共同印刷　K）

5

晴れた五月の青空に
―メーデーのことまで―

高橋　秀夫

今年の東京のメーデーは昨年とちがい雨のなかで行われた「泥んこメーデー」とはうってかわって、からりと晴れた青空のもとで行われた。私も学校の友人たちとプラカードをかついで代々木駅から歌いながら会場にむかった。

途中で会場にむかう人々のもついろいろなプラカードに書いてあることがらや組合旗などをみていると日本の労働者階級の当面する問題が何であるかを知ることができると同時に、日本の労働運動の成長をもうかゞうことができるように思えた。

千駄ヶ谷駅をすぎて会場も間近になったとき三人の青年が一かたまりとなった一団のもったプラカードがはげしく目にとまった。

それはボール紙に白い紙をはった小さな極めて貧弱なものに「職(食)を与えよ、履歴書あります。失業者」とかいてあった。今年は各地とも天気もよかった様子だし、メーデーは日本メーデー史上最大の参加者があったとか、内容も今までのそれと変ってだから労働者の〝祭〟を楽しむ雰囲気につゝまれていたと、参加者の感想が殆んど一致したようにのべられている。

付きたいと望む人が一人ものこらず職につくことができ、働く者全体が大きなスクラムを組み、五月一日、労働者の祭日を心から祝福して「晴れた五月の青空」の下に力強い行進ができる日が一日も早いことを願って私は会場にいそいだ。

6

はも人

▼諏訪市

前略 阪正三号いただきました。いつも迷うのですが、私たちのところはどのような扱いを受けているのでしょうか。

三号は私たちとは少し縁遠くなってしまったような気がしてなりません。会の方針がかわったのでしょうか。一度職正の会の内容についてお手紙下さい。誌上にはいつも職場の人たちの書いた生き生きしたものをのせて頂きたいと思いますが、そうでないと読者が限られてしまってひろげることができません。三号は学生ばかりの共同執筆のようです。代金を三十二日までとの事ですが、それまでにとても売りさばけそうもありませんので、五月のはじめ頃久永先生の上京の際、あずけたいと思っています。これから御連絡下さる時は久永方にしないようお願いします。どちらにしろあてゝ下さってもかまいませんが、田舎はちょっとした事でも目立って困ることがありますから。ではお元気でがんばって下さい。　さようなら。

（竹内春江）

人　庄公代さんの場合

一見したところ常に弱々しくみえる人だが性格はしっかりした人だ。実際私たちの職場からみれば一層圧迫のはげしい困難な職場や、家庭のなかで自分にできる範囲の活動を最大限にしているし、阪正の会にも、意見、投書活動等実際に行動をしている。この点私達がもっと学ぶべきだろう。しかし欲をいえば、自分の活動にもう少し自信をもってもらいたい。自分のところより強い組合と比較して悩んでいるようだが、少しでもその方向に近づこうとするのは結構だが、その組合の歴史、条件等はっきりつかみ進めたらどうか。活動は長く困難なものだから。（庄さんの職場は東京証券取引所です。岡島　博）

▼全建労

メーデーも近づいてきました。職場の皆さん、お元気で斗っていられると思います。「電産」三九四号で拝見しました。「職場の歴史」オ三号、一部お送り下さいませんか。オ一号があればそれも一しょに。金百円也同封しておきます。（オ一号品切れの時は、次号の代金に廻して下さい。）

なお今后も継続して講座したいと思います。今后とも御連絡お願いします。もし何か「職場の歴史」に関する会合などありますれば、出席したいと思いますが、さしつかえなければ御連絡お願います。

全建設省労働組合本部
情宣部長　本條嘉久雄

▼長野県諏訪郡

はじめて通信致します。

私は諏訪地方労働運動の戦后十年史を書くことをやっております。貴会の存在については「共同新聞会報」「労働調査時報」の記事を通じて知り早速通信をと思いましたが、本日河出新書「職場の歴史」を手に入れ、一気に読み上げ是非吾々の仕事にも援助していただきたいと考え、運動の動状、現状、悩みについて記します。王子製紙の梅津氏がいっておられるように東京より職場の歴史を書く運動がズッとおくれており、専門家の援助もなく書き方、方法論についても決った方向が出ておりません。

動状は
一九五四年八月にこの地方の地区評（二一〇〇名）と地労（一八〇〇名）との組織統一が実現し、地域組織の分裂が終止符をうち新らしい統一時代に入ったのであります。戦后十年間正しくは九ヶ年間地労の発展的解散までの活動をまとめて各単組に報告しようという立場から予算約一萬円を組み編集に取かゝったのがその動機です。

運動の実状は
五四年以降今年まで私が個人的に資料を集め——当時地労の事務局長をやっていた関係から——年表を作り組織表をまとめてみましたが、個人的なやりかたでは次のような点から正史を一面的にみて正しい組合史を書くことが出来ないことを知りました。（特に私は共産党員として六全協及び同盟オ二十四大会を通じて集団指導の重要性を痛感しました）

1. 資料が少ないこと
2. 個人的に仕事を進めているので斗争の評価が主観的であること（十年間組織人員最高一萬人の経験を一人で書くことは）
3. 参考書は
岩波の「資本主義講座」。
新書の「殿系労働者の歴史」で非常に少ない。
4. 私は専門家ではなく組合活動家ですから日常の活動にふン廻されて時間が少ない。

等々のことから集団的に仕事に取組むべきだという結論を得ました。殊に大切だったと思えたのはこの仕事を私が提案した当時はこの仕事に対する理解が少なく私一人しか出来ないんだ、事務局長として職務上やらなくてはならない

9

位にしか考えていなかったのが資料を集めたり、事件の評価について相談してゆくうち一一実践を通じてこの仕事に非常に期待をよせ援助してくれる人ができてきました。また昨年から今年にかけて組合創立十周年の記年事業として職場の正史がこの地方の数ヶ所の職場新聞紙に特集されている事実を見てまた知り、この職場の正史を書く運動が単に二三の幹部の運動ではなしに大衆的になってきたという事実を知って確信を深めました。

こうして四月には約十名にのぼる戦后の地方組織の幹部にお呼かけして、斗争の評価について集団的な討論を始めていただき、オ五回目を今月中旬か下旬に開く予定になっており、また村誌の編集者にも集ってその全験と援助をうけることになっております。

このようにして仕事はやっと始まったばかりですが、組合史の中では「戦后十年間にこの地方の労仂者の考え方が十年間にどのように変ってきたか、経済的基礎とその斗争の中で明らかにしてゆくしという点におきたいと思っております。

そこで私は皆さんにも相談しますが
○「職場の正史をつくる会」と交流、援助していただきたい。資料の点でも編集の点でも、また人間の点でも具体的な内容については相談の上お知らせしますが、河出新書に発表されなかった会の新聞紙、地方また都内で出された「十年史」（全国単産では困る）の資料がありましたらお送り下さい。

10

11

▼大阪府南河内郡

前略

昨年中『飯場の証言』の特集号や『飯場の証言』第1号を興味ぶかく読ませていただきました。

河出新書の『飯場の証言』もまた大変参考になり、私たちをはげましてくれるものです。

御手数ですが、「飯場の証言」第2号からとニュースその他の資料がありましたら御送り下さいませんか。

尚関西地方又は大阪で「飯場の証言をつくる会」に参加している方の住所、氏名、御しらせいただけたらと存じます。

五月中旬に、二三の飯場のもので、懇談することになっておりますので、今后何かと御指導をいただきたいと存じます。

（名越　祐助）

▼群馬県

前略

友達より貴会のある事を聞き僕達も今迄漠然と何か僕たちの飯場歩んできた事を考えて見たいと思っていたのです。

今后とも色々と教えてもらいたいと思いますが、現在発行されている「飯場の証言」「ニュース」等がありますか。

定価はいくらですかお手数でもお知らせ下さい。

（高橋　友七）

▼栃木県上都賀郡足尾町

拝啓、先日河出新書で、飯場の証言、よませていただきました。

こちらでも数百十年来の仕事を足尾労組としてやることになり、ボクがその中心的に仕事を進めていかなければならないのと、又御存知かもしれませんが、〝ぜんこう〟紙上で足尾銅山の斗争史を手がけて連載しているような関係もあり、そこに収められているものにはいろいろ問題があったようですが、ボクの蒙を啓発してくれるところが多く感謝しています。そちらで出している機関紙、ニュースは労組本部から取ってもらうように話しておいたので、多分そちらへ連絡があったと思いますが、ボクも一度出かけていっていろいろあの本の中にのらなくて問題になっていることをお聞きしたいと思っていますので、是非その節はよろしくお願いいたします。

多分今月の廿七日（日）を中心とした三、四日滞京する予定でいますが、ハッキリきまりましたら又、正式に連絡いたすつもり。

三菱美唄へは直接連絡をとりましたし、これから本格的な作業にかゝることになりますそういうイミで、いろいろお世話になることが多いと思いますのでよろしく。なお、〝ぜんこう〟五月十一日号に、「飯場の証言」の書評をかねた小文を書きました。（ハガキを逆に書いて申しわけありません）　草々

（村上　安正）

▼大阪大学大学院

はじめにこのようなありあわせの紙にお便りすることを御許し下さい。

私は大阪大学の経済学部の大学院の学生で、労働運動史を勉強しているものです。先ず用件を、次にその理由を書いてみたいと思います。

〔用件〕

1 飯場の証言をつくる会とつながりを持ちたいと思います。会員制になっているのでしたら会員にして頂きたいと思います。

2 「飯場の証言」と「ニュース」を購読することゝ連絡会に出席させていただきた

12

いと思います。

3大阪府内の「職場の正史をつくる会」のある、或いはそれと似たようなことをしているか組合が職場の名称と場所をお教え下さい。

「理由」

1むかしのBという時期の労働問題を研究するときそれよりもむかしのAとかの時期を知ることから、原因と結果のつながりをさがすことから当時の労働者の具体的な生活状態、考え方、感じ方も推測できます。又Bよりも新しいこの時期のことを知ることから同じように原因と結果のつながりをさがすことから、労働者の生活、考え方、感じ方がどうであったか、又その前の時期からそれらがどのように変ってきたかを推しはかることができます。

右にのべたようにむかしのことは原因と結果のつながりをしらべることから労働者の生活、考え方、感じ方がわかるのですが、又その変り方もわかるのですが、将来のことを予測して進しるべにしようとするときに現在に原因があり将来の結果をしりたいわけです。その時はむかしのことを研究した時の様に原因と結果（その結果が将来の事でわからないのですから）から労働者の生活、考え方、感じ方がわからない訳です。

先の例に戻りますと

A → B → C

原因　結果

　　　原因　結果

Bの時期のことはA－Bの因果関係と、B－Cの因果関係を組みあわすことによ

13

って推測の正しさの度合をますわけですが、現在をBとしますとA－Bの因果関係はあってもB－Cの関係はないわけです。だから将来のことの予測にはむかしの事を研究した時に原因と結果から労働者の生活、考え方感じ方をみちびき出したのと違った方法による現在つまり原因と労働者の生活、考え方、感じ方から将来つまり結果をみちびき出すわけです。その時A－Bの関係を調べることは現在を知る為の大事な方法であることを忘れないようにしなければならないと思います。）

右に述べた事をまとめますと、将来のことを予測するためには、現在の労働者の生活、考え方、感じ方を知る必要があり、それを知るためには労働者の生活史（生きた正史）を知る必要が絶対にあるからです。

2過去の全体の正史がどのように現在の労働者の生活考え方、感じ方に反映しているか、滅びつゝあるものは何で成長しつゝあるものは何かという事を知りたいからです。

3私の一生を人類の進歩と結びつけたいと思っているからです。

河出文庫の「職場の正史」を読んで感銘を受けてこの便りを書きました。職場の正史をつくる会のあることを、知るのが遅かったことを残念に思っています。

長々と書きましたが、用件についての御返事を御願い致します。

経済学研究科

労働問題専攻

（北谷　寛）

14

会計だより

(1) 会計を受けついでから
オ一回の会計報告をします。
新会計係は一九五六年四月十五日から始まる。これまで花岡紙三号でのべたように全く収支状態は不明でした。とにかく六〇〇〇円以上の赤字を出していることだけは事実。(三号の版代)でしたが、これは借入金で一応整理しました。新会計係は、混乱をさけるため、差引残高〇から始めました。即ち花岡紙三号の代金と五月会費の分からです
五月十五日現在次のとおり。

収入　三、三三〇円
内訳
花岡紙代　二八四〇円
送料カンパ　一五〇円
借入金　三〇〇円
カンパ　二〇円

支出　三、一一一円
内訳
版代　二五〇〇円
発送ヒ　一五六円
連絡ヒ　一〇五円
返済金　三〇〇円
雑ヒ　五〇円

差引残高　二一九円

他に紙代未回収分として、一七九〇円があります。

(2) 会費について
前号で会費の事についてのべましたが、やはりこの問題は重要なことと思います。私たちの会がみんなの会である以上、又団体として当然なことですが、会の運営は会員の会費でまかなわれるべきだと思います。この点については誰も反対はしないと思いますが、その具体案として会員証発行を提案し、この程、会員証も出来上り今月中にこのスタイルをつくりあげていくようみなさんの協力をお願いします。会の目的に賛成し、会則を守る方は、積極的に会員となって下さることを望みます。
会費は毎月二〇円。会発足当時、"金と時間と約束をきちんとしよう"という合言葉がありましたが、これは会運営維持の根本原則であることは今も変らないと思います。
会費納入の方法については、会員それぞれの事情に応じて考えたいと思っています。

(3) お願い
花岡紙三号の版代について、六〇〇〇円借金として残っていることは(1)でのべましたが、一日も早く返済したいと思います。そこでお願いなんですが、現在花岡紙二号、三号が若干残っています。これを売るよう協力していただきたい。二号は五〇円、三号は十円です。尚多少にかかわらずカンパをお寄せ下されば幸いに存じます。

(門　義一)

「臨場の証人」三号の誤りをつぎのように訂正いたします。
〇二頁上段二～三行目その夜日には……その当日には
〇同頁中段二行目嘗実＝写実
〇同頁下段十三～四行目カッコ内を本号森田論文十六頁参照とする。
〇五頁十五行目日本資本主義講座＝日本資本主義発達史講座
〇七頁下段十七行目自前＝自前
〇十七頁三段十三行目検当＝検討
〇二十頁中段八行目理論的方法＝論理的方法
以上

学生の頁

デスモ会のこと

先号に「デスモ会のおしらせ」という奇妙なお知らせがあった。「デスモ会とは一体何だ」と首をかしげている会員もあるでしょう。で簡単に紹介しよう。

今までわれ〳〵（学生会員）が、運動を進めてきたなかに労仂者からいつも「職場の歴史をどう書けばいゝか」という問題をだされるが、われわれはこれに充分にこたえることができない。労仂者の「職場の歴史」を指導してくれ」という要求にこたえきれないのだ。

何故か。いろいろの原因があろうが、一つには、歴史とは何か、歴史学とは何か、科学とはなにか。歴史学、科学というものは、どんな道すじをへて創造されていくものか。われわれはこれらの理解が不充分なことだ。そこで井尻さんの「科学論」（理論社、一九五四、六、三二〇円）の研究会をやろうということになった。チューターとして直接井尻さんにお願いしたところ快諾していたゞいて、三月二十日を第一回目として、毎月一回今まで三回ひらかれているわけである。

この研究会のことをデスモ会というのは、井尻さんは古生物学が専門で、古生物に「デスモスチルス」というのがいるが、そのデスモスチルスの歯の研究を井尻さんがやっているので、そのデスモをとって井尻さんのあだなとして通用しているところからとって「デスモ会」と名付けたのである。

17

飛耳帖

○「職場の歴史」（河出新書）がでることは前号の欄でお知らせしましたが、予定通り四月二十五日に発売になりました。私達の予想したとおり売行はよく、五月十日には再版がでた程です。反きょうの一端は〃はもん〃欄で御覧下さい。内容をみましょう。東京証券グループの「東証の歴史」、NE工場グループの「NE工場の歴史」、因結司の人達の「因結司の歴史」は、それ〴〵自分達の職場を明るくしようというようすがいき〳〵と書かれています。北海道三菱美唄炭砿の人たちのつくった「炭鉱の移りかわり」をつゞった「炭鉱の生活史」、又昨年夏に遠く北海道から上京し、私達の会と組合史論さんについて話し合った王子製紙労組の梅津さんの「王子製紙の歴史」もあります。昨年東武鉄道労組機関紙「進路」にのせて大好評だった「はだか日本現代史」が、国鉄労仂者、田中さんのまんがを各ページに取入れられて一そう面白くなりまし

つぎに「科学論」の内容──目次を簡単に紹介しておこう。

Ⅰ方法論、1体験的方法、2記載的方法、3分類的方法、4論理的方法、5理論的方法、6実験的方法、7条件的方法、Ⅱ認識論、1素材、2事実、3仮説、4実証、5法則、6理論、7実験、8条件、9真理、Ⅲ自然論 1地殻（水成岩系）2生物、Ⅳ科学思想、1起承転結の法則2起承転結の法則、3科学批判の体系（三性論）

（なおこの会についての問合せは、文京氷川下一大関方

18

た、このほか書記局の一員小野さんの詩〝手〟や、会長竹村さんがあとがきとして「この手千両」をかき、そこでは会の進む方向が示されています。又私たちの会を援助して下さっている井尻正二さん、石母田さん、林基さんがそれぞれ一文をよせてくれました。

以上大体順を追って紹介しましたが、全体にわたって、写真、まんがをたくさんとり入れ非常に楽しい本になっています。前号でもかいてあるように、職場の歴史をつくる運動、組合十年史編さんの必読本であるというだけでなく私たちが職場でいろ〳〵な文化運動サークル運動を進めるのに役立つと思っています。

みなさんの職場の機関紙、ニュースなどでぜひ紹介してください。

最後に、この紙上をかりて、この本の出版に協力してくださった方々に御礼申し上げます。

尚、定価は一二〇円ですが、会員の方には一〇〇円でおわけいたします。どし〳〵お申込み下さい。

青山崇究にお願いします。科学論、三二〇円、理論社発行、会員は二割引にします。

（A）

五月の連絡会議

日時　五月二十二日　午后六時半

場所　国際電々新宿分室

議題

1「職場の歴史」をつくる運動の今後について

イ機関紙の定期化

ロ総会、連絡会議、書記局の定期化

ハ会員証をつくったこと

2河出新書版「職場の歴史」出版記念会について

書記局員の紹介

（アイウエオ順）

岡島　博（国　鉄）
小野　一男（私　鉄）
庄公　代（東京証券）
杉田　敏（国　鉄）
高橋　秀夫（教　育・大）
竹村　民郎（会　代　表）
長谷川加代（お茶の水女大）
藤本　敏雄（N製作所）
宮沢　武人（国　鉄）
門　義一（上智大学）

21

あ と が き

職症の会も一口でいうと云うの平組合員と学生で、くねくねと曲った道のように勝の並らぬ活動を進めてきましたが、その間多数の職場の人達と交わり意見を聞き、こゝまでまがりなりにも続けてきました。

最近になり特に組合や組合員個人から多数の便りがきております。前号のあとがきでは未分類いことをいゝましたが、皆さんの意見を尊重し、もっと充分な組織を確立していこうと思っています。年から年中批判ばかりでは嫌われてしまうので、総会・連絡会議・書記局等・定期化しっかりした態度で進め、皆さんに答えたいと思います。唯職症の会は皆さんと同じような労働者や学生で組織していますので一緒になって考え共にこの会の発展のために努力願います。尚本誌に対する意見をどしどしよせて下さい。（西）

職場の歴史

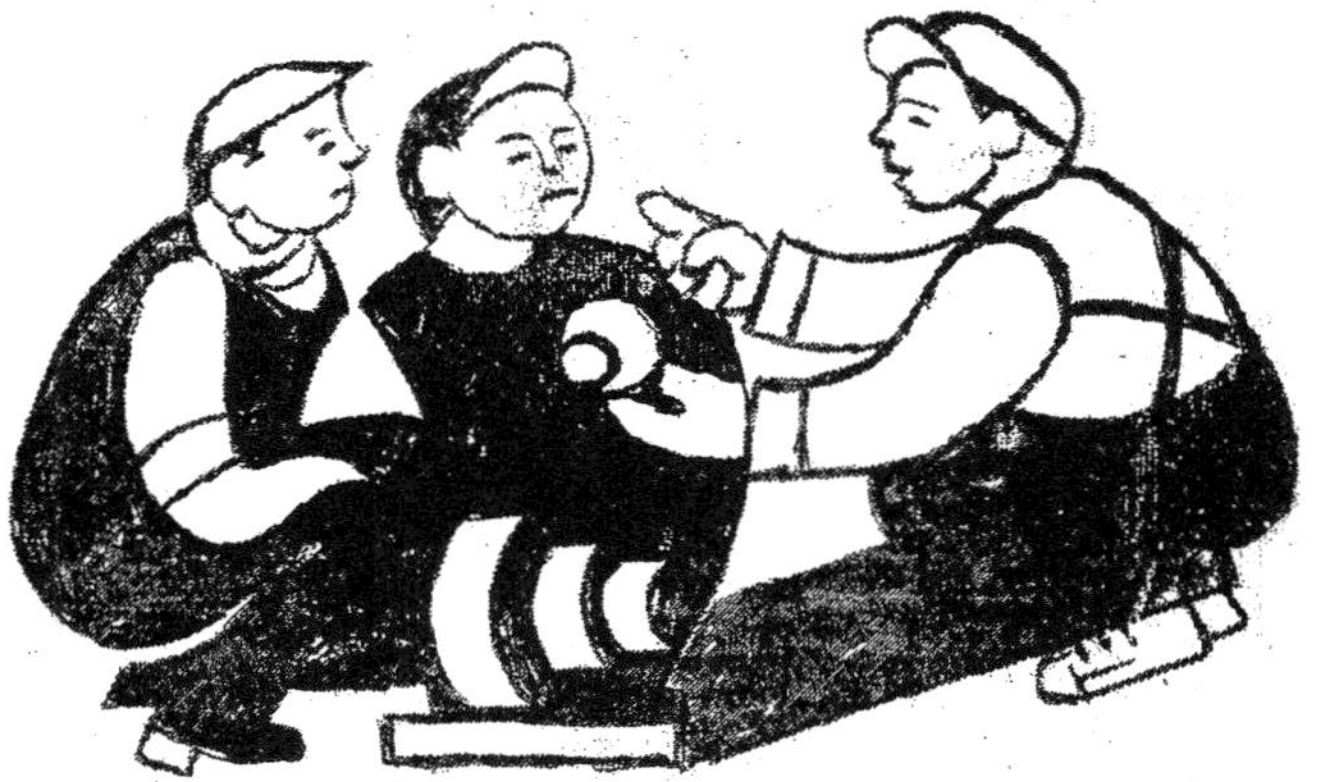

5　1956.6

東京都中央区日本橋兜町
東京証券取引所労働組合気付
職場の歴史をつくる会書記局編集

会のことば

藤本敏雄

この頃会のことを考えるのが面白くなった。考えるといっても机を前に腕組みするわけでもない。一日約十時間も切いているがそれが全部自分のものだ。小さな町工場ゆえ設備が不足し五・六十貫の鋳物に三・四人たかり持ち上げようとするとき等手がぶっきれるのじゃないかと思いながらも必死だ。さかさまになってシャフトをすり合せる場合にも暑い最中だが頭に血がのぼり息が苦しくなる

ところがこんなときに何となく「一体文化や文明の発達なんて少しも生活をらくにしてくれないじゃないか」とぼやきたくなる

職人が良くいうように「俺達の若え頃は」と全然変らないような気がする　今の苦しみはやはり職人もたどったはづだ――　職人があえぎながら生きて行く道を僕達がくり返すわけだ。職人のひん曲った指や黒ずんだつめも職人だけでなくやがて後を継ぐ若い僕達にもめぐってくる。職人や職場の歴史を発掘しつくりあげるなかに自分自身の体験を通した歴史を見いだすことができるような気がする。

私たちの会のうごき

前号でお知らせした五月の連絡会議は、二十二日夜、国際電々の一室をお借りして開かれました。集った職場の顔ぶれは、国際電々恩給局、Mデパート、鶴鉄、国鉄、東証共同印刷グループの青山、書記局からは高橋、門、長谷川、竹村の諸氏で、今後の運動及び各グループの計画、について真剣な討議が行われました。各グループの運動として次のような報告がありました。

○国鉄品川客車区では、少額ながら予算も獲得できたので具体的に作成を始める。

そして、この中で、各地から寄せられる〃職場の正史を書きたいが、どう進めてゆけばよいのか〃という、援助を求める声〃に応える方向を共に出してゆきたい。

○恩給局、文化祭の時に、正正新書〃の合評会を兼ねてサークルの動きとしたい。

書きつゝある例として鶴鉄の非常によい話をあげておきます。

鶴鉄(炉材支部)

戦前の、この職場は全く奴隷的な酷いものだった。父子三代が〃この街に住み、同じ工場に勤め、そして奇態な病気で倒れてゆく。それが何の病気なのか長い間わからなかった。経営者は知っていても決して知らせませんからね

そんな状態を、何とか変えてゆきたい。そして、終戦後、組合ができた。

それからの動きを――職場の正史として――纏めたい。組合情宣部が主体となり、編集委員会を設け、分担をきめる。炉材の正史として独立し、組

2

合史からは、少しはずれると思う。今までの具体的な動きは、二・三人で書いてみて、皆に回覧する。皆の種々な意見に〃こんなことがあった〃〃こんなことも起っていた〃〃いや、こんなことはなかった〃とたゝかれ、加えられてゆく。皆が悩んだ奇態な病気がいわゆるヨロケ(珪肺病)である。ことがわかってくる。

このようにして何回も回覧してみる。残業に疲れて、床の中へ電燈をひっぱり込んで書いているうちに〃こんなことをやって何になるか〃なんて考えてしまう。

皆も初めは〃何になる?〃という気持でいたが、次第に資料を探り、持ち寄り熱心になってきた。参考とした〃職場の正史〃新書は、完成したものとして受けとり批判することよりも、その作って行く過程が自身に非常に役立ち、最も大切なことのように思えた。〃おれたちがみてきたこと、聞いたこと〃考えてきたこと、経てきたことを、おれたちより外に誰が書く!?

鶴鉄の人たちのとつとつと語る言葉に一同は声もなく耳を傾けました。

会として炉材の正史を職正と炉材支部と共同で出版し、全国に広げるという形で全面的に協力することに決定。(一)の議案を終了しました。

その他の議案審議の結果は

一、連絡会議は、機関紙発行後一週間以内の金曜日、六月二十二日となります。

会員は終始、地方の会員とたよりを交換しよう。地方会員名簿は次の連絡会議のときに渡す。機関誌は半期に一回別冊を出したい。

一、職場の正史　出版記念会

3

の件。

これについては、会員を増す意味においても今まで参加していない大きな組合も招待してはどうかという意見と、前夜会も兼ねて会員だけにしたらという二つの意見が出たが、より有効な方法として合評会にして、毎月に話合いをすることに一決。十三日（火曜日）恩給局の会議室をお借りして開催することとしました。
一、会員証を作製することに決定、四日の書記局会議に早くも配布されました。お申込は三十円を添えて、東京都三鷹市下連雀一五一 四 森まで御申越下さい。
九時すぎ、以上で同会を終り、夕刻より降り出し本降りになった、雨にネオンが滲む中を、男同志、女同志の相々傘で、それ／＼の職場のことを語合いながら、東京駅に向いました。

一定した事務所を持たないことが、始めて参加する人や遠方から来る人に大変御迷惑をかけて居りますが、焦らずじっくりと、やって行きたいと心から思っています（S）

小田ばなし

会員KとTの両君、或る日街の食堂で会の運営をつついって、オミクジをひいた。

四十三番の吉、「スランプ・バイ・スランプの卦」と出た。その文面に曰く、「聴はいんや事光いんにはハイジャンプも三段跳はできません。今あなたにも飛躍はできないのがこの卦です。スランプ・バイ・スランプで、じりじり、ネチネチ。（新士五郎）

4

「職場の歴史」（新書）合評会

六月十三日（火）、昼頃からふりだした、かなり激しい雨がふるなかを、連絡が前日ということで手ちがいもあったという悪条件ではあったが、恩給局、地下鉄、共同印刷、Mデパート、印刷研究所の人たち約三十名ぐらいに集り、恩給局小会議室で、定刻よりすこしおくれて七時にはじめられた。

今後私たちの会をすゝめるにあたっていろ／＼重要な問題もでたが、それについてのくわしい討論は次の連絡会議にゆずることにして、こゝでは、その材料として、当日の模様をそのまゝおつたえすることにする。

まず、一般的に全体にわたっての感想をのべあった。
★A君（私立高校講師）私は、私立高校の講師であるけれども、ただかに依頼であっても、来年はどうせどこかにうつるのだからという気持でいた。最近、そんな幻想もきえて、その学校にとどまる決心をかためたが、そのことが私につぎのようなことを改めて認識させてくれた。それは、私立学校は中小企業であり、講師は臨時工だということだ。こうして組合もない不安定な職場を発見したとき、組合をつくりだしたいという気持が強く出てきて、自分の現実の課題として、この本をくりかえし四度も読んだ。学生時代によんだときには実

5

って本当によかったと思う。とくにN工場のと、恩給局のを熟議したが、そこには、はっきり違いがあるようだ。以上のように自分の問題としてよんだとき、つぎのようなことを感じた。(1)本当に言葉一つでも具体的にして欲しい。(2)組合作りの以後どうなっていくのかということ。(3)経営をつたえたということが強く出て、自己の職場の今後の対策につらなる点、つまり未来にむかっての、延長をどうつくりあげていくかということが不充分である。

★（恩給局労組員）　しらせる。じっくりもういちど立場で考えた。とくに最初の予定では局内の人たちにと思ってすすめてきた。局内のたくさんある課はそれぞれちがった空気があるのに、それにはふれられなかった。今、組合結成以後のつぎにに重点をおくものに準備をすすめている。先日の文化祭には職場のサークルとして、写真部の協力をえて、「目でみる組合史」写真展をひらいた。一般的に好評だったようで、ただそれだけではなく、内だとかめるのにやくだったと思う。しかし、いずれの場合にしても小人数でやったということにけっかんがあった。現在条件があるのだから、「恩給局の延長」合評会をひらき、それをキッカケとして大きなサークルとして職場の運動をすすめていきたいと思う。

★（M百貨店）　私たち先日東証の延長の合評会をした私達の組合は、戦前の流行にのって、会社側からあた

6

えられたようにしてつくられた。だから私の前と異り他の力ではいとった組合としての東証の場合を考えた。現在、自分たちの組合をつくっていこうという動きが起りはじめているとき、本当に知りたいと思うのは組合結成以前のことだ。

★司会　東証は、斗いの中でのびた組合なのだが、現在の職場では、じわじわとしめつけられている。組合の存在の薄いところではどこでもよくありがちだが、職場の人たちの生活感情にくらべて、組合の指導のすすめ方が公式的になる場合もある。とくに結成当時は指令一本でいつでも、当時のもりあがりにもっていけると考えている人もあったようで、組合員の多くはとてもついていけないという感じを持っていたようだ。

★D（共同印刷）　太陽のない街の伝統をもつ組合の一員だが、組合づくりの過程はすばらしかった。小説みたいだ。現場にいるものとして「N工場の延長」のようなものの方がよくわかるのだが、恩給、東証の場合にしても、環境のちがいからわかりにくい点があるにもかかわらず、やはり感激しました。

現在、私たちの職場では、生産性向上のスローガンの下に、非常な攻勢をうけている。二・三年前、再軍備反対など声を大きくして叫んでいた執行部の人たちのなかにも今では「大切なのは生産を増大させることだ」といっている

話はすっかりそれぞれの職場

7

その反きょう、現在どうしているか、今後どうすべきかについてもよいかと話題はつづいていった。

★司会 N工場の場合、あの組合結成の盛上りのエネルギーで、あの歴史が、あっというまにできた。そのとき会社側の圧力は強まり、おきまりの分裂政策にでてきた。例えば、寄宿舎は団結のもとだからと解散させて皆を分散的に下宿させたり、あれを書いた人達の親のところ・ー山形とか長野とかの遠くまでーに行って親に注意したりした。それにたいして、組合側は完全にたちおくれ、若い人たちと、年配の人＝職人との間にみぞができてきた。昨年は若い人たちの間に首きりが出た。現在はとても暗い。そういった中でF君なんかでも会社をやめたいということもあった。しかし、その職人たちもそれぞれのしかたで計っていることを発見し（新書二〇八頁以下「この手十両」参照）また他の職場のいろいろな人々の生活のことも、この会を通じて知って、困難の中で努力している。

★E（私鉄）組合機関紙などで、他の会社の苦しい状態をうったえた文がのることがある。しかしみんなあんまりよまない。よんだとしても別に反応がない。この本にしても、よまれないのではないかと思う。だからどうしたらよいかということ、今はわからない。けれどもこれが現実だ。

★司会 Nの場合でも、地方現実はやはり、マンガのところは面白そうにみているが、文のところは……

8

★C 私たちの職場でも一般的にはうけつけられないと思う。だけど、いろんな不満はもっている。この本をだゞよんでもらうということが出来なくても、そういった人たちと積極的に話合っていけると思う。その場合どうするかゞ問題なのだが。

★司会、今いろんな職場で自分は予言者になりたいということをきく。この本をよんで共感を感じるがそれだけでは……というところだ。汁この現実にぶつかったとき、この本でわからない点、たりない点がはっきりする。

最近Nのところへ、ある小企業の女工さんがたずねてきた。組合をつくりたいのだけれどと相談にきたのだ。つまり水が一〇〇度だということがわかっても、その一〇〇度まで高まる過程、方法がしりたいのだという。あの本では組合をつくる過程がよくわからないから困ったと思ってきたというのだ。しかし、この場合、その人たちが東京だったから聞きにくることは出来た。が、地方の人たちだったらどうする。実際はそういう人たちの方が多いのだから、その点を考えなければならないと思う。

★A・組合をつくっていく場合その過程のすゝみ方を考えてみると、N工場型、民需型にわかれば、筋肉労働者型、事務労働者型とあるのではないか。この問題をいろいろ考えてゆけば今後組合をつくってゆく人々に参考になる面は出せないだろうか。

9

いろいろなところで、いろいろな人たちが評価しているが現実として、よんでもらいたい人によんでもらえない。本当にその人たちに力になるという点を出していかなければ。

★B　組合結成という利的な場面だから感激はするのだが……さて自分の職場に生かそうとすると困ってしまう。

★A　過去の斗争をふくという事に重点があって、つくる（未来）ということ、それを実践的におしすすめていく面がつかむのが弱かったんじゃないか。だから組合づくりも実際していない。ストもやっていない人々は書けないという問題もでてくるのではないか。あくまで下に向っていかなければ、正史の同好者的集りになる危険、そうなったら一時的には伸びるかもしれないが、遠からずつぶれてしまうのではないか。

さっきから、よまないといわれた人たちが中心になるように、本当にゆっくりしたあゆみでも、そういうふうにすすめていきたい。

時間も大分たって、話はますますはずんできたが、九時にはおわる旨の確認があって、残り少い時間をきにしながら会の今後の方向という問題にからんで、「みんなよまないのじゃないか」となりに働いている人も何を考えているか解らないという私鉄の人の発言について国鉄局の人からいろいろな場合をつかまえて話し合いを続めてゆけばそのようなことはなくなる・うちの組合では話し合いが進んでい

るのでそのようなことはない。そのような職場の事情はわからないという意見が出された。

これについて、私鉄の人よりつぎのような説明があった。原則はそうだろうけれど、話合いをすすめよう、数ごえを拡めようと努力している人々はその善悪にもかかわらず、うちの職場の多くの人に特別な感情でみられている。この傾向はその集る人も固定してきている。例えば「つり新聞」がある。これはつりのすきな人にとって、非常にまがいという印象をうけって、**実に面白く職場の人々の生活**感情にもとづいて記事を書いているようだ。しかし、それでもつりのきらいな人にとっては全然見る気もしない。まあこれはそういったような問題であろう。

こういった話し合いの中で職場は生活の基礎であり、抵抗の土台でもあるから、私たち自身、この職場にいる人々の生活感情を大切にしながら私たちの運動をふかく職場に掘げてゆこう、ということが確認された。

実際職場にふかく根をはってゆけばゆく程、その人は一つの職場をこえた広い視野の持主となってゆくものであろう。

現場、職場にはそれぞれ特殊な条件もあるだろうが、しかし一歩ふかく掘り下げればやはり他の職場と共通の問題にきっとぶつかるはずである。このような立場で今後私たちの運動を進めてゆくならば、それぞれの立場を認めあいながら、やがて、もうかる文化運動となるであろう。

―新書版―

「職場の歴史」の反響

「職場の歴史」（新書）発売以来、各方面に大きな反響をよび、朝日新聞（関西版）をはじめ、毎日新聞、朝日（関東版）新読書、日本読書新聞、図書新聞、中央公論（七月号）婦人公論（七月号）、知性（七月号）などに紹介あるいは書評が取上げられた。又炭労新聞などの組合機関紙でもぞくぞく紹介されている。

朝日新聞（五月七日付）にのったものは、関西版なのでみなさんの眼にふれる機会もすくないと思いますので、ここに再録いたします。又機関紙の一つとして炭労新聞を紹介します。

新文化運動への序曲

―生活つづり方の一つの方向を暗示―

戦後の民衆の文化運動のなかでとくに盛んに論議の的になったもののひとつに、生活つづり方運動がある。しかし、一昨年ごろから、この運動はいわば反省期にはいって、生活つづり方の限界、ということが問題にされはじめていた。このような文化運動の歴史をふまえたうえで考えてみるならば、この「職場の歴史」は、行き悩みがちの生活つづり方の一つの発展方向を暗示するものとして重要な役割を担っているように思われる。

生活つづり方が個人の身辺雑記という形になりかねない可能性をもっていたのに対し、職場の歴史をつくる運動では、主体は集団である。編集のあとがきによればこの運動は「働くものがつくり出してきた

歴史の遺産をまもりそだてて、日本国民の歴史をつくり出しその成果をひろめていくこと」を目的とするものであり、それはあくまでも集団的な仕事としてつくられてゆかなければならない。

この線にそった実例として、まず「人間の歴史」という章では、東京証券、N機械工場、関給局、という三つの職場で労働組合がつくられてゆく歴史が生き生きと描かれる。これら三つの例は「歴史」としてはごく短期的なもので、焦点はそのなかで成長、変化してゆく「人間」に向けられている。そこで、もっと長期的な歴史にも注意がはらわれる。それが第三章「生活の歴史」だ。そこでは、古くからある大企業、三菱炭鉱と王子製紙という三つの職場が、実例として取上げられる。

焦点の合わせ方は、このように、ある時は「集団のなかの個人史」であり、ある時は「集団の歴史」であるが、いずれにせよ、自分の身近な職場の歴史をつづることによって、日本現代史に接近してゆこうという試みがあらわれたということ自体が、大いに注意されてよいのではないだろうか。

事実、石母田正、林基のような専門的歴史家たちが、この運動に関心をよせて、この本に寄稿しているのは、まさに職場の歴史がそのまま日本の歴史なのだと考えているからなのであり、これらの歴史家の言葉は、この運動を評価する目安となるであろう。

組合運動や、さまざまの文化活動に興味をもっている読者にとっては、この本は適当な教材ともなるだろうが、現

在の日本の歴史の動きをとらえるためにも「職場の歴史」は役立つ書物である。

ただ、これだけすぐれた目的意識をもってつくられた運動の成果が、新書という形で発表されたことは残念である。さまざまの職場の歴史を、もっと深く広く掘り下げることが、今後の課題になるだろうし、またそうすることによってはじめて、歴史家の期待にも沿えるのではないか。そういった意味では、この本は新しい文化運動への序曲だと考えられなければならない。

働らくものこそ
歴史のにない手

一年半ばかり前から、労働運動の地下水のように湧きはじめていた職場の歴史をつくる運動が一冊の本に実をむすんだ。

第一部「人間の歴史」には東京証券、中小企業のN製作所、恩給局の三つの斗いの歴史がおさめられている。機械のようにこきつかわれてきた人たちが労働者として目覚め、組合をつくって斗いにたちあがり、自分たちの力を知ってゆくまでの足どりが、それぞれ斗った人たち自身の手で生き生きと書き出されている。

第二部「生活の歴史」には、大正初期から飯場のうつりかわりを覚え書き風にまとめた「炭鉱の生活史」と、王子製紙労組の歴史を編さんしたくわしい経験がおさめられており、この運動の貴重な指針となるだろう。さらに専門学者である井尻正二、石母田正、林基氏の文はいずれも職場の歴史の運動の意義を高く評価

し、専門学者が労働者の中へもっと深く入ることが必要だと訴え、運動発展の道をしめしている。

朝日新聞（大阪版）は、読書欄でこの本をとりあげ「日本の新しい文化運動の序曲」とたゝえているが、職場の歴史の運動は「おれたちこそ歴史のにない手だ」という、働く人たちの自覚から出発し、さらにその自覚をより多くの仲間の中によび覚し労働者の階級連帯の考え方を養ってゆく重要な運動であり、この一冊の小さな本はそのノロシである。この運動はやがて日本労働運動の大きな支柱となるだろう。

（四頁より）

と迫る一手あるのみですが、これがやがて人の予想もせぬ大物を握る結果になります」と。

とは会員諸兄姉、適当に判断し、実践すべし。

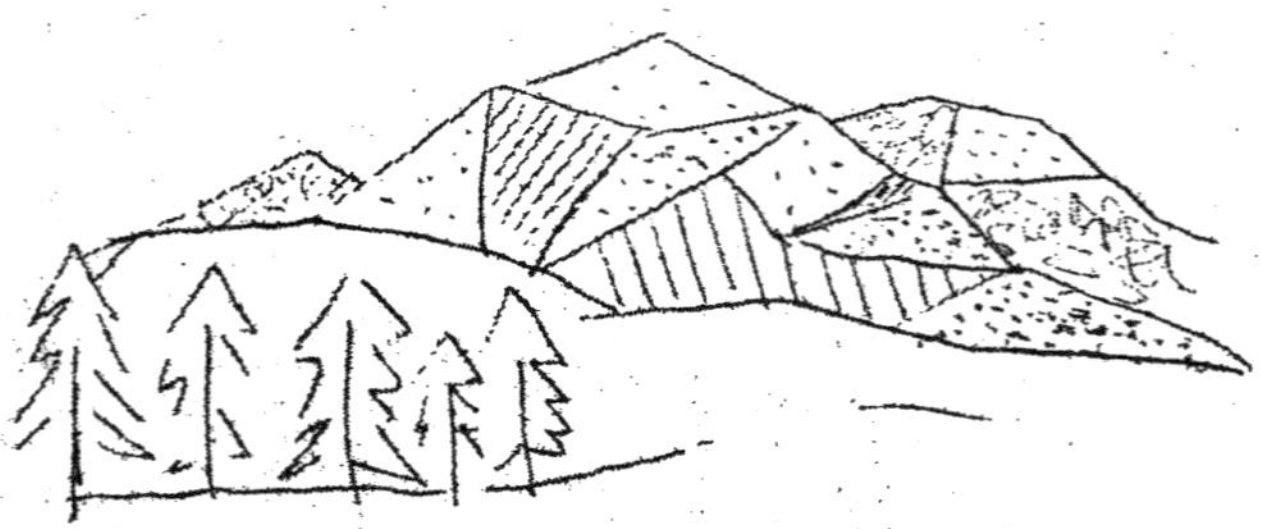

書評 「東証の歴史」をめぐって

「東証の歴史」の感想を、私達Mデパートグループが書くことを、簡単に引受けましたが、実際には個人でなく集団で書くことはむづかしいとつくづく感じました。はじめ、本をよんだ人が皆で感想を書いてきて、之を編集する事にしました。ところが、当日集ったら書いて来たのは、二人だけという状態でしたので、改めて皆で話し合い、まとめることにしました。話し合いは自然に私達の職場や組合のことに及びました。

まとめた後に、今度はもっと前から話し合い準備をしてかきたいとか、私達の職場の歴史もかくようにして行きたいという意見がでました。以下その感想です。

(1) だから共感をもって----

まづ、この文を読んでみんなが共通して感じたことは、東証の人たちと私たちデパートに働く者とは仕事も職場もずいぶん違うのに「何だってこんなに気持が似ているんだろう」ということでした。

学窓を巣立ち、数多い応募者の中から選ばれ、宮殿のように美しい華やかな、女性の憧れの職場に入れた。その第一日目から講義をうけた東証の人たちと同じように私たちも教育を受けました。デパートの定義、販売、経営から商品管理並びに給料についても同じように云われました。「お勤めどちら?」って聞かれたら「Mデパ

16

ートです」って胸を張って答えたものです。

仕事になれてくると、空虚で単調な日がつづき、毎日店に出ていくだけで、何となく年をとってしまう、というやり切れない、成長も楽しみもない生活を送る。何かしようと思い、疲れても低い賃金の下でも、洋裁、あみもの、その他お茶やお花を無理してやっている。いわゆるホワイトカラーと云われる私たちの職場では、労働者ということがピンとこない人が大勢いる。又実際はあんなに悪い労働条件の中で働いていても、家庭生活が一応安定している人を採用の条件とする関係もあって、まだまだ意識の低い人が大ぜいいる。こうした状態の中で毎日暮している私たちにとって、資本主義の矛盾だから労働組合がない、といわれた東証の人たちが、組合をひょっこりつくりあげたのではなく、ひそかな活動の積み重ねの力で、苦しい困難な条件を克服していった結果、つくりあげたのであった事など全く他人ごとではありません。組合結成のまえにもった小さな会合のことを係長に話してしまったところでは私たちも思わずうなってしまいました。私たちがそんな立場だったら、やはり係長に話してしまったんじゃないかしらって、皆で考えてしまったのです。

初めての組合総会、初の要求、団体交渉、生活補給金の獲得へ――団結の力ってすごいな。――そして、二度目の斗争、団交決裂、スト突入、共斗、家族の不安と応援、調印、たたかい後の逮捕の時の不安と驚き……等々短い期間に目まぐるしく

17

動く空気の中で、東芝の人たちは若くなっていた。組合を下からの盛りあがりで、自分たちの力で作ったという喜びと誇りが感じられました。この点、組合を会社側が積極的につくってくれたという歴史をもつ私たち、そして今なお、組合の役員たちが、課長、係長などによってしめられているという現実にある私たちは勢だけ組合にきました。

斗争に来なければ東芝の人たちが代表かったという困惑、疲労、全電通その他の人たちとの交流ということは、次のことが私たちの頭にうかんできました。

先日、会社からの天休日営業申し入れ（五月三日は木曜日＝定休日であるのに、祭日でもうかるから会社は営業したがったのです）に対して、家族の人や友人たちと休みが一諸に休めるのは毎年一度か二度しかないのでその日を楽しみにしてまちにまっていた私たちは、ただＭデパートの人たちばかりでなく、同じ立場にあったＭ電気パートの人たちとも一諸に斗って拒否し、五月晴れの一日を楽しくすごしたその喜びを思いうかべたのです。広く仲間が皆つながっていることを改めて考えさせられました。

又いかめしい青カブトの警官のスト破りに対する激しい憤りのというのでは、まだ一度もストライキをやったことのない私たちも一緒になってふんがいし、これぞありを感じました。メーデーに参加して（私たちのなかには今年初めての人が多い）、あの青空ストを実に晴々とした心情ひびを感じ、日頃公僕だといっている警官に対する認識を

18

改めた私たちは警官が私たちの働く仲間の味方でないことをよく知っているからです。

文章が非常に解りよかったり、多くの人々の失敗を叫ぶのではないかしら。

(2) 私たちも民主をとなえて……

私たちデパートで働らく者にとってストと言えば三越のストを思い出します。それは賃金斗争とそれに対するワンマン切りが原因でした。しかし第二組合ができて分裂してしまいました。第二組合が悪いとは思いながらも上からの圧力で参加した人が多かったのです。それにもかかわらず、又全体では失敗したが、三越の人たちも斗争の中で成長してきました。

私たちの会社では、皆が、組合は誰かがやってくれるという気持を持っていました。だから組合幹部が皆の要求に向って努力するのではなく、かんたんに妥協してしまう御用組合的なものでした。

私たちにしても、日頃、勉強会（これは公然とはできません）やうたう集まりをやっているなかで、それがうまくいかなかったり、失敗したりした時の動揺（東芝の人たちが斗争の過程での不安や驚きと程度の差はあれ共通した面をもっているのではないかと思いますが）など、ちょっとした問題にぶつかってもすぐ意気消沈する傾向があって即座に必要な手をつくしきになってしまい勝ちです。西日無理をしてつかれたりすると、自分のやっている事が義務として大きくのしかかってきてしまうように感じる弱い点を持っています。

しかし、いついつ

19

中にあっても、この処、二、三年前からくらべると変ってきています。デパートはサービス業だから少し位の時間延長は止むを得ないとの会社の云い分にも、（現在連日三〇分、土、日曜、祭日は一時間延長さらに中元とかお歳暮とかいう時は大幅に延長されます）早く帰りたい＝人間らしい時間が欲しいという私達の切実な声の方が大きい。給料が他のデパートよりも低いことにも不満が多く、規制がうるさすぎること、何か法令が出ても全然私たちのためになっていない、等々だんだん職場などで話されてきています。

こうした私たちの要求をどのように実現していったらよいのでしょうか。現実の壁は大きく厚いのです。その方法や時期をもっともっと考えたり、学んだしていきたいと思います。

職場のふん囲気が自由で明かるく休けい室、保育室などの厚生施設の十分完備された中で、いつも笑顔で楽しく働き、希望にみちた毎日を送れるようにしたいと話合いました。

さあ、これからだ！東部の友人よ、そして全ての働く人たちよ、共に斗いましょう。

最後に、出来たらその後の東証がどうなっているか知りたいと思います。

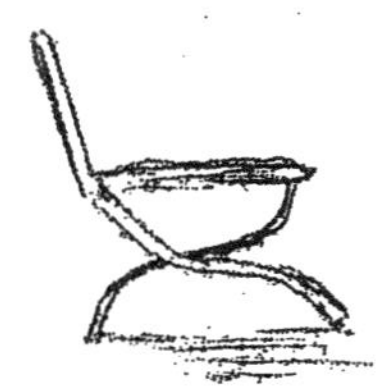

20

会計だより

五月十五日から六月十二日までの収支明細はつぎのとおりです。

収入　四、一二九円

内訳

機関紙三号	七七四円
〃　四号	一、二九〇円
〃　二号	五〇〇円
前期繰越金	二一九円
［新会計ボ以前の残金］	八二六円
会費	二二〇円
送料カンパ	一〇〇円
地方納入金	一〇〇円
カンパ	一〇〇円

支出　二、七〇六円

内訳

印刷代	二五〇〇円
交通ヒ	二〇〇円
発送ヒ	六円

差引残高　一、四二三円

なお、印刷代として二五〇〇円支払いが残っています。四号の未回収一五〇〇円ほどありますが、それにしても、四号の配布並集金状態はあまりかんばしくありません。みなさんの積極的援助をねがう。

六月の連絡会議

日時　六月二十二日（金）
　午后六時半
場所　国際電々本社五階
　組合電信支部
議題「職場の歴史」をつくる
　運動の今後について

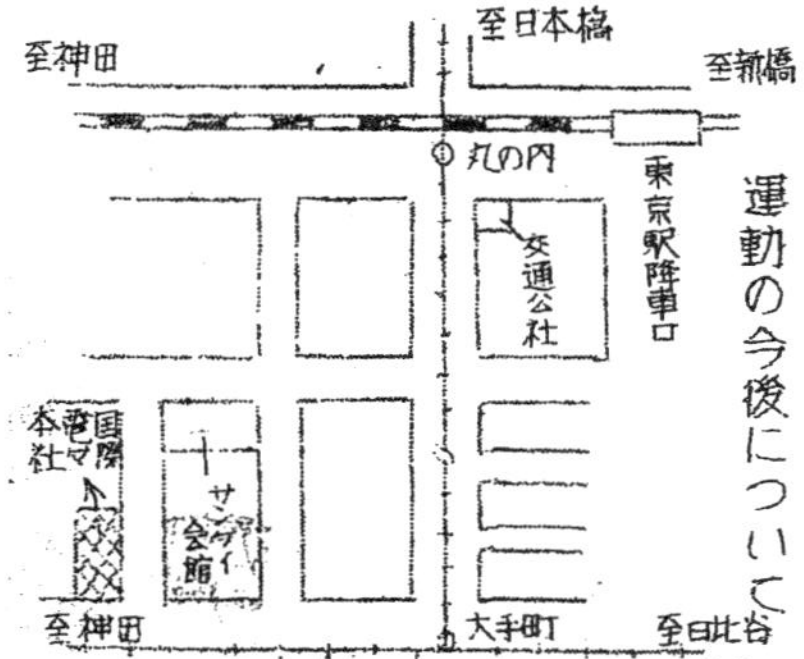

21

耺場の歴史

6 1957.1

耺場の歴史をつくる会編集

目次

“職場の神代（かみよ）時代をどうとらえるか”

杉崎　隆

“うちには神代（かみよ）時代というのがあったんですよ”これは今年十一月、私が京都旅行のとき、京都の第一工業製薬の組合史編集委員会の人たちが私に言った言葉である。

組合史をつくる運動は、今年に入ってからは相当に多くの組合で始められているようである。そして、共通の問題は、資料のないところはどうすればよいんだろう。組合員の誰もが読んでくれるようなものにするにはどうすればよいんだろう。ということにあるようだ。

本題に入る前に一寸紹介しておこう。

「玄武石けん」「モノゲン」といえば、誰でもたいていの家で風呂桶のそばや、台所のすみでお目にかかっているだろう。この石けんをつくっているのが第一工業製薬である。ここでは組合ができてから今年で十年なので、一つ組合史をつくろうではないかという気運がおこり、組合大会でもとりあげられて書くことが決った。そこで組合は、記念史編集委員会をつくり、先づ年表の作製と、資料の整理を始めたのだった。仕事をはじめてみると、予想外にむずかしい問題がでて来た。第一に組合員がこの仕事に案外無関心で、編集委員会に協力してくれない。それに昭和二六年以降は執行部の記録や機関紙もまとまって保存してあるのだが、それ以前は資料になるものは殆んど何も残っていない。こんなことは考えてもみなかったので、半年もあれば簡単にまとまると思っていたのですっかり困ってしまった。

そこで一つ、この問題について話をきこうということになり座談会をもつことになったのである。

そんな訳で、早速話がはずんだ。執行部の人は、「組合史を作ることは、一体何が目標なんだろうか。執行部の記念事業じゃないし、だいいちそんなものつくったって皆に読まれやしない、何とかして、職場の一人一人の仲間が読んでくれるようなものをつくりたい。

今までにでた組合史の多くは、どっちかといえば、組合幹部の懐旧談のよせ集めだったり、組合の斗争日誌の綴りだったり、せっかく苦労して書いたわりには、一向に組合員に読まれず、内容に血の通うようなものがない。どれを読んでも、あまり参考にならんので、弱っているとき、「職場の歴史」を読んだ。そして、これならやれる、ここに書いてあることなら、うちの工場にだってそこらにざらにころがっているような話だ。誰がよんでも身につまされるもの、こういう話の底に組合のその時々の斗いの歴史の大きな流れがあるんじゃないだろうか。と思った。とすると、何とかして職場の仲間と一しょにつくってゆくのでなければ、そんなものは小説じゃあるまいし、書けるものじゃない。だが、実際仕事にかかってみると、職場じゃそれきたと、皆力をかしてくれない。まあいってみればこのように編集委員会がなやんでいる中で、十月の文化祭を迎えたのだった。ところがである。あんなに組合史をつくることに無関心だった組合の若い人たちが、文化祭には大変な力の入れようで、

2

準備の仕事も一手に引受けたばかりか、何から何までみんな自分達でやるんだという。何時もなら、執行部と実行委員が、他所から劇団や歌手を呼んでくるのに毎日その仕事でアゴを出していたのに、今年は芝居や歌も、踊りも、すべて組合員でやった。それに今迄にない評判で、何時もなら観にこないような人まで喜んでいる。一体こんなエネルギーがあるのに、何故それを執行部は組合史をつくる仕事や、その他の組合のすべての活動に汲み上げられないんだろうしというような話をしてくれた。

そのような話の中で、現在組合がぶつかっている問題が出た。それによると、今組合では、若い組合員と、古くからの組合員との間が、ぴったりいっていないこと。組合執行部が出す活動方針が、それぞれちがった受けとられ方をしてしまい、充分に滲透しないこと、機関紙が組合活動の上で歯車の役目をはたしていないことが出された。それなのに、職場での〃もの申す〃式の職場新聞には、自由に組合批判の声がどんどん載り、記事も組合機関紙よりずっと面白く、実際、執行部では直接組合員の口から批判をきけないので、この職場新聞によって、組合員の考えていること、なやみ、要求を知るような状態であることがわかった。そしてこのような状態の中で、今組合史をつくる仕事は、年表をつくりあげるというところまできた。資料も一応は、整理するところまでこぎつけたが、さて、当初の予定は全く狂ってしまい、半年以上すぎても、かんじんの組合史を書くところまでゆかない。何とかして書こうと努力するが、最初の出発に対する組合結成当時の資料が、全くない。これを何とかしなくてはと焦ったのだった。

じゃ一体、その資料のない神代時代にはどんなことがあったんだろうか、それについて一人の執行部の人は、

「うちの組合が出来たそもそもの動機は、敗戦後、中国にあった工場から引き揚げてきた人たちが、京都の工場に帰って来たんです。当時は、食糧難の時でね、帰って来たものの、工場に出かけていっても機械は戦争中の資材不足で手入れもできず、ガタガタになっており、それに毎日いもと雑すいの水腹じゃ仕事も出来ない。これじゃしようがないというんで、ようし一つ会社に交渉して食う心配をしないで安心して働けるように、会社で食糧を都合してもらおうということになり、社長のところに押しかけたのが、そもそも組合をつくる動機だったんです。

そしてこの交渉の結果、会社は工場の近くに畑を買い、組合では農具を買って、それから毎日工場から決った人数の人は畑にいもをつくりに鍬をかついでゆくようになった。そして穫れたいもを皆で分け合って食べ、そうして機械の整備をやったんです。そんな活動の中で、組合は俺達の仲間の中から工場長を選挙しようということをよびかけ、そして組合員から工場長を選挙によって送り出したんです。

そんなわけで、当時、うちの組合では、京都の労働組合でやった労働講座や、講演会なんかがあると、何時も、工場長をよく演説や講師として送ったものでした。そんなわけで、今考えてみると、当時の職場は、とっても明るく、何でも一緒に活動ができた。だから当時会社では組合の云い分にしても今みたいにつっけんどんじゃない。反対に、ある時会社の幹部の間で派閥争いが起ったときなんか、社長派とその反対派が両派とも、

3

一番力のある組合選出の工場長を、何とかして自分の方に引張ろうと必死に工作しなければならなかったという、こっけいな裏話もあるんです。こんなわけで、神代時代は、たしかに現在のように組合日誌、執行部の記録、組合機関紙といったようなものを出しもせず、又記録を保存するというようなことはなかったんで、今当時のことを調べるには非常に困難なのですが、今話したことなら、古い組合員なら誰でもよく覚えていて、こんな話なら、今からでも、職場毎に話ができると思います」と話してくれた。

　このような話をききながら、私は一つのことを考えてみた。それは、一体この神代時代の一番苦しい時代から、現在のオートメーション時代まで、じっと機械ととり組んで働いてきたのは一体誰だったんだろうかということである。現在工場はどこもキチンと整理され、数年前のうすよごれたガタガタの機械はどこを見わたしても見当らなくなり、きれいに色分けされたパイプが天井にはりめぐらされ、新しいピカピカに磨かれた機械がずらりと並んでいる。一体このような機械が、どんどん入るようになったのは、一体誰のおかげなんだろうか。もしあの戦後の一番苦しい時期に、皆で畑に通って鍬を握っていも作りをやりながら、すきっぱらをかかえながらもガタガタの機械を整備し、工場の生産を復興する組合員がいなかったら、一体現在のようなスマートな工場になったろうか。この事実こそ、たとえまとまった資料がなくても、古い組合員の一人一人の胸の奥深く、何時も輝いている誇り。これこそが組合の正史の宝なんじゃないんだろうか。おそらく、今この神代時代のことを職場の古い組合員に聞いたら、どんなに喜んで話してくれるだろう。私は先程の若い組合員と古い組合員との間のぴったりしない問題をとくかぎも、こんなところにあるのではないか、又文化祭でしめされた若い組合員のあのエネルギーを正しく伸ばすことのできるのも、この神代時代について職場で話し合いがもたれるところにあるのではなかろうかと思う。組合史をつくることは、何も精密な設計図をつくるところからできるというものではない。十一月上旬東京でひらかれた国民文化集会での討論の中でも、組合運動と職場サークル活動の関係は、丁度車の両輪のようなもので、お互いに援助し努力し合ってゆかなくては、本当によいものは生れないということがいわれた。

　実際、組合の正史を書くということは、職場の一部の正史の好きなものと編集委員の力だけではとうていつくられるものではない。あくまでも、組合活動のさまざまな進め方について充分に考えてゆく中で、こうした組合の正史をつくってゆく運動も全組合員のものになり、本当にみんなが読んでも血の通った何か得になるようなものがつくられるのではないだろうか。

歴史について

日本水素労働組合小名浜支部

一九四号の〃さきがけ〃二面「いろりばた」に「歴史は英雄のつくるものであり、歴史は為政者のためにあった」という一文があった」という一文があった。

我々が小、中学校で教わった歴史は、正しいものではなかった。為政者のためにゆがめられたものであり、英雄の歴史でもあった。

しかし、短期間に教えられるものであれば、概念的なものになることは止むを得ないが、為にする歪曲は許さるべきではない。

現在の小、中学校における地、歴教育が戦時中又は戦前以上に概念的であり、知識に乏しいことはおどろくばかりである。

私は決して清瀬文相のような考え方をもっているのではないが地歴教育の充実をはかるべきであると思う。江戸、京都、奈良とかについては史実も多く、義務教育中に教えられるところも多いが、案外知られないが郷土史である。

自分の生れ故郷が昔はどのようであったか、またどのような人が住み、文化の程度はどうだったかなどを知るために身近な史蹟をたずねることは情操教育の一端にもなるなどというと郷土史を研究するものの手前味噌といわれるか。

自分の懐古趣味を弁護するのではないが、現代のような進歩の早いときこそ、「古きをたずねて新しきを知る」ということは大事ではないだろうか。

組合では新しい組合史にとりかかるという。

我々の組合が今日あるは、戦後苦しい時代に産む苦しみを経てまいにちを斗いつづけて来た兄弟たちのおかげである。

組合の歴史は血と汗でつづられた努力の歴史でもある。我々は現在に安んずることなく前進しなければならない。

しかし、その前に過去をふりかえってみることも大事なことだ。反省もなく、いたずらにすすむのみ　では猪突といわれよう。

（日本水素、小名浜工場組合機関紙より転載）

組合の歴史をつくるための
労組懇談会

一九五六年十月二十五日
於 国際電々　新宿分室
主催・職場の歴史をつくる会

出席者

国鉄品川客車区分会
全蚕糸労連
東京証券労組
足尾鉱業労組
恩給局労組
全食糧労組
全電通労組
国際電々労組
職場の歴史をつくる会

耺場の"厂史会をつくる会"の竹村です。今晩はわざ〱お集り下さいまして有難う御座います。

早速試題"労仂者の厂史運動について"の報告をさせて頂きます。 報告の簡単なレジメをお配りしておきましたので、それを御らん下さりながら、お聞き下さい。

資料

一、なぜ労仂者（国民）は厂史をもとめているのだろう。

日鋼室蘭労仂者の場合………耺場の厂史
国鉄（品川分会）の場合
田子倉村氏（電源開発で沈む村）の場合………村の厂史
石川島造船労仂者の場合
西岡製作所労仂者の場合………耺場の厂史
月の輪古墳発掘の場合………村の厂史
東亜紡績泊支部女子工員の場合……母の厂史
合化労連日本水素組合史の場合（小名浜工場）……組合史
"ある労仂者の厂史" "ある老農民の厂史" を書いた学生の場合……厂史学創造の問題
恩給局の場合………耺場の厂史

一、耺場の厂史をつくる会が生れた理由

五四年の総評大会のこと

一、労仂者はどの様な内容の厂史をもとめているか

1、厂史は斗争と敗北のくりかえしの様なものであってはならないこと

敗北の原因は何か、いかなる形の敗北か 全労仂者運動の中でそれをどのように考えたらよいか。

2、民衆は厂史のにない手であること

"ある老農民の厂史"を勉強する中で奈良学大のH君の学んだこと"きみよの手記はなぜ多くの人々に反響をよんだのか

3、民衆は生産のにない手であること

日鋼労仂者の確信はどこにあったのだろうか

4、民衆は思想をもとめていること

耺場の人々の厂史は面白くない暗記物だ という意見から私共は何を学んだか

5、対立（分裂）を一般化したり固定化してはならないこと

なぜ対立しているのか、その厂史的な必然性の明確化
対立で労仂者は何を失い何を学んだか等々の研究

6、時期区分の明確化（厂史の転換点をしっかりとつかまえること）

一つの段階から次の段階えうつると戦い方も変るし人々の思想も変ってゆくこと。 厂史はだらだら発展するのではないこと

7、労仂者の敵を一般化してはならないということ

恩給局の耺厂サークルの人々のやり方に学ぶこと

8 労仂者階級の役割の増大

"村の厂史" "母の厂史"の数々の経験に学ぶこと

一、右の様な労仂者の厂史えの関心を正しく伸ばす条件とは何だろうか

1、労仂者の自主的な運動であること

2、運動（サークル）内部に民主的な気風のあること
3、知識人（科学者）との協力関係の正しい在り方.
4、長期的なものであること
5、創造的なものであること
6、国民の運動（中心は労仂運動）の中にいつも正しくすえられていること
7、国際的な圣験に学ぶこと

一、職場の厂史をつくる会の反省

前述の各項について考えてみたい

特に重要な点としては

1、圣験　理論化が足りないことをあげて置く

これまで「厂史」と申しますと労仂者の関係することではなく学者や社会科の先生の研究するものだと思われていました。

しかし私は労仂者階級は　国民の中でも　もっとも厂史学を愛し尊重する人たちであるということをまず最初に申します，

私は今年総評大会に御招待をうけて参りました。

総評に集った労仂者がこれまで一年間の労仂運動の厂史の真実を出しよって　真剣に討議し今后の見通しをたてていらっしゃるのを見ますと，私は一層労仂者階級こそは疋史の真実に一番忠実なんだなあということを感じるのです，職場の疋史をつくる会〃が生れた理由として、一応、私ども疋史学をやっている者がお世話して生れた様なかっこうですけれども、やはり基礎は厂史の真実を求める労仂者階級の強い要求から、生れたということを私はいいたいのです．

所で現在労仂者はどのような内容の疋史を求めているのでしょうか．お配りしました紙にありますのは会のこれまでの圣験を一応　(一)から(八)までの条項にまとめたものです．その一項目づつについて御説明すればよいのですが時間の関係上この中で一つだけを御説明して後は討論の中でそれぞれの方から答えていただこうと思うのであります．

(一)「厂史は斗争と敗北のくりかえしの様なものであってはならないこと」について一例をあげます、たとえば戦后の労仂運動史、或は、従来の労仂運動史には労仂者は弾圧にくっせず立ちあがった．しかし効果てきせず敗けた．しかし再び敗北の中から教訓を学んで労仂者は団結をかため進んだ　といった原因と結果は強調して書かれて　あるが原因と結果を結ぶ過程については殆んど書いてありません。人物畫にたとえればシャッポと靴は上手に畫かれているがかんじんの人間の身体はさっぱり畫かれていない絵を考えればよいでしょう．やはり、総評大会やそれぞれの職場大会、組合大会で労仂者の皆さんが一生けんめいやって居られるようなやり方――　つまり一つの斗争の敗北の原因は、何なのだろうか．又、どのような敗北なのか、又全労仂者の運動の中で，それをどのように考えたらよいのかそして疋史の敗北によって労仂者は、何を失い、何を獲得したのか―こそ現代史を書く場合教訓となるのだと思います，

二・一ストを考える場合　ある一つの立場にある政党がひきまわしたから失敗したと世間では言っているが、そのような二・一スト前後を科学的に調べてゆくことが大切と思う．そのような方法がとられるならばその後引き続いて行なわれた資本の攻勢――レッドパージーに労仂者が敗れていったことの原因が具体

7

的にわかるだろうし、その攻勢の中に再び立ち上った労仂者の創意も明白にわかると思う。　こういう風に検討を加えていく中から歴史を書くと、事実に忠実であり、しかも教訓的なものも書けるのではないだろうか。国際的に有利な条件に支えられ日本の労仂運動自体も団結の方向がふみかためられているとは申しても資本も最後の一大反撃の機会をねらっている時期ですからとくにニースト研究などが労仂者自らの手で進むことは極めて重要でしょう。ではその様なものはどうしたら書けるかということはこれから職場の歴史の会員の経験を出してもらい皆さんの経験もお聞きし一つ一つ検討してゆく中で深めてゆきたいと思います。　両番の　「民衆は思想を求めていること」

これについて少し説明しますと、　今日この会に定刻前に来ておりました　国鉄の品川の方から「俺は、どうも歴史なんか、あまり好きじゃないんで、竹村君来ても儲からないんじゃないか、儲からないことは俺はやらない　主義にしているんだ」という手痛い痛棒を頂きました。

労仂者が歴史を考える場合歴史と言うのは　暗記ものであり、ジンム、スイゼイ、アンネイ、という風に考えているか　亦は歴史学は、学者がやるものだというような理解が非常にあると思うのです。しかし、私がいいたいのは歴史学は本来面白いものであるということです。いいかえれば〃職場の人が、ああそうだなあ〃といえるものでなければならない。その様にする努力の中から思想豊かな歴史が書けるのでしょう。言い換えれば〃職場の人が身体でお感じになって生活しておられるもの・心の琴線に触れるもの〃であるということです。

歴史学とは、法則を理解することである　とし、経済の法則でこうなるとか、あるいは社会発展の法則で、こういうふうに動くから、こうなるんだとか、そういう必然だけの追求だけに終ってしまって、実際には生き生きした〃人間の歴史〃の書けない人が多い様です。　最後に、右のような労仂者の歴史への関心を伸ばす条件の問題でありますが時間がないので簡単に話します。これまで〃職場の歴史〃運動の中で損をした人が非常に多かった。それでそのような損をした経験をふりかえってみてわかったことはやはり〃職場の歴史〃の運動が楽しく愉快に進むためには、ここにあげたような七つの条件がありませんとどうしても失敗するわけであります。一つの例をあげて大変恐縮なんですが、知識人との正しい協力関係の正しい在り方について話します。或る職場でどうしても労仂者だけでは、歴史はつくれないんで、やはり知識人の協力を得なければならないということから、東大、早大の学生が職場に呼ばれました。そのとき、そこの労仂者の気持と一つにならないといけないという思いつめた気持で学生も一つの仕事を提案し、又労仂者の方も文学生のショウ根をたゝきこんでやろうというので、汽車を洗わしたという話もあるわけです。こういうことは極端な例ですが労仂者も善意であり、学生の方も善意ではありましたが汽車を洗った結果はなかなかうまくゆきませんでした。学生は「やはり俺たちは勉強した方がよかった」といってその後来なくなってしまったのです。

今から思えば笑い話ですが様々な失敗を私たちの会でも致してきたわけです　会でやった座談会の時どちらかというと知識人

の方が話すことが上手なのでいっも発言が多くなり、中小企業の方たちはその発言に圧迫されて本当の事が言えなくなってしまい、怒って帰ってしまうことが多かった。こんな種々な問題もあったわけです。四番のこの運動は長期的なものであるというところにも非常に重要な問題があります。事実、この運動を拡げるのを急ぐあまり、私たちは、新しい会員に〃早く書いたらよい、書いたらよい〃といいましたが　新しい会員はこれに反撥してよく会に行くと〃書け、書け〃と言って殺されそうだと皮肉を言っていました。地下鉄のOさんからは「なんでそんなことをいうのだろう、俺は今、一生懸命地下鉄のことを調べているのに、仲なか労仂者というのはうまくまとまらないし書けないのだ」と怒られたこともありました。要するに運動が非常に長期的なものであるということを自覚しないとこんな失敗をやらかすのです。これについても御経験の深い皆様方の御苦労をいろいろお伺いしたいところであります。

最后〃職場の歴史をつくる会〃の反省でありますけれど、とくに以上七つあげたことは、どれも、これもうまくゆかなかったということを率直に申上げると同時に更に、やはり私たち経験の理論化が足りないことを痛感したわけであります。私たちの会員の労仂者、学生、専門家の方の一人一人は、今まで三年も運動をやって参りまして、種々の経験を積まれておられるわけです。　唯それが一人一人の頭の中につめこまれていたり、ばらばらに入っていたり、又、忘れてしまったりして、結局こういうような労仂者の歴史運動が昂って　くる時期に正しく良い経験を他え伝えることができません。

私たちの会には、歴史サークルからの手紙もどんどん参って居りますし、全国の組合史編集の委員会からも手紙がくるのです。　けれども前に話したような会の欠陥は、この現実に正しく答えられず大変だ、大変だといって騒ぐということになったりして本当に全国の労仂者の皆様の具体的な御期待にそわないことを大変申訳けなく思っています。　経験の理論化についても学習いたしておるのでありますが、そのことも、この後の討論の中で充分に掴みたいと思うのであります。今日は、大体そういうことで一般報告を終ります。具体的な問題について討論が残った場合には幸い総評の国民文化会議としてもこの十一月三、四日の両日に文化集会がありまして、その中で、その組合史、歴史サークル、職場の歴史をつくる運動、いわゆる労仂者の歴史運動ですね、それについて一つの分科会を設けておりますから具体的な問題について一つ一つの討論をしてゆきたいと思います。後に皆様と御相談の上でしたいと思います。　大変長くなりまして失礼いたしました。

議長（青山）それでは、いろいろ報告していただいて、司会者が前に　これからの運動方針も含めて討論しようということになりましたけれども、その前に今の報告について私たちがやってきたこと、或いは皆様がやってきたことについて少し御意見を討わしてから、　これからどうしたらよいかという討論に進んだ方がよいのではないかと考えますので、いろいろ疑問の点なんかあると思います。そういう点から、質問なり、意見なりを主に質問という形で始めてもらいたいと思います。

全食料　職場の歴史をつくる会があったということはわかっているのですけれど　それがどういうものであるかというがどういうものであるかということがわからないんですよ。竹村さんから、いろいろお話していただいたんですけれどね。話の要点はわかりますけれど、例えば、職場の歴史をつくる会ができて、それが今、このような状態にあると、はっきりいって、私は、あまり前進した形であるんじゃないと思うのですよ。その前進した形でない今の状態がどうしてできたかという自己批判みたいなものが欠けているような気がするのですけれどね

竹村　それは、一番反省の中心点は、この問題が長期のものであるということが原則から、ふみ外れてしまうということに原因があるのではないかと思うのです。

それはどういうことかと申しますと会に見える中小企業の方々は残業、日曜出勤しなくてはならない。実際の歴史が、そのような形　ところが、やはり　あの会に来ていても、具体的なものを宛に角作らなくてはいけないというのが会の目的であるでしよう。そんなぎりぎりの生活の中でやってゆくということは、非常に大変なことなんですね。テンポが非常にゆっくりしてゆかなくてはならないことなんですね。そのように、ともすると会が、やはり、ものを作っていないと職場の歴史をつくる会は何をしているのだということを言われるのですね。だから早くなにか具体的な形をあげて、こういうものをやっているのだということを発表してゆきたいと考える。すると、どうしても書かなくてはならないということになってしまう。いろいろ苦しいものを背負っていらっしゃる中で、例えば職人ですと、深夜まで残業をやってらっしゃると、いらだって喧嘩早くなり、すぐぽかんとやってしまう。職人というのは、あまり組合運動に熱心でないから、そういう職場の歴史とか組合の会に苦労して出席しようとする、「おまえ、つき合いが悪い今晩おれと飲まんか」ということが　おこってしまうわけですね。どうしてこんな頑固な職人というのが出てきたのかという問題意識がもたれてくるわけです。そのような問題は非常に新鮮なもので、この問題意識というのはすぐ生れてくるものではないが、日本の労働運動にとっても、一つの力になるのではないかと思うのです。というのは、そのような職人の歴史が具体的にあきらかになってゆくことは、やはり一つの力になると思うのですが、また、どうしてよいかわからなくなってしまい、早く纏めなければいけないというようなことだけが、会の私たちの責任みたいのものが頭に来てしまって、そのような新しい問題についてじっくり一諸に考える態度が少かったところが大きな問題だと思うのです。それから先程も申しましたけれど、いろんな　な問題が出て参りましても、具体的な現象の中から、理論をまとめあげてゆくという。そのようなことがなかなか面倒で難しい。そして、これは、今までの日本の科学運動全体につながる欠かんだと思われるのです。

極端にいえば、会のいろいろな先生方のいう理論をちょっとおかりしてきて、サンドイッチみたいにして、半分は生活綴り方、残り半分は会の専門家の御意見を聞いてまとめたような、特に時代背景なんか、そうで後半の具体的なものは生活綴方でおぎなうという。

一つの工場の歴史をつくってゆく、その中にも、この傾向があったと思うのです。それは、やはり、そうではなく、砂川でもわかりますように、あそこに日本の政治の問題があり、経済の問題があり、その他、いろいろな問題が含まれているということが、この砂川の歴史をあきらかにしてゆくという非常に難かしいが大事な点が弱かったということなのですが、その他、職場の歴史の労仂者の方がです・うまくゆかなかった原因を話してもらったらよいと思うのですが。宮沢君、どうですか。

国鉄（宮沢）　私は、国鉄の品川客車区に勤めている宮沢と申します。私、今の竹村さんのお話の中で気がついたのですけれど、たとえば、このように集っていただいて、今まで何回もやってきたのです。その中に労仂者も、学生もインテリもおられます。大体このような人たちが、集っている中で一番問題になっているのは、労仂者の問題だと、やっぱり本質的なものとして、結構なことと思います。その中で例えば、斗争がどうなったかとか、こうだとか、職場でもって職制がどうなったのこうなったのというように労仂者の職場の苦しいことを集った中でもって、その問題だけで終ったことが多かったのではないか。たとえればこれまで集った場合、何か一つ物事をやるという具体的なことを今までやってこなかったのではないか。私、さくらの問題（職場の歴史〝特急さくらが走るまで〟）をかいたんですけれどそこで一番気付いたことは、職場の中で全く問題になってこない。私たちばかりでなく、東証の場合でも、いろいろ職場で反撥がある。それを私たち考えてみなければいけないのではないか。例えば、一部の組合熱心な人が自分の主観をもってこう書いてきた。例えば職制の人は、いろんな要求を出す場合、スローガンに掲げてある他に、こまかい要求があるんじゃないか。そういった具体的なものと、受取った側の間では何か、もの足りない感じがすると、品川の場合、言われるのですがね。先の関連した問題を考えてみますと、職場で、できたものをみせるという努力をしなかったことは一番の欠かんだと思うのですけれど。例えば、二、三人の人間にあれを出した場合ですね。これが組合の機関紙と同じじゃないか、うちの場合「国鉄文化」というのが、毎月出ています。それと、さくらの問題と同じじゃないか、何ら違はないと、読んだ場合でも何らプラスにならない。金六十円か七十円も出して買うのじゃ馬鹿らしいし、というところで率直に私たちのところへ出てきたのです。こういう中で、先に話したとおり、一部の書く人間と職場で斗争をやっている人との話合いが具体的に行われていなかったのではないかと。私たちの場合、それが非常な欠かんだと思うのです。このように集った中でも、単に言葉のやりとりだけで終っていると、何かやっぱり、具体的な行動というものをね。おこす必要があるのではないか。物を書く場合、行動ではないと思うのです。

今まで具体的に行われなかった大きな欠かんだと思うのです。

議長（青山）　それでおわかりでしょうか

国鉄（宮沢）　先の竹村氏の話の中で、組合の十年史ですね、そんなやって具体的に問題を出して、やっているものをいろいろ一緒にしてしまっていると思うのです。ただ、組合の十年史というやつをね、今盛んに各組合で出していますけれど、その中には歴代の委員長は誰と誰、何年には、何の斗争をやったということが一貫して書かれていると思うのです。

私たちの場合、あまり言葉にとらわれないでもらいたいですが一つ、あの中で具体的に起った斗争を、表面だけを引き出して書いていると、例えば、組合の十年史に書くと、組合の本部じゃどういうふうにして、やってきたと、一般情勢じゃどうだと、そういう中でね、品川の客車区は、どのような情態におかれていたんだと、こういう書き方になってくるのだと思うのです。

そういう場合、私たち実際に歴史でいうものをやってきた経験がないしね、学校で神武天皇以下から昭和なんとかまで、やってきたわけですが、そういう中で、実際にわからない問題が多い。その点で私は一般社会情勢とですね。自分たちが実際に斗っていることですね。この関連性を具体的に把握できない。そういう、一部の主観だけで書かれている虞れがあるのだと思うのですけれどね。東証でも、品川でも書いた、しかし、実際に職場の問題になってこない。少し皆さんで話し合う必要があると思うのですが。庄さんでも、書いてかえって反撥があったという点は、私たち品川にもあるんです。職場の人の考え、自分の考えとのギャップ、一部の人が勝手に考えてやってしまったことを、他の人は、そのように思っていなかった。こんなギャップが実際問題として出されているのではないでしょうか。

議長（香山） 討論はまとめる必要はないのですけれど。

私今年の夏、北海道の王子製紙に行って参りましたが、あそこも今年の春頃ですが、別冊で王子製紙の労働運動史として出したわけです。

ところが、それは、あまり組合員に読まれない。最初の編集委員会の座談会でも大きな問題となったのです。職場の人、組合史を書こうとしている人、書いて居られる人、これらのギャップをなんとかしてうめたいと思うわけです。今までの歴史学と国民との間が非常に離れている。そんな点なんかに、本当の国民の歴史を持ち込みたいために、村の歴史、母の歴史か、労働者の歴史とかいう努力をしたわけですけれど、そんなところに共通の問題があるんじゃないかと思っています。

日銀 私、組織としては来ておりませんので御了解得ておきたいのですが、問題は、今品川の方が出された問題に関連してゆくのですが、どうすれば、読まれる歴史ができるか、ということなのですが。それは今まで、できあがったものをみますとね、執行部の歴史は、出ているが、組合員の歴史ができていない。その場合に、全銀連の中で横浜興信銀行が一部出したのですよ。やはりもの足りないというのですかね。その中の活動家の歴史になっているんです。その問題が、読まれない、反撥をくうということに関連してくるように思いますね。

とすれば、我々は奥さんがたにも読んでもらうような歴史を書きたいということなのですがね。それはまあ、表現をやさしくしてもうまくゆかない。いろいろ討論しましたが結局、銀行員の我々の職場の人たちの生活と意が滲じみでてくるようなものが書けたらということなんですね。

そうすれば、執行部の歴史にもならない、活動家の歴史にもならないということなのです。では、それをどのようにひき出すかというと全く見当がつかない。しかし、なんとかして、どのくらい達成できるかということで一生懸命やってゆきたい。

その他に我々として今問題になっているのは、今の我々がサラリーマンでもかなり貪欲になっているということなんですね。これが一つのテーマに捉えられれば、まがりなりにもみんなと書けるという気がするのですがね。やはり我々退職者にきまっても、前は、退職にきまるとおめでとうと言われたそうですが、今は、おめでとうどころではないですよ。退職近くになるとそわそわしちゃって就職のことを役席のところへ行ってお願いしてくるといったような形、それから、かなり偉いところのお嬢さんも来ている。以前なら花嫁修業をやっているような人が、今は元気に働いているということ。我々職場の人たちが、前から比べて確かに貪欲になっているんじゃないかと。そういうことが正史の記述の中からですねえ、そのテーマを追求できればと、また、皆が納得してくれるような正史が書けるのではないかという気がするのですが。それから話がちょっと飛ぶような形ですけれど、我々の職場はかなり封建的だといわれているのですよ。ところが、その問題が、具体的にはどうかというと、殆んど正確に掴めていないわけですよ。しかし、これからは、そういうものを追求してゆきたい。それで組合という媒体ができた後に、その媒体を通じてどういうふうに変化がおきてきたのか、まだ封建的なものが残っている我々の職場には、それでも、なおかつ組合ができたということについて変った点があるはずだ。それを追求してゆきたいということを今考えているわけですが、その方法論的に種々教えていただければ非常に幸いなことだと思うのですが、論点がはっきりしないので、おわかり憎かったと思うのですけれど——。

国鉄（宮沢）　今のお話の中で、私も、こう感じたのですけれどね。例えば、国鉄には三十年ぐらい勤めている人がいます。長い人は三十七、八年もね。その人たちが入った当時の給料がどのくらいだったのか。例えば二円ぐらいとすると、今二万円くらいとっているんですね。ところが、あのときの二円の方が何だか生活が楽だったんじゃないかというようなことですね。表面は斗争と荒れているような格好だけれど、そんなことは、職場の人は、ものすごく関心があるわけですよ。二十年ぐらい前の仕事は、どんなふうだったか。今と比較した場合、きつかったのだろうか。二万円もらっているけれど三十年前の二円の給料のときの方が、何とはなしに楽だったような気がする。給料から仕事の質から、いろいろなものが、どのように変っているのだろうかということを職場の人と話すと案外、関心があるのですね。そんな中で、二十年前の国鉄の組合らしきものはどんなふうになっていて、組合の型のない中で交渉している職員組合ですね。こういうものと今の組合とを、どのように違らなってきているのだろうか。質的にはどうか。そんなことを比較して話してみると案外、問題になってくるのですよ。「さくら」の場合ですね、斗争々々でやっていると、中には、なにか組合のやっていることに対して、どうも納得のゆかない人がいるわけですね。そのような人たちに「さくら」の問題は、こうだ、こうだといっても、やはり、うまく入ってゆかないのですね。今話したとおり二十年前の仕事と、今の仕事とは、どのよう

に違うのだろうというように具体的な問題でもって提議していったら、私たちなんかの場合、いいのじゃないかと思いますね

日銀　ええ私は、国鉄の「さくらの歴史」というのは、まだ拝見していないのですけれど、一応概略だけを五分ぐらいと御説明願えますかしら。もし、時間の余ゆうがなければ結構ですけれど

国鉄（岡島）　品川客車区の岡島です。私たちが、あれを書いたのは、一応職場の人たちが集って、斗争をやっていたのですが、そのとき、この斗争はすばらしいというわけで、もって、二、三人で書きまとめてしまった。ところが後から、その問題について「おれたちの職場は、こんなじゃない」「今を見てみろ、今は、ここに書いてあるほど活発じゃない」と。まあ、こんなふうなことが出てきて、私たち「さくらの」あれを書いてみた場合を考えると、職場の人たちの、その当時の盛りあがり、その当時の職場の人たちの中から意見を聞いて出てきたものではない。そのようなところから、職場の人たちとのギャップが出ちゃって、今、宮沢君がいっているような、こととなったわけです。

そのようなものであったけど、実際の職場の人たちとの意見が喰ちがっている。　だいたいそのようなあれなんですけれど

細かく云えば、「サクラ」と云えば特急ですけれどね。仕事がどんどん増えて来る中でそういう列車が出来て、それに対して、人数をよこせとかいうようなもので出て来たんですね。けれども、そのことをそのまんまの形でもって書いてみるつもりだったのが、それが違っていたということなんです。

日銀　と、それは、大体まあ、分会がほとんど全部参加したという形でやられたわけでしょう。

岡島　そう云うわけじゃなかったんです。ごく一部の者で書いたんです。

日銀　斗争にはどうなんですか。

岡島　斗争には一応分会も支部も来て、その中でやられたことは、やられたんですけれど

宮沢　たとえばですね、その前の斗争というものを、今考えてみますとですね。仕事の質を落すんだと、たとえばですね、わたくしたちは、汽車掃除なんかをやっているんですけれど、ガラスをふいたりする時、二回ふくわけなんですね、それを一回ぐらいにふいて、あとはやらないんだというふうに仕事の質をどんどん落していく。そういうような斗争で、二八年頃から二九年頃を境にして、一貫してやってきたんですね。ところが「サクラ」がはいって来た。考えてみると質を落した位じゃ仕事が全然出来ないと、それじゃ人を貰いにいく外はないというふうに皆の気持が「人をくれなくちゃ駄目だ」というようになっていった。たとえば今考えて見てですね、あの場合は、明け番の人が居るわけですね。　わたくしは宿りをやっているんですよ。明け番の人が今までこういうふうな例が、分会の人とか、職場の古い人に云わせると、ないと云っていたんですけれど、明け番の人が、コッペパンをかじりながら、お昼頃まで残っていたわけなんです。　それで、その日に宿る人と、その日に明け番になった人が、五、六人を除いてほとんど全部集ったと。そこでわたくしは、素晴しいと、ただ表面づらだけ見ちゃっ

たというところに一番問題があったんじゃないか。そういうふうな中で、皆が集って来たのは「サクラ」のほか、いろんな問題が皆の中に不満としてあったわけなんですね。こ　いろんな問題が「サクラ」の問題を中心にして、爆発したと思うんです。そしてその他のいろんな問題というものを、私たちは、全く把握できなかったという理由は、先に話した通り、皆と話じてない、書く場合　皆と話さなかった　そういう事が、一貫した欠陥じゃないかと思うんですけれど。

日銀　それで私の方は、できるだけ下部の人達に、本当にいわば無関心党といわれるような人達からの経験を吸いあげたいと思ってやっているんですがね。これは実は不可能に近いんですね。現実としては、たとえば、その人達の生活とか意見とかがでなければ、結局は片寄ってしまったものができるのではないかというような感じがするんです。そういう事を今后、どのように解決していったらよいか。私の方では、いわゆる事務職員というのと、労務職員というのがいるんですが、労務職員というのは小使さんですね、この人達には、まあ私のところは三一支部が全国にあるのですけれど、これに全部通知を出しましてね、何でもいいから入った時の経歴、どういうことで入ったのか、それから入った時にどう感じたのか、嬉しかったのか悲しかったのかしゃくにさわった事とか、それから組合のできた前后にですね、どういうふうに感じたか、　また、これは極めて不完全なのなんですが、或る程度　これが改善された、その場合、労務職員の人達がどんなふうにして感じたかということを、一応手記にまとめて、それを各支部から誰か一人を選んで書いて出してくれと、それから今云ったような座談会を労務職員で組織してですね、その座談会の速記録を送ってくれというような事を要請したんですね。これが十数カ支部集りました。かなりあの貴重な結果が出ております。けれども、このことはこの試みがある程度成功したと云えるんですけれど、これをどういうふうな形で吸い上げるかという点で非常に迷っているわけなんですよ。

青山議長　今ですね、討論になっている事は大体こういうような事じゃないかと思うんです。僕らが職場の歴史をつくる会をつくったことはですね、そういう本当に職場でしたら、組合運動をやるのに余り経験がないとか、そういうことには、無関心である。けれども本当に毎日一生懸命働いている。それからまあ組合にしても、大単組と中小企業組合がありますね、そういうところの人達を対象にしてゆきた。しかも本当に労仂者の生活とか、喜び、悲しみが一番集中して現れているのが職場じゃないか。そこの点を我々が詳しく調べる。これが土台となって、組合の歴史なり、労仂者の歴史なりが書かれるんじゃないか。まあ、そういった点で職場の歴史というものを作ったわけなんですね。ところが二年間やってくる間に総会なんかやるわけなんですが、そこでの討論がどういうふうにしたらそのような歴史が書けるかという経験なり勉強の会じゃなくなってですね、今自分の職場じゃこんな斗争をやっているとかで、何か職場交流の会みたいになってしまった。で、それではしようがない、それじゃ踊りでもやろうということになってしまって、どっちかと云うと、職場の歴史をつくる会の中心が絶えず動揺してきたわけなんです。そういう点が一つあったわけです。本当に職場の歴史をつくる会の目標がどっちかに行ったという点が我々の反省の一つになっているわけです。できぬ、今職場の歴史をつくる会に相談に来られる組合の人にしたって、どうすればそういうものが書けるかということで来られるのだと思うんです。で僕も王子製紙に行った時にですね、職場の歴史の云っている事はわかった。そういうふうにして、書いていかなければならない。しかし、たとえば本当に組合の意志が反映したような組合史であって欲しいと、それから又、執行部の歴史ではないような組合史をつくりたい。まあそういうことはわかったけれどもですね、実際こういうことで職場の意見を吸いあげたり、又そういう本当に職場の人たちから読まれるような歴史を書くには、一体どうすればいいんだとかいう疑問を出されたわけなんです。その時には如何せん、こっちが十分それに答えられなかったんですよ。まあそのようなのが、今までの我々の会の力だったわけです。そういう反省の上に立って、単に職場の歴史をつくるという小さな会ではですね、とっても今こういう全国的に起っている労働者の要求に答えていくことは出来ないと思う。そういう事から今日の会合なんかもたれたということなんですけれど。まあそういう点で、一番地道にやって来られたと思われるのですけれど、恩給局か、殆んど組合全体で行われたわけです。そういう点で今日、恩給局の方もたくさんお見えになっておられるんで、あの少しお話をうかがったらと思うんですけれど……。

恩給局　なんか参考になるだろうというんで引っぱり出されたんですけれど、殆んど参考にならないと思うんですよ。僕らの場合は職場の状態ですがね、初めは、この前河出で出した本の中に書きましたのですが、殆んど千二百人位の人が学生ですね、それが一緒にまあ臨時職員としてやったわけです。で、一番最初は学徒援護会とか個人の紹介なんかで大量にあの中に雇われて、一日日給が二百四十五円なんですね。有給休暇も勿論ないし、いろんな健康保険とかいうものも全々なかったわけです。で二〜三分の遅刻もつけられるし、時間中にタバコを吸ったりすると、局長なんか一日くるくる廻っているわけで、こんな人が　みんなの前でこれを見つけると、おこりちらしたりしてですね。そういう状態の中で、二年、三年働いて来たわけです。ところがいろんな不満はみな相当に持っていたわけで　それが、学習会ですね、それからサークルこういったものに対する圧迫も相当強かったわけですけれど、やっぱり非合法的にやってきて、どうやら組合をつくったわけなんです。それでこの前の本にその前のひどい状態から組合が出来るまでの事を書いたわけなんです。どうして僕らがそれを書く気になったかということですね。とにかく組合が出来る前と出来てから後のまあ、自分という人間が凄く変ったというわけなんですよ。職場が凄く明るくなったしね、局長なんか、職場の中をうろうろする事が出来なくなったわけです。歌ごえは起るし、いろんな学習会は公然と出来るしね、サークルなんかどんどん一生懸命やっているわけなんです。そういう中で職場が変り、自分自身がもの凄く変っているということを　一つ書いて見たら面白いじゃないか、こういうような本当に単純な気持で書き初めたわけなんです。で一応書いて本が出たんですが、それがまあ恩給局内でも全部売れたわけなんです。あとからも本がもうないか、もっとあったら何とかして欲しいというような人が出て来たわけです。その位自分たちが変ったという事についてですね、凄く関心を持っているわけですね。僕らの場合は、殆んど厂史の本など読んだことはないのです。歴史って何だろうと云って歴史を真剣に考えたこともなかったわけです。唯自分が変ったとか他の人が変ったとか、それから一番最初凄く反動的で向うの立場に立って組合の様子をさぐったり或は、組合に入らなかったりした人達がどんどん出て来てですね積極的に組合運動もやるし、学習活動にも参加するようになった。凄くそういう人たちが変った経験というものは、自分自身でもおどろいているし、お互に周囲の人たちもおどろいているわけなんです。これを全局的なものにしようというのでいろんな形でやっているのです。たとえば、面白いというか楽しんで自分たちの過去をふり返ってみてもらいたいというので、この前の文化祭の時には、恩給局のずっと組合のできる前のことから、できた頃、それからその后の斗争ですね。又サークルなんかの活動情況、そういった写真があるわけですね、そういうものを、目で見る恩給局の厂史というものを食堂にはり出したわけなんです。で、皆懐しがって非常に面白く見るわけなんですけれど。その他にサークルなんかでもですね、何か厂史に関係のある。たとえば今日本女性史をやっている女だけのサークルもあるわけなんです。この女だけのサークルではその人たちが中心になって、母の歴史のシュプレヒコールをつくって、それを文化祭でやったり、とにかくそういう面で厂史というよりも自分たちの過去ですね、人間がどうして変ったかということを自分自身で考えてもらう。そうするために面白く自分で自分の過去をふりかえってもらいたい。そういう方向で進んで来たわけなんです。そういう人達にも相談しながらですね。人間の厂史といいますか、職場で人間がだんだん変っていく一人、一人を中心にしながら今後またずっと続けていきたいと思うわけなんです。

別に参考になるかどうか、本当に怪しいんですけどね。

日銀　恩給局の場合は、職場の意見とかいうものをとって、そしてやったりしたわけはないのでしょう。

恩給局　ええ、そうです。

日銀　それが全局に反撥なしに受け入れられたんです。

恩給局　ええ、ほとんど反撥はなかったんです。ちょっと、変な話なんですけれど、総務局長でも二百円だして買ってくれたんです。

足尾　さっき日銀さんから出された座談会や手記なんですね聞いていると僕は最近やってきたことで一番悪いことだなあということがね、その結論が出ているような気がするわけですけれど。というのは私、足尾の組合の者ですけれど一番最初に手かけたんですね、昨年の春頃でしたかね、足尾の古い人がいるんですよ。まあどうしても記録をとってくれというんですね、その人は七七～七八才ですかね、明治の足尾の暴動事件のね、明治四〇年のあれ以来の事を知っているからというんで来たのですよ。　それでね、東京からわざ／＼人が来て聞くのは大変だからというので僕が頼まれたのです。

まあいろいろ記録をとってみてね今日まずいと思ったのはね話すことがそういう人でやっていたから話が系統的にしゃべるんだけれど、いつも都合のいいことばかりしゃべるわけでしてねそれに又一貫性というものがないわけでしょう。それでまあ非常に困ってしまってね。この事については前に調べていたわけです。幸いね都立大学の塩田先生という方とこん意にしていたもんですからいろいろ曲りなりに大正一〇年までに正史をつくったわけです。このあとね、まあいろいろ考えたわけですけどね、ああゆうものばかりやっていくとまずいということになったんですよ。というのはね、周りの環境とかいうのはね争議ならそれに都合のいいとこだけを調べていくということになってしまうんです。それで今年の冬色を考えてそれじゃ足尾の風俗史をやろうということになったんです。それで四、五人集ってですね、まあ計画を立てて、いくらかぽつぽつ始ったわけです。それから足尾は古いところですから会社が相当古いからPR活動なんかやっていたところですのでね。それで「鉱床の友」なんていう古い雑誌もあるんです。そういうものを引張り出したりね、それから金踊りの歌詞なんか集めたりねまあ、そんなことをはじめたんです。それでたまたま組合史をやってくれということになってね、それで僕は今年迄、役員やっていたんですよ。まあいろんな問題が出てきてね、自分でこれでは役員をやってはうまくゆかんじゃないかというので役員を止めたんですよ。それでいくらかいろんなことがね、今迄組合の役員やっているとね、現場の中と考え方が変ってくるわけですよ。それが何ケ月かたってくると色んなことがわかってくるわけですよ。で、それで、僕らが強引にやっていこうと思ったことと実際の空気というものは違っているんですよ。それでまあ、とけこもうとしている努力、それとまあ組合史という問題になってきたわけですよ。それでまあ、塩田先生なんかにいろいろ話を聞いていましたしね。それから母の厂史なんか木下順二先生とはよく一致しているわけですよ。その話なんかを聞いたり、又穂積なんかの人と時々会ったりしていたもんですから、とにかくやろうということで十年史始ってから未だ六ケ月か七ケ月ですけれど、最初は例のように年表をつくってね　その後やっぱり座談会をやろうということでね　やったんですよ。それでまあ、現在までに一六ぐらいやりましたね。それで割と成果があがったんですよ。だけど考えて見ると僕が司会者ということでやるとね、やっぱり同じようなことばっかりもってくるんですよ。それが一番典型的に現れたのはおかみさんを集めてやったんですよ。三〇名余りね。それでこっちがまき、出そうとすることは、ことごとく云ってしまうんです。そうすると、座談会に強い人と弱い人とが居るということがわかったわけですよ。そうするとですね。座談会に強い人というのは　話分子でしょう。それがしゃべってくれたことというのは、僕聞かなくても大体わかっているわけですよ。ただ具体的に例えば志賀義雄が来たときに、あったんだとか、こうだったとかいう話は聞けるわけです。そういう意味では、興味があるわけですね。

やっぱりもう少し、進んで考えなくてはいけないということで、その後いろいろ考えたのはね、足尾というところは、調べやすいところなんです。それでまあ、ああいうところで一山一緒に

18

居るわけでしょう，何年も居て，それから借金のことなんかで．よく組合なんかに来るわけなんですね。それに社宅の中のことだから大体家の状態なんていうものもわかっているわけです．それだからそういうことでいわゆる警察の調書みたいなものをいくらか集めて，仕事というものをね，今やっているのはやっぱり世論調査をやろうと思っているんですよ．それは全部各戸を引きぬいて，とにかく何人かの人を一％ぐらいの人をというので始めたわけですけれどもその時にいろんな話をしたんです．けれども余り都合のよい結論をつかもうということは，一番まずいことではないか，だから何々をやってくれということをね，最初に出した場合それにのってこないと思うんですね，だから僕の場合は，一応支部なら支部を通して，まあこういう事だから仕事に入った時ならその時だとかそういう予備事項をきいておくわけですよ．それからまあ，そのあと調査事項あのそれは今日僕の方で持って来ましたがね，二十何項目かね，一応あげたんですよ．あげたけれどもそれでまあ失敗したら失敗したのね，いいあれだからあとの問題はそれを分析してね，どうして失敗したのかということをやっていくことがかえって成功なんだからね，絶対その調査は失敗しないということで僕は断言してやっているわけなんですが。まあ参考になるかどうかわからないんですけれど……．　一応まあ，そんなところなんですけれどね。

竹村　平凡なことなんですが、実は、重要なことなんだと私はいいたい。

日銀の方が、いわゆる職場の下部に組合のことに無関心な方は仕方ないという面もあるが私の経験では、どんな人間でも強い要求を持っている、いろんな形で要求を持っている。

強い要求を、極端にいえば、歴史なんか書けなくても現実の生活がよくなればよいのですが、その一ばん強い要求を一つ掴むことが必要だ。

編集者とか歴史運動をやってゆく人の心構えだと思うのですが、西岡の歴史をつくる場合、歴史をつくるなんて思っていなかった。本当の意味の労働者は洋服着ても靴があわぬとか、ワイシャツがおかしいとか、そんな労働者ですよ——そういう人が一番強いどんな要求を持っていたかというと、自分たちの経験とかとで千代田の地区労を作りたいということ、一見歴史とかけはなれているが非常に重要な問題で、それをするにはどうしたらよいかというと、どうしてやったかという道程をあっという間に、三日三晩、日曜も献上で、ガリを切って、それこそ歴史のレの字も知らない人があっという間に作ってしまった。

そういうふうなこと、それ以后、親父がびっくりして書いた人の家へ、山形とか信濃とかを廻ってお前の息子を首にするという。

察もつぶしてしまった。そういう形でふるえあがってしまい職人の人から、こういうものはやめておいたらよいのではないかという意見がでた。

そこで、若い新らしい人たちの間や職人の人たちが後退期に入って組合に協力しなくなっていた。

どうかして、職人を変えないとならない、変えるにはどうしたらよいか、そういう問題で話してみると、藤本君なんか、職人のところへ行って、生年月日を調べたり、調査項目をつくってやったら職人の歴史、職人を変えるということは日常の問題だから常に頭へ来ているわけですね。

ある日、井戸端で手を洗っていた、その手に傷がいっぱいあるんですよ、その傷をね、労働者は手を見る、尊敬する、労働者の特質ですね。

あいつの手はすごい手だ、安心感を覚える。しゃべってなくても。あいつは労働者だ〃という確信をもつ、それが非常に大切だ。職人の手を見た藤本君たちは、頼しい、その傷はどうしたということから大いに話しだす。

その頃はどうしたとか得々として過去の歴史をしゃべるわけです。如何に輝かしいものであるかを話し、生産のにないてがお前ら少しもわかってはくれないではないか。

古い面ばかりをひっぱたくといった、藤本君ははっとした。

抽象的な民衆は歴史のにない手であるなんてことよりも事実そのことの方が大事だ。

広い視野から見れば非常に大切だが、そこで喜ぶのではなく、それはまだ、あく迄村で、職人からは職人の歴史、事務員からは事務員の要求がある。

それを先づ話すことですね、その要求を発見するかちょっと下をみることがよいことなんですが、その要求、日鋼の人女は私たちのところへ来たさい、一九三〇ぐらいとまれる、社宅が一九三軒以上ある、片端から泊って帰ってよいというわけです。青行隊、組合員が考えていたのは、その基礎は第二組合ができたでしょ、それがわからない、情勢が高まってくるでしょ、一つの転換点に立つとですね、それが捕えられない、カンではわかる、策動しているらしいと、しかし、第二組合ができるというその情勢、その新らしい段階を迎えるわけですね。

古い段階から新らしい段階に変り、戦術も変ってくるか、それを捕えることができないという、どうしたら捕えられるか、それを本当に捕えるには、私たち歴史学にとって非常に大切だ。時期区分、何時の時代に区分するか、歴史学の基本問題となってくるが、時期区分とは一応知っているものゝ、こういう問題には目を廻してしまうのです。

新らしい情勢を迎えるまでに君たちがどのように成長してきたかというと実に克明に話してくれる。

自分たちの過去を、如何に新らしい段階を迎えるか資料とするに非常によい話をしてくれる。

「歴史評論」にも書いたが、書けない所謂裏面史を話してくれた、客観的なものができないですからね、そういう中で、そういうものは、どんな人にも強い要求がある、それをどんなものでも一つ捕える、やはり歴史というものは、その要求をたくさん捕えてゆく。

素材というかな、そういう生き生きとしたものを指導者や編集者が冷静に考えてみる、どういう意味があるかということを抽象的に考えてみる、非常に参考になると思う。

そういう例があったら、もっと話してもらうとよいと思う。

ただこちらの試長がですね、〃ある学者の歴史〃を書いてですね、どういう意味を持っているかということ、いっぺん頭で考えてみる。書いたときは、卒業論文教育大学の論文を書いたわけです。それで随分通ったわけですね、毎日々々その人の家に通っているうち、最后の晩に卒業論文を出してね、これで卒業させていただきましたどいったらね、その人は私にはじめてそういったですね。私はあんたが、私を利用しているとばかり思っていたんですよ。そういう気持はどうしてもつけなかった。そして、その時はじめて餅を喰えと云ってね、喰わしてくれた。まあ、そういう何というかね、こゝで大事なことはね、組合史を何十万円とか、百万円かけたとかね 五十万円かけた、五十万円でやるから、何とかデッチ上げなければならないとか、そういうことは一番いけないですね。

私だったら職場の歴史を作る会を何とかやらなければならないというので、歴史を書くことを最初は承知でやっちゃうわけですよ。そうするとですね、実にまあたしかにね話してくれるんですよ。優等生の模範答案をやるんですよね。まあ、そういう例はまあ青山君そうではないんですが。

問題は違いますけどね、無関心力はどうしようもないということではないのですね。

それから文章等な部分でありこれがこの生活感情と意見とを出さなくちゃならんのだけど、それを出すことは今の私の頭の中でね、どうしても引き出せないということなんです。

それは、われわれの組合運動の中で、われわれに欠陥があったと思うんです。

2-7

あれは無関心層だということで、まあ、あの何というか、包んでしまうという運動のしかたをやったわけです。

そこにまあ、全銀連の分裂問題が出て来ていると思うんですね。

だが、そういう反省の上に立ってですね。この人たちを本当に組合の主体として見直しをしなくちゃならん、いわば問題意識かなんですね。

それがまた中々引き出せないよ、それを何とか引出したいんで一つ経験をお伺いしたいというところなんですがね。

全蚕糸　私は全蚕労連といっても、おわかりにならないかも知れません。

製糸の労仂組合なわけなんですが、そこで、こういう二年がかりで「製糸の労仂の庒史」という本を作ったわけなんです。これを作って、先ほどからいう、皆さんから出ていたんですけどやはり一生けん命作ったんですけど結果的には、親組合に読まれなかった。私たちは八割ぐらい女の人が多いんですが、易しく書こうと努力したわけですが、やはりその辺が十分でなくて、むしろ炭鉱の労仂者、北海道にもっていって、ベストセラーになったと笑われたんですよ、こういう問題があったのです。それをやっていく過程がこゝにもあるんですが知識人との協力ということが書いてあるんです。

そういう奌ではじめましたのが二八年のなんでも夏頃に製糸なら製糸の企業というものがあるけれども、その中で意識して生きてきた労仂者の生き方というものが全然庒史になっていない、今製糸業者が女工哀史なんていわれているけれども、本当に、その人たちのどういう風にかわったかということも一応わかっているようだけども、余り本当に自分たち組合の者がつかんでおらないということから、組合の人とそれから先程から も足尾の方が云われましたが塩田先生とか大原社研の田沼さんとかというような方に協力していただいて、それから組合の専従の人にも協力していただき、一月二度ぐらいの例会をもって出来上るまで二年かかって群馬とか長野に実地調査をやり、それから、戦前戦時戦後を通じて製糸に仂いていた八十才ぐらいのおばあさんを訪ねたのですが、そうしますと、問題奌というのは、自分がいた片倉なら片倉で、その時はよかったということだけで、それ以上はちっとも発達しない、もっとひどかったと云う噂があってもその人にはわからない。

まあ一応そういう所で聞取り調査をしました。

それから、戦后に入った人たちを、又労仂組合で活動している人たちを、又、ストライキをやった経験者とか、いろんな人を分けまして、仕事の事、生活の事、それらがどういうふうに移り変ってきたか、現在いる人からは生活綴方のような形をとったわけです。

こうして、古い人たちからは聞取り、現在いる人たちからは綴方のようなものでとり、そして、学者と組合とタイアップの形で作るというわけなんです。

だが出来上ったものは先程申しましたように余り組合員には読まれなかった。

今の私たち年令からして、あの庒史というものがピンとこないのか余り読んでもらえない。

それで、一応製糸労働者の正史が出来たんだけど、これを一つの段階にして、こゝから職場の正史というか、もっと自分らの生活感情のにじみ出たもの、いわば綴方のようなものを入れて、更に積み重ねなければならぬと思う。

中村　恩給の場合ですけどね、僕ら書くときに、書くために座談会をやろうとか、一人々々聞いて歩こうとか、そういう事をやっていないわけなんです。

書いたものもごく一部の人ですし、そうする事をやってみようとも思わなかった。

ところが、僕らの場合、非組合員でも歌の好きな人がいる。それから踊りたい人もいる。文酒がものすごく好きな人もいる。そういう人は、非組合員でも組合員でも、又そういう事に活溌でない人も、竹村さんが云われたように何かあるわけなんです。

そういう点で個人的には、例えば組合運動を一生けん命やってる人と、組合に入ってない人も何らかの点で何かつき合いがあるわけです。僕らの場合、年令的に差がないわけで、人間的な結び付きと云うか、歌なら歌、酒なら酒、そういう点で結び付いている。そういうところで色んな過去の話とか――そういうのが出て来たんじゃないかと思うんですよ。

であいつは組合に入ってないけど、こんな考えをもっているとか、こんな趣味をもっているとか、ある程度こういう日常のつき合いの中でつかみ得たんじゃないかと思うんです。

竹村　議長――中村君の問題は非常に重要なんですけど、その前にちょっと、みな橋さん――製糸労働者の正史で感じたんですけど、知識人とですね、労働者との協力関係のなかで、私共の運営委員会の中で地下鉄の小野さんがいられるんですが――今日見えていないですが――その方は私共の機関紙に書評を書いてるんですがね、それを読んで、非常に前半が良かったと云うんです。後半は面白くないが、前半が非常によい。

なぜ良いかと云うと、昨日青山君と私、電車の中でその話をしながら来たんですけど、やはり一致した点は、今迄は機械でなくてパッタンパッタンの旧式で機を織っていた、この工場の中に新しい機械が入ってくると、その中の人間と人間との関係も変ってくる。そういう事が他にも影響してその製糸労働者の考え方にも影響してくる。そういう風なところが云い直せばそう云う道具の導入ということが、工場の中の人間関係にも影響してくる。そういうところがかなり刻明に捕えられているんではないか。そういうところがやはり学者との協力で得た大きな一つの収かくだと考えるわけです。

それで学者との協力で得る場合に学者にその要求を〝とらえろ〟と云っても学者は、ヨーしませんので学者には、……私も歴史学研究会員ですから、どっちかというと学者とよくつき合うんですが……科学者の要求というのは、要するに自分は生産道具と生産関係（人間と人間）について非常に良く勉強されている方が居られる、そう云う方は具体的には、知らないんですよ。知らないけれど、そういう事に関して非常に強い要求を持っている。学者は専門家ですからその事はくわしくても他の事はやはりどちらかと云うとお困りになる事があると思う。

だからその点、学者との協力の問題にしてもやはり労働組合にその学者が来られても、大抵の学者は一つの専門には深いけれど、他の点は弱いんです．

何でもかんでも学者に聞けば政治から文学から何でもかんでもわかると云うんで押しつけるんでなくて一番、得意な所で協力していたゞく、そこで私は組合史と組合史を書いているサークルでも良いけど学者との協力関係の場合には色々な学者を民主的に来ていたゞき各々の学者がこれはという所を労働組合の方に大人になって頂いて、生産用具の興味のある方にはそういう事を話して頂き、それ以外は、ほかの事を調べる方にもって、行くという事が今后非常に大切だと、製糸労働者の歴史を読ませて頂いて私そう思ったんです．

後半になってなぜ悪いかというと、何と云いますか平和運動とか国際状勢、労働運動とかそう云うものが発展して行くから、製糸労働者の歴史も労働者も育って行くんだと、云う、少し粗雑なところがあると、非常に惜しいと思ったんです．

全蚕労　後半はやはりページの関係もあって、はじょって了った事と又後半は後で書こうと、あくまでも明治、大正、昭和の戦前迄をくわしくしようという事と、それから今竹村さんがおっしゃった様に先生方でも各々専門があるわけですね．私共に先生方が協力されたのも始めから全部の方が協力されたんでなく、一番初めに大原社研の田沼さん、それから帯刀さん塩田さん島津さん、それからだんだん発展していって、今度は教育大の揖西先生、終いに東大の古島先生、そういう方達がだんだんにこの私共労働者と学者と研究会を持っている事に興味を持って下さって、自費で現地にも調査に行って下さいましたし、とても協力いたゞけたんで、その点では確かに今後、ほかでおやりになる場合にも、こういった先生方でしたら協力して下さるんじゃないかと思うんですけどね．

竹村　都立大学の太田先生がお見えになっているんですが、そういう問題、いゝ試合だと思うんで如何でしょう．

太田　よわったな。大変面白く伺っているんですか．

青山　何か一言

太田　そうですね、さっきあなたがおっしゃった、その何か一つだけあるとおっしゃったが、それが解かれば非常に成功です．職場の歴史をつくっている方々も色々苦労だと思いますがそこをつかんだら、なかば以上成功ですね．

足尾　それからもう一つあるんですが、今さっき竹村さんが、おっしゃっていたんですけど、最近のごく近い歴史を書く場合の問題僕の方でも考えているんです．

私の山の場合ですが、終戦直後は非常につぶれそうになってそれに食い物が足らなくてそういう事でガサガサ動いていて、一諸にぴったりいったんですね．その次は例の補給金の問題と大量首切の問題と非常にガサガサいった年なんです．その次の段階は、公転分离しちゃって、非常にハデにやって、又内部的な事もあって、ハデに闘争をやった時代もあるんです．あと29年から、非常にギューギューしめられてきて、今ジェヨウセイレンという形で新しい製錬所も出来ましたけれども、そうすると座談会などやって話を聞いていても最近の問題というのは仲々つかめないんです．

資料が多いので話なども聞きづらい、も一つは本質的なものが、ごく近いものだとつかめないという所があるんじゃないかと思う．前の非常に伸びていた時代、抵抗をうけなかった時代と、最近の時代とね、どうやってこう結びつけて、体系として持ってゆくかという問題が一番大きな問題だしその新しい技術が入ってこれからどうなるんだという或るていど暗示すると云うか、一つの励ましとなるようなものが、どこにあるかという事になると、僕非常にまよって了ってつかめないんです．だから実は僕、こゝに来たのもあるていどそういう問題についても非常につっこんだ話が聞けると思ってきたんですが……

竹村　全電々通の野里さんのね今中央電報局は来年新しい機械が入って、つまり職場が生産性向上運動じゃないけど新しい機械が入って合理化が促進されて、半分位首になるんですけど、そう云う中で、実質的に中央電報局の組合と云うのは片輪になってゆく、そういう中で組合史を書いてゆこうと組合の決定となって今その隣りの野里さんと云う方が編集員で書いていられるんです．そういう風な問題にふまえて発言して貰ったらどうでしょう．

青山　あのちょっと、今迄どういう風に組合の歴史とか職場労働者の歴史を書いたら良いかと色々経験が出されたわけですけど、それで今日の会の性格として色々な問題が出て充分討論されない問題が出ると思うんです．例えば科学者との協力の問題とかそれから竹村氏が云われた一つの事をつかまえるとか云う問題だとかで今日の会の性格としてつっこんで何か解決を与えると云うんじゃなくて今日参加されない組合もあるし職場もこれから方々に全国的に起ってくるんだと僕は思うんですがそう云う問題をこれからどうしても向上的な組織なり連合体を作って、お互に経験を交流して又出てきた問題を理論から何からしてゆくと云うそう云う運動化してゆきたいとそういう点が今日の会の主眼だったわけです．その点ちょっと．

足尾　やっぱりあるていど我々としてはモヤモヤした中でつかめるんじゃないかと思って来たわけです．

青山　そういう点でも一つ、歴史サークルと云う自分達で自分達の歴史を書くと云うんでなくて、昭和史とか近代史などの読書会をやっているサークルの方々もお見えになっていると思うんです．でそういう方達の意見も労働者の歴史運動の一幹ですから職場の歴史を書くだけが歴史運動でなくて、やはり一番一般的な形で普及している歴史サークルの問題なんかもこれから色々相談してゆきたいわけなんです．そういう見通しで司会者は会を進めているわけです．その点ちょっと．

野里君ちょっと話して下さい．

野里　よく意味がわからないんだけれど、一寸おきゝしたいんですが、製糸労働者の歴史ですがね、あれは組合員のために組合員を目的にして書いたのか、それとも一般の読者を目標にして書いたのかそれを一寸お聞きしたいと思うんです．

全蚕糸　組合員を目標にしたんです．

やはり自分達の歴史と云うんですがさっきも云ったんですけれど自分達の先輩達が歩んできたことが全然わからない、そう云う意味で知る必要があるということから始めたんですが、そのへんで学者の協力があったりしてだん／＼高度なものになって了って組合員というより一般をむしろ、岩波書店から出したというような点で、一寸難かしい感じになって了ったが、目標はあく迄も組合員であったわけです。

　野里　わかりました。僕はあれを何回もくり返して読みました，それでまず第一に感じたのは確かに前半は面白かったです。所が後半にいって僕は実に何と云うのか全然面白くなかったのです。その理由と云うのは非常にジャーナリスティックに書いてあるんです。僕はあーいったジャーナリスティックな捕え方では組合史というのは書けないんじゃないかというように感じたのです。

　僕が昨年からずーと叙述、表現技術の点で非常に苦労しているのは実はそういう点にあるんです。たとえば一つあそこの戦後の中でスピーカーから流れてくる天皇の詔勅を聞いて皆が虚脱状態におちいったと簡単に書いてありますけど、勿論簡単であろうと何頁にわたろうともそれはかまいませんけれど、あの捕え方は僕は非常に、まるきり局外者の書いたような印象を受けたんです。

　これを当時のことを昭和史ではこのように云っているんです。要するに虚脱状態という言葉は使っていませんでしたけれども明日の食物のことが心配でそういったことはあまり気にならなかったとは、あまりはっきりいってありませんけれど要するに終戦と云うものは労働者はそんな事を考える余裕も明日を生きる事に関心があったんだと書いているところが僕は学者の英知がそのように把えたんだと思うんですが、ジャーナリスティックな把え方ではないかと思うんです。それは確かに、虚脱状態というよりはそういう具合に把えた方が非常に正しい捉え方だと思うんですがまだ足りないような気がするんです。そこでこれは僕のとらえ方なんですけれど、ここで虚脱状態におちいったということもこれは一つ事実です。それから明日の生きることを考えることも一つの事実でこれはあった事だし間違いのないことだと思うんです。ところがそれ以前にですね、もっと本質的な問題があるんじゃないかと僕は思うんです。というのは今迄信じていたものが、全然だめになった。そしてつっぱなされて了ったんです。つっぱなされた人間は何を考えるかというとまず第一に自分のことを考えるんだと思うんです。一体、おれはどこにいくんだろうと、そこで初めて日本人の一人の労働者なんかがこの自分というものを考えるんで、常に国家とか天皇とかそうしたものを中心にして物事を考えていたのが、ここでつっぱなされたために、はじめて自分というものに目を向けはじめたんではないだろうかと僕は思うんです。ただそれは意識的に向けたんじゃあるけれども、例えばアメリカ軍が入ってきたときに予想していたのとまるっきり違ったとか、その他色色の経験から次第々々に自分自身に目を向けるようになったのではないかと僕は思うんです。ですから僕はそれをこそ把えるべきであって、だからあそこで虚脱状態におちいったものがすぐ、10月10日に徳田さんなんかが出てきたら、立ち上がるきっかけをつくったとか、僕はそんなことは全然うそだと思うんです。しかしそれは一つの契機とはなったけれども、それは突然革命をうけいれるだけの準備がすでに8月15日のあの放送からはじまったのではないかと僕は想像したわけなんです。それをどのように把えて表現するかというのが僕は実は非常に苦労しているんですが、まだ完成してないんです。そんなことがあったんです。それからも一つ歴史を書く時の姿勢ですね。この姿勢が先程何ったらはじめは組合員を目標にしていたのが、それがだんだん変ってきた。これは目標がはっきりして居れば問題はないと思うんです。今先程から日銀の方が云われましたけれども、色々な素材がそういったものをどのように扱うかということ、これはやはり姿勢の問題じゃないかと思うんです。僕はこれを大きく分けて二つに考えているんです。一つはまず書く人が誰かということなんです。それをだれのためにかくかということなんですが、その場合に僕は僕自身かやっていることなんですが、先づ電信労働者の歴史というものは電信労働者である僕が書くんだ、そしてそれは実は僕自身のために書くんだ、そうしてくると、もう問題ははっきりしてくる。というのは、この実際に書いてみる時に書く場合自分自身の成長のために書くんだから、当時の新聞とか或は歴史家の書いたものとかをみても、先程ふれたように虚脱状態におちいったなどということを僕が一応みますね、それを一体虚脱状態というのはどういうもんだろう、自分自身の職場、自分自身の経験をふり返ってみるわけなんです。

そうするとこんなことは全然うそだということに気がついてくるわけなんです。

やはりなんか、ここに野里という著述家が居て、それがそのベストセラーでも作ろうと思うんだったら、それはたしかに僕は虚脱状態におちいったというような表現をつかうかも知れません、まあその方が受け入れやすいですからね、ところが自分がもっと成長したいし、そのためにはやはりそういった安易な姿勢を僕はしたくないと思うのです。どうしても自分の言葉で語りたいということなんです。

それからそれを一体自分の言葉で語るのはいいけれど誰に語るんだということなんです。それを電信労働者がぶつかっている大きな斗争をどのようにのりこえてゆくか、そういう目標のためにこそ歴史は書かなければならないという問題意識があるときは、その歴史を書くときにその姿勢も非常にはっきりしてくるんじゃないかと僕は思うんです。ただ過去の自己の存在を示すための過去を回想風に書くというんだったら意味がないと僕は思うんです。そうした書くときの姿勢というのを自分がしっかりつかむということが、自分は一番重要ではないかと思うのです。もう一つはそれが組織で書く場合、これは自分のところも組織の仕事なんですけれども、組織で書く場合も二つの方法があると思うのです。

それは組織が組合員でも専門家でもそれはどっちでもかまいませんが、一人の人に、少数の者に依頼して書かせる場合と、集団が書く場合があると思うんです。その様な取扱い方でも僕は、前向きの姿勢をとるか、それとも回想風に書くとかいうような、姿勢をはっきりとらえて書けばそれから人のためにやるのか、それとも自分たちのためにやるのかというそういったことをはっきり決めておけば、それ程僕は苦しむような事はないんじゃないかと思うんです。そのため僕は一年苦しんで今だに四苦八苦しているんですが皆さん御意見を伺いたいと思います。

青山　あの今迄職場の歴史をどういう風に作るかという組合の歴史をどういう風にしてどんな内容のものが出来るかとい

27

う事を色々な経験をお互に出して討論を進めて出来たわけですけれど、今日は又歴史サークルの人達も居られると思うんですけれども、そういう点でこれからの労働者の歴史運動という事について、何かありましたら出していただきたいと思います。実際会を進めてですね、つまって居られるとか、そういう事を充分討論はしつくされないと思うんですけれども、そう労働者の歴史を書くという事、歴史の本を勉強してゆくという事とですね、やはり関係のある事だと思うんですね、たとえば僕なんかこういう風に職場の歴史とか組合の歴史を書くという事と歴史のサークルの関係を僕の意見を述べればこういう風に、関係があるんじゃないかと思っているんですけれど、と云うのは僕なんか学生時代にやった厚生省の所へ行って歴史サークルで女性史なり日本の歴史の勉強会をやったわけですけれどもその時はこちらが調べていってそれを話するとそれについて色々意見を出すわけです，そうすると歴史サークルは面白くないと批判が出たんです，面白くないのはもう少し人間が出てくればいいんで尊氏という人物を引張ってきて南北朝あたりを説明する。じゃないかとかそういう事をやってきたんですけれど、もう一歩進んで例えばこの前職場の歴史をつくる会でもって連絡会誌をやった時に昭和史の読書会をやってゆく中で、例えば終戦の時にソ連軍が満洲に進駐してきたと、それについて昭和史の方では何かソビエトの方にいいように書いてある所が自分は実際あの時体験した事によると矢張り随分乱暴だったと、そういう事について一体歴史家の評価と、僕らの評価が違うんではないかという事について討論が起るようになってきた。でそういう事は僕はやはり今迄どちらかというと専門家が書いた歴史をただ受身に頂だいし、一応聴くというかっこうが一歩労働者が今度は自ら進んで、自分達の歴史を能動的につかんでゆくと、そういう風に非常に積極的に変ってきているんじゃないかと思います。そういう風に自分達の歴史を自分達で掴むという事がとりも直さず職場の歴史なり組合の歴史であるわけです。今迄どちらかというと、学者、専門家にまかせたのが労働者自身の手で書いてゆくと、しかも専門家と協力して書いてゆくというのが今の職場の歴史なり組合の歴史の運動ではないかと思うんですけれども、そういう点で所謂歴史サークルと非常に関係があるんじゃないかとそんな風に考えているわけです。

そういう点で歴史サークルなんかやって居られる方で誰か簡単にそれについて何かありましたらお話願いたいと思います。

全電通　私、国際電々の電信支部の組合をやって居ります大沢と申します。サークルとして、歴史サークルというのは、うちの職場にはないんです。社会科学研究会が経済学教科書を学習してゆく中で第一分冊の中に歴史的な事がありますね、それをきっかけにしてですね、やはり歴史を学ばなくてはならんじゃないかとそういうような事から日本近代史とかそういう色色なものを勉強し始めたわけです。それで今皆さんのお話が実際組合の歴史とか職場の歴史とか、実際作ってゆく上に当ってのお話を色々されていたんですが、まあ非常に参考になる事があったわけです。と云うのは僕達の職場でも歴史を作るという事が前に一度計画された事がありますし、それでその時色々失敗したわけです。そのような点、今の討論聞いていて成程など色々感じた点もあります。そういうようなことで当面僕たちのサークルの悩みとかそういう点で、すぐにここに出してどうのという問題でもないですしね。皆さんの話を聞きながら今后の参考にして行きたいと思って居ります。

竹村　さっき定尾の方が出された問題なんですがね。今日の大話の実に重要な討論だと思うんですよ。といいますのは、さっき野里君が云った書く姿勢にも連なるし、歴史の誠実さにも関係があるんですけど、つまり現代の問題ですね。特に非常に複雑な問題ですから、近代とくに戦后は、役員が生きているわけですね、生きてもう執行部にいらっしゃるわけですからね、そういう色々な立場の方が、しかもはっきり云ってどこの組合にも国鉄から合化労連、全国金属に至るまで、対立があるわけです。中に、この問題は実に微妙な問題なんでね。しかし、これをぼかすとですね、やはり組合史は単なる団体交渉の或は各派発展の歴史になるんじゃないかと思うんです。

にで対立、即ち分裂を一般化したり、固定化してはならないという事とこの問題を私、さわることは実は一番愉快とするところなんですけどね、私ははっきり云いますけどこう考えるわけです。今迄の沢山の組合史がありますけどそれが戦后になりますとどれもはつらつとしてないんです。

なぜかと云いますと、戦后になりますと例えば立派なものが出来てくるんですが、読むと色んな立場がありますね。政党でも或は組合でも、各々あれもやった、じやおれもこの位やったという、そういうコマギレが粘ってあるんですよ。例えば二・一ストの時にね、おれもこうやったというんです。結局何もやらなかったような形になってしまって、これが組合史を類型化する一つの大きな原因だと思うんです。僕はやはりそれに対してじやどう望んだら良いかと、その問題について一九五四年以降現在五六年迄の総評大会或は組合の大会なんかてみることは、最近どこでも労仂者が真実をおそれないということですね。これは僕は労仂者階級の何よりの立派な特徴だと思います。

労仂者階級は真実を恐れないばかりでなく、どこでどうなったかということをてってい的に分析して二度くり返さないようにする討論が最近起っているところに僕は現在の日本の労仂運動が勝利の確信があるし、又労仂者階級は国民の指導者だと云えるんだと思います。しかし現実にはやはり分裂があるんだと対立がそのまま残っていると。そういう問題はやはり原則としては事実をぼかしてはならない。しかしこれは軽卒にふれると今現に執行部やその他のところにいる人にきずがつくわけです。この問題については私は本当に事実を忠実にやはり各派が色んな立場の人が、事実にはやはりけんきょに従うと云いなおせば事実にはどんな派も左も右も中道も頭を下げるんだとそのような態度をもたないと必らずダメだと思うんです。

それは実際組合史と五〇万、六〇万と金の問題ではないんですよ。しかし、やろうと一旦決定した下部の労仂者の皆にはですね、それが本当に団結のためにこれが役に立つというところでね、皆決議しているわけですね。だからそういう下部の組合員の切実な気持をくんでね、こういう問題を各派が厳しゆくに扱うことです。これは決してぼかしてはならないし、そういう風なことがですね、先に野里君が云いましたね、歴史を書く姿勢の問題とにですね、やっていかなくてはならないと思います。先に出ました昭和史の欠陥もですね、亀井勝一郎さんと遠山茂樹さんとの間に論争が起っていますけどね、やはり歴史家は自分の立場が、どういう立場にあるのか、その主張を生のまゝ出したらどういうことになるのか、云いなおせば事実をゆがめるわけですね、そういうものは、やはり日本の歴史にはならないわけです。それとこれは悪い例ですけれど、やはりこういう問題については、お互に慎重に扱ってですね、事実の前には頭を下げるということですね、このことは非常に大事なことだと思うんですが、それについて一応御意見を聞きたいんですが。

日銀　それでね、今おっしゃったことについて、実は私もわからないんでね、おうかがいしたいんですけどね、さっき、問題を忠実に記述するといわれました。全くその通りなんです。ところがね、どういう記述の仕方が忠実なのかというとわからない、こういうと何か表現がおかしいんですけれどもね、結局まあそういうことから執行部中心にしたような歴史はまずいんで、賞めるかけなすかどっちかということになってしまいますね。従ってですね、我々戦前から戦中、戦后にかけての生活の変遷にスポットをあてますと、執行部をほめたりけなしたりですね、まあけなすわけにはいかないから一応はほめてやるというようなことになっちゃってですね、生活の変遷を記述しようじゃないかということになって、こういう決論になっちゃったわけなんですが。それと先程こちらの方がおっしゃった問題なんですけれども、これも実は、書く人は誰か、誰のために書くかという問題なんですけれども、これも実は誰のためにということとは、我々ホワイトカラーの組合員だからですね、そうなるのかそれを伺いたいんですけれども、誰のためにということがね、組合員には色々の考え方があるんですね、従業員のための歴史だというとそうなんですけれどね、ところがそれが何て云うか、とりだすか、或はそれをどういうふうなイメージをね、えがいてですね、たとえそれが従業員としてのイメージを全部もれなく入ってしまえば文句がないんですけれども、それが一つの点をとり出しちゃいそうな気がするわけなんですけれど、そこをどうでしょうか。まあ偏向の意味がはっきりわからないかもしれませんが、あの発言者からお伺い出来ればと思っているんですけれども、どうでしょうか。

青山議長　あと司会者として考えていることは、今迄いろんな問題が出てますけどもね、こういう問題について、いろいろこれからも討論したりしてゆきたいと考えるわけです。ところで今後このような会をどのようにしてやってゆくかという点についても御相談したいと思うわけです。以上のようなつもりなんですが、まださっき出されたような問題点が残っているんですね。これを今少し深めてみるか、又は一応これで打切ってですね、そういう問題も含めてこれからどうするかという討論にはいってゆきたいと思うんですけれどその点いかがでしょうか。

A　一応これ以上の結論は出てこないと思うんですけれどもね、非常に重大な問題が多いんで、今后やってゆく方向を先に決めて又会合をもった方がよいんじゃないかと思います。

議長　そういう御提案なんですけれど……。

全員　異議なし。

議長　今后ですね、どうするか、例えば一つはまあ歴史サークルなんかをやっている人々とごっちゃに、組合史をやっている方とですね、討論してかみ合う場合もあるけど、かみ合わないことも出ているわけですね、まあそういう問題もあるしですね、そういう点でこれからのことについて何か御意見がありましたら出して下さい。

全食糧　あの一寸とあるんですけれどね、今一番大事なところで問題が打切られようとしているんですが、僕も今さっき一寸きいていた中で一寸本題から離れることかもしれませんが、この次の課題としましてね、この職場をつくるっくる会が発展してゆく一つの方向としましてね、今云われたような、自分のために書くのか、他人のために書くのかを、はっきり、こうなんか機械的なように分けられた。そこに僕は非常に大きなギャップがあるんじゃないかと思うんです。というのはね、これは僕だけの意見ですが、あの繊維の方の場合ですね、前半が成功して後半が失敗したという場合、そういう風な例もあるし、組合員を対象としたのが、だんだん一般を対象にしてきたために失敗してしまったと、何か組合というものと、大衆というものが分かれている感じですね、僕らの場合はね、全食糧なんですよね、お米でしょ、まあつまり云ってしまうと米ですからね、今統制の問題もあるし、農民の関係もあるんですよ、僕らの中で一番大きな問題として労農同盟があるんですね、労農同盟でさえも満足に出来ないような状態でね、組合の歴史をつくったって、どういう風に書いていいものかという問題、それが今の誰のために書くのかという問題にね大きくかかってくるんです。だからそこをもう少し討論を深めていってもらいたかった。そうすれば僕は、非常に大きな成果が得られるんじゃないかと、成果がたとえあまり上らなくっても、これからの運動の中でもって、正しい方向が出てくるんじゃないかという気がするんです。

編集後記

長い間機関紙が出せず、大変御迷惑をおかけしました。こんど才一、才二号と同じ大阪で才六号を贈ることができて大変嬉しく思います。

今度の号は、組合史についての特集で、現在全国的規模で進められている組合史をつくる運動のお役に立つならばよいと思います。

座談会の記録であるため、要領よくまとまった話ではないのですが、いろいろな労働組合から来られましたので、それぞれの経験が出されており、傾聴すべきものがあると思います。職場の歴史をつくる会が生れて三年今まで幾度か大きな困難な壁にぶつかってきました。私達は昨年十月下旬、職場の歴史をつくる会の歴史をまとめ、今までの欠陥や長所をあきらかにするなかから、新しい段階に入った職場の歴史をつくる会のあり方を考えました。とくに〃職場の歴史〃（河出書房刊）が出て以来、組合史をつくっている人からの手紙が大変多く、あらためてことの重要性を再認させられました。したがって会では、一九五六年十一月三、四日の国民文化集会の才一分科会で組合史協議会の設立を参加者全員の賛成を得て決定したのでした。この協議会は、目下全電通、中電支部の日向さんが連絡にあたっており、資料の交換や、文書連絡等を引受けて下さっていますから、こんどの号を読まれた感想や、御意見などをそちらへお寄せ下さい。

なお十二月二十八日夜、職場の歴史をつくる会の東京在住の会員の忘年会を行いました。がその席上、編集部から提案を行いました。それは、会誌（本号のような）は二月－三月間に一冊、毎月は速報を出そうではないか、ということです。そして皆の経験、まとめたこと、書評、問合せ、討論等を、毎月の速報で出来るだけ早くお伝えし、会報でつくった経験、作品などをしっかりまとめたいと思います。

これはまだ充分に討論の上決めたものでありませんので、どうか遠慮なく編集部宛、御意見をお寄せ下さい。

（杉　崎）

職場の歴史

7

職場の歴史をつくる会編集

目次

会のことば

さいきん、日鋼室蘭製鉄所、富士製鉄所を見学してきたある人が、こんなことを話してくれた。丁度、室蘭についた際は、市内・某高校の開校記念日にあたっていたので、お祝のちょうちん行列とぶつかった。行列は数多くのプラカードをかゝげていたが、大部分は「原水爆禁止」と「南極探検」についてのアピールだったそうである。その人は、これら高校生や、室蘭市内の学生たちとも話し合ったが、学生たちが日鋼や富士の工場の内部を実によく知っているのには驚いたそうだ。工場で製品がつくられてゆく工程、機械のある場所、工場内の地理など自分の家の中の様に知っており、若い労働者とも顔見知りの仲である。これは、やはりあの日鋼室蘭の争議の時「君たちの頭をかしてほしい」という労働者の強い要請に動かされて、学生たちが総力をあげてこたえ、学習会を手伝ったりして応援したという輝かしい歴史の結果なのであろう。又室蘭の町の人は、旅行者を案内して町を歩くとき、この場所ではあの時こんな斗いがあった、あそこはこうだったと町の誇りにして話すそうである。日鋼の争議は町の人々に影響をあたえただけでなく、斗った労働者自身にも大きく影響し、現在室蘭で立場や主義主張を異にする労働者同志がうまくとけあって斗いを進めている。あの斗いにそれぞれが立場をこえ、同じ釜のめしをくって共に斗ったのだという信頼感が、今日の斗いに、立派に生き続けているのであろう。そして、この信頼感のつながりは「私たちは首切りを恐れません」（富士鉄労働組合青年部の人々）と明るく労働者が言えるまでに、労働者一人一人のものになってきているのだ。かって室蘭をおそった資本の攻勢は再び室蘭にそだちつゝある明日えの力をたちきるべく、富士、日鋼の工場に合理化運動を進めている。職場の労働条件をかえ、更に作業体系の変化を通じて、労働者の考え方をもかえ始めている。加えて、技術関係の大学出を除いて何人員を採用せず、現在の労働者の自然減少をまっているのだ。現在日鋼、富士各組合の努力はこの急速な資本攻勢をいかにのりきるかに向けられている。最近北の国の労働者の斗いを聞くにつけ思うことは、私たち京浜工業地帯の労働者の斗いであるという共感である。私たちはこの共感を更に血の通ったものに高めたいと強い希望をもっている。春斗の中で激しく斗っている国鉄労組や又鶴見・川崎製鉄所・国際電々等の職場は合理化をはね返えそうと斗っている。この誇りある職場の歴史をまとめて早く日鋼や富士の労働者に伝えたいものである。日鋼室蘭労働者の斗いの中から生れた詩を語るべき伝統をもつ私たち会もその足音にこたえ、たえず労働者の斗いの流れから生れてくる貴重な経験の一つ〳〵をのがさずくみあげながら前進しようではないか。

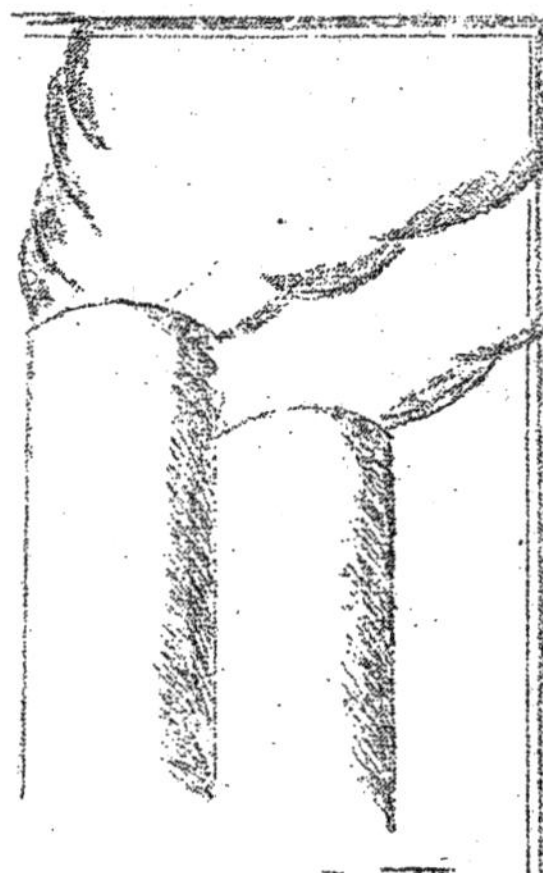

炉材工場と労働者の変遷史

＝日本鋼管鶴見支部委員会＝

僕達の働いている炉材工場は、いつ頃できてどんな過程を秘めながら、今日の姿になってきたんだろう「一つ掘り起して見ようや」

こういう者が集って始めたものですが、何しろハッキリした資料がないため「生きた歴史家」である多くの皆さんと記憶をたどりながら、再三の懇談会をわずらわせてまとめたものです。

これは乏しい資料のため多くの不備や欠陥が散在し、また訂正しなければならない個所もあり、全体的には未完成なものであります。従って多くの皆さんからの御援助や協力に僕達の不勉強と調査活動の不足から、充分答えられず、現場の真意がうまく表現できなかった点、ヤブヘビになった所等その他にも色々といたらなかった事を深くお詫び致します。

尚御協力下された皆さんに心から御礼申上げ、今后共お互に仲良く頑張りましょう。

鶴見窯業創立と「女土方」

〜〜昭和九年〜十四年〜〜

資本主義の避けがたい矛盾である経済恐慌が、世界的な規模で諸国を荒れ狂い、働く者の血みどろな犠牲の上に、ようやく勃興しつゝあった日本の産業資本は、利潤の拡大を追求するために資本の編成と設備の拡張が各地に於いて押し進められていた。

その頃、浅野総一氏により川崎－鶴見にまたがっ京浜の埋立地帯は、うっそうと生い繁るアシが一面にそよぎ、その合間に見えがくれする工場の屋根、ポツリ〳〵とそびえ立つ煙突、この工場に向って労働者は袷の着物に風呂敷弁当をぶら下げ、アシ原をかきわけるようにしながら下駄の歯を鳴らして通勤した。

海鳥の飛び交うこの京浜埋立地帯の一角に、ハッピ姿の若者が掛声も勇ましく、現代の大工業地帯へ発展して来た石づえが、一槌一槌大空に建設のこだまを響かせていた。

この中に女工の涙で明け暮れ、職業病へよろけ病に命をむしばまれながら今日に至った労救工場の前身、鶴見窯業があった。

泣きながら綴られた煉瓦女工の哀史は、昭和九年四月、京浜工業地帯ただ一つの耐火煉瓦企業として増大する鉄鋼需要にこたえるため、黒崎窯業、日本鋼管、浅野造船(現在の日本鋼管鶴見製鉄所及び造船所)の共同出資により、資本金五〇万円をもって焼成炉三基、従業員約一二〇名、月産最大能力一、五〇〇トンの工場として創立された時から始まった。

此の鶴見窯業の経営権を委された黒崎窯業は当時一流の耐火煉瓦企業体であり、その発展の始めは大正七年、独占買占による米価暴騰に苦しんだ民衆が富山の一漁村からふき上り、全国民を蜂起のうずに巻き込んだ頃、資本金一〇〇万円で九州に創立され

そして昭和九年には僕等の鶴見工場と共に日本の植民地であった満州の鞍山に、月産能力三、三〇〇トンの連系工場を設立、更に昭和十一年には岡山県の大星耐火煉瓦工場を買収し、昭和十二年日本帝国主義が中国侵略の野望を抱きその準備態勢を着々と進める一翼を担い、炉拡橋事件をデッチ上げる直前には、黒崎、鶴見、満州、大星の年間総生産量は実に一五九、〇〇〇トンに達した。営業案内書にある通り創立当初僅か五〇〇トン足らずの工場が相次ぐ戦争政策の影響とは云え十数年間に、シャモット、マグナイト両煉瓦を除いた珪石煉瓦のみ、一五九〇〇〇トンと幾何学的に増大して行った影には、生産の担い手である現場マンのドレイ的搾取があり、低賃金に酷使された女工達の血と汗が、涙でぬり潰されている。

鉄鋼とは夫婦のような煉瓦企業は増大する鉄鋼需要の波に投資はホク笑みを続け、八幡製鉄と連系を保ちながら更に、京浜の重工業と手を握った黒崎窯業は好戦気分にうなづきながら、名実共に煉瓦企業の王座に君臨した。

4

黒崎窯業連系の中で、こたえられないほど儲ったと云われる鶴見窯業は、法外な労働条件と耐え難い低賃金であった。

従業員の大半を占めた、女工達は、女性特有のささやかな人生への夢を抱きながら、人間としていつかは訪づれる結婚の幸福感にひたり現実に押し寄せてくるきびしさを「やがていつかは」と将来の夢に託して、歯を喰いしばりながら耐えぬいていた。

木の葉が落ちても感傷したくなる年頃の娘等も、一旦工場の門をくゞったら最后、終業時間がくるまですべてが自分のものではなかった。考える事も、仕事の苦しさに泣く事も自分の命に関する事までも職制の手中に握られ、その指示に怒りを押し殺して従わねばならなかった。

働く彼女等は男まさりのたくましさを労働に傾注し、お嫁入り前に「働き者」と世間の風評を気にしながら、少しでも職制に認めてもらいたいと競争的に働いた。しかし賃金上では「嫁入仕度」どころか職員、職工、鉱夫と差別された身分制度は、努力を寸った人無視した報酬であった。

市民達は彼女等を「女土方」と呼んでいた。

「口紅をつけても女土方じゃあな」

「女土方だって数人中にゃあ、まんざら悪いのばかりため限らねえさ」

世間の風評は彼女等に嘲笑的であり、通勤の途に「耳が何故あるのか」と云いたいような言葉を浴びながら、将来のためと歯を喰いしばり「お母さんにはこんな仕事見せたくないわね」とお互に云い聞かせ、恥しいような土方仕事に女工達の悩みがうずいて行った。

労働の辛さも一般には認められず、血の一滴までも絞りだされるようなドレイ的環境にあっては、むしろ呪しくさえあり、頽廃した貪欲と享楽の社会へ「いっそのことオメカケさんにでも」とみずから堕落を自嘲したくなってくる。

「顔に自信があったらね」と

まずしい農漁村出身者が他の工場からしめだされて集中した従業員が大部分を占め、飢餓的低賃金と青白い職制の監視の中に酷使されていたが、青春の血は何者にも押えがたく躍動した。現場に働くたくましい若者達は汗とほこりで真黒けで、顔の前後もわからないけど、若き情熱は本能的に心と心をさぐり結ぶのだ。

所が職制は、それも許さなかった。「職場の恋愛は御法度の社内風紀に照らして」と云ったようなロボット的職務で、彼女等のさゝやかな夢さえふみにじ

5

つた、岡ヤキも半分手伝ってか「職場内の恋愛は能率の低下を来たす」と云うわけで当人達、特に女の方を迫害する。

「お前何人男があるんだい」

「もう関係はどこまでいっているんだい」

「うそを云ったってちゃんと目が答えているぞ」

事務所へ呼びつけられるとろくな事ではないと何か観念的に不名誉とつちかわされてきた当時の環境実態に於いて、たとえひやかしにしろこのような事を云われることは純朴な彼女等にとっては、耐えがたい心理的な苦痛を併う。

若者達は「冗談じゃあねえ、俺達あ娘っ子が、たよりでバリバリ仕事があをれるんだ」とヤセた頬をトンがらせ、目をギョロつかせて憤慨した。

このようにして職場の恋愛は芽の内に摘みとられ、結果的には「気まづい思いをするよりも」と明日の飯を求めて去って行く合理的な首切りの形態に似たものになって、た、だが勇気ある者は職場の中にあって監視の目をのがれ、チロリチロリとサインを交わしている。

終業のベルが鳴るとホッとする、若者達は本当に自分達の生活に解放された喜びに満ちあふれ、待ち合せたように工場の鬼門からアシ原の中へ消えて行く、この姿に誰が干渉できるでしょう。しかしこ、にも現実は容赦しないで二人を襲うでしょう。

昭和十年、会社創立以来一年を経過し黒崎本工場から技術指導に来ていた人がボツボツ帰り始めた頃会社はあるていど作業の熟練度が高まったのを期により一層搾取機構を強化する手段として各現場に何人当り一日の責任トン数を定めた、そして責任割出トン数より生産を上げれば割増賃金を支給すると従業員の生産意欲を刺激した。

しかし職制の机上計算で刺激すれば高まるであろうとゆう前提のもとに、一日何トン、その単価がいくら、と割りだされた数量は現場の実状をまったく無視していた。

「賃金制度を記の通り改正する事を決定致し候の件通知候也」と一枚の社内通知書によって押しつけられたものは、いくら頑張っても十時間の定時間内では遂行することが困難であり、割増歩合など、とおてい稼げないように仕組まれていた。

責任トン数が定められた事に於いて、結果的には従来通りの生産高では、賃金の低下をきたすことになる、それでなくとも飢餓的な低賃金で暮らしをやりくって来た従業員は、当然な不満の声をみなぎらせた。

6「こんな安面じゃあ独身者だって喰って行けねえ、まして俺にゃあ嫁とがきが家で口をあけて待ってるんだい」

「歩合、とらにゃあ喰って行けないし、さりとでどんな事をしたってこれ以上あがりっこねえよ」

「だいたい責任トン数がべらぼうに多すぎるよ、一体役付の奴等あ何をボヤボヤしてるんだ」

　能率責任制度の不合理を「現場の実体はこうなんだ」といくら力んで話して見ても、職制は全然相手にしてくれない。「何とかしてくれ」と不満は役付の廻りでカラ廻りするだけで、役付としても現場の云う事はわかるけれど、どうにもならなかった。

　労働者の団結権をうばわれ、労働組合組織を持たないみじめさは、命につながる問題でさえも泣き寝入りしなければならず、心からの要求も職制の一にらみで崩れ去って行った。

　何とかしてくれるだろうと、素朴な善意を願い、頼りにしている者、追従笑を浮かべてペコペコする者、止むを得ず退職して行く者、みんなファッシズムの権力が人権を剥脱していた状態の中で、自身を守る組織を持たない労働者の苦しまぎれであり、生きるために止むを得ない自己防衛に外ならなかった。

　会社は業績のためなら一切の道義もくそもなかった。毎日十時間の定時間作業以外に二時間の残業、女工達は感覚を失うほど疲れても帰ることのできない半強制的なものであり、手のひらはタコだらけで「これでも女の手か」とうたがいたくなるほど関節が不恰好に肥まり「恥かしくてとてもお客様の前には手が出せないわ」となげいていた。

　また焼成工は肩の筋肉が盛り上り、あたかもサルから進化した当時の原始人類を想像させられるほど労働の強さは身体の構造を作りあげてしまった。黒崎から作業指導に派遣されて来た人でさえ「こんなばかな所もあるのか」と目をそむけて憤慨したという。

　やがてロータリ、プレスが導入され、生産は一躍増大したが働く条件の環境は全然整備されず、機械ばかり可愛がる職制に内心面白くないものを感じた。

　手作業から機械作業に移った現場は楽になるどころか、機械に追いまくられる結果となり、働く者が卒直に感じた事は期待はずれでてありがたくもねえ」とゆう事だった。それのみか労働強化は当該現場だけでなく、整備されない関連現場へシワとなって押しかぶされ、忘しいようでさえあった。

　だが作業は業務命令で強行され、文句があれば退職して行くしか手がなかった。

賃金ドレイのように

昭和十五年〜十六年

昭和十四年、鶴見窯業は創立五週年を迎えた。その間に得た拡大な利益は従業員の額毛をしりめにどんどん蓄積されて行った一方、京浜重工業の足どりは急速に発展し、刻々と増大する耐火煉瓦の需要に応じ切れず、清水に分工場を設立するほどになったこの分工場が設立されるほど会社が儲った事に於いて、従業員は更に耐え難い苦しみを背負はねばならなかった。

一部の従業員は栄転の美名によって「お芽出度う」の一言の訓辞を受けただけで、何の保証も約束されず清水の分工場へ転属を命ぜられ、残った者にも「行くも地獄、残るも地獄」と云う表現通り、労仂強化は目に見えて強まって来た。

見知らぬ異地へ転属して行った者もさることながら、鶴見に於てもガソリンカー等が購入され、「今まで二人で押していたトロが一人の運転手だけで六台も動かせる」と云ったように、増大する需要に生産性を高めた。

その結果従業員にもたらしたものは何であったで
て
しよう、責任トン数の引き上げと単価の切り下げ、また関連現場へ仕事が山積される以外なにものもありません。

賃金ドレイの様相は増々度を強め、やがて辛棒にも限度があり「どうにもならん」と云うドン詰りにきた、請負単価が切り下げられてどうしても賃金が安くて喰って行けない現場が出て来た、その現場の人は「背に腹は変えられねえ、どうにも仕様がねえから会社を休んで、どっかえ出稼ぎに行こうや」と云う事になり五人六人と連れ立って、他の工場へ人夫として仂きにでかけた。

慣れた仕事を放りだして、不慣れな仕事をすることはどんなに骨が折れ、つらいことだろう、だが人夫として出稼に行った方が賃金が割合に良かったので止むを得なかった。

会社は現場に欠勤者の意外に多い事に首をかしげ内々さぐって見た所、理由がわかった、そこで会社は職業指導所と結託して卑劣にもその権力をバックに従業員を圧迫して行った。

腹が痛い、用事が出来たと云って会社を休み人夫に行ったと知れると、指導所から呼び出しがかゝる。応じなければ家まで乗り込まれて詰問される、本当に腹痛や、止むを得ない用事で休んだ場合、それを証明するハッキリした証文がないと目もあてられない。

「無届で職場を放棄することは争議行為だ、君達は我々に楯つくつもりか」

「警察のくさい飯が喰いたいか、どうなんだ、お前だってその位覚悟してんだろうな」と云った具合で外聞もはじかる。

経営者は指導所にバラ撒く金はあっても、従業員の賃金はビター文増やそうとしない、それのみか低い賃金へいかに魅力を引きつけさせるかと職場に従業員をつなぎ止めて置く方法をひねりだしてきた。それは皆勤賞与と名付けた賃金制度の一部変更であった。これによって現場は請負単価が切り下げられたのでどうしても皆勤賞与を取らなければ、生活ができないようになってしまった。従って体の悪いのを無理して働いて悪化の原因を作る者もでた。

惨酷なほど法外な利潤追求のために体を壊すとゆう矛盾に落ち入り、生活は神様の手稼でもなければ続かなかった。

参考までに「昭和十二年六月、下記の通り職工増給の件通知候也」と云う資料から拾って見よう。

以下日給額で手取額ではない。

女工　最低六一銭　六〇銭台八八%名

男工　最低八四銭　一円以下六六%名

女子工員は割増歩合が稼げないから実際的に男女の差はもっと開くであろう、更にひどいのは賞与である、女子等は男子の四〇%に満たない、以上の事は職工の場合であり、この下に職夫、人足と呼ばれる身分差賃金が存在していたことを明らかにして置く必要があると思う。

ほかに類を見ないほど悪辣な経営政策は、想像を絶するほどであり、それを祝ってか会社創立五週年行事が盛大に催された。

関連企業の重役連中を招待した会社は、我が社経営を誇り、いかがわしい女達の嬌声がムンムンくる中で、労働者の血と汗でにじんだ祝杯をあげた、そして支那侵略戦争の拡大とより一層の労働者を搾取する事を誓い合い、集った資本家のはしくれ共・口民の犠牲と軍艦旗を背景に海外市場の略奪に杯した事だろう。

このような利潤をもたらした真の担手である従業員にはどうだっただろう、「三〇〇万円儲けた」と云う噂をよそに僅か一人当り一〇円前後の賞金をだしたに過ぎなかった、それも「紋付袴」でなければ手渡さんと恩を売りつけるような傲慢な態度であり、従業員は、「金は欲しし、紋付袴など持ち合せがない」と大困り、仕方なく近所隣から親戚中

綻びきった、粗末な恰好をつけて押し頂いた
資本金五〇万円で設立した工場は此の時既に五〇万円以上の利益をあげ、極端に云うならば最早資本家のもの又は彼等、働く者の賃金になっていても不思議ではない。それが蒼白の顔となった十円前後の賃金に等しいことでヌリ替えられてしまった。

「煉瓦女工」の名著を残した「野沢フミ子氏」も煉瓦女工として働いていた。当時は相当の就職難であり八方手をつくしてさんざん探したあげく「女工方なら、あります」と教えられ、「皆んなに出来て私に勤まらないことはない」と思うめると覚悟を決めて煉瓦業に入ったと云う。

ところがおどろいた、よくも何でも女がやる仕事だから、こんなにみじめな職場だとは想像もしなかった。この苦しい体験を基にして「煉瓦女工」の名著は生れた。

会社の営業案内書に、従業員慰安施設としている写真をそえて、「若い女と云えども一日数百程の煉瓦を打ちます。これも皆熟練のたまものであります」等々」とか「女性のこまかい神経が繊細な製品を作りだします」と宣伝したものと、彼女の作品に描かれたものといずれが真実であろうか。

――監督のきびしさに汗をふく間もなく瓦の型押すガラス工場で十分間ある休憩時間を羨やみながら「一銭でも多く」と疲れた体にムチ打って、機械のように働いていた。――

――満足に支給されない手袋に僅かなお給料が削られず泣いた――

――男の人と話をしただけで事務所へ呼びつけられ、いやなことを云われた――

「煉瓦女工」の主人公を通して表現されている作者の鋭い観察こそ、埋もれた女工の真実赤裸の姿である。

この名作は一度映画化されたが、真実を恐れた黒い手が、上映禁止に抹殺してしまった。しかも無惨の怒りを込めて弾圧された映画は戦後劇団によって公演され、好評を博した。

労働運動は激烈な血の弾圧に流し始めから、表面上からはその姿を消しもあり、ほとんどが非合法的活動とならざるを得なかった。このため現場の人々は知る機会もなかったが、先進的な人々の胸には階級斗争の火が、弾圧を貫いて深く燃え続けて消える事を知らなかった。

或る日、原料を積んできた貨車が意外な荷物を積んできた。それは手のひらにかくれてしまう小さなマッチであった。これが全従業員にショックを与え一

10

騒動持ちあげた．

「おい、これ何のバッチだろうな」

「さあねえ．だいぶよごれてるから何だかさっぱりわからねえな」

「持って帰ってガキにでもやるべえ」

「そんな事より早く仕事を片付けて．飯でもパク付こう」

と云うような訳でまさか爆弾？を内包しているとは知らず．そのバッチを帰手の横に付て汗を流し続けていた．

巡回してきた監制は何と思ったのか．突然顔色をかえてすっ飛んで来た

「この野郎下りてこい」

彼は仕事中の貨車の上から引ずり下された．今にも喰いつかんばかりの顔と、あまりにも荒々しい語気に驚ろき、瞬間まわりで仂いていた者はただ呆然とし．彼はわけのわからない大きな不安がこみあげてきた．

「貴様はいつから労仂組合なんかへ加入したんだ とにかく事務所へ来い」

監制に胸ぐらを掴まれ．あたかも大罪でも犯しちまったように泣きだしそうな顔をしてしょんぼり引づられて行った．

貨車の中に落ちていたバッチは．労仂組合員の章であった．当人はそれとは知らず帰って子供にでもやろうと．気軽につけていたのだが．監制の執拗な監視の目は、こんな小さな変化まで見逃がさず光っていた．

拾ったと云っても信用して貰えず．わけのわからない事を相当に絞られたのみか．その筋から根掘掘り尋問され．おどかされたりすかされたり．現場の人はもちろんの事．友人親戚までもその手はのびて行った．

「チエッ 柱の割れ目まで調べて行ったが ナンキン虫の数までノートしやがったかな」

独りで守り続けた秘密までさわられ．えらい災難だったと しゃくにさわって仕様がなかった．

現場の人の多くはこの時．始めて労仂組合とゆう組織がある事を耳にした．

「労仂組合って凄げえんだなあ」

「あの野郎の顔づたら見られたもんじやあなかったぜ」

「一体労仂組合って誰が親分なんだろう」

「しかしだいしたもんだねえ」

現場では事件後．よるとさわるとこの話しでもちきりだったが、好奇心と不安がゴッチャになって．

積極的に動く者も居らず、時を経ると共に話題にものぼらなくなり、又苦しいカラの中に「御身大切に」としいたげられて行った。

鶴見窯業創立以来毎月全従業員の半分以上に及ぶ人員が入職したり離散して行った職場の状態から見て、職場につちかわされた特殊性がそうさせた原因も少しはあるだろう。

戦争と日本鋼管へ 買収されたけど

〜昭和十六年〜二十年〜

昭和十六年十二月八日、大東亜戦争は遂に勃発した。日本帝国主義は完全に理性を失い八紘一宇ととゆうような訳もわからぬお題目をとなえ、天佑と神佑で武装された皇軍は解放と侵略をごっちゃにして玉砕へと舞い立って行った。

植民地の甘い汁を奪われまいと諸国の資本家はこれに呼応し、鶴見窯業も焼成炉の増築等各部門が拡張あるいは新設がなされ、生産はふる稼動に回転も始めた。

従業員は、労働が強化されたことは云うまでもなくつらい作業も「大本営発表、我が軍の戦果は」とシヤニムニ叩き込まれる軍人精神と戦意昂揚の新聞ラジオの御用宣伝を信じる事によって、どうにか保っていたが、半強制的な苦しみにしばられていた。

米は国家統制になるし、日常物資は公定価額ヤミ価額、ガソリン自動車は木炭になるしすべてが戦時の灰色にぬり潰され、「パーマネントはよしましょう」と子供の口にまで歌われ、忠君愛国の鉄カブトは小学校までがぶらさされた。

天皇制イデオロギーは皇居遥拝から权威に従順な翼賛を誓はされ、僅かな給料から国債国民貯金、弾丸切手を強制的に買はされたが街には切符制限で何も買えなかったので、またゼイタクは国民の敵と信じていたので別に不便とも感ずる事ができなかった。

会社は戦時態勢の布令から皇国三〇六〇工場に名をあらため、従業員の身分も隊員と替ったが鶴見窯時代から続いた職員、職工、職夫と別けられた身分制度は、賃金上にそれまゝ移行して行った、それのみか「一旦緩急あれば義勇公に奉じ」と一銭五厘の葉書で肉弾となってふっ飛んで行かねばなりません。

職場には職制の上に更に軍隊の指揮権が加わり働く者の一切の自由は、「戦地で泥水をすゝり草を喰ってがんばっている兵士の事を思えば、この位の仕事が何であるか」「貴様等は産業の戦士だぞ、大和

12

子の恥を知れ！恥をしと云うように束縛され・軍部に結びついた産業報口会組織は恐怖さえ感じ「銃後の戦士」として・空襲と圧制と生活に苦しめられるために「どうせ苦しいならいつその争安隊にでも志願した方が」と勇ましいマーチに送られ指揮棒に踊らされて死地におも向いた多くの若者があった・

戦争はいよ〳〵激しさを加え・大本営発表は狂気になって口民に吠えついているにもかゝわらず・戦地では敗色の状態はおゝい難く濃くなり・口民はひつきりなしに来襲する敵機に痛めつけられた・現場では呪わしい空襲のサイレンが鳴ると・空を見ながら焼成炉から溢れる火を防がねばならなかった

このような戦況に於いて・勝つために・あらゆる口中のものが動員された・労仂力の不足は「生めよふやせよ」のスローガンになって叫ばれ・これから生まれる者までも敗色挽回の無謀を信じて動員された・全口中の工場は「皇口」「護口」の名称統一から更に軍部に顔が利く独占的資本家の手に・譲りそうな企業が集中されて行った・

僕等の皇口三〇六〇工場も資本のつながった日本鋼管に合併され・炉材課となった・

日本鋼管の一工場になったことにより従業員は「現在よりあるていど良くなるんぢやあねえか」と期待を抱いていたが・労仂条件・賃金面は一向に改善されず・かすかな希望も崩れ去った・しかしどんな苦しい中にあっても現場から一歩も引かない労仂者の魂は・たゞひたすらに勝利を信じて仂いていた・

相変らず劣悪な炉材課の労仂条件は・定時間作業では喰って行けず・疲れた身体をムチ打って更に時間外・他の現場に人夫として仂き、自分の身体を喰うような恰好で生活費の一部を稼ぐ・又それが皇口への御奉公であり無条件でほめたえられた・

口民の極大な損失と犠牲の上に遂行された大東亜戦争も・いかに旺盛な精神力をもっていても・豊富な物資の前にはたちどころもなく・神風一人が頼りであったが炉材の従業員は「後退も一つの作戦で」と思い込んでいた・「どうせ防空壕へ入った所でやられる時にやあ・やられちやんだから」と空襲になっても現場に頑張っていた者も・鋼管に合併された翌昭和二十年・被爆の洗礼を受けるに至っては・やはり命が惜しくなり・我れ先にと飛び込むようになった・

絶え間ない空襲に汗ぐっしょりになって仂いている従業員も・若い青年はビッコか片輪でもなければ見当らず・青森・秋田等の東北方面から連られてこられた女子挺身隊や・朝鮮から狩りだされて来た徴

用工・学生とは名ばかりで強制的に働かされている勤労学徒、みんな戦争のために人間性まで奪い去られ、牛馬のごとく働く動物にほかならなかった。この中には仕事の苦しさに耐え兼ねて脱走し、たちまち捕えられて厳しい制裁を受ける朝鮮の労働者、「キユーン」とうなるように飛んでくる艦載機の機銃掃射に逃げ遅れて手を射ち抜かれた勤労学徒や、めったにない休日に家族のもとに逢いに行く途中命を失った現場の友もあった。又更に不幸な犠牲者として日本軍に捕えられた捕虜達が銃剣に突添われて働かされ、帰り路で拾った煙草の吸殻を見つけられ血だるまになるほど殴られている所も見た。「あんなに殴らなくったって良さそうなものになあ」と家畜のように憎い敵兵ではあったが、赤い血を見て同情が湧いた。

相次ぐ爆撃に生産はマヒ状態に落ち入り、工場のまわりに性別の見別けがつかない焼死体がころがっていても、夢遊病者のように誰もふり向く余裕をもつ者がいない。

子供が長グツを拾ったら中に足が入っていた。その驚きに泣きだした声を聞いて「ああ誰かやられたんだな」とおぼろげに理性がうずく程度。誰がどう片付けるのか知る必要もなく、それよりも家族の事の方が心配だった。

一夜にして鶴見から川崎にかけて見透しがきくほど焼野原と化した。猛火の中に肉親を呼びさまよう人々、焼死体の悪臭も厭わず罹災者にお茶を汲んで整理に当った炉材の従業員は戦争の悲惨をにくしみ、苦しかったが平和な頃が忍ばれてならなかった。

日本の敗戦が決定的な時間の問題になった時、アメリカは日本国民をモルモットにして、原爆の実験を、広島、続いて長崎へ全人類として許しがたい惨虐が、世界史上にその恐るべき傷あとをつけた、何の為に・何の罪もない数百万の市民を実験台にして殺害し、永遠の苦しみを背負わせたのは。しかし従業員達は「新型爆弾」とニュースの発表以外はなにも知らなかった。「たった一発で広島市がふっ飛んじゃったんだってよ」「そんなにでっかい爆弾どうして運んで来たんだベー」と云った程度のものだった。

昭和二十年八月十五日、今日は天皇陛下の玉音放送が行われると云うので「いよいよ待望の神風が到来か」と精神に希を持たせて正午の時間に興亡を賭けていた。しかしラジオがピーピーガーガー雑音で良く聞きとれなかったが「終戦」と云ったような言葉が聞こえ、意外な結果に自分の身を疑うたぐった遂に悲惨のような戦争は終った。「もう逃げまどう心配はない」と思ったが、敗戦と云う逃げられない不安に襲われた。この不安は敵におめおめと捕われるは最も恥ずべき醜態、大和男子は自決すると云ったように信じ込まされた美徳観念のせいもあるが「死」というものは意外に簡単なものではなく、又当時ハッキリ型づくられていなかったが、数百万の人間を平気で新兵器の実験に殺したアメリカ軍が新らしい支配者として、乗り込んで来るからだったろう。

終戦と共に朝鮮から狩りだされて来た労働者は鎖を解き放され、東北方面から連れて来られた若い娘等は、懐かしい古里へ、平和な緑の生い繁る親のもとへ、喜び勇んで帰って行ったが残った女子工員達は、「大和撫子」の貞操を守るために、黒髪をも切りかねないほど怖えて「結婚してれば良かったね」と自分が女であった事を呪った。

一方従業員達は共に苦しみながら汗みどろになって働いた同僚が、一人去り、二人去りして行くごとに歯の抜けたような淋しさを感じ、敗戦の日本に自分の将来は暗黒に閉ざされ「一体これからどうなるんだろう」と、捕虜の虐待を見ているだけにやがて駐留する外国軍隊に怖えながら、熔鉱炉の火を守り続けて行った。

苦しい中から

職場の民主化へ

〜昭和二十一年〜二十二年〜

昭和二十年十二月二十四日、我々の新しい歴史は、その力強い第一歩をふみだした。

「敗戦の事実は冷酷なる様相を呈し、社会の混乱は我々の生活をおびやかしている。我々は同胞なり、ここに強固なる団結のもと、日本鋼管鶴見製鉄所労働組合を結成し、あらゆる困難と障碍を克服、突破、自由なる主張の発表及び正当なる権利を擁護し、専心生産に従事しうる生活条件を獲得し、もって社会の福祉に寄与せんことを期す」と労働組合結成の宣言を発し、組合の承認、賃金の三倍値上げ　外五項目の要求をかかげて立ちあがり、戦時の名のもとにしいたげられてきた不満を、一挙に吹き飛ばさんばかりの勢いだった。

鶴鉄労組の炉材支部となった現場の人達は、「労働組合」と云っても何だか良くわからなかったが賃金三倍値上げの魅力に感銘し、云うことのできなかった不満が場を得て、群衆心理的な爆発に達した。

此の要求実徹のために行われた本社へのデモは

飢を前にしてただ生きたいとゆう人間の本能的な行動で、恥かしいも外聞もなかった

「奴等は米の飯を喰って背広を着ていやがる」と本社へ押しかけた組合員は憤慨のあまり、食堂のライスカレーを喰っちゃった者もあり、重役の帽子を勝利品として分取った者もあった。

払い下げの兵隊服を着て芋がユを吸っていた組合員としては、敗戦の日本にもこんな場所が残っていたのかと驚ろき、それが耐乏生活を美徳と教えてきた会社のオエラ方の居る所だと気付いた時、たまらない憎しみを覚えた。

こうして銀座通りにたくましい鉄の労働者の足あとがしるされ、労働組合の前には戦時中あんなにいばっていた会社も手も足もでない、と云う現実を見た組合員は「団結」の力の偉大さに芽生え始めた。

正月のふるえが止まらぬ一月二十四日、会社回答を不満とした組合は即日生産管理斗争を宣言し斗争に入ったため、組合要求無条件承認とゆう我々の初勝利が輝いた。

団結こそ働く者のただ一つの武器であり、労働者が心から統一した暁には、あらゆる障害も突き破る事が出来る確信が、感激の中から組合員の胸を捉えた。

炉材支部は製鋼、運輸等の各課から七〇名近くの配転者を迎え、壊滅的な打撃を受けた鎔鉱炉、平炉の復旧のために、戦短いか早く加工の第二次製品と共に、生産が開始された。

組合員は金融緊急措置令、物価統制令等の逆乱した経済状勢の大波にもまれながら、増々深刻化する食糧飢饉に悩み、加工の第二次製品である「ナベ」「カマ」等を賃金の一部として受け、喰う物を求めて附近の農村へ交換に、あるいは買出しに出かけ、糊口をしのいだ。

「百姓の奴等まったくミヤクにさわる奴だ、前に来た人は何々持って来た、何々持って来たと、金だけじゃあ売ってくれやあがんねえ、台所にくさるほど転がってるくせに、国に売りやあがってふんぞり返えてる、ムカッと来たから帰えってこようかと思ったんだが、やっぱり買ってこねえ事にゃあ、飢死しちゃうんでなあ、いやなおやじが何度も頭あ下げて、くやしいけど売って貰ってきたよ」

「俺もそうだよ、子供の奴等までバカにしやがって」

「俺なんかもっとひどいよ、芋を売ってやろうと手鉄ぶら下げてきたんで、天の助けとばかりあけて見たら、みんなくさった奴ばかり、どっかで拾い集めてきたんだろう、それを見て、がしてるがして

16 てると大声をあげて散ってった。全く腹が立ってたまんなかった」

月給取りを羨やみ「農村は都会に搾取されてるんだ」と思い込んでいた農民の報復、又逆になった状勢で農民をうらむ、これで喜こぶのは誰であろうか。

我々の敵は農民ではなく、また農民の敵は工場労働者ではない、お互いは直接的間接的に搾取されている階級であり、農民の生活の苦しいのも、労働者の生活が苦しいのも皆独占的資本家の収奪のためである。日本特有の低賃金が低米価を基礎に成り立っている事を考えれば、共通の敵として統一戦を組織して斗わない限ぎり苦しみから解放されない。

しかしこゝに起った現実は人間の感情として簡単にぬぐい去る事はできないであろう。だがこの事が理解できないかぎり、働く者は隷属の鎖からぬけだす事はできない。

敗戦后の悪性インフレーシヨンはもの凄い勢いで高まり、賃金生活者は暴騰する物価に打ちのめされ、あらゆるものを売り尽くしてしまった。その収奪政策に「喰へる賃金をヨコセ」と労働者の斗いは全口的な規　で盛り上り、官公労を中心に二・一ストに組織されて行った。

飢餓線上をさまよう労働者の革命的ふんいきの中に、有史以来の大ゼネストが決行されようとしていたこの時、駐留軍最高指令官マッカーサー元師の声明は銃剣をバックに労働者の要求を弾圧して去った。

民主々義を教え、働く者に权利を与え、自由にして貰った思い込んでいた労働者は、アメリカ軍のぬぎ捨てた仮面の下に現われた正体に驚ろき、信じていた彼等は敵であったのかと、その占領制度のきびしさを身をもつて感じた。

抵抗の経験の浅い日本労働者の悲劇であったが、所詮は階級意識を持たない労働者の団結は敵のイデオロギーの前に、いかにもろいものであったかと云う事を知らされた。

一旦開いた労働者の心の眼はふさぐ事はできない、やがてこの年の秋頃、銃剣の前に崩れ去った教訓は無意識的にではあるが職場の中へ移行して行った。

日毎上昇する物価に、戦争の名によって口民から強奪した物資を抱え込んだ会社は、生産サボを行い、寝ていても利潤が増大して行ったが、更に儲けるため復旧されつゝある施設を徐々に稼動を始めた、

これにつれて会社の役付は「兵役の階級が上だから」「勤続が古いから」というだけでなった現場の役付を身分化し、戦時中と同じような方法で作業の指導に当り、中には横暴とさえ思われるようなふる

きいをする者すらあると聞き及び、強まりつゝある職制の一翼を担ってのしあがってきた。一旦崩壊したはづの権力が、手放しで喜んでいる内によみがえり、事実となって現場に浮んで来た事に不満は大きな力でふき上って来た。

炉材支部組合員は、青年部を中心に「職場の民主化は役付の公選から」とスローガンを掲げ「我々の役付は我々の意志によって選びましょう」と不断から「面白くない奴」と個人的感情も入り混って、係長も含めた全役付の公選を、第三期執行部の代議員会に提案した。

代議員会としても「これは炉材支部だけの問題ではなく、どこの支部にも内在している問題である」と明るい民主的な職場を作るために全支部代議員がこれを確認した。

役付はビックリした。民主々義、自由主義の平等精神が潮のごとく流れ込んでいた時もあったので、「時代の流れだから仕様がない」と思ったり「どうせまた再選されるだろう」と自己を納得させたりしていた。

組合はこの問題で会社と交渉をもった結果会社も基本的にはしぶしぶ承任したが「公選の方法に問題がある」と巧妙な論法で問題を残し、結果的にはうやむやの内に消滅して行った。

この問題を提起した事により炉材の役付は自分が取ってきた従来の日常態度や、作業面に於ける指導等に、率直なあやまりを認めそれ以来反省の色は著しく具体的に、あらゆる方面に亘って実践的に行動されたので、組合員も心良くこれを讃え、感情的な対立も薄らいで行った。

我々は鶴見窯業の暗黒時代を奴隷的にしいたげられながらも、今日のために打ち勝ってきたこの人達の苦難の努力を忘れてはならないし、豊富な経験と誰にも増して職場を愛する美しい面を、感情を越えて高く評価しなければならない、又仕事を愛し、職場を愛し、苦しい生活に圧迫されながらも職場を守ってきた現在の役付達は、無惨にもこの素朴な美しい働く者の気持が会社の不完全な防塵設備のために職業病に犯され、産業の尊い、いけにえにさらされようとしている事をハッキリと知り、団結の力で会社の責任を果させるよう、守って行かなければならない。

絶対ぬけでられない「死の泥沼」「珪肺病」と最初の斗い

～～～昭和二十三～二十四年～～～

「絶対ぬけでられない死の泥沼」、発達した二十世紀の文明社会に、ジャングルの中ならいざ知らず、そんなバカな所が存在するだろうか、それも大都会のど真中、日本鋼管といわれる大経営の中に……

ふと子供のお盆になるとお寺の壁に公開される地獄の絵図に、人間がのたうっている惨景を思いだす。

仏教は社会で悪い事をした人間があゝなるのだと教えているが、我々の云う「絶対にぬけでられない死の泥沼」と云う場所は、仏教やあの世のたわ言ではない、現実のいたる職場に実在しているのだ。

それは「珪肺病」と呼ばれる職業病である。珪肺病に罹病するとその不治癒性は、「絶対ぬけでられない死の泥泥に落ち込んだ」と云う言葉がピッタリと当てはまる。そして病状の慢性的進行性は、「死」の沼にじわり〳〵と、腹が、胸が沈み、肩が、首がと表言できないような恐怖と戦慄に、五年、六年と宿命のように命が消えて行く、自分の死を知った人間の悲惨きわまりない生活は、わめいても騒いでも自身は刻々と冷えて行くのだ。

「働く者の命を次々に奪って行く恐るべき珪肺病」この問題が我々の職場に端を発したのは昭和二十三年の春頃だった。しかし珪肺病はこの頃起ったのではない、既に昭和の初期に早くも識者の間には、関係労働者の保護立法が叫ばれていたと云う、

ところが残念なことに我々は「見ザル聞かザル、云わザル」と云った暗黒的労働環境にあって、全然知るよしもなかった、いや労働者より機械の方が大切にされていた事でもあり、知らされなかったのだ。

昔から「十年勤めると命がないぞ」と職場の先輩から云い伝えられてきた炉材工場、この職場で働く者は宿命的に十年たつとヨロ〳〵とよろけるほどやせ細り、「ヨロケ病」になって死んじまうんだと運命づけられていた、

うず巻く粉塵の中に幾多の尊い働く者の命が、単なる私病「ヨロケ病」として宿命に泣きながら、うらみの涙を職場の中にしみ込ませ、独り淋しく倒れて行った事だろう。

鶴見窯業時代から続いた過酷な労働条件は「なに、粉塵がいやだあ、粉塵が恐ろしけりゃあ、明日から会社に来なくってもいゝから」と云った具合で、マスクなど掛けて仕事をしようものなら「能率が下る」とどやされ手拭で頬かむりしただけでもおどかされて来た。

職制も「あの粉塵は体には害にならんのだから安心して働き給え」と教えていたので、珪肺病などとは夢にも知らず、全くの極秘とされていたので誰の

口からも聞き取る事は出来なかったし、又現場の人は誰も知らなかった、その証拠にはあまりにも仕事の苦さからわざと粉塵が体にふりかけ、あたかも一生懸命作業を続けたかのように見せかけるのも、現場の常識？だったそうだ、だが「十年立つと命があぶない」と現場の誰からともなく語り継がれて来た事は、低賃金と重労働に酷使されながら、どうゆうものかは知らなかったが働く者として命の危険を暗示し、後に続く兄弟へ、輝かしい労働者の未来のために、自分が命を賭けて知った尊い体験を、無意識の抵抗として、我々のために残し続けられてきたのである、

労働組合を結成した組合員は炉材支部の諸活動の中から、長年勤続者が次々に奇態な病気で倒れて行くのを目の前に見て「一体どうした事だろう、これは何か運命なんて云うものではなく、炉材と云う特種な職業からくる病気じゃあないかな」とその病状に対して疑問を抱き始めた。

しかし原因はどこにあるのか何にあるのか雲をつかむように五里霧中で、一向にわからない、わかるのはただ「もうおしまい」と云う事だけだった、

その時だった、支部役員の一人が鉱業労働組合の機関紙に「珪肺病」の斗いがとりあげられている記事を見たのは、それ以前にもおひざもとの神奈川県下に日産自動車労組が、珪肺病の問題で斗っていたが我々の労働組合は生まれたてのホヤ〱で、未だ階級連帯性が浅くそこまで知り得なかった。

もっとも珪肺病と云っても罹病している本人すら気が付かなかったのだったから

全国で珪肺病に命を狙われながら働いている労働者は一〇〇万人を越え、その分布状態は、金属鉱山、石炭、鉱業、窯業、機械鋳物、土木採取業、石工等広範な産業に亘り、この中に一万人以上の人々が労働能力を喪失しつゝある、

このように働く者の命をむしばむ「珪肺病」はどんなものだろう、どうして起るだろう、

これは運命ではなくもちろん宿命なんて云うものではない、それは「珪酸」を含んだ粉塵を呼吸と共に吸い込み、何年かの間に肺に蓄積される。

恐しい事には肉眼で見えない一ミクロンから二ミクロンの微粒子が危険であると云う事で、肉眼で見る粉塵は鼻毛等に防害されて肺の奥まで侵入しない、この微粒子の粉塵が肺に刺さりだん〱蓄積されると酸化をきたす、最初は粟粒状のハン点が出来徐徐に密集して結節をつくる、粒状のハン点は好んで血管の近くに結節を作る性質をもっているため、血

泡のじゅんかんに支障をきたし細胞がふくらみ、やがて肺の機能をマヒさせてしまう、

　この病状の進行過程を一症から四症度までに分けているが、その発見の方法もレントゲン照射によるしかない。それも撮影条件によっては充分な判読ができないばかりでなく、しばしば初期の病変を見失う場合がある。

　珪肺病は自覚症状が全くないため、当人は医師の宣告がないかぎり気が付かないのだから仕末が悪いもっとも自覚症状が現れた時には労働能力の喪失が始まり、死が間近に迫っている事を悟らなければならない。

　一旦遊離珪酸を一定量吸い込んだ以上、その発病を阻止する事はできないし、又病状の進行を阻止する事も出来ない。現代の医科学では病源がつきとめられているにもかゝわらず、治療の方法は全くなく、珪肺のために併発する余病を癒すと云う消極的手段しか施しようがない。

　珪肺病は老若男女を問わず遊離珪酸を含んだ環境の職場に働けば誰れなく罹病の条件に当てはまり、炉材工場は煉瓦の主要原料たる珪石の粉塵が九八%以上と、最も多量に含んでいるため、非常に危険な職場である

機関紙の交流の中から始めて知った炉材支部組合員は、炉材で働くかぎり不可避的に犯される「珪肺病」は純然たる職業病である事をハッキリと認めそしてその責任は防塵設備の全くない現場に働かした会社の非人間的取扱によるもので、全責任は経営者にある事を明らかにした。

　現場の組合員は病の悲惨性に作業も手がつかないほど関心が高まり、特殊職業から来る珪肺病は単に労働安全衛生の面から取りあげるのみでなく人道上の問題として要求して行かなければならないとして、当然の救済である「働く者の命を守れ」と組合を通じて一切の責任と保償を会社に追求した、

　職場を愛し、仕事を愛し、苦しい生活の中で工場を守り続けてきた。この美しく素朴な働く者の命が、業績のために放置された防塵設備のために死のふちに追いやられ　絶望の将来にもだえ、またその家族が働き手を失った現実のきびしい嵐に吹きすさばれる、昨日まで隣りで働いていた同僚が、この苦しみにいらだっているのを、人間として手放しで見ていられようか、やがては自身の問題として押しかぶさってくる事である

組合へ珪肺についての調査方を依頼し、労働科

学研究所の佐野博士にその資料を求めた組合員は、その内容を知って更に驚愕した。次々に知る恐ろしい事実に、自覚症状がないと云う事が「自分も若しや」と押え難い不安と焦慮にかりたてられた。

「絶対癒らないなんて現代の医学にもあったんだろうか。恋の病だって癒せば癒る世の中だって云うのに」

「どうしてそんな重大な事を会社はかくしていたんだろう」

「俺なんかもう五年も経っているから……」

このような興奮状態の中で組合結成後初の犠牲者がでた。組合員の怒りは極度にたかまり「執行部は何をやってる」と遂に転場全員大会を開けという力に発展し、現場の意志は命の問題で統一し集結されて行った。

大会は冒頭に全員起立して、尊い犠牲者の霊に黙祈をさゝげ、同様の緊急提案により、ありし日の友に友情のカンパを万場一致拍手の中で決定した。

経過報告については「生ぬるい」の声が圧倒的であり、会社の不誠意をなじる現場の発言は命にかゝわるものであり、真険そのものでーみんな目を輝やかせて共感した。

大会の結果は、珪肺対策委員会を設けて具体的な日常活動を行うことゝ、次の五項目の支部要求を決議した。

一、年四回の健康診断の実施
二、珪肺患者配転に対する手当
三、転換後の賃金保証
四、罹患者に栄養保給
五、防塵設備の早急完備

以上の決議は直ちに会社へ要求書として提出した。これほど組合員の盛り上がりに対して、会社は知ってか知らないでか、少しも誠意を示そうとしない。

我々は誠意を示さない会社幹部に対して、遺族の了承を得て犠牲者の遺体を解剖に附すると共に、珪石の粉塵を吸う所から肺が犯されるまでの事実をハッキリと説明させた。

要求完徹のために支部は、代議員を中心とした珪肺対策委員会を連日連夜、現場の人の注視に守られて討議を重ね、経営者の珪肺に対する認識の不足さを指摘し講習会を行わせるなど、全力をあげて活動し、各支部に実状を訴えて全組合員の協力方を要請した。

代議員会も、組合の命にかゝわる事は坑外支部だけの問題ではなく、本工場地区にも珪肺患者が居る

22

事がわかり、各支部は無條件で炉材支部大会の決議を支持した。

会社は再三再四の交渉で組合員の怒りを無視出来ず「罹病者には全くお気の毒であります」では済まされなくなり、珪肺に対する責任を認めざるを得なくなった。

昭和二十四年二月の代議員会に於ける委員長の珪肺問題について経過報告

「要求した五項目のうち会社は配転手当の一項を除いて承認した」配転手当の項については病状によって平均収入の二ケ月〜三ケ月分支給しろとゆう我々の要求に対して会社は「労災法にハッキリした手当が決定されるまで暫定的な措置として五〇日分支払い、労災法が決定次第精算払いをしたい」と云ってきた。我々はこれに対し要求した手当は配転後の減収保償が中心であり、労災法、障害保険法が決定するとしないとにかかわらず支払うべきであり、又防塵設備もせずここまで放置してきた会社の責任と珪肺病の特殊なことを考えるべきであると追求した。会社は労災法がどう決まるかわからんと云い張るので、結局はもの別れとなった。我々は一日も早くこの問題を解決するために、労働科学研究所及び労働基準局へその資料を求め科学的に論理を深めて行く」

この代議員会に於ける各支部の意見、「この問題は製鋼でも錬瓦を取扱っている築炉及びドロマイの現場、又工作機械にも該当者がいる。私は真険にこの問題を討議してきたが現在までのやり方を見ると本当に罹病者の気持を真険に考へてなされていなかった感がある。現在犯されている人達も代議員会の討議に加えて、本当の声を聞いた上でもう一度やり直せ」

「組合の考えている事も会社の考へている事も、本当に罹病している気持を充分に知っておらない。今後の新らしい人達の事も考へて軽々しく處理しないで欲しい」

「転換者の受け入態勢について炉材の人も私も残念に思っている。私の心境は築炉現場に於いて十五年の経験を身につけ、他人にはできない技術を持っている。そして今四十才で不治の病に罹っている。それをポイッと捨てるように職場を変えられるのではなにかスッキリしないものがある。二年や三年の若い勤続の人なら配転と云っても簡単にやれるが私は会社をやめても他へ行きたくない気持である」

尚遺憾な点として当該各課の職制が、この問題に対して積極的に動かない事実が例をあげて指摘され川鉄労組に於いても同じ要求を提案したが会社回答は全く同じである事がわかり「会社はグルになってる」と云う事を知った。

我々は珪肺対策委員会を中心に、当然砿制が行うべき安全衛生意識の啓蒙や、作業実体の認識と向上を計り、防塵設備のできるまで暫定的な措置として、休憩時間を延長し少しでも労働を軽減させて呼吸量を減じ、粉塵の吸入をやわらげるよう、砿制に要求した。

会社は基準監督所からさえ防塵設備について警告を受けており、おかゝえの医師からも「非常に消極的ではあるが防塵設備のないかぎり、それ以外に適当な方法も見当らない」と云われ遂に二十分間の休憩時間の延長を認めた。

昭和二十四年三月、第一回の珪肺罹病者の配転が行われた、配転者は、二症度三症度の重症患者を含む八名で、この人達は皆窯業時代から砿場を築いて来た人達である。

苦しい仕事に飯を分けあって働いて来た同僚が去ること、現場としても淋しい何か空虚な感情に教られるような思いがするが、　転する人達も永年なじんだ砿場への愛着は美しい労働者の本能として押え難い。

「何かうまい事を云って俺を追い出すんじゃあねえか」と或る現場には自覚症状がないので、そんな感情的な場面もあったが転換者には希望砿種と一旦総急ある場合は、公傷扱にする事も確認して懐しい砿場を後にして行った。

「向へ行っても充分に体を気をつけてな」

「皆も俺達みたいにならないようにな」

「では元気で」「元気で」

こうして去って行った珪肺罹病者達、はたして、数年後、失礼な云い方だが何人生き残った事でしょう、

配転者は軽作業の砿場へ廻ったため砿種給は減少し「約束が違う」と云ったような事も一部に起ったが配転手当も遂に五〇日分で会社案通り押しきられてしまった。

「人べらし」から日の当らない砿場へ

〜昭和二十四年〜二十七年〜

やがてくり広げられた激しい資本攻勢の嵐付珪肺問題にも暗い影をさし込み、我々が命と交換に勝ち取った諸條件までも侵害し始めた。

外口から導入された資本の至上命令は、企業整備

の名のもとに搾取機構を再編成し、労働者の犠牲に於いて遂行し始めた。これに対する日本労働者階級の斗争は、悲惨な抵抗を続けたが多くの場合は敗北に終結した。

炉材も製鋼工場の増加動に伴い昭和二十四年には大量の配転者を引抜かれた。

この年に斗われた越年斗争は要求が焦げつき、業を煮やした炉材支部は決議文を組合本部に提出すると共に、支部長及び青年部支部長が有史以来のハンストに入った。これについては色々意見があったが、本人達の意志が固いのでどうする事もできなかった。

我々の要求はハンストの決行にもかかわらず、一向に好転のきざしがなく、全面的な規模でかけられた資本攻勢は、まったく激しい様相を呈し有史の浅い労働組合は、あまりにも敵の強さに歯ぎしりせざるを得ない状態であり、我々も正月に迫られて止むを得ず涙を呑んで将来の前進のために一歩後退した形になって組織を守った。

「江戸っ子はなあ、宵越の金ぁ持たねえ事に決ってんだい、だされねえならださねえで勝手にしろい。月夜の晩ばっかじゃねえや」

激した組合員の中にはこう云って土性骨を叩く者もあった。

昭和二十五年はこれに追い打ちをかけるようであった。

「ドッヂライン」と呼ばれてた経済九原則は現場の人には何が何だか理解も出来なかったが、アメリカへの従属だろうと思い、更に賃金三原則は「労働者には企業の儲けを保証する範囲内でしか、賃金をあげてはならん」と云う原則を押しつけて行った。

日本の資本家は「サンキューサンキュー」とこれを押載き、虎の威を借りて労働者階級に、血刀をふりかぶりながら挑戦してきた。

このような背景を持った企業整備は、灰色の空に不吉な予言を残し、暗雲は働く者の生活を襲い、激化する労働者の斗いは関ケ原と目指された日立総連の斗い、その外各単産労組も外国資本の隷属に反対して、勇敢な斗いが血みどろになって続けられた。

我々もこの斗いに、出来得る限ぎりの支援と[illegible]の連帯を表明し、カンパニヤ等を行ってきたが、間もなくこの嵐は炉材の上に吹きまくって来た。

会社は「企業縮少により」と第三回の配転を提案してきた。縮少の根本理由は需要の減退からではなく品質の低下と云う事であり「終戦以来技術部門ま、放らかし、不備な設備と未熟練者による生産は、作れ作れで品質の事なぞ全く考えねえで、バリ〳〵やらした会社の責任じゃあねえか」この事は更に生産能率給制度が、粗製濫造に拍車をかける結果になっていた。

「俺達あ一生懸命働いてきたんだ、だから何の責任もねえはづじゃあねえか、品質の悪いなあ会社自身の責任だ」

「ほかの煉瓦メーカーの製品と太刀打できねえってそりゃあ粗製濫造時代の在庫を今頃使ってるからだ、それでなくったってこんなボロ設備で近代的な設備を誇る他の企業と競走関係に立たされたんだや、なんたって、もたないよ」

「会社の責任から生まれた事を、俺達にシワ寄せするたあお門違いじゃあねえか」

こうゆう職場の状態の中で前回と同じく配転者の希望を募った、配転を希望する者は役付を除いた大部分の人が我先にと申込んだ、何故に慣れた職場から配転したがるだろう、それは珪肺病に絶えず命きおびやかされながら働かねばならないと云う危険きわまりない労働環境が最大の原因であった、その外にも前回の配転者から、炉材の賃金面、軽く強度等労働条件の落ることも判然と暴露されたので、珪肺の恐怖と併せて、強い不満が[illegible]しみ亘っており、機会があったら飛びだそうと待っていた。

これほどの不満も単なる感情問題としか域をでず問題として行動的に発展しなかった事は残念であり、我々の今後教訓として充分考えて行かねばならない。

転制は定員の数倍もある配転希望者に、炉材の将来を説いて引き留めに大童であったが、結局狭き門をくぐった者の多くは勤続の新らしい若い者達であった。

残留者には再びこんな事がないよう、安心して働けるように技術部門の充実と、防塵設備の完備をここでも約束されて納得した。

会社は品質の低下が従業員の責任ではなく技術部門の欠陥からなった事を認めたが、転換後の転制は技術部門の強化を口実に、労働強化が目に見えて強まってきた。

「品質の向上のため」と労働条件の侵害は技術の改良を通じてばかりでなく、実際現場には今まで二二で押してていたトロを一人でやらされたり、窯をたゝきはがれ取の仕事までさせられたり、本焼の目方を重くしたりして、これを一方的な業務命令のような形で行われた、現場によっては三直が二直に切り替えられ、残業手当もうやむやになっておやったが各現場に共通した事は休憩時間の一分のロスも許さなくなった事だった。従って時間一杯ミッチリ働かされ風呂へ入る時間も自分持ちとなり、その外にも精神的・肉体的な色々の面で相当の負担となって現場に働く者の上にのしかかってきた。

現場の者は日毎に強化されて行く労働をハッキリと自覚していたが労働組合はその時、それをハネ返す事の出来ないほど大きな痛手を受けていた。

それは「レッドパージ」と呼ばれた不当きわまりない首切りの傷あとであり、又た組合弾圧の魔の手は労働者の血を浴びて荒れ狂っていた。

上から与えられたような組織は活動家を切られたために抗すべくもなく、又日和見的考え方が広まっていたので積極的に心からの反対し活動する者は、ほんの一部に過ぎなかった。組合員は大部分が個々の胸にパージされる名を発表された人達が、あらゆる労働条件改善のために先頭に立って斗ってくれたその功績を充分に認めながらも現状態は賃金にマスコミの宣伝に動揺しており、心の中では「済まんなあ。しかしどうする事も出来ねえ、全く悪いけどお気の毒になあ」と心の中で手を合せながらも「巻きぞえ喰って女房や子供が」とつい見殺しにしてしまった。

支部内に犠牲者にカンパの事も起ったが、こんな時事ですら自分の首を心配して積極的に賛成する者もなく、逆に「良い事だけんどあ今は……」と言葉をにごし、よした方が君のためじゃないかと云うような含みを忠告めく。当時の組合員としてはそれが精一杯な成長だったろう。

相次ぐ配転に引き抜かれた炉枝の職場人員は半数近くに減り、月産一五〇〇トンの設備も僅か四〇〇トンに生産は下落した。そのために賃金の半数以上を占めた能率給は法外に低下し、生産能率給は成りたゝなくなり、炉枝は「品質が向上するまで」と生産量に左右されない補助部内能率給に切り換えられた。そればっかりか能率給を半人前しか貰えなかった一兵卒の下っぱが一人前の能率給点数一〇〇点を持って労務配転もあまったので、中堅方は数年間苦しい下積の中から、ようやく一人前の能率給を貰うようになったと思ったのも束の間、又一兵卒に逆戻りになり経験による技術の向上は賃金面では全く報われなくなった。

熟練者が配転したために炉枝の労務構成平均は上昇したが、賃金平均は上昇もないばかりか矛盾を深めつゝバランスを失った。

こうして働く者の犠牲の上に品質の向上がなされて行く中で朝鮮戦争の始まりである。これを見込んで行なわれた企業整備、レットパージは合理化の美名にかくれて儲のためには労働者の人権、生活権、道徳的秩序までも平気で破って行く資本家の本質を二ツの黒い目でチャンと見きわめおやった。

組の請負として入っていた従業員は、組形態が、「人入れ稼業」的な法違反の二重搾取機構であったため、会社直傭の臨時工となって「これで二重搾取の首輪がいくらかゆるめられ、すこしは浮かばれるかな」と思ったとたんに、首をチョン切られて行った。この殆んどが婦人であった事を現場の人は不思議に首をかしげた。

朝鮮動乱により鉄鋼を絶命とした重工業の特需はこたえられないほどの利潤を生み、生産部門の不均等な発展が続き二十六年には戦争で破壊した溶鉱炉が建設され、炉材支部は課長以下転制の予命を引き連れて配属して行った。その結果炉材は主力だったた課長以下がお留守になって、課長は製鋼課長の兼任と、あってもなくっても間に合うような物になってしまったが、やっぱりよその台所はわからないらしく転制の未経験は炉材を鉄の勤に押し込んじゃってサッパリ日の当らない職場に委ねられて行った。

レットパージ以来戦退を続けた炉材支部活動の中で唯一さゝやかに晴れるのはこの年に行われたメーデーの假装隊であった。作品は「労働者の手で反動の張本人、吉田を極刑にせよ」と云う吉田首相の等身大で、十数貫もある大鐘の前に立った札には「囚人番号四二一九（死に行く）罪状、労働者の血を絞りあげ、また首を切った罪軽からず、依って川崎富士見公園に於て人民裁判に処す」と。

川崎地区鶴見地区の京浜労働者の主力は統一メーデーに集結され、その巨大なるエネルギーは「聞け万国の労働者」と五月の青空にこだまし、歌声を天をついて轟いた。

当時の社会状勢をピタリと風刺したのか内外の絶賛を博して仕事よりつかれえやしと汗をタラタラ流しながら担いでいた組合員も湧き上る拍手に胸が開けてきた。

もちろん一等入賞の栄冠を勝ち得たのであるが、支部は得意満面で労働者の創造を誇り翌日商業新聞のメーデー記事に、写真入りで報導されるや新聞を持って現場の中を見せ歩いた

「T（テイ）・W（ダブル）・I（アイ）」だろうか

——昭和二十八年の頃——

朝鮮戦争が終って間もなくアメリカのTWI協会の会長が日本にやって来た。そして資本主義の生れ

28

「以来たえず努力の目標としてきた生産性の向上を尚一段高めるために「テーラーシステム」とか「フォードシステム」とか云われる悪名高き労務管理方式を授けて行った。

或る日炉材の職場へ学生のアルバイトらしい一団が「金魚のふん」みたいに職制のあとにぞろぞろくっついて職場に入って来た。

「はゝあん、昨日通知されたことだな」現場の者は前日職制を通じて「明日作業の適正化をはかるために労働時間を計りますから通常と変らないように仕事をするように、これは決して個人の成績云々するものではないから、別に気にしないで欲しい」と云われた事を思いだした。

「別に誰彼と特定したわけではなく勤続別に、ごく自然に選て貰った」と各現場から数名が指名され各人は一人一人にストップウォッチを持ったアルバイト学生に監視され八時から四時まで一挙一動が記録された。

「一個の製品が何分で作れるか」

「トロ一台の配合は何分で練りあげられ、それを運搬するのに何分かゝるか」

「何分休憩して、何分で飯を喰ったか」

便所に行く時間まで付廻わされるに至っては全く面白くなく、どなりつけてやりたくなったが「相手も雇われてきたんだから仕様がねえ」と現場の組合員はあきらめた。

全くいやな一日を経験したが、やがてこれが「科学的資料に基づいて」と徹底的に汗を絞りだす労務方式として職場の労働強化を正当づけて行く。又一方に於ては「十分間どの位のエネルギーを消耗するか」と云う事も科学者の卵達によって計算され資料が統計された。

「一体俺達を何だと思ってやがんだい」

「鼻かむ時間は記録しねえでくれよ」

これがアメリカ資本の要求によって日本労働者を搾取するために系統的に行われているのであると気付いていた人があったろうか。組合員は一日雇われて来たゞけのアルバイト学生に憎みの目を向けるだけでのどもと過ぎたら熱さを忘れてしまった。

労働組合はこれに干渉出来ないように、強要された政府は「職業安定法第三〇條」にこの労務管理方式を法制化したとか。

これから少したって現場の役付たちにTWI教育が始った。

「四つずらあ、さげて今更勉強でもあるめえ」

「職制の命令だからしょうがねえさ」

29

「俺らあ、昔っから免許付にがきでなあ」

役付の人達はなかば、なげやりの気持で「これも仕事の一つ」と云った態度で講習会を受けているように見受けられたが、その内馬鹿に真険になりだした。

「現場の仕事ならドンと来い」と誰にもひけをとらない役付の人達も、やゝこしい数字や規則をテストするとなると、不安になってくる、自分の成績に当然影響するからだ

翌朝出勤するとテストを広げて

「おい、こゝん所をどう書いた」

「これはこう書けばいゝんじゃあねえかな」

「俺はこうじゃあねえかと思うんだがな」

「子供に聞いたらこれでいゝってたよ」

昨夜相当頭を絞ったらしく「お早よう」の挨拶もぬきで教え合い、エンピツをナメナメ頭を抱えながら考えている姿は、全く素朴そのもので、現場仕事の最高技術を長い苦しみの経験から修得して来たその上に事務技術までも教え込まなければならない必要がどこにあるんだろうかと考へたくなる、

「役付の人も楽じゃあないなあ」

と理解してやらなければならない事一面、TWI主義者の本質は「仕事の改善の仕方」とか「仕事の教え方」「人の扱い方」と云ったような監督者訓練計画であり、改善を通じて労働の強度を増大させることには違いない。

「労働に最善の努力を払わせるだけである」と人命を二の次にするようなイデオロギーが訓練を通じて役付に、更に日々の作業を通じて除々に労働者の中へ注入されて行くのを、我々は充分警戒し、このような労務管理方式が職場に実践された場合は事実として問題を捉え、個人に責任がかゝらぬように組合支部組織でとりあげて行かなければならない。

役付の人達も職場の最高技術者としての誇りをもって「職制にもんくが云えなくなる」ような教育に逆に教えてやる必要もあるし、又誰のためにやるのかと云う事を理解する必要もある。

技術革新に躍進し操業工程の発展等に伴いこれから多難な道を歩むであろう役付の人達に、心からの連帯を表明し、皆様の御自愛を祈る。

我輩は珪肺病である

＝鶴鉄労仂新報投稿＝

我輩は珪肺である、我輩の身体は人間共の肉眼では見えない極少さな粉塵より成り立って居り、我輩を構成する分子が人間共の一定部内に入る込むと、直ちに一致団結しても凄い威力を発揮する（その点は労仂者と同じだが）、既に先輩達は、当工場に仂いていた数人の人間共をあの世に送っている、だがその中の幾人かは我輩達の力だけでなく、我輩達の上部団体であり、又社会に広範な地盤をもって人間共を蹂躙し尽している、肺結核の協力により地獄へ行ったものである、

我輩一族には協力者が非常に多いがやはり肺結核が一番親しいつきあいだ、もっともその当時の労仂者は、我輩達の威力を過少評価させられていたので全く警戒心をもたなかったようである。所がこゝ四、五年人間共もやっと我輩達一族の驚異的威力を認識し始め、いろ〳〵と我輩達を忌避する態度をとってきつゝある、

人間共を支配している政治社会に於ても、我輩達のことを捉えて、疾病の悲惨性を医学的に根治できない事を認めて、これは労仂問題として解決するだけでなく、人道上の問題であるなどと寝言を云い始めた、もっとも我輩達はそんな事どうでも良く、我輩一族を克服しようとする人共に斗を挑むだけである、

現に工場では我輩達を忌避するために、防塵マスクなるものを使用しているわけであるが、あれは我輩達の子孫を根絶やしにするわけではないので、たいして悲観もしないし驚きもしない、そのマスクなるものも絶体的なものではなく顔のヤセている労仂者共では、マスクと顔の隙間からいくらでも入りこむ事ができる、

この間も我輩達が浮遊しているのも知らないで、現場の労仂者共はこんな事を云っていた、「どうもマスクもかけていると苦しく[illegible]あねえ、それに安い給料でこんな労仂じゃあたまらねえなあ、組合の幹部や代議員の人達ちゃあ何してんだろう、早く防塵設備を完全にするように会社に要求しねえかなあ」

我輩達もその言葉を聞いて、なあるほどと思ったりヒヤッとしたりした。マスクをかけてやる仕事がどんなにつらいかは、毎日見ている我輩達に付良くわかる。だが労働者共のいっている事は、マスクをかけないで仕事のできる環境にしたいのだ。またそうする事が企業責任者の義務なのだ。

なるほど大切に使えば何年使えるかわからない命を、我輩達を多少とも吸いこむ事によって、余命年数が短かくなるのだから。このように宿命的な危険を孕む職場で良くまあ働いていろものだ。しかも生命を短かくする事など賃金面には少しも考慮されていないし、現在でも当工場の賃金は最低の方なのだ。考えて見るとこゝの労働者共はあんまり利口じゃあねえなと思った。もちろん人間社会の現代医学の方では、我輩達一族が体内に入れば、絶体駆攻することができないヘッポコ水準だから平気だけど、防塵設備となるとまったく困る

特に困るのは集塵機だけど、こゝにあるのは気抜け集塵機だから余り役にたゝない。風のある日など日幾筋もの粉が[illegible]、自由に散歩できる。[illegible]我輩達一族が[illegible][illegible]

31

う一つ恐ろしい奴がある。作業工程の湿式化と云う奴だ。なんと云っても我輩達は水には手も足も出ない。我輩達の唯一の行動力である浮遊力をなくしてしまうからだ。

人間共の体内に入れば絶対的な威力をもって我輩達一族も、企業責任者が労働者の要求を認め、この防塵施設をやられると絶対絶命である。そうなると働く者も常に心の中にある不安や恐怖をすっかり捨てゝ、生産意欲が向上する事は明かなようだ。その時はこの斗いを労働者に譲って、いさぎよく退散していかなければならないと悟っている。

◇

防塵設備が行われない限り珪肺患者の続発は防ぎえない。それにもかゝわらず会社は要求のたびごとにてその内設備しましょう」といつになっても行なおうとしない。

組合員にはさし当り消極策として、マスクが支給されているがそれも完全なものではなく、効率七〇％だと云われている。それも新しい内だけかも知れない。このマスクでさえも要求してから二、三年後ようやく支給されると云う程ど誠意がない。

更に困ると[illegible]、普通の作業でさえ暑くるしいマスクの為に、[illegible]

32

守をあおられるのだから、その苦しみは一通りではない。全く生地獄と云った所で、決しておまけをつけた言葉には聞きとれない。

流れだす汗がマスクを濡らすと呼吸が苦しくなってくる。それでも命にはかえられないので「チューチュー」と呼吸のたびに音のでるほど重いマスクをピッタリと顔につけ、むされるようにしながら仕事を続けなければならない。

みんな良くまあと驚ろくほど水を呑み、生塩をなめる。それが原因で胃腸を壊す人が絶えない。休憩時間にはベッタリとしておしゃべりをする者もなく体から吹き出した汗も乾いて塩を吹き窓辺に休んでいる姿はあたかも塩ザケが店頭にぶら下っているようだ。

実際笑い話ではない。最初マスクが支給された時には息が苦しくってどうにもならず時々ゆるめたり外したりしたものだが、珪肺の恐ろしさを先輩の言葉で聞いただけでなく、実際身をもって体験した時には役付の人から注意されなくとも、自ずからかけずにはいられない。

冬になるとマスクのゴムヒモが頬に喰い込むほど痛く、呼吸が冷やされてしずくのように鼻の上にたれる。

こんな苦しい思いをしてマスクをかけても絶対罹病の危険がないと云うわけではなく、発病期間が僅かにのびるだけであり、又何か障害が起る事も考えられるが何しろ一番危険な粉塵は一ミクロン位であり、この微粒子はガーゼなら三ゝ枚以上か通すと云われるので仕方がない。

「絶体安全なマスクは」と云うと「呼吸の必要ないもの」と答えるしかきがないので珪肺を絶滅させるためには発塵源をなくする防塵設備を作るしか方法がありません。

我々は防塵設備の完璧を要求して斗う以外に命を守る方法はない。

続　山八毛織工場の歴史

——豊橋蒲郡グループ——

〜嵐のまえに〜

もう休暇ものこり少くなった十七日・休暇中の統一をくずさないためにとみんなで計画した長野県千人塚でのギャンプを楽しんでいる最中、首切り通告のきたことを近くの村の丁子さんと、そのお母さんによって知らされた。驚き下山しかけたみんなは、途中で井田事務局長にばったり会った。「公諸で豊橋まで来たので、そのついでにこゝまで遊びに来たんですよ、君たちがキャンプをしてることは知ってきましたから」

そういう井田さんに、みんな口々に首切りのきたことを怒って話した。井田さんは「そ敵は知らなかった、残念だなあ」と言いながら、みんなと一緒に下山した。首切り者との交渉が未だ場合に行、ただちに集会を持つ」う話も合っていたので、翌日全員集まることにきめ解散した。

八月十五日付の解雇通告は、君吉

あらすじ　三河織物の産地蒲郡にある山八毛織の組合が、三十年春たん生する迄、そして盆休みで皆がそれぞれ自分の村に帰るところで前稿は終っていました。◇編集部

屋中実郵便局から内容証明郵便で送られ、退職金と餞別各二千円、それに失業保険、移動証明などが同封されていた。また非解雇者には、本人あてと父母あてに手紙がとどき、本人には紛争の解決されるまで大衆の賃金を支払うから待ってほしいとあり、父母にはいろ〳〵所非部の人のせん動にまどわされず一娘たちを守ってほしい意味のことが書いてあった。

一方、南設楽郡の家へ帰っていた丁子さんは、解雇通告を受けとるとすぐ蒲郡へかけつけてきて口鉄労組と全電通労組へ知らせた。

若潮会には、宝飯郡の稲江へ帰っていた荒木さんから、キタ、オスエクタノム、と言う電報がとどいた。蒲郡支部事務長の杉山さんへ全電通一は、移動証明封されていることを聞き、すぐ市役所へ行って五六名の解雇者事実たことを調べてきた。五六名中一名は男工だった。へ男工の杉山さんも組合役員の要求もはずかり拒否したので、首切り通告が来たが、杉山さんの奥さんも杉山さんの母親も気に入る裁

かったので、工場を追われると行く所がないため夫婦で会社で泣きつき、首切りを取消して貰った」

その日、T子さんにつづいて播豆から三名蒲郡へきた。夜になっても四名の宿舎のあてもなかったので、国鉄労組のTさんが井田さんの家へ連れて行った。すると奥さんが「今日ちょっとした着替を持って名古屋へ泊がけで出かけましたよ」と言う　斗いが始まろうとしているのに困った事だと思ったTさんは、組合関係の心当りに電話で問い合せてみたがどこにもない。おかしいというので駅で井田さんがどこまでの切符を買ったか調べたところ、豊橋までらしいという事がわかった。着替えを持って汽車で三十分そこ〳〵の豊橋へ行った。それも奥さんにまでうそをついて……。これはいったい何を意味するんだろう。

その夜は四人共井田さんの家に落ちついた。人のいゝ奥さんは、色々なことを四人に話してきかせ、それによると井田さんは、首切りの出る直前に労務担当の祖父江と会っていることがわかった。

若潮会へ電報をよこした荒木さんは、解雇通知を受けとるとすぐ地元の読書サークルのKさんを訪ねた。首切りがくれば斗えばいゝんだと気軽く考えていたいつもの元気さも、実際首切り状をつきつけられてみるとすっかりとまどい、斗いの自信がまるでなかった。そんな荒木さんを見てKさんは笑った。

「そんなことでどうするんです。とに角今日は家でゆっくり寝なさい。明日国鉄豊橋支部のMさんに紹介状を書くから応援をたのみながら行きなさいね」

T子さんたちより一日おくれた十八日、荒木さんは蒲郡へ来た。そして井田さんが留守だったので、井田さんと同じ全繊の三輪さんを訪ねた。三輪さんは風邪で寝ていたが「この際赤だ黒だと言っている時ではない。どんな人にも各方面へ応援をたのみなさい」とはげまされ三時すぎ若潮会を訪れた。

若潮会では非解雇者百名に解決まで六割の賃金を支払うといっていること、会社は工場に残っている九州出身者や男工全部に遊ばせて食べさせなければならないこと、祖父江の給料（一ケ月八万円とうわさされている）機械の消却費等々から一ケ月に百万円からの損失を会社はする計算になる。近江絹糸のような大資本でなく中資本なのだからそんなに長くはつづかない。だから会社は短期戦でくるに違いない、こちらは組合内の統一と団結を強めあくまでねばって斗いをのばすこと。長期戦に持ってゆく、そしてデモや座りこみを行って出来るだけ外部へ拡げる派手な斗い方をして　事務や夫人が隣近所に頼向けも出来ない。取引先の信用にもかゝわると悲鳴をあげさせるまで斗わなければ勝てない。最後にはハンストも行う必要である。それから二部制（百五十名）でしていた仕事を一部制にきりかえれば百名では人があまるし採算があわない。だからあまった部分の人を更に首切り、新しい人を入れて二部制にすぐ切りかえるに違いない。こうみてくるとや二次首切りは絶対まぬがれない。このことを非解雇者の中に徹底的に宣伝すること。これらの斗いの見通しと方針について荒木副委員長に話し内部の人に徹底させる方法をとった。一方法廷斗争も当然しなければならないことを考え、翌日社会党のS弁護士を訪問することにきめた。四時すぎ長野県からY子さんM子さんの二人が連絡にきた。井田さんもこの二人と一緒に蒲郡へ帰ってきた。男工の尾崎たちは蒲郡駅前にビラを張っていた。翌十九日若和会から一人Y子さんについてS弁護士の事務所を訪れた。また長野県ではキャンプの翌日にきめた集会が田舎で郵便物の配達がおくれたところがあって徹底せずこの日また父兄会を組織し解雇者・非解雇者も含めてこん談した。こんどは全員集った首切りについてよく理解出来なかった父兄の人たちも、話し合いの中からみんな不当な首切りであることを理解し、そこまでもがんばれと娘たちをはげました。非解雇者の或るお母さんは「うちの娘は工場でみんなのように一生懸命やらなかったからこんな小さい封筒（非解雇者への手紙は小さい封筒だった）しかこなかったのだ。こんなもの返してしまいたい」と言ってみんなをはげました。そして蒲郡へ行ってもすぐ食糧にも困ることだからと米一升麦二升を農家でない家は漬物などを持たせ明朝一番電車で送り出すことを父兄たちはきめて散会した。

～～会社との交渉～～

十九日夜蒲郡労協では井田の家で山八争議の対策会議を持った。山八労組からは蒲郡へきていた七名の人たちが全員出席した。その席で事務局長の井田は「全専へ電話したら組合はどこまでやる気か、赤と一緒だったら応援出来ん」といったとか、祖父江に会ったら「共産党のミンパを首切るといった」と話すだけで具体的な斗争方針は出さなかった。又松山議長も明日全員蒲郡へ帰らせて斗争したい勢をとる宿舎は三谷の公民館を借りたい。新聞社へはただちに連絡して記事を載せる等言うだけで具体的な方針はやはり出さなかった。宿舎に予定した公民館も借りられなかったので井田、松山は寄宿舎へ入れようと会社に交渉した。祖父江は絶対寮へは入れないが

宿舎がなければ世話するといって、天桂院私設保育園を組合員の宿舎にあてゝきた、

二十日長野県から解雇者非解雇者八九名が帰って来、会社の世話した保育園に入った、

二十一日最初の団体交渉が午前十時より開かれた、出席者は会社側から祖父江等二名、組合側から十二名だった、団交が開かれるとすぐ会社側から交渉委員五名以内、傍聴者も五名以内とする、尚、団体交渉が各挙乗換或は喧噪にわたった時及び、日没になった時は打ち切る、と條件が出された、組合側としては会社の出したての條件団交の必要は認めない、またこんな制約をする事自体がおかしいと反対し、再び話合った結果、交渉委員は双方十名以内傍聴者は双方五名以内ということになり、団交の打ち切り條件については双方とも紳士的に話合う事が約束された、しかし長い時間こんな問題ばかり論議されてかんじんの不当解雇については井田も松山も話しを切り出そうとしなかったので、堀井交渉委員（宝飯運送代表）が不当解雇についてたゞすと、祖父江は社長鈴木明次個人と直接利害関係のある者は今後団交の交渉委員とし　いことゝ強度にはねつけて来た（堀井氏は社長の借家にいた）しかし今日は個人で出席しているのではなく労協加盟の単産代表として出席しているのだと立場を明らかにし、五十六名解雇は不当労働行為であると強硬に主張した、会社側はあくまで企業整備による解雇であって決して不当労働行為でないと言い、企業整備の理由として、

一、生産が非常に落ちた、

二、昨年は四%から五%の不良が今年は全生産品の四分の三の出　の内十%以上出た、

又特に本年五月初めから織り始めた冬物が六月頃から不良品続出（不良品と言うのは反物の両端と真中の織り方の違う製品で傷が出来安かったので会社にこのことを言ったが会社側は承知だと言って認めていた）の二点をあげ、解雇基準については、

一、心身障害者、

二、出勤成績の不良なもの、業務上の病欠以外の長期欠勤者、

三、作業能率の低い者

四、業務に積極的に協力しない者、

五、業務の縮少により配置転換のきかない者、の五項目をあげて来た、そして今回の解雇の手続その他すべて法に基ずいており絶対に不当でないと断言した、以上で団交を打ち切り宿舎問題に入ったが、会社は絶対寮へは入れないがそのかわり夜具は会社が貸す、又組合の事務用品及び個人の日用品も必要

に応じて宿舎にとりに入ることを許す、これだけの話合いで散会した、十九日夜の労協の会議で井田が発言した共産党の三ニパを首切る云々について、もう一度祖父江にたしかめてほしいと荒木副委員長が紙面をもって井田に渡したが、「いやあれは僕がそう受け取っただけだ」と言葉を濁したので祖父江も絶対そんなことは言った覚えがないとつっぱね、話合いにならなかった、

〜〜外 部 の 応 援〜〜

其の夜保育園のみんなの所へ、北沢委員長始め、さざなみ会員の関係していた静岡県のデルタの会から二名応援に来た、ところが井田、松山の二人はどのような関係にあるのか、何をする会かと執ようにたずねてき、なかなかあいさつすらさせようとしなかった、又国鉄豊橋支部からのカンパは頂けないとことわられていた、（争議の活動資金は井田個人として六千円山八労組にカンパしていた）

斗争中〃若潮〃の人たちと毎日連絡をとり、刻々にうつり変ってゆく情勢をただちに外部に知らせて対策を立てることを打ち合せ年少の人たちがこの連絡に当ることになった、けれどこれは公然と出来なかったので少数の人に限られた、

二十二日の午前九時から執行委員会が開かれ、そこでは、

一、解雇されながら今もって斗争に参加して来ない組合員の呼びかけについて（伊豆へはオルグ派遣、山梨、静岡、長野の人へは手紙を出す）

二、会社にのこっている九州の人たちへの働きかけ（仲の好い人を通じて働きかける）について話され

カンパ活動については出来るだけ多勢の人たちに訴え援助をお願いする事に意見がまとまった、又労協傘下組合員に対する働きかけについては組合員と直接話合いが出来る機会を作ってもらうよう労協委員会に提案する事を話合い市中デモ、ビラくばり等の計画を立てた。

翌日平栗さん、O子さん、の二人は農民組合代表のAさん宅を訪れ、組合内の実情を話し援助を訴えた、二人はAさんについて又別な農民組合代表の家三軒を訪問した、どの家でも「突然首を切られて可哀そうだ、百姓だからいいものはないが例え一つでも組合員に出してもらうよう話して早速保育園へ届けるから」と激励され、感激して帰った、午前十時から職場委員会が開かれた、昨日の執行委員会の案を確認し、ただちに行動に移すことに決定した、

午后から蒲郡労協委員会が持たれた、この会議に

は山八労仂員全員が傍聴した、井田・松山は最初からアカとは一線をかくすべきだと強硬に主張した、荒木副委員長にこの際赤も黒もないといった三輪も全く同じ意見をのべ、日吉紡の代表は自分の所は斗いの途中で脱落するだろう等といった。これに対し口鉄労組と宝飯運送労組代表は、斗いの最中に赤だ白だの議論をしているだけでは一歩も前進しない。だからこの際出来るだけ多勢の人に訴え援助をたのまねばならないと主張し、井田たちと真向から対立した、山八組合員は昨日の職場会議で多勢の人に訴え援助をたのまなければこの争議には絶対勝てない事を確認していたので、口鉄、宝飯運送代表の人の発言の時にはみんな拍手をした、結局労協内の意見を一致をみないまゝ 斗いの方針も出されず委員会は次回に持ちこされる事になった。

其の夜、井田は北沢委員長を呼び出して「お前たちは共産党のような人ばかり入れてよろこんでいるが、いったい何を考えているのか」とつめよった、そして又夜中に保育園の裏山をうろつき、組合員にみつかって「どんな風だか様子を見に来たのだ、自分はいくらにくまれてもいゝから口鉄と亀井（宝飯運送代表）とはどんなことをしても手をきる」と口ばしり「わしはもういゝ、腹をきめた」等とやけに叫んでいた、

二十四日突然宿舎保育園の立ち退き問題がおきてきた、この日から組合員はみんなで手分けしてビラ貼りや、ビラ撒き、各単産をまわっての訴えを実行に移した、

ビラを見て始めて知った、売ろうと思って作ったトウガンだがあんた達にあげるから畑までとりに来るように、とわざわざ保育園まで来てくれたお百姓のおじさんや、ラジオがなくて淋しいだろう、借してあげるからとりに来なさい、等々全く見知らぬ多くの人たちからの激励やカンパに、自分たちだけ孤立しているのではない、多勢の人たちがおつゝ見守っていてくれるのだということをみんな身を持って知った、

しかし中には訴えにいった組合員の顔をみるなり「うちの組合はいくらカンパすればいゝのか」といって面くらわせ、みんなにお話しゝたいというと、会社に一度聞いてみるからあとできてくれという、又出かけると会社がいけないといったといって門前払いをくわした、竹本油脂のような単産もあった、みんな失望したが気をとりなおし中に入れないなら退社時間を目がけて行って下部組合員の人たちに訴えようと話し合った、

市内の未組織労仂者、学生、農民、広くは全口のあらゆる人々のために勝たなければなりません。もし負けたら帰郷中に首切りということが社会にあたり前に通用し、どん／＼はやって明るい社会などいつまでたっても出来ません　（C子）

この斗いは自分たちだけの問題ではない。あとから続く未組織労仂者のために、ひいては明るい社会を実現させるために私たちは斗うのだとみんなの胸にきざみこまれていった。

其の後も井田、松山はあくまでアカとは一線を引くと頑張たが、組合員のかにおされ側面の援助は誰からでも受けるという線まで一応引き下った。そして二十五日の労協委員会では五者共斗（愛労評、全織、新紡新々紡労協、繊労協、山八の五団体）の態勢が出来た。所が五者共斗の確立と同時に新々紡が斗争の指導权を握り、井田、松山等と一緒に再び共産党とは一線を引くこと、団体交渉の交渉委員に共産党員は原則として加わらないことをきめ、団交に出る単組の代表を限定した。斗いのための会議はいつも赤と一線を引く問題にすりかえられて、斗いの具体的な方針は何も出されず、五者共斗も有名無実の感があった。

日鉄労組では、井田たちは山八組合員の態度表示っているから、その内に手を引くだろう、その時は日鉄がかわると情勢を楽観していた。

～力のある限り……～

新々紡労協が斗争の指導权を握ってから一般組合員には非公開の会議がふえ出した。執行部に会議の内容をたずねると、今忙がしいからあとでとか、会社にもれるといけないからといって回答をそらした。年少の人たちの中には、このやり方に疑問を持ち出す人も少くなかった。統一を守り団結をかためるためにみんなで歌う労仂歌はやかましいとか会議のじゃまになると井田たちはおさえた。

部屋では歌も歌えないので仕方なく保育園の裏山に登り、みんなで歌おうとしてもまるで統一がとれず、おセンチな気持がみんなを支配し、家に帰りたいともらす人がふえてきた。北沢委員長は井田に強いことをいって争議から手を引かれては困るからだまっているようにとみんなに言った。井田たち労協幹部、新々紡労協幹部に終日つきまとわれて組合員と話す時間もないようにされていた北沢委員長は、次々に組合員からはなれ、労協幹部と同じような意見を持つようになった。

斗争直前までは北沢委員長が自分たちの意見はとりあげず井田にいう事ばかりしていると批判的だっ

40

た荒木副委員長も、外部との直接の連絡をたち北沢委員長と同じ立場におかれてからは、逆に一般組合員の行動を批判するようになった。遠距離の地への実情うったえは斗争資金がえしいから説得力のある人でなければいけないと委員長はいう。斗争が始まってから毎日若潮会や、緑の会に連絡をとり続けていた執行部外（さざなみ会員外）の人たちが斗いの中で急速に成長した。

そして執行部や新々労協のやり方に対して批判的になり、正しい意見を出してもそれが執行部内に反映しなかった。歌も歌えず、会議のもようもわからず、訴えにも地元単組以外には出てゆけない、何もすることがなく、コロッと寝ているだけで斗いが次々に退屈になってきた。

私たちは力のあるたけ斗いたい、これでも斗争といえるだろうか、こんな不安はみんなの気持をくらくした。

二十七日、第二回目の団体交渉が行なわれた。宝飯運送の堀井代表は交渉委員からはずされた。この日の団交は第一回目の団交から何ら進展しない話合いのまま打ちきられた。父兄代表十一名が食糧をたずさえて応援に来た。

長野県下伊那地区評から平和友好祭に代表を送るよう連絡があり、平栗副委員長が口鉄のTさんと共に下伊那に出かけた。

二十八日、第三回目の団体交渉が行なわれた。団交に父兄の傍聴を許せ、許さないことでしばらくもみ結局組合側引きさがる。団交に社長と専務を出してほしい（会社のアジトが豊橋にあり、社長、専務はそこにいた事があとでわかった）解雇基準を具体的に説明してもらいたいと要求する組合側に会社は応じないまま団交打ち切られた。

下伊那青年婦人学生友好祭に組合から派遣された平栗副委員長は三千人からの大集会で山八の争議を話し、激励とカンパを訴えた。山八毛織工場に盆まで勤めてやめた二人の友達が応援にかけつけてきた、そして平栗副委員長といっしょに会場を廻り一万二千五百円のカンパを集めた。

そのあと平栗さんは斗争資金の積立預金帳を持ったまま今になっても姿をみせない寺沢アサ子会計の家を訪問、説得して委任状を受取った。預金帳が工場においてあるというのでいっしょに蒲郡へきた。工場に入った途端男工が寺沢会計をかばい、寺沢会計も「気がかわったから委任状を返してほしい」といって平栗副委員長から委任状を取り返し、そのまゝ工場の奥へ姿をかくした。預金帳も受けとらず平

41

栗さんは二十九日保育園へ帰った。
　前から立ち退きを迫られていた宿舎について井田たち労協幹部や執行部ではこんな工場とはなれた所にいてはまるで遠くの方で火がもえてるようで会社にとっては痛くもかゆくもない、だからこの際工場の寮へ入ることをかち取るべきであるといった。けれどみんなは斗いがほんとに有利になるなら入りたいが外部との交通をしゃ断されるのではないだろうか、男工に一人ずつ引きぬかれるのが恐ろしいから今は野宿しても寮へは入りたくないという人が多かった、
　三十日労協委員会が開かれ宿舎問題が討議された、実力行使で寄宿舎に入ることは友誼団体のすべての態勢がとゝのうまで見合せ、もう一度交歩しようという決定に従って、市長、会社、天桂院へ保育園所有者）の三班に別れて交渉することになった、市長班へは松山労協議長が加わった、みんな松山を先頭にたてゝ市長と会った、松山は市長と何か五分位話し会い、そのあとみんなに「ありがとうございましたと言いなさい」とさしずした。
　みんな頭を下げてそのまゝ帰った。何を市長に交渉したのか、何故頭を下げさせられたのかその時みんなさっぱりわからなかった。（出入の労協議論から申込まれた場合はさがしましょうと言うことだった）会社班は祖父江と会った、「絶対寮へは入れない。けれど和尚がそんなに立ち退きを迫るならわしが行って頼んでやる」といゝ、みんなが保育園へ帰るとすぐに祖父江と専務が出かけて来た、天桂院班は和尚が留守で奥さんに会った、「みんなが出てくれなければ私たちが檀家から追い出される」とオイオイ泣き出されそのまゝ帰ってきた、
　一方保育園では斗争態勢の確立という名目で新々紡労協の指導のもとに専門部、すなわち総務、統制・情宣の各部が出来た。これは各部とも部長一名、部員九名で更に部長の上に補佐役として新々紡労協が坐わるという仕組みになっていた、そしてこの専門部が出来た途端外部団体の訪問者を怒らせ返へした事件が起きた、
　翌日から統制部は外出にはその都度行き先き、用件、帰園の時間を記入させる様式を作り、又規律をみださないためといって起床八時、消灯九時半、昼寝一時間等としめして来た。外部団体の応援者も住所、氏名、職業を労協幹部か新々紡労協に告げなければ組合員にあいさつすら出来なくした。
　平栗副委員長はハンストについて委員長に話そうとしたが批しがって話しが出来ずつたえる事が出来

なかった、すべて戦術会議へ松山、井田、新々紡、北沢委員長、荒木副委員長のみ出席、非公開会議）の決定によって方針が出されていたが平栗副委員長、安井書記長の二人には戦術会議の内容は話されず何をこれからするのかわからないまゝ、いつも不安な気持を拭いきれなかった、

井田は自分の職場の組合員へ（全逓）には山八争議については説明もせず、カンパだと言って一人五十円給料から天引きした、そして先に井田個人のカンパとして出した六千円を全逓組合員のカンパと書きなおさせていた、

〜斗いの終結〜〜〜

九月二日、第四回目の団交が午前十時から行なわれた、

団交に出かける直前に専門部長会議が開かれた、新々紡労協の西田はその席で昨夜の戦術会議へ（井田・松山、新々紡、北沢、荒木のみ出席、非公開会議）できまった事だがと、前置して、委任状をおいて家に帰りたいという人のふえたこと、宿舎のないこと等を考え合せて出来ることなら二、三日の内に争議を解決したいと言った、しかしこのことは各専門部長の胸の内にのみおさめ、下部組合員には必要なことは西田が話すから何も話すなど禁じられた、

団交が始ると組合側交渉委員は祖父江に型通り社長、専務の出席を求めたが祖父江は代表取締役に全権を委任されているのだと自分の立場を明らかにし逆に組合側に向って「全組合員に全権を委任されているのですね」と念をおした、新々紡の三好交渉委員から解雇理由について質問の口火が切られたが祖父江は何回も同じ質問に答えられないと、つっぱねる「円満解決したいという会社側はどのような解決策を持っているのか」という井田の質問にも「組合側から具体策を出せ」といって取り合わず、全く話合いのめどもつかないまゝ昼の休けいに入った、

四時四五分、午后の団交再開と同時に日鉄労組の村田交渉委員から企業整備の理由をついていったが「話す必要はない」と祖父江は怒り「今后そうゆう態度で組合が出るなら団交の必要はない」とはっきり言い又休憩に入る、

午后八時頃宝飯運送の堀井代表は、今日は重大な団交だから是非傍聴したい（交替で傍聴に来た）と団交会場の入口で居合せた松山、井田の両人に話し同意を得た、そこへ新々紡の三好交渉委員が来て「お前の傍聴は許さない帰れ」とえらい見幕でどなり追い返されてしまった、

長い休憩の後十時三十分団交再開、組合側では休

態中に五六名職制の線では話し合いはつかないから條件斗争に切り替えたいと言う杉山の意見にみんな傾いていた。杉山は「どうゆう状態になればとっくり話し合えるか」と切り出した。

祖父江は「とっくり考えて話合う方法もある。会社は出来れば小委員会を持ちたい」と答える。しばらく沈黙のあと組合側の態度を決めるため十時三十五分休憩に入る。藤労協交渉委員と、山八、新々紡交渉委員の二人組に分かれてどうするか話し合った。

三好交渉委員は「宿舎のあてもなく病人は出だしている。これ以上斗うことはむつかしい」と言い出した。「小委員会を持つにしても山八自身が入らないなんておかしい」という平粟副委員長の言葉に三好は「自分たちの事を自分できめるのは困るだろう」と言う。又すっかり敗北的になっていた北沢委員長も「自分で自分たちの事を決めるのは恐しいし、責任も持てないから三好さんに全部まかせた方がいいと思う」と言い安井書記長一名を除いて新々紡労協へ自分たちの運命を委任することにまとまろうとした。

それでもまだ不安を抱ききれない平粟、安井の両人が「地労委へ提訴しましょう」と発言したが「委任状で裁判斗争なんかしても、民政が一緒になって組合側の不利になるばかりだからだめだ」と北沢委員長が言い、又荒木副委員長も「地労委へ提訴すれば斗いは長くなるが、そうすると宿舎がまず問題になる」

「これは今までわかった通り経営者側の権力が強いためだし、病人が出ているから野宿も出来ない。地労委なんか提訴してもだめだよ」ともう小委員会をもうけて条件斗争より他にないといった態度を示した。（不当労働行為で提訴すれば絶対勝てると言う事はA大の学生からしばしば言われていた。荒木副委員長自身くわしく聞いていた）

一方労協では残念だがこれ以上出来ないという結論を出し、新々紡労協でも我々は会社の態度に不満と、いきどうりを持っているが、会社対組合の力関係を考慮した時、やはり我々としては会社の出した小委員会を通じて最后の斗争をするより他にないと考えるといった。

最后に山八労組の態度を明確にもしなければならない事になった。平粟、安井の二人は、その席で直ぐ返事することに不安を感じ「私たちだけで考えましょう」と提案して、全員別室へしりぞいた。

「どうしても納得出来ないからもう一度みんなに話してからの方がいゝ」という安井書記長に「全権を

委任されているからはっきり返事しなければならない、出来るだけの事はして来たのだから」と荒木副委員長は言う、「誰だって口惜しいけれど仕方がない」と委員長、もうどうにもならない不安に安井書記長は顔を伏せた、新々紡の古田交渉委員が様子を見に部屋をのぞく、

山八交渉委員が席に戻り全員集ったところで小委員会に対する態度を再確認した、誰も異議を出さなかったので会社側へその旨を伝え、小委員会のメンバー決定の相談をした、執行部では口鉄の村田、新新紡の三好、古田の三名にきめ三好交渉委員にこのことを話した、三好は「村田＝口鉄＝丁という風に村田さん個人はともかく、会社側では口鉄はアカいという事で強硬に出て話合いがうまく出来ないから松山、井田、三好、古田にするのが一番いいと思うがどうかね」という、「蒲労協の委員が入るなら村田さんをどうしても入れてほしい」と平栗、安井の二人が言う、「松山・井田さんなんか絶対にいやだ」と荒木副委員長、「村田さんが駄目なら新々紡だけでもいい」と北沢委員長、このような執行部の意見もおさえて三好は、三好、古田、井田、松山に強引に決定してしまった、そして「もうこれ以上斗えない、口惜しいけれどいいな」とおしつけるように執行部に念をおして四人は小委員会にのぞんでいった、

午前一時半始まった小委員会は午前六時半五六名の解雇を承認して終った、午前二時交渉の成行きを組合員に知らせると会場を出た新々紡の堀は、午前四時になってやっと組合員に事態の緊迫化を知らせた、（会場、宿舎間は徒歩で十分位）驚いて飛び起きた組合員が口鉄労組始め外部団体に走り、最后まで頑張れと会場に連絡を送った頃にはすでに交渉はすんでいた、

九月三日、徹夜の団交が終り納得のゆかぬ妥結案を胸に執行部は保育園へ帰った、組合員や外部団体の人たちはみんな一室に集り不安そうに待っていた、午前七時大会を開き松山労協議長が交渉委員を代表して、

「五六名撤回を目標に交渉を進めてきたが、今度の会社のやり方に対してこちら側が法的に何らつくす所がなく、やむを得ず小委員会を持って条件斗争に入っていった、妥結については解雇者五六名中十二名復職させる、この人はすべて会社がする事になった、餞別金については一律二千円送られているが、色々な工場の例をあげて金額をたたきあげ更に一万円追加させることにした、そして斗争中十五日間の賃金を大割支給、家からこゝまでの往復の汽車賃と

弁当代を五百円支給ということになった。労協としてはこれが精一杯の交渉であります」と報告した。

その後北沢委員長が立ち
「保育園は立ちのきを迫られている。野宿とも考えたがせばかりでそれも出来ない。もしこれ以上斗うと言えば必ず手を引くところが出てくる。こうした情勢判断をした時、私たちとしてはこれ以上斗えない」

その時口鉄労組員から「うそつけ」の声がかかり山八組合員もこの声に大いに賛成した。その場に居合せた三好はあわてゝ「やはりこの問題は山八の問題であるからみな外に出よう」といって口鉄労めみなを外に出した。山八組合員だけの前で北沢委員長はまた同じ説明をくり返し「私たちは口惜しいけれど最低の犠牲者でこの斗いをくい止めたい。これまでが私たちの力の限界だと思う」と組合員に強調した。みんな声をあげて泣き出した。

「そういうけれどみんなの力を精一杯出しておらんのだもの」と下子さんが発言する。執行部の話を聞くまでは斗うのだ、五六名解雇を必ず撤回させるのだとはげまし合ってきたみんなは悲観的な執行部の言動にすっかり斗志をくだかれていた。妥結案をのむかのまないか挙手で決めることになり、その結果のむ六九名、のめない二名でやむを得ないということになった。その時廊下にいた組合員の一人が、「こんな大切な問題を挙手でするなんてどうかと思う」と異議を出したので、再び組合員にはかる。やはり挙手でいゝが圧倒的で再び挙手、結果的にのむ七二名、のめない六名でやむを得ず決定する。

午后斗争委員会が開かれた。外部団体の傍聴も自由だった。口鉄労組員は「斗争委員会が設置されているのにどうして妥結前にはからなかった」とつめよる。「あらゆる情勢を分析した上でやったのだ、弾圧に打ち勝つ力がこちら側になかった」と新々紡幹部が答える。口鉄組合員は更に山八組合員に向って「山八の娘たちはやる気があるのか、ないのか」と問いかける。北沢委員長、荒木副委員長は「この妥結より、いゝ方法があればやります。一番いゝ方法を教えてもらいたい」という。そして押問題答の末組合員にもう一度はかるということで執行部は引き下った。平副委員長は「精一杯斗ったのではないもやはり斗いたい」とぽつりと言う。口鉄組合員は「どうして斗えないのだ」と新々紡幹部にぐんぐんつめよっている。

五時から組合大会を開いて最終決定をすることにきまった。

假事務所に集った北沢、荒木の二人は全く斗う意志等みうけられなかった。新々紡の古田は「みんながやるといえば私たちもやるから安心しなさい」等と組合員の圧力にはさまれて今更らしく執行部をなだめている。

大会が始まって間もなく、もし組合が斗うといえば浦部労協はどんな態度をとるか各単組の意見をきくことになった。その結果口鉄及び室飯運送労組は山八組合員が斗えば応援する。東京製綱・日吉紡績・栗和光器、中部配電・竹本油脂は単結案賛成・日通・全逓、全電通、東三造船はやむを得ないとの態度発表があり、その後もういち度組合員の無記名投票が行われるはこびになった、その時口鉄組合員四数名が激励にかけつけてきたが北沢委員長は「いま投票を行っているから待ってほしい」と会場の外に待たせ投票を急いだ。その結果斗いたい二五票、仕方がない五八票、無効四票で最后的な決定を行った

午后八時団体交渉委員は会社へ調印に出かける。納得出来ないまゝいた平栗副委員長と安井書記長は再び交渉が出来ると思いすっかりよろこんで出かけた。

こうして天経院保育園へ入って斗争を始めてから十四日目に争議の終止符はうたれた。

学習会を持ちたいという私たちの要求をふみにじったところにも、もう今度の斗争の敗北の原因があったと思う。この点労協のいゝなりなって執行部に多少の責任はあると思います　（丁子）

団交の称手も組合員に話さないで執行部と交渉団の頭の中だけで動いていたこと。また新々紡の前丁（組合を売ったり、争議中自分等が不利になると逃げる）を知っていたにもかゝわらず信用して交渉をまかせたこと。争議の始めから井田さんを疑いながらも手を切らなかったこと、労協の分裂策等が敗北の原因だったと思います。　（C子）

〜明日の前進のために〜

争議が終ると斗争に参加した非解雇者はそのまゝ家に帰され、解雇者十二名の復職者の指名を待っためだ五日間居残ることになった、その間事務が安定所へ行って「もっと残る人員をふやしても良かったこれからの組合員の出方を待っている」ともらした事が伝えられた。

そして安井書記長には「みんなに申しわけない斗い方をしたのだから最后をかざる意味で復職したい人をつのり会社へ歎願出来ないか。歎願斗争というのもあるから」と話した。安井書記長は是非やりたい、もし他の執行部の人たちがいやだといっても私は一人でやる」と言い、北沢、荒木の両人にこのこ

とお相談した。北沢委員長は「つまらんことばかり外で聞いてきて中へ持ち込まないで頂戴」とけり、荒木副委員長は「えらい御自信だね」とひやかした。

平栗副委員長はさんせいし、早速二人で復職希望者をつのった。八名が願い出たのでその人たちの名簿を持って会社へ行き四名の復職者をかち取った。へ復職したい人はまだ他にも沢山居たが言い出せなかった」一方下子さんたち数名は出来ることならこの諏訪近辺へ再び就職して斗いをつづけたいと民科を訪れていた。

この間北沢委員長等二人は新々組幹部とボートに乗りおもしろそうに高笑いもしておた。

九月六日父兄代表三名が新組へ行った。そして娘たちが色々とお世話になったそのお礼がのべたいと言うことで労協の幹部口鉄、新々組及び農民組合代表を招き、娘たちも入れて最后の懇談会を持った。口鉄や農民組合代表から始めてみなの前で直実弁語られた。

九月八日、会社からの十二名の復職者の指名も終り、組合員は執行部だけのこして思い出深い諏訪をあとに、それぞれの村へ帰った。後かたづけをすませた執行部は口鉄組合員にすぐ故郷の長野県へ帰ると駅であいさつも、その足で名古屋に向った。そして新々組幹部と一日名古屋で遊しそれから帰った。

九月十四日遠い伊那谷から絶大な声援を送りつづけていた父兄たちをまじえた報告会が長野県上伊那で行なわれた。

口鉄組合員は欠席、労協幹部、新々組幹部は欠席すると言いながらも出て来なかった。

その席で或るお母さんは「こんなばかな争議はない。幹部の人たちも良く聞いて下さい。この争議については子供たちまで心配し、姉ちゃんたちはどうなったといつもきいてくれていた。それだのにどの面さげてその子たちに顔向け出来ない。ただああだこうだと決めて下さるだけでなく、何故あなただけでも堂々たる態度をとって下さらなかったか」と北沢委員長につめよった。北沢委員長は「病人が出だしたし宿舎もあてがなかったから」と答えた。

「斗いに病人が出る位あたり前です。ふだんでも病人は出る。私の娘は十五の時から八年間勤めた。十五人きりの小さかった山八が今のように百五十人の大工場になるまで頑張った。いったい誰がこの大きくしたと思います。まその工場へ働きに行った人たちはもう嫁入り道具も揃ったというのに、小さな風呂敷包みを三つぶら下げて家へ来た時には何も言えなかった」と訴えた。

又別のお母さんも「あの十円の切手一枚でこんな事になるなんて、娘たちをつるしあげとってもしようがないが、ほんとうに無念で無念で」と涙声で話した。男の人たちもみなおえつをかみ殺して聞いていた。

そして父兄側の総括的な批判として、

一、組合創立以来日が浅かったゝめ組合運動の知識がなかった。

二、外部団体の信用程度の調査を怠っていた。

三、きわめて少数の組合員のためのが乏しかった、

四、何処で圧力がかゝったか報導陣の活動が鈍かった、

五、斗いの場所に父兄側の旗印がたりなかった。

の五項目が出された。

そして最后にお母さんがたは「事はすんだようなもんだ、もう娘たちばかりせめていても仕方がないと同時二度とこうゆう事が起きないようにこれから頑張って下さい」と口惜しさの奥からほとばしり出るような激励の言葉を娘たちに送った。娘たちはこれに答えるかのように

私は今度の斗争の事は忘れない。これからの社会生活の中に役立てたいと思います　（O子）

まだ私たちは斗う力は十分ある。この力を何らかの形にあらわし、これからもみなさんと一緒に矛盾のない社会を作りたい。　（T子）

この斗争が勝利していたらもっと〳〵良い社会を私たち働く者で作りあげてゆけたのではないだろうか、未組織労働者のため又、全世界の労働者のためにも勝利であったなら今までより良い生活が出来、毎日の仕事にも励げみが出たろうに、私たちはこの世の中から矛盾をなくし、明るい社会を作るために頑張らなければいけないと思います　（K子）

等みんな決意を新たにした。

九月の中旬山八毛織は操業を始め、組合も残った人たちで再組織された。井田は再び組合に出入し、「以前は一部の者にせん動された組合だったが今度はすっきりした組合になった」とみんなの前で演説した。斗争に参加した人、復職した人に対する会社の監視はきびしいがこれに屈せずみな頑張っている。

（完）

（この歴史は山八の人たちと民科豊橋支部蒲郡班の人が一緒になって作りました。

編集後記

機関誌はもうすぐ会員の手もとにとどくでしょう表紙も出来、プリントもすり上り今は製本するだけになっています。この機関誌を手に持つと僅か五十頁足らずですが、ずっしりとした重みを私は感じます。

この機関誌がこうして生まれるまでに、機関誌部は大変苦心したのです。編集はとくいのKO君が計画立案をたてたり、見出をつけました。K君はわざわざ鶴見まで原稿とりに行きました。KUさんは一つ一つ原稿を読んで文字や仮名づかいを直しましたAさんは方々に電話をして見積りをたて、会計部と相談して又見つもりを安くつくり直すといった具合でした。

特に委員の都合で今回は自主出版が決定されるとS君の努力は大変なものでした。職場から帰ると夜おそくまで二十五枚の原紙を切り上げ、表紙もごらんの様に本職なみにつくり、数百枚のプリントも職場生活の相　に仲間とやってしまいました。その他これが出来るまでには色々な会員の手がどこかに働いているのです。

製本するだけになっている現在、私共機関誌部の者はさゝやかな喜びと自信をもっています。

ただ発行日が大変おくれたことゝ、始めての自主出版のためいろ／＼読みにくい所があるかもしれないことを心からおわびしておきます。

会員の皆さん、この機関誌を可愛がって職場で有効にお使い下さい。

昭和三十二年六月二十八日　発行
編集兼発行人　東京都港区芝高輪一ノ一
国鉄労組品川客車区分会内
職場の歴史をつくる会

職場の歴史

8

職場の歴史をつくる会編集

目次

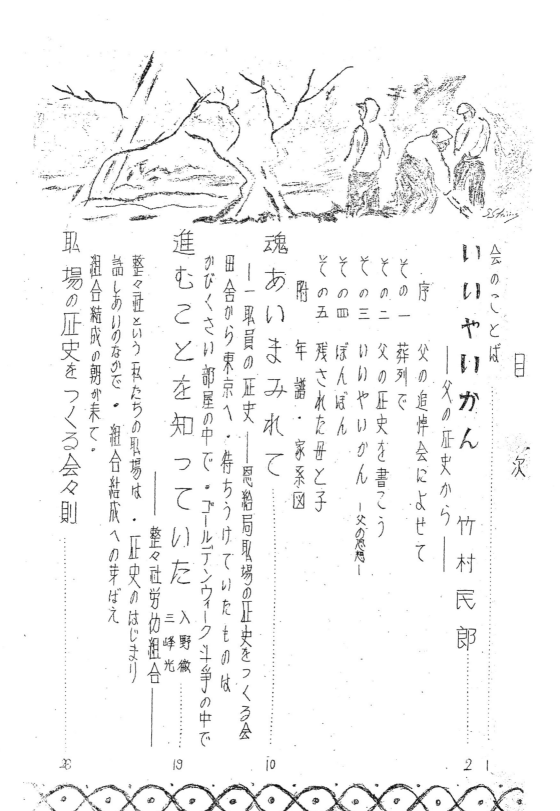

会のことば

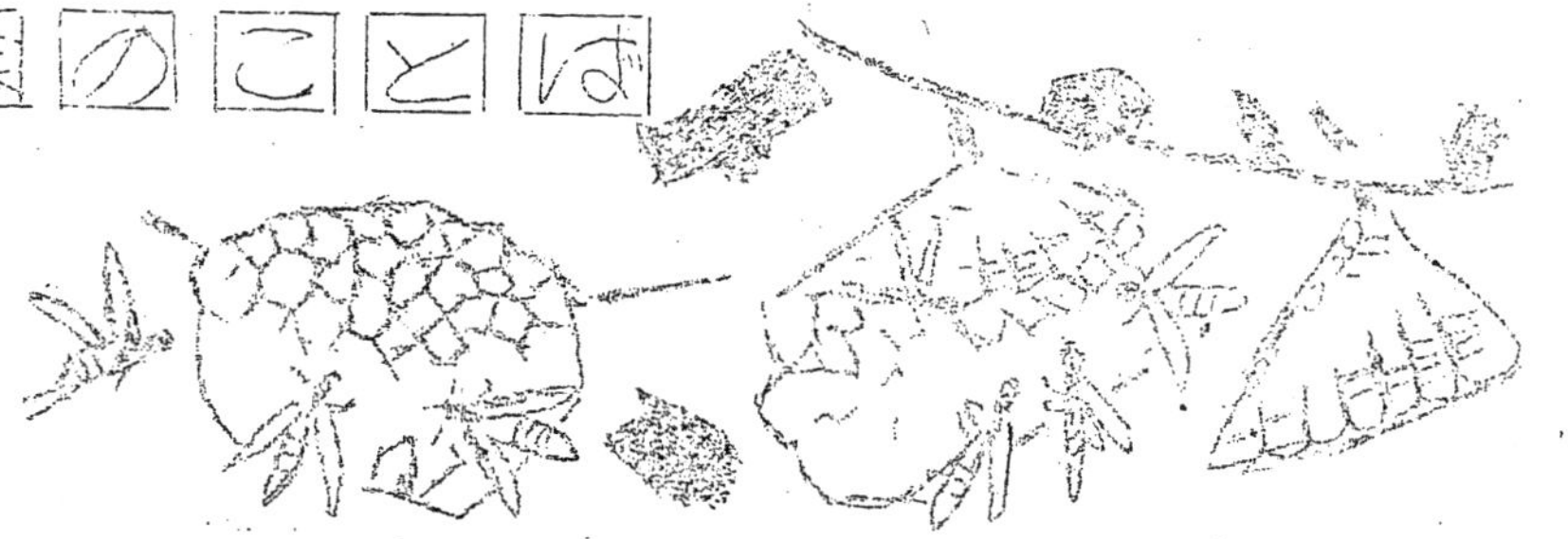

さいきん、山へ行く労働者や学生が目立ってふえてきた。彼等は決して当今のはやりを追っているだけではない。彼等は、まじめになにものかを求めて山へ入って行く。山の奥にあるものは、あまさではない。そこには、深さと、高さときびしさしかない。深い森林をこえ、急坂をのぼり、息をはずませ、よろめきかける足をふみしめながら、ようやく三〇〇〇メートルをこす峠にたどりついたとき、彼等は目の前に、更に深い谷がよこたわり、それをこした奥の方に空をつらぬくようないただきがそびえているのを見る。彼等は、つかれきったからだで、あらためてその山の深さと、きびしさにおどろき、いただきの高さにあたまをさげる。そしてまた足をふみしめながら谷間にむかって急坂をおりて行く。そのような時、彼等の胸の中には、いつしらず、同じ半盒の飯を食っているものどうしの親しみと、同じいただきをめざすものゝ共感の喜びが育って行く。こうしたことから彼等の友情が深まり、やがて職場の斗いのことや、恋愛問題や家庭のごたごたのなやみのことなども一緒に考え、支えあうような仲間になって行く。 ある会員が言っていた。

「僕は、ある学校の山岳部にいたが、その山岳部の仲間と一緒に夜中に町じゅうの学校の看板を、どぶにたたきこんだり、おいなりさんから、さい銭をぬすんでやきいもを買って食ったり、大分悪いことをした。しかし山に行く時だけはおたがいにきびしかった。みんなが腹をすかしている時、勝手に自分の持っているものを仲間にかくれて食ったりしたものは遠りよなくぶんなぐった。とにかくきびしくする時はきびしくし、そのかわり悪いことをする時でも良いことをする時でも、いつも仲間と一緒にいたことはほこりにしていいことだと思う」 これから働らく者のあゆむ道はいよいよきびしくなろう。時には息もたえだえになって尚敵にぶつかるようなこともあろう。このような時、同じ職場、同じ組織につながる者どうしが共に支えあうという血のかよった関係がつくられなかったら、たゝかえないだろう。それには同じ山に登るために必要なきびしさと、どんなことでも一緒にやるという連帯が必要ではなかろうか。このような関係をつくりあげるために行くものゝ生活をおびやかし、斗いをさまたげるもの——家のことであれ、くらしのことであれ、職場のことであれ、どんなさゝいなことでも事実をとりあげて、ほりさげて行くという態度をもって、この運動をすゝめていきたいものだ。現在の労働者のたゝかいは、大きなスローガンのかげに、このさゝいなしかし一人一人の労働者にとって大切な、日々の事実がおしかくされてしまっているような気がする。我々はこのような事実も、のがさず掘り出して行くように、問題を提起しながら、共にこの山に登ろうではないか。

— T —

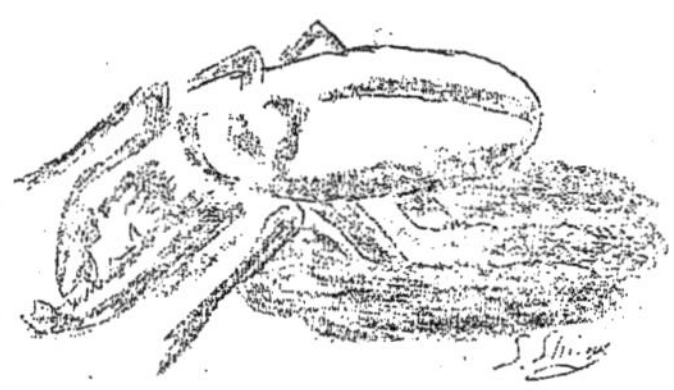

いいやいかん

―父の歴史から―

竹村民郎

父の追悼会によせて

序

わが祖国 祖国には多くの涙がある
そこに 私は 多くの時代の不幸を読む
そしてきた たしかに 人々は
英雄たちにもまして弱い ひとびとの思い出を
守りつづけてきた 弱いひとびとこそ
最後の叙事詩に歌われるべきであったし
それがまさに最後のものであるように
ひとびとは希った

―アラゴン―

一九五七年八月十三日、父は世を去った。今その葬列に集った父の若い友人たちの手で〃父の追悼会〃の準備が進められている追悼会に集る人々に、生前の父をよく理解して頂けるように、父の想い出を書きつづってみたのである。

その一 葬列で

その日の葬列に集った人々は、親戚を除くと父が一昨年上京してから知合った人々ばかりであった。

それらの人々は、父が数ケ月会計を手伝った、歴史評論関係の歴史家や、研究者たちや〃职場の歴史をつくる会〃の若い人々であった。中には全然、父の顔を知らない人々もあった。しかし、この人々に共通して流れていたものは、父の死を夫々に自分の問題として受けとろうとする誠実さと、親しい仲間の一人の苦しみを支え合おうとする友情であった。そして又、苦るしい暮しの一日一日の経験から、この不幸の真因をも見てとおすような落着きを持っていた。

サヤ豆を育てたことについてかつて風が誇らなかった
ように
また船を浮べたことについてかつて水が求めなかった
ように
その信頼と愛とについて 報いはおろか
それの認められることさえ求めなかった親であった人たち この親であった人々の墓にどの水を私たちがそそごうか どのクチナシとヒオオギとを切って来よう
か

中野重治

この葬列の中で、人々は日頃友人の誰彼が生活の底深く持っているなやみに共感しているつもりでも〝今の世は、けがと病気は自分もち〟いざその解決やそれに伴う苦しみをたえる場合、それは個人が背負はねばならないという現実をあらためて考えたことだろう。

敗戦後　日本の若い世代は、その苦痛をたえる中で、他の生活に自らと共通のものを発見することができるような能力を養ってきた。

〝今の世は、けがと病気は自分もち〟

人と人とのくらしのつながりのすき間を冷たく流れているこのような気分は若い世代には、がまんの出来ないことである。

〝父の追悼会〟を開こう〟という提案が、その時出された。そこには故人の想い出を語ると共に、これから生きてゆくものゝ歴史についても大切に語り合うという願いが仂いていたのである。

その二　父の歴史を書こう

その晩の集りで　人々はつぎつぎと父母のことについて語った。戦時中不自由な疎開先で父を亡った者、ぼんぼん時代しかなかったと云う暮しの中で、その母をガンで亡くした者がくるしい生活をたえぬいた歴史を語っていた。父母を持っている者も、亦、くるしい生活の日々についー寸したことがらのために父母とけんかをしては後悔していた。

子はいつも父の背後で育った。子は父が亡なって始めて、父が立っていた正面に父を苦しめてきたものがぐっと迫って来るのを知ることが出来る。

日本の近代史の中で、庶民の幸福をもとめて斗った人々は多かった。しかし、その斗いの中では、子の斗いと父のくるしみとの差があまりに大きくひらいていった。

やがては反動の強まりの中で、多くの人はその矛盾にくるしみ遂には戦列を離れ、国の权威と肉親の愛情に身をゆだねていた。この痛ましい歴史の傷あとを想り、夫々の父母を語ってゆく中から、長期の見通しをもって斗はれる斗いであればある程、子が父の歴史を支え、父が子の斗いに共感するという思想の高さを必要とすることが、その夜集まった人々の一致した結論であった。

子供たちによって書かれる父の歴史は、若者たちの職場の歴史の内容を豊かにし、その斗いの幅をひろげるに役立つに違いない

その三　いいやいかん　—父の思想—

〝いいやいかん〟父の口ぐせだった、この言葉が父の正義感と情熱から発するとき、それはこの社会の不正に対する不屈な抵抗の宣言となった。そして又、この〝いいやいかん〟といったら最後、てんで動かすことの出来なかったこの気性は、父の思想に一貫性をあたえ、その生涯を清らかなものにすることが出来た。しかし、それが家庭内の日常の一寸した事に爆発すると、父は片意地の权化となり、妻と子をてこずらせた。

父は、言ってみればいつも生きいきした青竹のような人だった〝いいやいかん〟はそのふしのような役割を果したと云える。竹からふしをきりとれば、竹が倒れてしまうように、父から〝いいやいかん〟をもとってしまえば、父はなくなるのであった。

父の六十三年の生涯で〝いいやいかん〟が充分発揮されたのは、

4

神戸で青年会商業学校の講師をしていた時であった。（二八才～二五才位・一九二二年～二九年）当時、学生間に拡がっていた父の人望とその人望を背景に職員会議での父の正しい発言は、いつしか、俗物的な校長や教務主任連の恨むところとなり、学生が夏休みでいない折をねらって、父に試職辞退を迫って来た。一九二九年の夏のことである。この勧告の理由のあいまいさから、父は〃いいやいかん〃の一言で拒否した。このニュースはいち早く父が部長をしていた弁論部——当時弁論部は最も活気のある部で、批判的な学生の結集点であった。——の学生に伝わり、この活動的な学生たちの手で、事件はまたゝく間に、全校生徒に伝わっていった。〃竹村先生を守れ〃夏休み中にもかゝわらず、ただちに集まった学生たちは、学校当局の非民主々義的なやり方を攻撃し、その責任を問うために、同盟休校に入った。学生たちは神戸の中央、湊川公園に集合して、今後の対策を相談した。

神戸新聞・その他がこのニュースを市民に伝えた。警察はこの事件を重視し、刑事が父の身辺につけられ、父の思想がしらべられた。

その調査にあたった刑事の一人は、父の〃いいやいかん〃がまったく正義から発せられていることを知り、〃こゝまで生徒がしたってくれるということは教育者として幸福です。非は学校当局にある〃と述べた。

この時の教え子たちの熱情が単に一時のものではなかったことが後日証明された。敗戦で父が朝鮮から一文無しの状態で引揚げて来た時、物心両面で父を助け、その再起をうながしてくれたのは、この時代に一緒に斗ったかつての教え子であった。

父が朝鮮にいた時代でも〃いいやいかん〃は充分発揮された。（一九三八～一九四五年）当時日本人は朝鮮人をヨボ〳〵と呼んで軽べつしていた。父にしてみれば、このような民族的な差別意識は〃いいやいかん〃のさいたるものであった。

父は鉱山にいる朝鮮人抗夫たちの苦しい生活を理解し、わけへだて・なくつきあっていた。

敗戦後、父のいた鉱山の朝鮮人抗夫は一斉に蜂起し、日本人に反抗し、国旗を引きおろして、朝鮮国旗をかゝげた。父の〃いいやいかん〃はこの殺ばつな空気の中でも爆発した。父は抗夫たちを集めて、〃まだ正式に独立をしていないのに、国旗をかゝげるのは間違いだ〃と言った。抗夫たちは、父の熱弁に押されて国旗をおろしてしまった。しかし、朝鮮人は父を愛していた。引揚げも間近に迫った頃、抗夫たちが家にやって来て〃竹村さん、残って下さい。私たちが面倒をみます〃と父にいってくれた。

この〃いいやいかん〃が一番抑圧された時期は、敗戦後、父が厚生省の職員として、健康保険、神戸中央病院に勤務した頃であった。かつての父には若さがあり、自分の能力に対する自信もあった。しかし、敗戦後、父の歴史は逆転した。引き揚げた者には何一つとしてたのむ地盤はなかった。人をみたら泥棒と思うような人の心の荒廃の中で、ずるく、人をけおとしてもうける話が父の前にいくつか出された。そんな時も父はいつも〃いいやいかん〃であった。共同でやり始めた仕事に失敗し、世間からは、世間知らずと云われ、父に近ずく人も次々になくなっていった。

この頃、教え子の一人の世話で中央病院の事務次長にすいせんされた。しかし、兵庫県庁の役人がその尊大さと、しやくし定規で管理する病院の事務長は父にとってはむづかしい仕事であった。その頃から、父は心から笑わなくなった。夜中　胸から血の出るような声で、独り言をいうようになった。けれども父は毎日母のつくった弁当を持って出かけ、病院の上役や、官僚共に無能呼ばりされながらだまって働いていた。こんな中でもやはり父の胸の中には人間を愛する熱情と〃いいやいかん〃は忘れられていなかった。

病院で部落出身の看護婦さんを、たゞ部落出身であるというそれだけの理由で退職させようとする動きが起った。父の〃いいやいかん〃はむらむらともえ上った。〃人間が人間を差別することは許せない〃父は人間の尊い生命をあづかる場所に巣食っている俗物たちに人間の尊厳を堂々と説いたのである。やがて父は、俗物たちや官僚共に世間知らずのくせに生意気な奴とにらまれ、須磨の小さな病院に左遷されていった。

一九五五年の冬、東京に来てから現在までが父の最後の日々となった。その時期でも、父は決して〃いいやいかん〃を失っていなかった。

父は、息子やその友人が遊びにくる労働者たちを通じて、想えば長い生涯、自分の苦るしみの根本の原因に向って、今力強い抵抗が組まれつゝあるのを発見した。それらの人々の実践記録の一つが河出書房から〃職場の歴史〃として出版された時、誰れよりも父は喜んで、そのポスターをいつまでも壁にはって眺めていた。母方の親類である神戸川崎造船所の下請負工場に働くTさんにも本を送っていた。

5

父は、この国に育ってゆく、日本の青春を準備する若者たちの前途に希望をたくしていた。しかし、父の生活で鍛えられた目は、それらの中にもある不純なものを見逃さなかった。父は何もそれについては語らなかった。しかし、思想が一貫性を欠く傾向について、神戸の頃の官僚共がするような考え方やふるまいをする者に、心の中でいつも〃いいやいかん〃と言い続けていた。

肺ガンで入院中も胸の痛みに、たえながら、父はくずれるようになる自分を〃いいやいかん〃と支え、若者たちの前途に幸あることをひたすら願っていた。

肺ガンであることを知らされていない父は、もう一度全快することを信じており、若者たちと共に斗かいたいという強い熱情をもっていた。この父の想いは父の胸をやぶってゆくガンを一時ではあっても押さえて起き上り、病院の中を歩けるようにもした。

父は最後までよく斗い〃いいやいかん〃を守り通して死んだ。父の手帳が残っている。赤く日焼けした紙に父の晩年の信條が書きつけられてあった。

自處　超然
處人　靄然
無事　澄然
有事　斬然
得意　淡然
失意　泰然

この文字を胸に刻みながら生きていた父はもうない。今その手が父の歴史を書いている。この父の歴史はきっと父が愛した貧しい人々、しいたげられた人々、詩の心を理解している人々にうけつがれ、それらの人々を〃いいやいかん〃と励ますに違いない。

6　その四　ぼんぼん

"いいやいかん"その強い性格は、何よりも父の幼少の頃にそだっていたのである。父の家は、その祖父の代まで、大和屋（註一）といって大阪の船場(せんば)、塩町にのれんをはっていた、大阪でも指折の木綿問屋であった。

註一　大和屋の初代興三郎（一八一六〜一八八〇）は天保年間大和国より大阪に進み長年のでっち奉公の末、大和屋を起こした。えびすや（現在の大阪松坂屋の前身）などの大店とも取引し、興三郎の娘はえびすやの支配人であった中島家に嫁入りした。この結婚について中島家の人たちは"和宮の御降下"と云ったと言われている。

父の両親が、その商売に失敗して、塩町の大店から桃谷のしもたやに引き移った頃に父はその少年時代を過ごした。ぼん／＼に生れ、ぼん／＼のようには育てられなかった父であった。三代続いた大店が崩かいする中で起った出来ごとを見聞して父は育った。

おせいじを使い、ずるかしこく立ち廻って、お人好しの父親を失敗させた店の人々、繁昌の時はやって来て、落ちぶれると来ない世間の人の心の冷たさ、不動と見えたもののもろさ。夏になると、大店の頃の習慣であったかざりふさのついた総上すだれをつり、昔の夢だけを追いがちな家族の人たち、生活のだせいと不安定なくらし向き。このような環境は、感受性が強く情熱的だった幼い父の心に影響し、後年にみられるような、形式より内容を大切にし、お金の有無で人間を判断せず、人一倍おうようであるがしんの強い自由を愛する性格がつくり上げられていった。

そしてさらに中学時代の後半から京都の同志社大学時代にかけて父の性格は個性と呼ばれるものにつくり上げられていった。

大阪府立今宮中学校四年の頃、友人の影響もあって、西欧文学、日本近代文学をひろく読み、自我に目覚め始めた。

この頃、友人たちと新しい思想のたん生について語り合い、同人雑誌なども出すようになっていた。このような傾向は旧へいな中学教師を驚かすのに充分であった。父やその友人は中学当局の圧迫に雑誌の発行を続けられなくなり、最後の号に学校当局の坊主主義えのいきどうりの文章を書きつらね、廃刊記念号とした。

同志社大学時代、父は校祖新島襄のヒューマニズムにけいとうし、キリスト教の愛にふれていた。晩年しば／＼人生は愛だと語っていたのもこの頃の影響であった。同級には、米国から帰ったばかりの山宣がおり、河上肇博士から経済学の講義をうけていたが、当時父をもっともとらえた思想はヒューマニズムであった。

また、その頃の京都には、歴史の胎動のあとが消えやらず残っていた。父母に明治維新前後の移り変りを聞いて育った父であっただけに、その香りを伝えている。京の街は、父に歴史についてつきぬ興味をよび起していった。

"もし維新に生きていたら、勤皇の志士となっていただろう"と話していた。そんな時、父は幸福そうであった。しかし父は、無批判に勤皇を愛し、維新を愛していたのではなかった。それが日本の歴史を大きく動かし、民族の力量を存分に発揮した限りにおいてであった。

大平洋戦争末期、天皇がマイクに立つと聞いた父は、天皇の御親征の宣言だと信じ、人にもそう話していた。それだけに敗戦のショックは父には大きかった。敗戦後父は、戦争の責任は天皇にあると考え、当然天皇はその責任をとって退位するものとばかり思っていた。しかし天皇家の人々にその誠実さはみられなかった。父は天皇家に失望した。

京都御所にほど近い烏丸今出川の一角、みどりにかこまれ尖頭とチャペルがそゝり立ち、始業をつげる鐘が、カランコロンとひびくその学園にも、偽善のある事を、父はいつしか発見していた。そんな頃、その学園に学んでいた学生たちが学校の不誠実さを怒り、一斉に同盟休校するというさわぎが起った。父の情熱はこの時も、もえ上り、講堂の壇上から学友に、母校の学風が新島精神（註二）にかえることを訴えた。

註二　新島襄は教え子が過失をおかすことがあると生徒たちの見ている前で自分の手を太いステッキでたゝき、清らかな青年をあずかる教育者としての至らなさを恥じたという。この話を父はもっとも好んで話していた。

同志社時代と共に、父の個性を高めるのに強く影響をあたえたのは、妻千代の結婚であった。

妻千代は、神戸の川崎造船所につとめる労働者の娘であった。父は母との恋愛の末　結婚した。父やそれまでの父の周りの人々に比べると、母とその家族には何か温い力強さがあった。それは父の個性の強さが生れたのとまた別の所から生れてくる強さであった。

7
父の魂はその強さとその中からにじみでてくる様な愛情にふれて豊かになっていった。

その頃はまだ、学生達は〃末は博士か大臣か〃ともてはやされた時代であった。それに父は、関西一流の商社の若手幹部になっていた。望めば、或いは出世の道をひらくような結婚が出来たかも知れない。しかし父はそうはしなかった。その頃、社会的には一段低いとされていた人々の娘を父は選んだのである。

父の選んだその人は、その後、父の晩年まで数々の〃いいやいかん〃の斗いに、学校はでなくても白い手の中で育った人にはまねの出来ないちえで悟り、父と共に斗い、またよくたえていった。そして又、家庭内でぼん〱そだちの我がまゝと片意地な、〃いいやいかん〃にも愛情をもって接してきた。

父の正史にはいつも母の正史がとけあっていたのである。

吾はもはや　安見兒（やすみこ）得（え）たり
皆人の得（え）がてにすとふ安見兒（やすみこ）得（え）たり

萬葉集

この頃、父の生活は経済的にも安定し父は幸福であった。父は母をつれて道頓堀や心斎橋などよく散歩した。母の妹たちはかげで父と母を〃おしどりの夫婦〃とよんだ。

しかしこの幸福も長くは続かなかった。世界大戦後の日本をおそうた恐慌は、父の会社をつぶし父の生活の第一のつまづきが始まっている。父が神戸の青年会商業学校につとめ始めたのはその翌年であった。

その五　残された母と子

父の死の前後、東京では原子爆弾をうけて死んだ人々の遺族代表を中心に、原水爆禁止世界大会が盛大に開かれていた。そこで

8

は、戦争反対が決議され、平和えの強い願いがあふれていた。父の歴史も言ってみれば過去数回の戦争のためのつまづきの連続であった。

わが祖国　祖国には多くの沼がある

そこにわたしは　多くの時代の不幸を読む

父が生れた年に日清戦争が起っていた。新しい命が生れた年、満州の夕陽の下に一人の兵士が倒れていた。大学を卒業し、妻をめとり生活の安定を喜んだのもつかの間、その幸福は第一次世界大戦がもたらした恐慌によって会社が倒れ父のつまづきの第一歩が始まってゆく。

それから十数年後の中日事変をめぐる日英両国の対立の波にまきこまれ、父は貿易会社の職を失った。

一九四五年、太平洋戦争が日本の敗戦となって終った年の暮、父は老母と妻をつれて満員の引揚船の船室にぼうぜんと座っていた。その翌年、父は山口県の山村の小さな物置小屋で七十九才の老母を亡くした。祖母の葬式の日は空気のすんだ静かな日であった。空に老母を焼くけむりが一すぢたち上っていった。、七十九才と云えば天寿であったろう。しかし、この老母の死を早めたものが戦争でなかったと誰がいえるであろうか。

敗戦後のくらしの疲れで父は、〃しんどい、しんどい、はあしんどい〃と云いながら働いていた。

父は、自分の生活を破かいさせていったその原因を晩年に知った。父は、その力に抵抗する激流もその晩年に知ったのである。〃父はもう一度、その生涯を圧迫したカに〃いいやいかん〃と叫びたかった。しかし、そこで父の力はつきた。一八九四年五月二日、この世に発した生命の弾丸は美しい弾道をえがいて、この世を飛び続け、その途中にさえぎる数々の障害を貫き通し、そのきざっに身を焼きながら、一九五七年八月十三日午後一時一五分、この世から消えていった。

父の死顔に不安の表情はなかった。一すぢに生きつくした者だけがもつ清らかさが父をつつんでいた。

残された母と子がこれからも過ごしてゆく日々の中でふと夜明け前の暗さに道を見失うことがあったとしても、父の生命がこの世に書いた美しい一すぢの光は、必ずこの母と子とに人間としての行く道を教えてくれるであろう。

――八月二十八日朝――

この想い出の記を、父の愛用の万年筆で一気に書き上げた。この文章をまとめる折、〃職場の歴史をつくる会〃の人たちにいろいろ教えられ励まされた。その人たちの協力がなければ、この文は書けなかっただろう。心から感謝している。

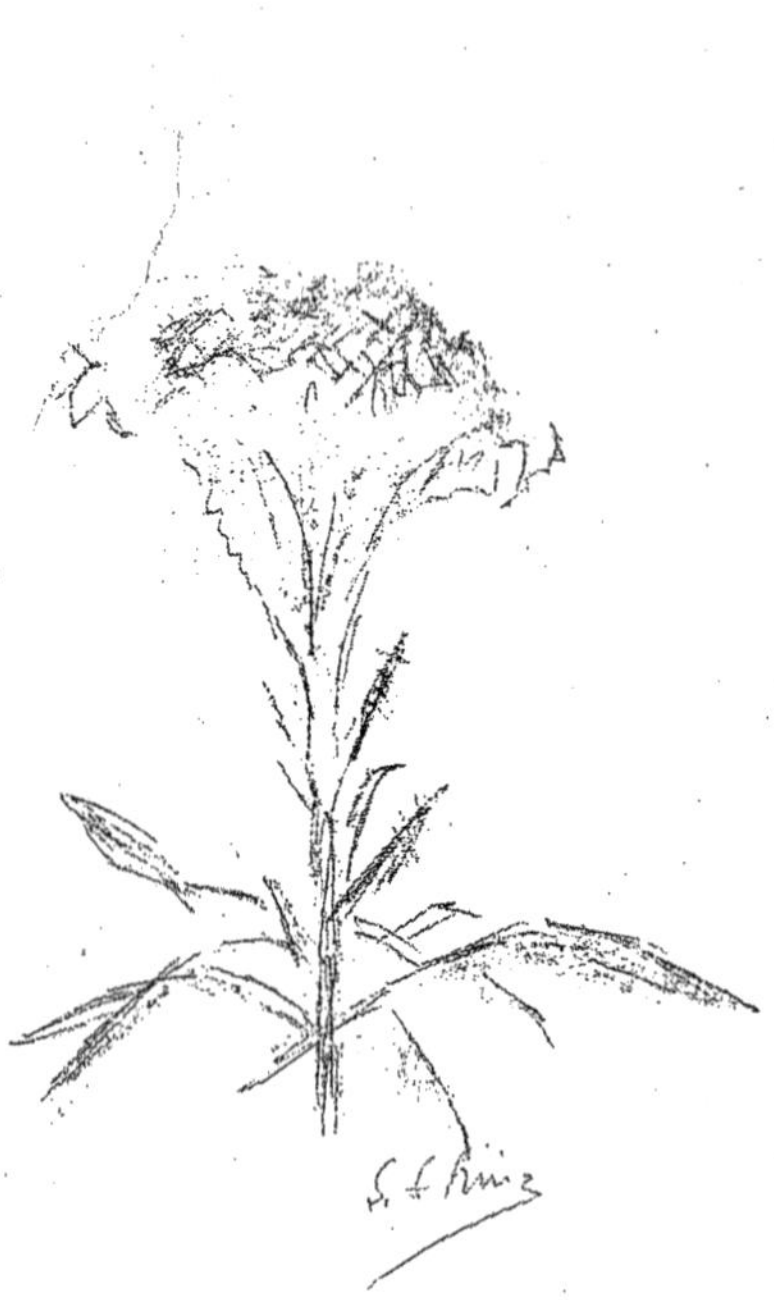

竹村家系図

〔附1〕

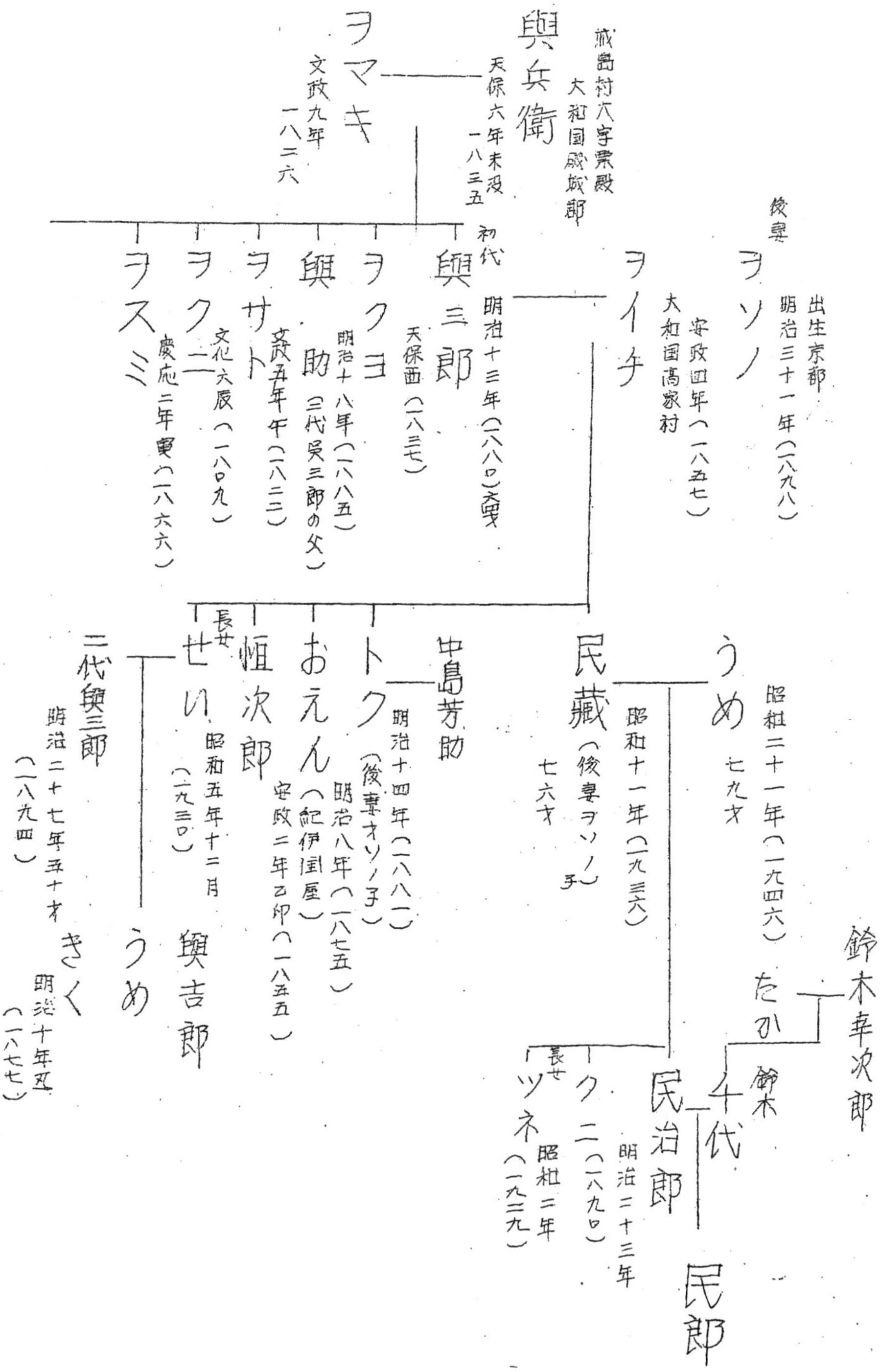

與兵衛
天保六年未没 一八三五
城島村大字粟殿
大和国磯城郡
ヲマキ
文政九年 一八二六
初代 與三郎
明治十三年（一八八〇）亥
天保酉（一八三七）
ヲクヨ
明治十八年（一八八五）
與助
（三代與三郎の父）
ヲサト
文政五年午（一八二二）
ヲクニ
文化六辰（一八〇九）
ヲスミ
慶応二年寅（一八六六）
ヲイチ
安政四年（一八五七）
大和国高家村
後妻
ヲソノ
出生京都
明治三十一年（一八九八）
民蔵
（後妻ヲソノ子）
昭和十一年（一九三六）
七六才
うめ
昭和二十一年（一九四六）
七九才
中島芳助
トク
（後妻オソノ子）
明治十四年（一八八一）
おえん
（紀伊国屋）
明治八年（一八七五）
安政二年乙卯（一八五五）
恒次郎
長女
せい
昭和五年十二月
（一九三〇）
二代與三郎
明治二十七年五十才
（一八九四）
うめ
與吉郎
きく
明治十年丑
（一八七七）
鈴木幸次郎
たか
鈴木
千代
民治郎
明治二十三年
クニ（一八九〇）
長女
ツネ
昭和二年
（一九二九）
民郎

竹村民治郎年譜

年代	年譜	竹村民次郎年譜
一八九四（明治二十七）	八・一日清戦争	五・二大阪ニ生レル父民蔵・母うめ・姉ノニツネ
一九〇八	戊申詔書（十）	四・大阪府立今宮中学ニ入学
一九一三（大正二年）	一・全国新聞記者大会（大正デモクラシーノ高マリ）六・オニバルカン戦争始マル。	三・同校・卒業
一九一四	八・第一次世界大戦ハジマル・	三・京都同志社大学予科入学・
一九一八	八・シベリヤ出兵米騒動・	七・同大学経済科卒業増田貿易KK入社（神戸）
一九二〇	二・普選案議会上程・議会大混乱・三・尼港事件五・日本最初のメーデー	六・鈴木千代ト結婚・
一九二一	四・足尾銅山ニストジュネーブニ国際連盟第一回総会開カル	十・増田貿易KK辞職
一九二二	二・ワシントン会議終ル三・ガンジー逮捕サル七・日本共産党成立	四・神戸青年会商業学校専属講師就任・簿記ノ講義ヲスル。

年代	年譜	竹村民次郎年譜
	攻ソ宣言・二・独禁法施	
一九四八	二・片山内閣総辞職・三コノ頃労働争議激化ス。七・マッカーサー公務員ノ争議禁止ヲ含ム国家公務員法改正要望。九・全学連結成大会。三・極東国際軍事裁判々決。	七・同社辞ス。健康保険神戸中央事務次長トナル
一九四九	七・国鉄首切発表・下山・三鷹事件・八・松川事件。	
一九五〇	四・学術会議戦争ノタメノ科学ヲ行ワナイ旨ノ決議・六・朝鮮戦争・特需景気・七・総評結成・マッカーサー警察予備隊創設ヲ指令・ニトルーマン朝鮮デ原爆使用モ考慮ト声明。	
一九五一	九・対日講和条約調印・日米安保条約調印・	五・同病院辞ス兵庫県民生部保険課ニ入リ須磨診療所事務長トナル。
一九五二	四・破防法反対ゼネスト五・メーデー事件・七・破防法成立・	

一九二九	一〇・ニューヨークノ株式大暴落恐慌始マル。	二、長男民部生ル。
一九三〇	二、第二回普選四、国家総動員計画実施ニ関スル初会議	八、講師ヲ辞ス。五、英国ゼ、コースラーKK東京地方副代理人トシテ毛織物ノ直輸入業ス
一九三六（昭和一一）	二、二・二六事件五、メーデー全国的ニ禁止。一一、日独防共協定調印	二、父民蔵死ス、享年七六才。
一九三八	二、ロンドンニ対支援助日貨排斥ノ反日国際大会七、張鼓峰事件起ル。	五、英国ゼ、コースラーKK退職。一〇、朝鮮特殊鉱業KK入社会計課長―監査部長―常任監査役
一九四五	八、原子爆弾広島長崎ニ投下サル。天皇終戦ヲ放送。	三、敗戦ニヨリ朝鮮京城ヨリ母、妻ヲ連レ引揚ゲル。
一九四六	一、天皇神格否定宣言、二、第一次農地改革労働運動活発化ス。一一、日本国憲法公布。一、科学者ノ大同団結ヲメザシテ民主々義科学者協会創立ス。総同盟結成、二、日農結成。五、マッカーサー大衆示威運動ニ警告。	四、母うめ山口県ノ仮寓ニテ死ス、享年七六才。七、大阪府高槻市三協商事ニ入社。
一九四七	二、二・一スト中止サル 四、総選挙社会党第一党日至運発足。五、日本国憲法施行、九、中国人民解放軍国府軍ニ対スル総	八、同商事ヲ辞ス 九、神戸富島商運KK入社。

一九五三	スターリン死去。五、内灘斗争。七、朝鮮休戦	
一九五四	三、ビキニデ原爆実験、福竜丸ニ死ノ灰。七、ジュネーヴ会議	
一九五五	四、A・A会議開催平和共存ノキザシ深マル、原子力時代ノ様相発展ス、国内産業オートメイション化ス。	一、同課ヲ退職シ東京ニ来ル。
一九五六	砂川基地問題ノ対立激化平和共存ノ方向前進ス。	三、歴史評論編集部会計ヲ手伝ウ。六、井本工業KK入社。一〇、疲レがヒドイタメ東大病院ニ通院ス。
一九五七	三、春斗国鉄労組他労組ノ争議激化。八、原水爆禁止世界大会	一、東大病院入院、済生会品川病院ヘ移ル 五、済生会赤羽病院ニ入院。八、一三、午後一時一五分死ス、享年六三才

═職員の歴史═

魂あいまみれて

―恩給局職場の歴史をつくる会―

国会議事堂のそびえ立つ、霞ケ関一帯は高層なビルが立ち並び、平和な官庁街を思わせる。そのビルの谷間に七棟からなる二階建のバラック建築とも言い兼ねない建物が立ち並んでいる。

十月の或る日、私は胸を踊らせながら「恩給局」の門を入った。私の心の中は失望の念で一杯であった。「総理府恩給局」、聞いただけでも何か、すばらしい気がしてくる。高層なビルにピカピカ光る廊下、螢光燈の灯る職場、そんな役所と想像してきた私に、大きな失望を与えずにはいられなかった。

田舎から東京へ

△△県の四方山で囲まれた僻村に生れ、家は年に三度の養蚕とわずかの田畑を耕して一家の家計を立てゝいた。そんな実で村でも中流並の生活を営むことができる。中学時代の村の同級生はほとんど進学することもできず、都会めざしてデッチ奉公に、残る者は農繁期には家の仕事を朝早くから夜おそくまで働き、農繁期が過ぎると、出かせぎに方々に出てゆく。

私は望み通り、町の商業学校に進学した。何故この学校を選んだのか私自身はっきりと言いきれることはできない。しかしこんな考えは心の中にはないでもなかった。「商業学校を出れば」就職も容易にできるだろうと……卒業も間近くなり、職に就くことがむつかしく、巾の狭い社会が恐しく思われてくる。家にいても「穀つぶしの親不孝者」と村の人に笑われるのを恐れて東京へ出ることを決心した。一時、東京に住んでいる叔父の家に落ち着き、二ケ月余りほとんど職に就けない状態で毎日叔父の家ですごした。

「このまゝ叔父の世話にばかりなっていて良いだろうか」「自分で職安にでも行って職をさがそうか」とも考えたが、勝手のわからぬ東京なのでどうしようもない。

叔父は××警察署に勤務している、そんな関係で色々と職の紹介を持ってくる。

「○○出版社で今職工を募集しているがいかないか」と、あるいは「何々会社」と言われるがみんな気が進まない。学生時代、商業学校を出れば一流の会社に就職ができ、きれいなかっこうをしてソロバンをはじいていれば良いものと思って東京にでてきた。しかし下町の混雑している家ごみの中で油だらけによごれた職工の姿を見かけると、まして叔父の職の世話も躊躇したくなる。

或る日、「恩給局に行かぬか」と言われた。その時はあまりの急の出来事で躊躇はしたが、その名称は私に何か魅力を誘った。

叔父は○○代議士に私の就職のことを依頼し「恩給局」の話が持

あだされたのであった。○○代議士は局長を良く知っていて「すぐにも入れる」と私が御願いに行った時に言っていた。

採用の通知のあったその夜、叔父夫婦は自分のことのように喜んで、さゝやかながら就職を祝ってくれた。

「今日はお前の祝酒だ」叔父はそう言いながら、私の銚子に酒を注ぐ、私の顔はなんだかほてってきた。叔父の目のふちは赤く、目はトロリとしている。

「良かったなあ、これで叔父さんも一安心だ……、お前も明日からしっかりやれよ、叔父さんがとやかく言わなくとも良くわかっていることだろうが、二ヵ月も叔父さんの家に居なければならなかったというのも、社会がどれほど就職難であり、競争の激しいものかわかっただろう」「今の世の中は生存競争の世の中さ、決して実力のある者が出世するとは決っていないんだ……」とグッと銚子の酒を汗じながら、「今の時勢では〃世渡り〃の上手な者にはいくら学があったとて彼等には一目置かなければならないだろう」

「叔父さんの署にも色々なやつがいるが、その典型的人物なんぞは、非番に署長の家にいる兎の草を取って来るやつもいる、彼には彼の下心があったんだろうし、心ある者は彼を嘲笑もしただろう、しかし今じゃこれでも〃主任様〃だからな」と言いながら「まあ頑張ってやってくれよ」と横になり、いつか寝息がもれてくる

社会へや一歩の日がやってきた。驚いたことに、こんな大きな役所で月給制でなく、日給制で二百四十五円だと言うことだ、手に渡された書類を見ると〃臨時職員〃と誰々と氏名欄がある、私は○○代議士の紹介で入ったのだからたぶん職員と思い込んでいたが臨時とは……、私はすぐに○○代議士に会い、話した所「そうだったのか、しばらくしんぼうしろよ、きっと近い内に局長の方に正職員になれるように頼んでやるから」と言うので、なんだか心のわだかまりが取れたような気持がしてきた。

翌日から一週間、業務上の研修に入った。係長が来て、インク壺は机の右上に置いて、書類は左端に置き、ペンはこゝにと、何から何までうるさいほど指図されて、二日目からやっと書類かきに入った。私達より早く入ってきた人が二、三人私達研修生の誤りが幾つあるかの統計が出される。係長は退庁間近に研修生の成績を発表する。私はこんなに役所と言うところは物事を厳重に見るものかと考えながら「こんな調子だと明日から勤まるだろうか」と何だか不安になってくる。

研修も終り各班へ配置された、配置がえがあってから日に日に友達が一人二人とできてきた。友達は色々と職場のことを私に話してくれる。「休暇も失業保険もなく、又病気になっても健康保険がないために毎日が不安でたまらない」と言っていた。今まであるだろうと思っていたことが、何だか騙されたような気がして腹がたってくる。と言って私一人ではどうしようもないので諦らめていた。

一日の労働があまりに長く感じられてたまらない、日計を係長に提出するのに、休みの時間まで費して仕事の量を上げようと一生懸命に仕事をした、しかし長く働いている仲間達は黙っていなかった。「俺達はいつ上がるともわからぬ二百四十五円の日給で生活ができると思うのか、便所に行くにも監視の目を光らせ、休の時間さえゆっくり休む事すらできない、」「俺達は奴隷ではな

いのだ、もっと食えるだけの給料にしろ」とあちこちの職場から声が起り、特に労働の中から生まれた新しい認識は職場の人々を団結させ、遂に十一月十八日、官庁街のビルの谷間から雄々しい労働者の声をあげるに至った。

　組合が結成されたことがいつの間にか、叔父や、○○代武士に知れたのか、しばしば組合について話を聞いた。「組合などに入るな、入ると自分に不利になる、組合なんか考えるより一生懸命に仕事しろよ、あのこと（正職員になること）も局長に良く話しておいたからな」と何かと組合を危険物のように会うたびごとに○○代武士は言う。私は組合加入用紙を撒かれた時躊躇したが、友達がみな加入したので、私も名前を書き入れ提出した。

　組合は年末斗争に一歩一歩前進して行く、私は仲間達の切り開いた道を歩くのも精一杯であった。あたりに気をくばりながら用心深く、おそるおそる仲間達の後について行った。

待ちうけていたものは

　当局はウの目、タカの目で弱い組合員を探していた。○○代武士と局長との関係、それに附随して叔父の警官と言う職種は当局が利用する好条件にあった。義理、人情を盾に私を利用しようと当局は迫ってきた。

　組合が結成されて年も明け、寒さも通り過ぎ、梅の花が見受けられる三月、組合も第一期の執行部を送り出し、幾多の成果を残して、新しい執行部を送り出す時がきた。各課は競って候補者を出した。掲示板（当時は組合のための掲示板は常備されていない）と言わず、組合員の目に付く所に選挙ビラが貼られた。この一連の組合の動きに当局と言わず、近在の特殊組織も注意の目で組合を見るようであった。千二百名の組織の組合が、大部分臨時職員で構成されている組合は、外部から注視されるも当然であったろう。

　叔父はある時「暇を利用してまで自分の置位を高めようとは思わないが、とかく警察というところにいると、はたでやんや言ってうるさくて――」と苦情をこぼしていた。

　或る日、班長が私の仕事をしているそばにきて、一枚一枚書類を見ながら、私の耳もとで、「A（課長補佐）さんが呼んでいるから昼休みに行きなさい、」と言ったかと思うと、書類を置いて行ってしまった。

「何だろう」「たぶん受給者からの紹介で調査でも頼むだろう」そう思えたが、「調査なら勤務時間中でもよさそうなものに、」とも思えてくる。

　昼食を早めにすませ、一号庁舎のA課長補佐の部屋に行った。部屋には人影もなく、窓べの深椅子でタバコを吹かしながらA課長補佐の姿が目にとまった。

「Mさんから言われまして来ました」A課長補佐は灰皿にタバコを揉み消しながら、私に椅子をすゝめる。椅子はA課長補佐の隣に置かれてある。私は一寸躊躇したが腰を掛けた。

「君の叔父さんは××警察に勤めているんだってね」と話始める「これは書類の調査でないらしいな」と思いながら、A課長補佐の話しに受け答えていた。

「叔父さんはなかなか恩給の組合の出来事を知っているね、君は叔父さんに話しているのかね」思いもよらぬ詰問に私の胸は早鐘のように打つ、「なあに、私は君が叔父さんに話している事が悪いとはいわないが、しかし叔父さんに話すなら私にも知らせてくれないか――、それだと叔父さんの耳にもかゝわることにも成り兼ねないからなあ。」

口の中は乾切り、胸の動悸は激しく咽喉をつく。「心配することはないよ、私が居る限りは君に不利なようにはさせないから、それに僅(正職員)に早く成れるように――」と語尾を濁ごしながら、「明日は執行委員候補者の立合演説会があるそうだが、その模様を手紙で知らせてくれよ。」「もし私が居なかったら机の上にでも手紙を置いてくれよ」「じゃあ」とかゞみかげんに話していたA課長補佐は、「頼んだぞ」といって視線を私の顔から離した。「少し考えさせて下さい」と言ったと思ったが、声えにはならず、いっかうなずいていた。

逃げ出すようにして部屋を出た。脳裡に今、刻まれた傷は全身の血を激しく流れ、無意識の内に動作に現れてくる。臨時職員はとかく継子あつかいにされがちな私たちに産になれるその工サが目の前にぶらさがっていると、職場の周囲に視線も向けられてくるのである。立候補者の名前、斗争スローガン等が目に付くと立ち止って読み、あるいは引き返して見たい衝動にかられてくる。

仕事も一行に進まず、手は機械のようにたゞ動くばかりである、私自身今、何を考えているのかもわからない。二、三人の足音がドカ〳〵と部屋に入ってくる様子である。職場は静まり、[illegible]が大声を張り上げ、「皆さん、私達の係から立候補しました[illegible]です」と組合員に声が掛けてゆく。[illegible]さんが立候補の挨拶に来たのだ、[illegible]らハッとした。「あゝ、俺は何んということを頼まれたのだろう」とA課長補佐を恐しくも思われてくる。「密告をせねばならないだろうか」「もし拒んだとしたら係長たちにいやな目で見られやしないだろうか」相手の音もいつか静まり、みんな喜々と仕事をしている。ポツンと私は書類の前に佇んでいることに、ふと気が付き仕事にかゝった。

家に帰って叔父に話す勇気すらなく、頭が痛いといって早く床に就いた。脳裡では二ツのものが激しく戦い合っている。

「密告をすべきか」「すべきでないか」電燈の消された部屋はシーンと静まり、私自身が悪夢の中にでも居るような気さえしてくる。その夜はほとんど眠ることもできなかった。

翌朝正門に数人の執行部員が早朝ビラを撒いている。駈け抜けるようにして部屋に入ったが手にシッカリとビラを握っている。ごく自然の出来事のようであるが、昨日来、何か私が組合に罰を犯しているような気がして、深い溜息をもらすにはいられない。

立候補者の立合演説会は昼休み、庁舎前の広場で行なわれた。いつか私は人ごみの中に入って聞いていた。ふと窓に視線を向けるとA課長補佐の姿がちらりと見える。監視されているような気持さえして、心臓は高鳴るのが解かる。

帰ってから夕食もそこ〳〵に済ませ、私の部屋に入込みペンを執った。「書こうか、書くまいか」「断わろうか、断わるまいか」と考えていると、耳もとでA課長補佐の声が聞こえるような気がする。気が狂いそうな気持さえしてくる。

「やはり俺は断わった方が良いだろう」と決心がつくとやっと[illegible]

昨日Aさんが私に依頼されました件につきまして、私、昨夜、一昨夜と真険に考えました所、御断わりいたします。私の道がないと思います。

Aさんはあの時、どんな事が起ろうとも、私の身分を保障すると申されましたが、私は組合の一員であります。同じ組合員である私が、どうして仲間の情報を洩らせましょう。もしもこの事が組合員に洩れました時は、Aさんがどんなに御尽力下さいましょうとも、私は職場に居ることは困難になりましょう。

この紙面をもって御断わりすると同じに、私とAさんとの関係もなかったことにして戴きたいのです。

昭和三十年三月〇日

K

A課長補佐殿

手紙は一気に書き終えた。私自身思いもよらぬ「組合を裏切る行為を」明瞭に書いたことが不思議に思えてきた。一昨夜来の疲労は、私を一気に深い眠りに誘っていった。

翌朝早く手紙を持ってA課長補佐のところにいった。部屋に近ずくにつれ不安は増してくる。階段を踏みしめる足は重く、死刑囚が刑台にのぼっていくような気さえしてくる。火鉢には赤々と炭がおこり、二、三人の人影しか見当らない。窓ぎわのA課長補佐の席は出勤している気配はない。ホットした気持が全身を駆け走る。ふと横合から声をかけた人がいる。ふり向くと、でっぷりと肥った課長補佐のMである。「何か用か」とたずねてきた。私はドギマギしながらA課長補佐に頼まれた手紙を持ってきたことを話した。彼はうなずきながら手をさし出してくる。「見せろ」とでもいうのだろう。「困ったことになった」と思いながら、手紙をさし出した。手紙は小刻に振えているのが私にもわかった。封のしてない手紙を取り出して読み始める。足ががくがくして心臓は痛いほど胸を打つ。いっそうここから逃げだそうか……という気さえおきてきた。

彼は読み終るや、無言で大きく二ッ三ッうなずくと「解った」と一言いった。あとはなにも言わない。私は深い御辞儀を一礼して、部屋を逃げでるようにして職場に帰った。

一難去って、また一難、課長補佐からいつ呼び出しがくるのかと、一日中胸をドキドキさせながら、係長や、班長の姿を追っていた。正門を通り抜ける時は朝のゆううつ感とは違って、今日も呼びだされずにすごせたと、安堵の気持でホット胸をなで下しながら一週間も過ぎ去った。

或る日、叔父の所に局長から「部下がK君に変なことを頼んだようであるが、以後そんなことのないように注意をしたから、君の方からK君に宜敷伝えてくれ」と電話があったことを叔父から知らせられた。

ホットした安心感が私の全身を駆け走った。当局の不当な強制は一族の城主によって握ぎりつぶされたのだ。

かびくさい部屋の中で

五月一日、その日はメーデーであった。私の乗った電車はムッとする暑さである。釣革につかまった私は、車窓を過ぎ去る雨に、漏れた武蔵野を眺めながら、明日からの生活をあれやこれやと想像していた。乗客も少なくなり、ふと私の前の席にずぶ濡れになった男が掛けているのに気がついた。靴は泥だらけ、ズボンはひざまで泥がはね飛んでいる。私は男から離れようと男の手もとに視線を向けた。ひざに置かれた男の手には紅に染め抜かれた〃団結〃と言う字の鉢巻が目に入った。たぶんメーデーの帰りでもあろう、男は目をつむりながらひたすら今日のメーデーの感激を想い起している様子である。男がその感激に陶酔している姿は、私の胸に何ものをも得ず、たゞ物好きな男もあったものとしか思えない。

今、私の胸を流れるものは、新しい生活に、ぬけ出ることしか考えていない。自主性のない空虚な生活に精算すけようと決心し、今、引越しの荷物を運んでの帰りである。

二日ほど前に、私は叔父に「下宿をしようと思う」と食卓に向った時に話した。叔父はあまりの急のことに一寸驚いた様子であった。炊事場で食事の仕度をしていた叔母も、エプロンで濡れた手を拭きながら私達二人のところに入ってきた。さも驚いた様子で「Kちゃん、下宿するの……」と言う。叔父の表情は叔父自身の責任的存在を意識してか、いっか暗い不安な面持ちに変っていた。一際の責任を負い、私を引き取った叔父が、今、私の口から家を出るなぞと言われると速座に返事も出来ないだろう。

私は、今まで色々と世話になり、自分の家のようにふるまってきた私が、家を出るといってと強固にするのとは悩みしかった。しかし、将来の自分を考えた時、決して叔父たちの世話に成っていて良いものではなかった。

「決して叔父さんの家に居るのがいやなのでなく、僕は叔父さんの家に居る方がどれほど楽かしれません。けれど僕としても叔父さんや、叔母さんに生活の一際をまかせきりにしてきたのが決して良いものではなかったと思います。僕は僕自身のために下宿をしたいのです」とこのようなことを叔父と叔母の二人を前にして、私の決心のほどを理解して戴こうとつとめた。

叔父もそれほどに考えたなら心配はないだろうという安心感がともなってか、私の下宿をすることを承知してくれた。しかし叔母は、私が荷物を運び出すまで「もっといたって良いものを……」と言っていた。

今まで自分の生活の一際を叔父達まかせに生活をしてきた私は自身の生活が骨抜きとなり、自主性のない生活をしてきたのだった。この過去の生活に精算をつけ、新しい生活に入ることになった。

荷物もほとんど整理がついた、何かさ風影な感じがする、ミカン箱に入れられたわずかの本と、コウリが部屋の片角におかれ、あとは何もない、部屋の中に大の字になって私は天井を見上げていた。北向に背丈もする所に窓がある、見えるものは空ばかりだ、外に風が吹くたびに柿の葉でもあろう、サラ〳〵音をたてゝ高い窓に青々と繁った小枝をのぞかせる。薄暗い部屋は四方、ベニヤ板で張られ、湿気をおびた空気はベニヤ板の臭いを一層強くしながら私の鼻をつく。まるで叔父の家に居た時の部屋とは別段の粗造だ。しかし、今の私には、部屋の不満をもらしている余裕さえなく、ひたすら解放感にひたりながら、いままで読まずに箱の[illegible]てあった本を手にした。頁をサラ〳〵とまくるたびにカビ臭い湿気が顔にかゝってくる。今日から読みたい本も読めるぞという幸福感が潮のごとく全身に押し迫せてくる。

ゴールデン・ウィーク

斗争の中で

生活環境の変化だけでは、私自身を変えることはできなかった。いつもと同じように役所に出るのがユウウツでたまらない。「今日も組合で何かあるのではないか」 係長や班長が日計表の提出を強い。職場委員は庁舎前の広場に動員してくれと誘いにくる。その板ばさみになる自分がたまらないほど苦しい。

恩給局職員組合は「四月から五月えの祝祭日の連休を有給休暇にせよ」と他官庁にも類のないスローガンを掲げ斗争に入った。私などはゴールデン・ウィークに遊ぶこともできず、たゞ金を使わないように下宿で寝ているよりしかたがなかった。新聞、ラジオが、「連休を利用しての人出は○○地方は何万人」と報じているが、私は食うために寝ていなければならないのが悲しくもあった。このゴールデン・ウィークの問題を組合が取り上げた時は、使いはたした金を、どうにか埋め合せが出来るぞとうれしかった。

恩給局の組合には連休に日給がもらえないという生活に結びついたゴールデン・ウィーク斗争は自然発生的に一週間職場放棄をもって当局にだげきを与えた。

五月二十日

職場は緊張に満ちた空気がみなぎり、誰一人席について仕事をしている人はいない。廊下ずたいにメガホンを口に「組合員の皆さん、全員、至急広場に集合して下さい!!」と執行部の人々の声がする。皆「それ!!」とばかりに広場に向けて駆けてゆく、私は行こうかと迷っていると、「K君日計表をまとめてくれよ」と係長がうしろから声をかける。「仕事をしなくとも出すんですか」と問い返すと「仕事はしても、しなくとも提出すべきものは書くのだ」と語気を強めて言う。今までにぎわっていた職場も静まり、係長・班長と私だけが残され、ミーンとした職場は、引き出しを開けるたびごとに、静まり返った職場の中にひゞき渡り、その音は私の心を一層あせらせる。日計を書けるばかりの準備をとゝのえて職場を出た。

広場にはムシロ旗があり、プラカードを持っている者もいる。

「局長よ交渉に応ぜよ」

「十五日の線撤廃」

「ゴールデン・ウィークを有給にせよ」のプラカードが掲げられている。

「再三の組合の交渉の申入れに対して局長は〃業務多忙〃〃出会出席〃の口実に交渉を拒否している。」と執行部から報告があった。組合員はどよめき、あちこちから「これで解散するのは、もってのほかだ」「何かこゝで気勢を上げるべきだ」「デモレ、デモレ」の声が掛る。

執行部は組合員の声を聞き入れ、「たゞちに局内デモをする」と言う指令を出した。各課ごとにデモ体勢をとゝのえる。私は仲間の中に入った。前列の方で組合旗がひらめき、うた声が波のように押し迫せてきた。私とスクラムをくんでいる仲間も声をはりあげて「民族の歌」をうたっている。私も小さな声で一緒にうたっているが、殆ど歌詞がわからない。たゞ自分が、うたっている、と意識する時は、「進め〳〵」と言う時だけである。

先頭の方で「ワイショ〳〵」と掛声が聞こえてくる。両脇の仲間は私の両の腕をギュッとだきかゝえるようにして腕を胸のところに持ってゆく。スクラムをくむのも始めての私は胸が高鳴り両脇の仲間に自分の鼓動が聞こえまいかと、のぞき込むように左右の顔を見た。彼も、彼も緊張感に青ざめた顔に、目だけが何かを求めるかのごとく輝き、大声をはり上げ労働歌を口ずさんでいる。私も「何くそ!!」と思い、落付きを取り戻そうと彼等の歌に合せながら共に歌い始めた。

組合旗がゆれる。プラカードが上に下に激しくゆれながら前方へ進んでゆく。うしろを見るとスクラムを組んだ組合員が前進するのを待ちうけながら労働歌を歌っている。高々とそびえ立つ口会議事堂に比らべると箱庭のような、ちっぽけな建物の立ち並ぶ恩給局の職場にときの声がわき上った。笛の音が一定の規律を保ちながら鳴り響く。私は夢中で駆け出した。五列の隊伍は左右にゆれながら前進してゆく。局内を一周すると執行部の指図のもとに局長室前に座り込むことになった。廊下は一杯になり階段、そして入りきれない者は庁舎前の広場に座り込んだ。

夢が夢中で仲間の両腕にしがみつきながら駆けていた私は、何ら考える余裕さえなかったが、座込みに入り、時間が刻々と過ぎ去るにつれ、仕事のことが気にかゝってくる。係長の言葉がいつか私の頭に浮き触りにされ、何か口実を作って座込みの中からぬけ出ようと考えた。「便所に行ってくる」と言いながら座り込みの仲間をわけながら職場の方に帰った。通りぬける庁舎はシーンと静まり、廊下を歩く足音がコツ〳〵と響きわたる。その音は、話声はおびえて囁きのごとく交々に足音も早まってくる。

職場に帰ってみると、S君とN君が仕事をしている。だゞ広い柱の立ち並ぶ職場に班長等の姿が見えるが、どうしたのか係長の姿を見いだすことができなかった。

私はS、N君がデモに参加したのだろうか内心ドキ〳〵しながら片隅にある席に掛けながらキミム机の引き出しを引き出し、日計表の作成にとりかゝった。しばらくすると遠くの方から笛の音にまじりながら「ワイミョ〳〵」の掛け声が聞こえてくる。又、デモが始ったのだろうか。しかし声のする方角が局内ではないらしい。今まで黙って机に向っていた班長やS、N君等が「何だろう」と立ち上って窓ぎわに駆け寄り声のする方を見ている。恐る、恐る私も窓べに行き隠れるようにして外を見ていると、声は次第に恩給局の方に近ずいてくる。正門にピケを張っていた組合の人達が拍手をしながらピケを解く、続瓦べいに頭をのぞかせた赤旗が一本、二本と門を通り過ぎる。官公労、農林の各労組の応援が恩給の争議に駆けつけてきたのだ。

私はしばらくの間、放心状態にあったが、直ぐに席にもどると、又、仕事を続けた。いつか掛声も静まり恩給の職場は水を打ったような静かさになった。廊下ずたいに話声が聞こえる。足音は次第に職場の方に近ずいてくる。「K君どうした、行かないのか……」と三人の仲間が興奮した顔を紅潮させて私に声をかける。何か持ちに来たのであろう。彼等は引き出しを開けたり閉めたりして、何かをさがしている。「おい誰か、タバコを持っていないか」とM君が言ったかと思うと「K君行こう」と、又誘いかける。彼等は職場に三、四分いるかいない内に職場を出ていってしまった。

時計は四時をまわってでも、誰一人として職場に帰ってくる者はいない。青ざめた顔で駆け込むようにして入って来た係長は班長等を呼んで何か話している。

「今日は早いけれど仕事をやめて帰りなさい」班長が私達に言う。私は「帰れたって帰れやしない、正門にだって裏門にだってピケを張っている組合員がいるんだもの」と思っているとS・N君が帰り支度をして「K君帰ろう」と言う。廊下で三、四人の人の話し声がする、Mさんや A君達だ。彼等も今までどこかに隠れていたのだろう。映画やワイ談をしながら入ってくる。私も帰り支度をして彼等の後について行った。すると他の係の人達も縺れるようにして私達の方に来る。「こんな方に来たって出られっこない」と思っていると、皆便所の裏側の方に行く。

恩給局と外務省の空地の境に高に土手になっている。そこに背丈以上もする木べいが作られてある。今来た人達は、そこに来て何かを見ている。誰かがもう土手を下りて駆け逃げるようにして帰って行く姿が見える。

今誰か一生懸命にへいをくぐり抜けようとしている。よく見るとニ枚のへい板がはずされ、人間が一人くぐれる位の穴があいている。一寸足をふみはずせば土手からころげ落ちそうな所を、誰一人話をするものもなく、われ先にとその穴に足を入れ、そして胴を、手はしっかりと板につかまり、背を弓のようにまげて頭を板にぶつけない様にして穴を抜ける。へいをぬけ出たものは土手を駆けおり空地をつっきって合同庁舎の方に姿を消してゆく。

翌日職場に出ると仲間達が口々に昨夜の武装警官の出動にいかりを持って語り合っているのを聞いた。

職場は日増に緊張さを増し、組合員は一人残らず鉢巻に赤や黒で〝団結〟の字を染め抜き、男も女もキリリと結んで職場で無言の斗争を続けた。

この組合の斗争の中に私は係長等に言われた仕事が、私に課せられた義務のように思えひたすら斗争に参加しながら合間を見ては仕事をして四時頃になると小さな穴をくぐりぬけて帰ったのであった。

――以下次号に続く――

進む事を知っていた
―整々社労働組合―

入野徹
三峰光

はじめに

あの結成大会の感激の一瞬から一年余りを未熟ゆえに多くの困難の衝壁にぶつかりながら私達若い執行委員達は、社会、そして職場という現実に触れて一人一人はぐくまれ、生長してきました。また従業員達は労組を通して手を結ばなければならないことを教えられ、その大きな力に励まされてきたのです。

勿論組合運動の過程のなかゝら様々な矛盾や意見の対立、果て感情にまで左右されるような事態にも直面しました。実際人間的にも不完全な私達のことですから、百数十名の組合員を統一し指導して行くに余りにも責任の重大さを知っていたからなのです。

しかし一周年を迎へ新しい有能な人達が加わり、組合運動を初期の段階から一歩踏み出して行ったのです。　そうですこれから私達労働者の会社の不当な労働条件や賃上に斗かって行かうとしているのです。

整々社と言う私達の職場は

さて私達の職場を紹介しましょう。有限会社整々社は国際電信電話株式会社の建物を主に清掃している、所謂請負会社なのです。其外売店やクリーニング、ボイラート・エレベーターなど受け持っています。従業員は約百四十名、其の内組合員は百十数名で先ずユニオン制を勝ちとっています。この私達の会社が同業の清掃会社たとへば不動産会社などと異なった経営をしているということから話を進めましょう。

国際電々という会社は外国向けの通信（電報とか電話）機関部門が電信電話公社から分離し株式会社となって、半官半民の会社に独立して、大手町の一角に九階建の豪奢なビルを建てた時に清掃関係を先程述べましたような外部の清掃会社に請負せずに、この会社に勤めた上役の停年退職者を、整々社の支配人を始め二人の幹部で組織させ、社長は国際電々の総務部長が当り重役四名を整々社の顧問にさせるという巧妙なやり方で発足させたのです。現に今の支配人は庶務課長をしていた人物です。

一体、国際電々は何故こうした形態をもって、私達か職場である整々社を作ったのでしょうか。これを一つ一つ上げてみましょう。

先ず、国際電々、私達はこれを本社と呼んでいます。この本社の停年退職者の救済機関としたことです。つまりこれ等の人達を二年位整々社に勤めさせて、次の退職者を交代させて幹部の椅子に座らせようとしたこと。二つは、外部の清掃会社に請負せるよりも、全般的なコストが割安になると同時に、清掃部門を本社から切り離して独自の経営をさせることによって従業員の賃金ベースを本社と区別させること、これは基本給以外の種々の手当金を抹殺し、経費を浮かせようとしたこと、しかしこの企ては組合が出来たことによって全く失敗しています。例へば扶養手当や定期昇給制度、退職金制度とか、特殊な仕事をする人達に対する特別手当、交通費の全額負担や正勤手当等が会社のこぢつけ的な弁解如何を問わず団交によって勝ち取ったものなのですから。

その三として明らかに会社の誤算を招いたのは、夜間学生を主体に催って、家族持ちの人達を低い賃金で使うよりも新陳対謝の有利な学生達を臨時雇員という名目で、安く使用出来るだろうと考へたことなのです。ところが後に述べますが、これらの人達によって逆に組合結成運動の指導的な人物になったのですから会社は全く失策をこゝでやった訳です。それで私達の職場が大体お判りになったことゝ思います。

それでは某々社が二年前の三十年六月に発足した時から話しを始めましょう。

歴史のはじまり

当時、従業員は五十名位であったと思います。そしてこれ等の人達の大部分は、本社の社員や有力者の紹介によって雇われた人達で、当時の監督や班長などはその有力者達によってきめられたのです。

さて組合を作ろうとする動きは、もうこの時にTさんという人によって始められていました。この人は私達の職場へ来る前にも組合運動に力を入れていた人で、経験者はこの人一人だったのです。Tさんはまず年輩者達を説得しようとして労組の必要性をこれ等の人々に理解してもらおうと大変な努力をしていました。

所がTさんの行動をかぎつけた会社は全く有無を言わせず解雇してしまうという事件が起きたのです。それはこれからお話しゝますが明らかにTさんに対する会社の露骨な圧力であったことに余りにもはっきりしています。しかしながらTさんの首をはねた会社の不当なやり口に対して、逆に年輩者達だけでなくあらたに学生達の間にもこの怒りが波及していったのです。

勿論この失敗にもTさん自身、早計とあせりがあったことは認めなければなりませんし、組合運動に全く無知な人々がお互を理解し信頼し合うには時期的に早過ぎたこと、それがかえってこれら従業員の中から裏切られ、密通される結果になってしまったからなのです。聞くところによると監督の地位をもらいたい一人は、会社の売収による報酬であったといわれていますから、完全な敗北に終ってしまいました。そして結成運動の指導者がTさんであるということが幾人かの協力者の中から会社の監視の目を逃れながら総評や本社の労組に足を運んだにもかゝわらず洩れていたという事実でもお判りでしょう。そこで会社は彼を首にする充分な理由をやっきになって探しました。不幸なことにはTさんの履歴書に目をつけた会社はTさんの職歴に書き落しがあったのを発見したのです。勿論、私達の仕事の大部分が清掃という本業なのですから、こんな問題で会社の不利になるような理由には毫にもならないのですが、会社はそれでもTさんの首をはねるきっかけを作った訳です。Tさんは即刻解雇されました。なんと履歴書詐称（職歴や姓名などを偽わって書くこと）と言う名目でありました。しかしながらTさんは、こゝまでは届しませんでした。Tさんは自分一人の力ではこの不当なやり方を取り消させるに当低不可能であることは充分承知しています。そこで勇敢にも単身会社と法的に争うことを決心したのです。

先ず、国際電々の労組に事情を訴えました。その結果、たった一人の、しかも同じビルにはおりますが他の職場に働くTさんに喜んで経済援助を約束してくれたのです。言い忘れましたが本社の労組は三千の組合員がおります。Tさんはこれ等の人々に支援されながら憤然として会社に対して訴訟を起しました。はじめは会社には不利な立場にあったことは当然のことですが訴訟には厖大な金がかゝることは御承知でありましょう。残念ながらTさんの援助にも限度があったのです。会社は金に物を言わせて、この争いを出来るだけひき伸ばしました。そればかりではありません、それは組合結成の運動中の事件ですから、それを証拠づけるに十分な証人が必要でありました。つまり組合を作ろうとする目的に対して、会社がそれらの人達を解雇することは厳に許されないからです。ところが主動力を失った従業員は、まきぞへになることを恐れ、かつて協力者であった人ですらなんとか理由をつけてこれを拒もうとしたのです。こゝにもすでに会社のおどしの手が伸びていたということがどうして否定出来ましょう。そうして空しく和解という形で斗いを中止せざるを得なくなってしまいました。Tさんは無念の涙を抱いて職場を去って行ったのです。

有能な指導者を失った私達の職場は、こゝで全く萎縮したかにみえましたが残された善良な人達は、この事件によって目をさまし、自覚され、受けつがれ、一つの経験として私達の胸に深く刻み込まれていったのです。Tさんを中心とする私達の失敗は次の発展に貴重な教訓として私達に与えてくれたのです。

確かに私達は学生でもあります。それぞれ分野の学問を多かれ少なかれ身につけております。成程この様な運動にも学問的な知識なり理論なりが必要でありましょう。しかし私達が所謂社会を初めて体験した時に多くの矛盾にぶち当ったのです。生活、生きるということ、そこにはさまざまな人間性があらわれます。私達がいくら雄弁に説得しようとしても理解出来ない人達には屁理屈としか聞こえません。こんな例は当てはまらないかも知れませんが憲法の条文の一つにこう書いてある所があります。即ち、第二十五条の「すべての国民は、健康で文化的な最低限度の生活を営む権利を有する……」と。確かに憲法には立派な文句が書かれてあります。私ども素人には、この条文は政府が国民に「最低の生活だけはさせてあげますよ」と云っているようにしか聞こえません。

話しあうなかで

ところが現に私達の職場ですら、子供を幾人か抱へて一万円にもとうてい達しない給料で、食うにやっとな、無論衣服などに至っては手が届かないような低い賃金で最低生活も維持出来ない人が「私は最低生活も出来ないのだから政府は憲法に違反しているではないか」と訴えたとしたら、恐らく気違い扱いにされるでしょう。法律的なむずかしい話は抜きにして少し意味を変えて私達の職場や組合について考えてみましょう。

「こんなに熱心にお話してもわかってもらえないんですね」

「組合を作ることはいろいろの理由で、当然労働者の生活を守る権利なんですよ」「なぜあなた方は、それなのにこの運動が嫌いのですか」「私達が団結して手を握り合って行かなければ会社の云いなりの賃金しか貰えないのですよ」しかし、こんなにまで説明しても理解してくれない、おばさん達もあるのです。私達はこうした人々に腹をたてたり、失望したりした時もありました。どうしたら組合運動を理解してもらえるだろうかという根本的な問題から容易な仕事ではないことを知らなければなりませんでした。

私達新しい世代の若者にとって当然だと考えているものが、おばさん達には、そんな事をしでかしたら首になるとか、会社に恨まれるとか、アカだとかいった単純な不安感に支配されているのです。

私達の職場にも幾つかの階層に分けることが出来る。即ち私達の様な学生と、一家を支えながらこの低い賃金で家族を扶養している人、また同じような女手一つで子供を食べさせている未亡人や所謂共稼ぎをして、これらの人達より比較的まだ楽なおばさん達、それからエレベーターを運転している女子、そして五時から九時まで働いている夜勤の人、大体こんな風に分けていますが、むしろ組合を運営して行く上にそれぞれの異った環境が組合に対する意見や考え方から分けられると言っても差支えないでしょう。そして一番困難なことはこれ等の階層の組合員を如何に統一して行ったら良いだろうかという問題に悩まされました。例えば団交が行き詰って実力行使の可否を組合員に決定してもらう時にそれぞれ組合員の意見や発言によって大体前に述べました。同じような境遇にある人達の考え方が纏って、また幾つかの意見に分かれこの〃やるか〃〃のむか〃の判断に現れてきます。こうした様々な意見を組合の指導者はどう調整し判断をし決断をくだすかによって今後の斗争に大きく響いてくるからなのです。

とりとめのない話しになってしまいましたが遂に二度目の爆発が十二月に起きたのです。これが組合を完全に作り上げるような結果になろうとは会社は勿論、私達ですら予期してない程一気に結成大会まで運んでいったのです。

組合結成への芽ばえ

一昨年の十二月五日のことです。この会社が創立されてから初めての賞与が支給されました。一人々々事務所から出て来ては女の人達は隅っこで封を開いてほくそえんで居ます。若い者はこれと対称的に机の上で袋を逆さに振っている。どこにでもある頬笑ましい情景です。

「おまえは幾らもらった」「なんだ俺の方が少ないぞ」「おいおい彼とおまえとこんなに違うぞ」「こりゃあ変だ、あのおばさんと半分以上も違うぢやないか」こんなやりとりがあちこちで起りました。その騒めきが次第に拡がって小さな休憩室に不満と罵声で充満した時です。一人の若者が叫びました。「よし!!」「これから俺が行って支配人と掛合って来る」と云って事務室に入って行きました。それと同時に二、三人が後に続きました。しかし適当に遇うわれたとみえ怒りのために顔をほてらしながら戻って来たのです。しかし事態はこれで納りようがありません。

「衛生組合があればなあ」とまた「二、三人で掛合っても御覧の通りぢやないか」とぼやく声が聞こえました。話はそこで時間がきたので中断されました。ところがこの成績のついた賞与が年輩者の間にも極端に現れていることが次第にわかって来たのです。

20

学生と云う身分的な差別待遇がしかも従業員の半数近くを占めていたことが、この不満を大きくし直接の導火線になったことは前にもお話ししましたが、この問題も種々立場の異った。例へば会社の云うように学生は単にアルバイトに過ぎないのだから家族持ちの者とは当然差があっても不思議ではないではないかという考へも恐らく年輩者達にはあったと思います。ただその問題だけならば、或はこの騒ぎもおさまっていたでありましょう。ところが同じ年輩者の中でも極端に差をつけられたことがおばさん達に、「何故同じ職場で同じ仕事をしているのにこんな差別をつけられねばならないのだろうか」という疑問や不満が完全にこれらの人達を怒らせてしまったのです。このことは組合が結成されてからの団体交渉で会社は素直に差をつけ過ぎたことを認め、今後は二度としないと苦笑していることもわかります。

さて結成運動の火蓋は再び燃えあがり、もう会社の本ノ入では遂に消すことは出来ない程、厳しい動きに広がっていったのです。なぜなら私達は学生であると同時に労働者でもあるからです。そうです、私達は一人前の労働者なのです。

その日の仕事が終った時、私達は自然と集まって来ました。「組合があったらなあ」という最初の叫び声が無意識のうちにそうさせたのに違いありません。会社を出ると私達は喫茶店に座って組合を作る決意を固め、まず何をしたらば良いか話し合いました。

一、従業員に動きかけて署名をとること。

二、本を読むこと。

三、わからないことは外の組合から経験談や指導を受けることを惜まないこと。

四、総評へ足を運ぶこと。

五、秘密を漏らさないこと。

六、Tさんの事件以来尻込みしている年輩者を説得し協力してもらうこと。

大体こんなことを夜の更けるのも忘れて話し合いました。

巧妙な切りくずしに抗して

数日後、会社はもうこの動きを敏感にかぎつけました。まず職制を使って目ぼしい協力者を次々とつかまえて情報を聞き出そうとしました。始めは監督の巧妙なやり方に口を割りかける者もあって困難な事態を招いたこともあったりして、次々に卑怯な干渉に驚かされたりしました。

こんな例があります。実態を掴めない監督達は就業時間中に若い者達を一室につれこんで菓子を与え、「俺も組合を作ることは大賛成だから出来ることがあれば協力したい」とか、そうかといえば全く逆に「あぶない橋は渡らない方がお互に良いじゃないか」とか、彼等のあせりが遂に尻尾を出した時、私達は憤然と彼等に立ち向っていきました。全く会社は私達をあまく見ていたのです。私達は署名運動に全力を集中しました。これが失敗か、成功かの運命を決する重要な仕事であったからです。しかし年輩者達はどうしても尻込みをします。とんでもないと言うような[illegible]るおばさんもあります。[illegible]非協力的な[illegible]の手も出てきます[illegible]得もしてまわりました。或[illegible]食堂の片隅で[illegible]

から行われました。おばさん達は無理解から恐怖心をもっています。また或る者は「そんなことをしたら首にされるから止めろ」と逆に説教されている若者も見られます。しかしこれで失望したらたちまち足をすくわれてしまうのだ。しまいには両方で腹をたてゝいる場面もありました。

　また一人は総評会館へ足を運び…それも二三人で行く時には一人一人出口を変へて散らばって行かなければならない程監督されていました。本社の組合事務室へ行くにも監督が話しかけながらついてくる時もありました。むろん私達若い者だけがこんなにも勇気をふるっていただけではありません。年輩者のうちでも十分理解されて、陰になりながら励まし協力してくる人も決して無視できません。現に執行委員をしていられる二人のおばさんなどはこの様な行動を共にして、それこそなくてはならない人材として活動されています。ただ何度もお話しつますようにTさんの解雇事件以来慎重に事態を見守ってきましたが、ともかく血気にはやり勝ちな私達若者が行動的にこれらの人々の先を飛び越えていったので、それが私達の目には年輩者達がかえって強く消極的に見えたのだと思います。

　それから数日後労務担当をしている幹部が一人の運動家をつかまえて、こうどなったのです。

「一体営業は特にアルバイトなんだから組合運動なんかに手を出すと全員解雇するぜ！もう大体君達のリストが出来ているからあとは社長の判でどうにでもなるんだぞ!!」と逆に会社幹部の圧力が掛かってきました。最早一刻を争はなければならない。

　こうして私達は夜の時間と日曜の大部分をこの仕事に当ってきました。退社時間前に外でおち合う場をきめます。会社から出る時間もばらばらにしなければならなくなりました。一人はタクシーで別の者は徒歩で、また都電で今日は駅の待合室だ、そして明日は神田の大衆酒場だぞ！とさゝやきながら一人々々散らばって行きながら目的地へ急ぎました。この情影は何んと幕末の志士のように顔は強張り、目はぎらぎら輝っていました。さすがにTさんの敗北は身にしみてひしひしと感じない訳には行きませんでした。やっとこゝまでこぎつけたんだ、Tさんと同様、首をはねられたら一家心中したのも同然なのだ。署名はまだ半数も満たない。

「しかしもう表面化して正々堂々と斗かおうじゃないか」

「だが大事をとって慎重に考へよう」

「それは是非必要だけれど現状から出発して考えなければ駄目だと思うんだ。だからこの表面化して斗かうと云う事と、積極的に活動して多くの仲間を獲得して行くことは意義のないところだし、この二つのように従い行く方法しかないと思うけれど、具体的に大多数の同意を行るにはどうすればよいかという事なんだ。だからまずビラを流すことだし、そこから従業員の一人々々に分かるまで説得していく。それで納得したら署名をしてもらう。決して押しつけたりしたら後々問題が残ってしまうのじゃないかな。それで三分の二を獲得したら勿論本格的に表へ出してやろう」

こうした様々な議論のうちにも署名活動は行われました。

　更に数日置いて私達は遂に目標数の署名を突破しました。今だビラをまけ。翌朝皆んな門の所に立ちました。そして組合結成運動に参加し協力されるよう叫びました。

　ビラはこう書かれました。「我々社の皆さん組合を作るからとりって会社はそれを理由にしてその活動をする人を解雇したり、又は活動に参加したり署名したからという理由で会社はその人に不利益な取り扱や差別待遇やおどかしをしたりする事は絶対に出来ません。もし会社がそれを行ったらそれは会社の不当労働行為でありますから会社が法によって罰せられますから私達は会社に対しなんら怖れることはありません。組合を作ることは当然私達労働者の権利なのだからです」

もう堂々とこのビラ配布が会社側の目の前で行われ、私達の顔はもう何事も怖れないぞと云う不敵な面構えをしていました。

(イ) 会社側に対する通告文の内容作成、日時、

(ロ) ユニオン制がオープン制かについて、

(ハ) 組合規約作成の問題、

(ニ) 結成日の日時、目録の件、

これらの問題を話し合いながら徹夜で仕事が続けられました。寒さと睡魔が襲って来る、頭の中がぐるぐるして文字が二重にも三重にも見える。その夜、明け方近くに一切の仕事が終ると、ソファーや、椅子と並べてオーバーにくるまったのです。

組合結成の朝が来て

翌朝十二月二十八日にビラが撒かれました。「整々社の皆さん今日四時四十五分から七階の大会議室で結成大会を行います。是非参加されることを望みます」

やがて一日の仕事を終えた人々は、こもごも複雑な気持を抱いて集って来ました。この時の非参加者は三分の二になるかならぬ位の人数だったと思いますが、私達は出来る限りの力を絞り出して組合の必要性を説きました。また今日まで限りなく援助と注告を惜まなかった国際電々の労組の方々や、本部・支部の委員達の激励の挨拶に頭を下げたのです。そして大きな理想のうちにスローガンが読みあげられました。

一、組合員の労働条件の維持改善、

一、組合員の社会的地位の向上、

一、組合員の共同福利の増進、

一、労働戦線の統一、

一、世界の全労働者と協力して世界平和の確立に寄与する。

少し大袈裟ですがそれでも何人でも実現出来相存感激に私達はしたったのです。それから全員一致で会社の事務室へおしかけて支配人に通告文を手渡しました。

「組合結成大会の席上や結成された以後に於いて吾々の活動方針に妨害したり、干渉介入することは絶対にやらないことを確約されたし」これを読んでいる支配人の手はかすかに慄えている。人々の視線は支配人の一挙一動を緊張して見守っている。読み終ると支配人は喉のつまったような声で口を切った。動揺を懸命に押さえようとしているのが判然り感ずる。「良く分かりました。私も盲目ではありませんから諸君達が組合を作ろうとしている動きも知っています、どうか無茶な運動はしないでもらいたい……」と、Tさんの時とは違ってほとんどの仲間の手が結ばれた今、あの当時の支配人の冷淡な口調が百八十度に打って変った猫なで声を聞きながら私達は腹の中で幾度も叫びました。

〝勝ったぞ!!〟

一瞬そこにいた人達の強張った顔がくずれていきました。

数ヶ月の努力が結ばれたこの一瞬の顔・未熟ながら主力になって働いた私達の仲間の上気した顔、遂に組合が出来るのだ。

× × × ×

整々社労働組合の歴史はこうして鼓動し始めました。そして新しい血となり・肉となって先輩の労組に乳をあてがってもらいながらやがて一本立ちになり立派に歩き出すことでありましょう。

私達は進むことが知っていたのです。

職場の歴史をつくる会々則

第一章　総則

第一条　この会は職場の歴史をつくる会という。

第二条　この会の連絡先は　東京都港区芝高輪一の一　国鉄労組品川分会内とする

第三条　職場の歴史をつくる会は　職場の人たちと自然や社会についての科学を学ぶ人たちとを結びつけ　これによって職場から生れてくる働くものこそ歴史の主人公であるという確信と、未来への明るい見とおしを正しく発展させてゆき　そしてこの運動のなかから働くものがつくりだしてきた歴史を作りだし　その成果を広めて国民の歴史に対する希望にこたえてゆくことを目的とする。

私たちは　この目的のために参加する人々の　それぞれの立場をみとめあいながら　この仕事を通して世界の働く仲間の歴史の流れとふれあい平和で健康な日本をつくりたい

第四条・　この会の目的に賛成するものは誰でも会員となることができる　但しこの場合運営委員会の承認を得なければならない。

第五条　会員は会則にしたがって会費をおさめ、また会の目的に沿い情況に応じてそれぞれの職場に職場の歴史をつくる会のサークルを育成してゆく義務を負う

第二章　役員

第六条　この会の運営をはかるために左の役員をおく

一　会長一名　二　運営委員若干名　三　会計監査一名

(一)　右の役員はすべて総会で会員中より選出され　総会の承認を得なければならない

(二)　役員の任期は各々半年間とする

(三)　会長は会を統括し　予算を執行し　且つ会を代表する

(四)　運営委員会の業務を分掌する

(五)　会計を監査し　決算の報告をうけ　またはこれを求めこれらについて不正を発見したときは運営委員会に報告しなければならない　また会計監査は会機関のすべての会合に参加することができる

第三章　機関

第七条　第一章第三条の目的を実現するために左の機関をおく

一　総会　二　運営委員会

第八条　総会

(一)　総会はこの会の最高議決機関であり　会員の二分一以

上の出席をもって成立する

(二) 総会は原則として隔月に開くものとする　但し運営委員会が必要と認めた場合には臨時に開くことができる

(三) 総会の議長及び書記は出席全員の推せんによりこれにあてる

(四) 総会で決議する主な事項は次のとおりである

(1) 運動方針　会則改正　予算決算に関する事項

(2) 役員の選出及び承認

(3) 他団体への加入及び脱退

(4) その他

第九条　運営委員会

(一) 運営委員会は会の執行機関である　但し執行は総会の意向を正しく反映して行うものとする

(二) 運営委員会は　会長及び各専門部の部長　副部長によって構成される

(三) 専門部は　(1) 組織部　(2) 機関紙部　(3) 会計部の三部とし　各部に部長及び副部長をおく

(四) 運営委員会の執行する主な事項は左の通りである

(1) 総会で議決された事項

(2) 総会及びサークル代表者会議の招集

(3) 執行上必要な具体案の作成

(4) 規約改正案　予算及び決算報告書の作成

(6) 賛助員の承認及び賛助員会の招集

(7) その他

第四章　サークル代表者会議

第十条　サークル代表者会議は各サークルの連絡　交流をはかり　これによって将来この会の運動の主要機関となるものである

(一) この会議は次の方法で開催される

運営委員会がこれを招集し　各サークル代表者及び運営委員二名以上をもって開かれる　但し有志の個人的参加はこれを承認する

(二) サークル代表者会議は運営委員会がこれを必要と認めた時及び各サークルの要求があった時開くものとする

(三) サークル代表者会議の議長及び書記は　出席者の中からその都度選出される

第五章　賛助員及び賛助員会

第十一条　運営委員会が認めた場合　各界の有識者を中心とした賛助員会をおくことができる　但しこれは総会に報告しなければならない

(一) 会と賛助員の連絡をはかるために　運営委員会は賛助員会を招集する

(二) 賛助員は賛助員会に出席し　会役員に会の発展に必要と思われる助言勧告等を行うことができる

(三) 会長及び運営委員会は賛助員会に出席しなければならない

(四) 賛助員は会の主催する事業　行事などに優先的に招待される

第六章　会　計

第十二条　この会の経費は会費及び事業収入をもってこれにあて

会費は月額四円とし この中に会機関紙 会報を含む
賛助費は月額四円とする 但し機関紙と会報は贈呈する

第十三条 新入会員は会員に入会費二十円をそえて納入しなければならない

第十四条 会計報告は年に二回行うものとする
但し 総会及び会員の三分の二以上の要求があった場合には行わねばならない

附　則

第十五条 時局関係及びその他の文化団体は団体加入することができる
但し 会費は年額五百円とする

第十六条 この会則は 昭和三十二年三月二十六日をもって効力を発するものとする

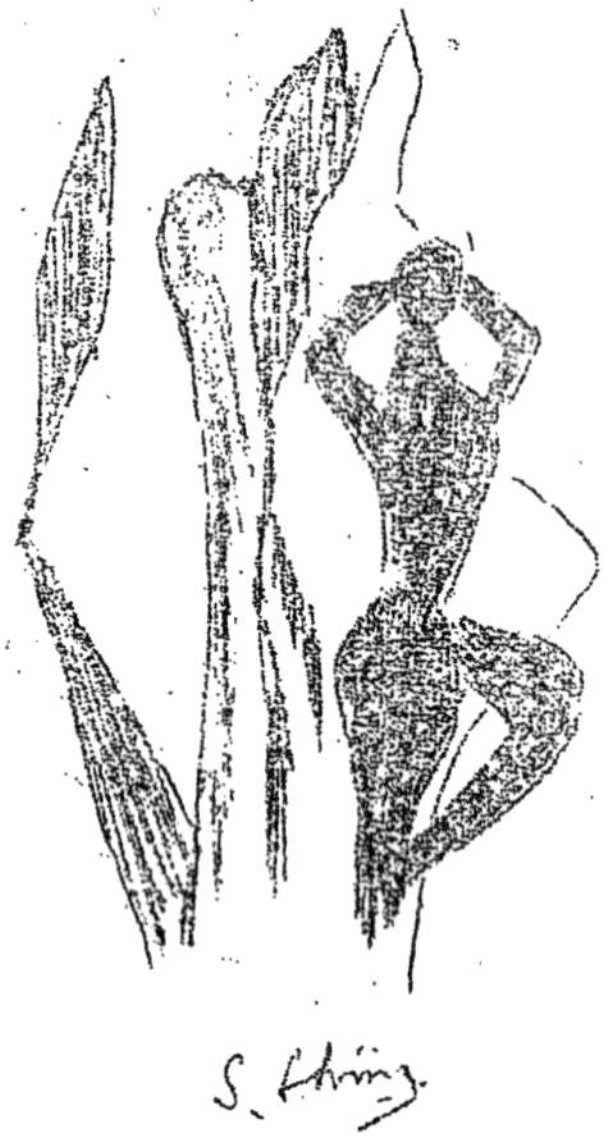

編集後記

会が自主出版をはじめて、この号で二回になります。私たち会の一人々々が仕事を分担し合い、なれない仕事を夜おそくまでかゝって、早くみなさんのお手もとにとゞくようがんばってまいりました。

機関誌も八号よりカッパン刷りの表紙になり、きれいに出来上った本を手にとってみますとき、会のみなさんの一人々々の手がつくされていると思うと、胸にグッとくるものを感じます。もうすぐ機関誌もみなさんのお手もとにとゞくでしょう。

機関誌八号を八月二十五日に発行の予定でありましたついおくれてしまい深くおわび致します。なおガリ切りから印刷までみんなの手でやりましたので 読みにくいところもあると思いますがその点御許し下さい。

機関誌部

昭和三十二年九月七日 発行
編集兼 東京都港区芝高輪一ノ一
発行人 国鉄労組品川客車区分会内
職場の歴史をつくる会

職場の歴史

（友の父の追悼会をひらいて）

9

職場の歴史をつくる会編集

正誤表

頁	誤	正
三頁上段	上手にするため	上手にあらためるため
〃下段	N労組の人々には	N労組の人々は
四頁〃	前蔵書	前掲書
五頁上段	N営組	N労組
〃下段	神日	神田
〃〃	又一歩であり	又一歩
七頁〃	出版の仕事にし	出版の仕事に
〃〃	この体制を保正	この体制を保証
八頁〃	続けてゆくから	続けてゆく中から
〃〃	会の状台	会の状能
九頁上段	経済上の問顒	経済上の問題
〃〃	あげるための條件が	あげるための條件も
〃〃	会の急状	会の危状
〃下段	支えている人には	支えている人は
十頁上段	空気のある様子	空気のある様な
〃〃	改草	改章
〃〃	委員会の状態	委員会の状能
十五頁下段	「うたじえ」	「うたごえ」
一六頁下段	「うたじえ」	「うたごえ」
一八頁〃	つゝいた	つゞいた。
〃頁〃	経堅	経験
二一頁〃	見てをかなくては	見ておかなくては
二二頁〃	悲感的	悲観的
二三頁〃	発運する	発揮する
〃頁〃	職場め人たち	職場の人たち
二五頁〃	能力結	能力給
〃頁〃	出席	欠席
二六頁上段	他	他面
二七頁下段	当り前え	当りまえ
二八頁〃	「人間	「人間」
三八	親がえり	親がかり
五四頁下段	脱落	編集兼発行人 東京都港区芝高輪一の一 国鉄労組品川客車区分会内 職場の歴史をつくる会

目次

―三周年記念特集―

—|—

会のことば

本文のなかで、品川の国鉄のサークルの人々が生活の疑問と結びつけながら勉強した賃労働と資本の勉強会のやり方についていっている言葉に「やってみると給料袋のうすいのが何だかわかる様な気がしたので少々むつかしかったのですが何ヶ月もかゝって最後までやりました」というのがある。しかし、生活の問題といち〳〵照らし合せて読んだために、全部読み終るのに何ヶ月もかゝったのだろうか？　生活の体験と照らし合せて読むとかならず時間が長くかゝるだろうか？

生活体験の具体的なこまごました事実と照らし合せ　そうすることによって、体験した事実の意味をひとつひとつはっきりつかみ、また、それによって、書物に書かれている言葉の内容を自分のものとして理解する――このような書物の読み方は、ある意味では、たしかに「時間のかゝる」読み方である。

しかしこのような正しい読み方をすれば、呑み込みがはやい、ということも云える。ことによく理解できると云える。

とすれば、読み方がはやいとか、おそいということは、何を基準にして云えるのだろうな？「何ヶ月もかゝって最後までやりました」は何故長いのだろうか？　ことに、内容がどれだけ理解できたか、ということを全く度外視して、たゞ時間を問題にすることは、正しいことだろうか？

そこで、品川客車区の人々が事柄を深く分析し、これを正しく評価するためには「生活体験と照らし合せて読んだために、何が、どのように、どのくらい理解できたか。そして、その理解に対して、どれだけ時間がかゝったか。その時間は、その理解の程度に比べて長いか、短いか。」というふうに考え、書くべきであった。

「長い」、「短い」、その他すべてのことばは、他人から聞いておぼえるものである。しかしこれを使うとき（話すとき、書くとき、）そのことばは、使う人が改めてつくるものである。ことばはこれを使う人によって、その時々にその内容を、意味を深く考えられ、育てられて、はじめていのちを与えられるものである。

他人に聞いたことばを自分のものとしてたしかめなおさずに使うとき、そのことばは自分の思想を伝えない。ことばというものは、とにかく世間一般に通用しているものだけに、使う人に「考えること」を忘れさせる魔術的性質をもっている。その極端の場合は、流行語を使うときだけである。そこでは、人々は少しもあらためて考えてみること」をしない。流行語は思考を忘れさせる。そしてそのことばは、我々が通用させているすべてのことばについて云えることである。我々の生活が生産によって生きているように、我々のことばも、使うたびに、つくられて使われなければならない。

聀場の厂史について

竹村民郎

一、はじめに
二、聀厂運動とはなにか
三、聀厂運動をどの様に組織するか
四、むすび

一、はじめに

全国の聀場には、新しい物のみかたや科学を学びたい気運が高まっている。

この現実に比べると、聀場の厂史を科学的にとらえようとする会の運動はまだ立ちおくれている。

こうした状態を上手にするため、運動を積極的に計画内にすゝめるために、運動の厂史について考え運動を発展さすうえでの大切ないくらかの原則を明らかにしたい。

一、聀厂運動とはなにか

今から、三年前一九五四年秋に会は設立された。

この年はビキニ島の水爆実験の開始、国内的には、日鋼室蘭、近江絹糸の大争議で知られている。

この頃から聀場には新しい物のみかたや科学を学びたいと云う気運が高まり始めた。聀厂運動がますます大衆的に拡がったN労組について、考えてみるとそのことがよくわかるであろう。当時N労組は近江絹糸の争議のしげきをうけて組合結成の斗いをはじめ組合結成に見事に成功したばかりであった。N工場の労資の力関係は、組合結成と云う新しい条件によってつりあった状態にあった。

この状態は大へん短かいものだったが、この条件を利用して、N労組の人々には、N労組の厂史、聀人の厂史をつくる運動を数人の厂史研究者の協力で始めた。

N労組の人々は"N労組の厂史"を書く中で、労資の間の矛盾の変化について考えつぎの二つのことを確信しようとしたのである。(一)以前には、圣営者の不動とも思えた力も変るものであること。(二)組合側が斗争力を増大してゆけば、職場の労資の関係は今後もますます変化し、労組に有利な情勢になり生活水準も向上すること、N労組の厂史を書いてゆく中で、労仂者はまたN工場斗争の最初、組合結成を目ざす労仂者と圣営者の間にはげしい矛盾が存在していたが、組合結成後はその矛盾は緩和し、組合内部の若い見習工たちの進歩的な要求と保守的な職人广との間の矛盾がＮ工場斗争の主な矛盾に変っていることを発見した。〃職人の厂史〃を書こうと云う[illegible]はこのような労働者の発見の中から生れてきたのである。組合結成前はとくに職場の矛盾のしわよせが若い見習工にかゝり、生活も苦しかったので彼らは組合結成の時推進力となって斗った。組合結成後は、自分たちにとって不利な条件の徹底的な廃止を望み　その一として工場内に根強く存在する徒弟制度の改革の要求をおこし始めていた。

この要求は、まだ自覚されない、自然発生的な形であらわれており、職人の組合運動に対するとりくみかたえの不満となって若い者の間に拡がっていた。

つぎの文章はその不満をよく現らわしている。

〃組合をもっと強くして行くのに、どうしても工合のわるいことが一つあります。それは労働者の中に根強くひそんでいる職人気質という奴です。職人気質の人は、大てい自分の主張や考え方を変えようとしません、だから組合の行き方についても若い人たちの考えを無視してしまう場合がよくあるのです。組合運動をすゝめる場合に大切なことは、話し合いなのですが、職人気質の人はときどきけんかごしになって、手がつけられないようになりがちです〃

（河出新書職場の厂史　八十一頁）

〃組合をもっと強くする〃と云う事は、組合内部の団結を一層強めるということである。組合内部におくれた徒弟制度等を残存させておいたならば団結は進まない。〃どうしてこのようなガンコな視野の狭い職人気質が生れてきたのか、そいつをこれからさぐってみたい（前戴書八十二頁）という若い見習工たちの職人の厂史に対する要求は徒弟制度を廃止する斗いを組むためにその制度が生れてきた厂史的条件、徒弟制度にしばりつけられている労働者夫々の生活条件を調査したいという事であった。

Ｎ工場斗争の最初、組合結成を目ざす労働者と経営者の間にはげしい矛盾が存在していたが組合結成後はその矛盾は緩和し、組合内部の若い見習工たちの進歩的な要求と保守的な職人層との間の矛盾がＮ工場の斗争の主な矛盾に変っていた。組合結成までは一致団結した労働者も、内部の新しい矛盾の発展に正しい処置がとれず、若い見習工と職人との間には感情的な対立がしばしば起っていた。当時のその様な情勢の中で若い見習工がこの矛盾を感情的にではなく、科学的に正しく認識しようとして「職人の厂史」の研究を提案したことは正しかったのである。そしてその様な要求こそはそれ自身、科学のはじまりに他ならなかった。

N労組の団結はこの実践に支えられて、飛躍的に強まると思われたとき、この情勢に恐怖した経営者は、先手を打ってはげしい攻勢に移ってきた。職場に残っている古い関係―徒弟制度、義理、人情に親方は父親で労仂者は子供であると云う家族思想等―を利用して職人層をくずし、若い見習工と職人層との対立感情を拡大するのに全力をあげ、職場の厂史をつくる運動に対しても"歌ごえはよいが厂史はいりない"という方針で弾圧にのりだし運動に参加している労仂者の、家庭に圧力（註）を加えてきた。

註一、経営者は地方出身の職厂運動の会員の故郷（長野県等）に追出いて家庭の人々に職厂運動に参加すれば首を切ると警告している。

経営者のこの攻撃は成功した。我々の斗いの後・N労組の斗いの退潮する時は組合側は若い見習工数名の首切りを許し、職厂運動も弾圧されて、N工場は再び反動が勝利したのである。N労組の敗れた原因は、組合結成の推進力であった若い見習工の「徒弟制度の変革」などの徹底した要求に組合指導部が立おくれてしまったことである。

職場の厂史をつくる会も亦、立ちおくれたかぎりの原因は(一)神田でもまた組合をもたない会社が沢山ある。彼等に我々の経験を知らせたい（早大新聞五五年五月十七日）と考えたのがN労組の厂史を書いた直接的な動機だと云う労仂者の言葉を会はそのまま受けとめ、既に書いた様な労仂者の厂史に対するさまざまな要求について充分検討することをしなかった所にある。

(二)、会が労仂者の厂史に対する基本的な要求を正しくつかんだ時はすでに経営者の分裂策は成功し、組合内部に感情的対立がひろがり運動の正しい展開は極めて困難であった。我々は敗北から率直に学ぶと共に、運動の正しい面からも学ぶ必要がある。

「N労組の労仂者が職人の厂史をさぐろうとしたことはさきの斗争の正しい又一歩であり、N労組の厂史」「職人の厂史」をつくる過程の中で、職場の斗いと科学との新鮮で大衆的な結びつきを成功さす糸口が発見されたのである。

この様な形で歴厂運動を進めることこそ歴厂運動の基本的なやりかたである。職場の厂史が実際に書かれるためには、必ず現実の困難な斗争に参加していることが第一であり、困難な斗いの中にこそ科学が最も必要とされている。

一部の人には〃職場の厂史も職場の力関係があって、なか〱むつかしい、本当の厂史が書かれるのは、社会主義の世の中になってからではないかと云っている〃又、〃斗争ていそかしい時は厂史を書く暇はない、斗争が一段落した時に暇をとり歴厂運動を進めよう〃と考えている人々もある。この様な考え方は、会内部にこれまでいつも存在し職場の厂史をつくる運動を軽視する気風を会員に拡げ、運動の発展に打撃をあたえてきた。この様な考え方は正しくない、これらの人々は歴厂運動の本質を知らず、本質的でないことばかりを強調している。勿論現実の組合活動の困難なこと　そのこと自体の解決も大切ではあるが、それを強調するあまり、職場の厂史運動えの軽視を持つことには反対である。それらの人々はその考えを改めないならば、職場の斗争も歴厂の運動をも混乱させ、将来きつとその両方ともほうり出すに違いない。

(二)歴厂運動をどの様にして組織するか。職場の斗いの中で歴厂運動の果たす役割の大きさに比べると、会の運動はまだ小さい。歴厂運動はどんな理由で、職場にひろがらないのだろう。

その主な原因としては(一)職場の人々は長い間、間違った厂史教育の影響をうけてきた為に厂史についての正しい理解を持っていないこと(二)様々な形の派ばつが職場には存在し、その存在は職場の人々が厂史と事実を正しく理解したいと云う要求に統制と制限を加えて居ること、この二つである。

職場の困難な情勢の中でも、運動に多くの人々が参加する為には、職場の条件にあった運動の拡げかたを研究する必要がある。運動を上手に組織するために、会の厂史の中から、組織する上に大切な三つの基本的な原理をとり出しておこう。その一つは、職場に運動を拡げる場合の組織のやりかたについてであり、その二は、りっぱな職場の厂史を実際につくることが、職場に組織を飛躍的にすゝめる基本であるという事でありその三は職場運動を進めるには運動の活動家が養成されねばならぬと云うことである。職場の三年の歴史の中で、運動が職場のいろいろな人々の間に拡がったのは、〃N労組の歴史運動の時である。なぜうまくN労組には拡がったのだろうか今後どうすれば運動は着実に進むのだろうか。それはつぎの三つにまとめることが出来る。

Ｎ工場の場合

(一) 職場運動は斗争の発展のために職場の人々が最も望んでいた共通の課題の解決に役立つ運動であったからである。職場の人々の要求のうえに運動が組織されるならば、運動はN労組の歴史運動の様な工合に急速に労働者の自主的な運動として職場に拡がることが出来る。

(二) 職場の人々が職場運動に参加するためには職場会員の積極的な宣伝、説得活動が大切であるだけではなく、とくに職場の人々自らが実際に運動に協力し参加することが必要である。N労組に運動が拡がつた時は、職場の各員は 職場の歴史をつくる座談会に出席したり、大勢の人々が自分の体験談を語ったりして、歴史をつくる仕事を助けた。多く仕事が始まっても職場の人に日共同で書き、そのあと出版の仕事にし協力が組織されている。この実践によってＮ工場の人々は職場運動に親しみをおぼえ運動を自分たちの手でつくり自分たちの役に立つ運動としく理解したのである。

(三) 職場の困難な条件、それに加えてときには反動に弾圧されても運動がきちんと組織されてゆくためには、職場運動の指導組織の確立が大切である。

それは、総会、運営委員会、職場サークルの確立である。急速に進む職場の矛盾に運動がたくみにのつて進むためには会の体制はいつも整えられてなければならない。この体制を保証するものは 会員の会を支える健康な感覚と自発的な規律の確立である。過去三年の会の歴史の中では 不活発な発展の時期が長くつゞいたので、その頃生れてきた悪い習慣——主として大衆団体としての会を大切にしない傾向——の影響をうけて、会員の一部は、会の規律ある実践に協力していない。現在 会員の会に対する理解が進み会員やサークルから運労委員会に会のいろいろな面（組織、機関誌、会計）についての規律正しい処置を要望されている。会の再建と現在の発展はこれらの会員やサークルの要望に支えられて成功しつゝある。この気運を呼びそだてるためには多数にたいする少数の服従という原則の確立が必要と思う。そうしなければ、規律的ではない一部の人々の行動は、現在会を積極的にそだてつゝある人々の熱意に水をかけ、会は再び不活発な状態にひきもどされてしまふだろう。耺場の厂史運動を飛躍的に拡げるための決定的な要素はリッパな耺場の厂史をつくりだすことにある。過去三年の運動の中で耺場の厂史を実際に書く仕事は上手に進んだとは云えない。その仕事をはぶんだつぎの様な誤った傾向がつぎつぎと会の内部に現れて作品の充実という仕事をおくらせた。

(一) 耺厂運動を進めるための精密な計画実績をしめくゝる検討の仕事が尊重されなかったので①運動が着実に進まず焦りが現れて会の内部が混乱し②運動の三年の中でつくられた作品の一つ一つが未完成のまゝになり③運動の中で出された重要な研究課題一、耺人の厂史 二、一スト研究等)も亦そのまゝになってしまった。

(二) この様な会の厂史の反省から、耺厂組織——総会 耺厂サークル 運営委員会——は実践できる研究計画、現実的な実行計画、運動理論へ圣験の蓄積しに心がける必要がある。それと共に会員の要求や運動に協力出来る条件を検討する事も大切である。

又耺厂の組織は、耺場、日本、世界の動き、科学の成果と運動の理論、研究計画、実行計画、運動の中で生れた作品等とをたえず検証し、誤りは芽のうちに発見してとりのぞき、正しい圣験は組織の中に蓄えてゆくようにしなければならない。この様にしてだいたい耺厂運動の組織は耺場の人々の要求にこたえ運動の発展を保証すると云えるのである。この様に考えてくると耺厂運動は大仕事であり、会の現在の様な力の弱い状態ではとくに集中した会の栈能が要求されている。又これまで作品がうみ出されてきた圣過から明確に実証されることは、耺場の人々が作品を書くためには必ず会活動家の援助が必要であるということである会活動家が耺場の人々に学び産婆(サンバ)の様な援助を続けてゆくから、耺場の匂いのぷんぷんするその人々に内容のある作品の創造が可能になる。これまで会の栈台を維持し、積極的な創造活動をつゞけるために一部の会員の犠性的な活動が続いた。この様な活動は会の弱体な時期には、止むを得ない犠牲であった。しかし今後職厂運動を一層充実したものにするのには、これまでの様な組織活動に現れていた個人の犠牲的な負たんは合理的に保証してゆくということがまず考えられなければ、大仕事を具体的に荷なう人間がいなくなり、結局のところ運動は絵に書いたもちに終るのである。しかし、その問題には、経済上の問題等ののっぴきならないものの解決が直ちに要求されるだけにこの問題を考える中に始めてこれまで述べてきた会の組織上の仕事が現実的に具体的に進むだろう。

む す び

三年の厂史の中から発展のありかによって会の運動の段階は大きく三つにわけることが出来る。

第一は古い段階であり、その時期は、会の目的を理解した会員の団結が欠けていたために作品をつくりあげるための條件を充分ではなく、会の体制も運動の実績も充分ではなかった。現在は新しい段階である。古い段階の終りに深まった会の危機にあたり、会員が会の厂史を反省し、会の目的を明らかにしながら運動を積極的にすゝめたので、会の団結は一歩進み体制が整えられ作品をつくる仕事も地に着きはじめている。しかし、職厂運動を支えている人にはまだ少数であり、その協力も職場に充分組織されていないのである。リッパな職場の厂史が書かれるためには職場の人々こそ職場の厂史を望んでいることについての確信とその要求にもとづく職場での協力体制の確立こそ当面の急務である。若し協力がえられなければ、運動は少数の孤立したものとなり、少数の人々の負たんは増大し、結局の所、その状態のまゝで運動が進めば、脱落する人々は多くなり運動の将来はない。この協力を成功させるためには、三つの問題を正しく処置することが大切である。

(一)、これまですゝめてきた会の内部を掃除する仕事を、今後つづけて行い会組織に残っている明るい大家団体としての会の発展をおくらせる傾向や、我々だけが会を守っているという思想をきっぱりとたち切ることである。

(二)、〃ゆかいで、得になる〃会をつくるためには、まず何よりも一部の会員に犠牲だけを強いる様な活動を具体的に解決することである。会を積極的にすゝめ現在も守っている会員は会の貴重な財産である。

〃古くなったわらぞうりは使うだけ使うといった空気のある様子会には人々は近寄らないものだ〃

(三) 耺場の人々の要求に直ちに答えるために、また力の弱い会の現状の中で集中して運動を進めるために運営委員会の機能を改善する必要がある。これまで運営委員会は事務に追はれ、その本来の機能は殆んど行なわれなかった。この状態をあらためるために運営委員会内部に議長、副議長制を置き運営委員会の状態の正しい発展をはかることにしたい。それと共に委員会内に事務局長（常任亦は半常任制とし経済的に保証する条件を具体的に考えること）を置き、事務能率の向上と組織活動に一層の充実をはかる必要がある。我々はこうして耺厂運動の目的にふさはしい大衆団体を実際に確立し、会の団結をはかり次の段階に進まねばならない。

次の段階の主な特点は、耺厂運動が耺場の人々にしっかりと守られて進む段階であり、その中で会も益々充実し、耺場の厂史を書く仕事を急速に進むと云うことにある。会の団結をかため、更に仲間をふやし、又団結を強め、その力を基礎に運動を積極的に計画的に指導してゆくこと、これが会の新しい方針である。

品川客車区耺厂サークル報告

(一)

私達が「耺場の厂史をつくる会」に参加したのは三年程前でした。当時は尼鋼を少し前にして日鋼室蘭、近江絹糸、東証等をはじめ、今まで斗争に立上れなかった大小企業の労働者が自分達の権利や生活の安定を望み、斗争に参加するといった、いわば一つの労働運動の時期でした。

(二)

私達の耺場でも二十八年頃より徐々にではありましたが、斗争えの道がめばえ、レッドパージや定員法後の耺制の強化、朝鮮戦争のための仕事量の増加等で苦しめ続けられてきた其の中から、何とかして抜けきりたいという気持で、今までのグチやあきらめから脱って、要求となって現われる人達が少しずつでも多くなってきました。

(三)

当時、此のような圧力をはねのけるためには、此の圧力が私達と直接ぶつかっている場所は、私達と一緒に働いているような末端の職制であり、こうなら始めはなりませんでした。当時こんなこともおりました。朝鮮戦争の時期にはアメリカ兵が多く、職場について、軍用列車の作業の状態をいち〱見て廻り、作業のやり方が悪いと、うるさく文句をいつてくるといつた状態でしたが、こうゆう時期には末端の職制や、職制に近い人達がはばをきかし、組合員に事あるごとにどなりつけるといった調子で、民TO（註1）が多くなってからでもしばらく此の様なことが続きました。私達は恐る〱組常会（註2）で不満を出したり、無記名投票の結果ほとんど組全員で職制を他の組に廻したり、そのような行為をやめさせたこともありました。此のようなことを通じ、ほつとすると同時に勇気も湧きました。

（註1）米軍が軍用列車の輸送を管理していて、私達の職場にも事務所があった。

（註2）同じような仕事をしていても、いくつもの組に分れていて、その組々に斗争委員がいて組合員と話合うことになっている）

（四）

そしてこのような過程を経る中で一つの職場の狭い物の見方から、隣りの他の職場や、同じ職種の職場（他の客車区）の人達へといったように、少し広い範囲に眼を向ける者が出てきて、それを行動にうつそうとする人達も僅かな人達ですが出てきました。勿論分会役員の人達は別と思いますが、私達はごく単純なところから出ています。一例をとれば、私達の職場で斗争をやっている際中に駅の操車（ヘ、タ振り）（註3）では列車を動かしていたり、増員要求をしても他の客車区の例を出されて、かえって反撥されるといったようなところから、廻りの職場との関係を考えるようになってきました。又給料が安すぎるとグチをこぼすが、どんなカラクリなのかさっぱり解らないところから「賃労働と資本」で学習会をやるといった調子でした。やってみると給料袋の芸いのが何んだか解るような気がしたので、少々恐づかしかったのですが何ヶ月もかゝって最後までやりました。このような時期に職場の歴史をつくる会のあることを知り、まだ何も解らないまゝ何かを求めながら参加しました。

（註3）構内の列車を動かすのは駅の管轄

（五）

そうして農村調査や米騒動を研究していた学生達

＊ページの数字は原本において誤植となっています（六花出版編集部）

と一緒に品川客車区の厂史をしらべてみようということになり、学生達は私達の職場に来るようになりました。しかし学生達は、労働者達からあくまでも「学生だ」という目でみられるせいか、非常に話しにくそうでした。そこで私達は「労働者と一緒になって働いてくれ、そうしなければ労働者の気持は解らないし、労働者の中に溶け込めない」と、ごく素朴な判断をし、学生達も僅か数日でしたが泊込みまでして労働者と一緒に作業までやりました。でもそのうちに学生は一人減り、二人減りして離れていつてしまいました。これは私達が当時、学生と労働者のなやんでいる共通の問題を具体的にとり上げて真剣に話合わなかつたこと。学生が理論を労働者に接する中で、もつと科学的にしようとの要求に対し、労働者は経験的なものから、もつと理論的に見つめようとするこの違いをみなかつたこと。まだく低きのため学生は学校で学んだ理論を、労働者は職場で起きている具体的な問題を、お互に出せなかつたこと。それから私達（学生も含めて）が積極的に職場の人達に接し、労働者のもつている要求を聞き出す努力のたらなかつたこと。等が原因だと思いますが、当時それが解りませんでした。

（六）

しかし、ともかくも此のような中で音斬ペンさえもたなかつた私達が「特急サクラが走るまで」を書きました。これは私達が当時〃特急サクラ〃という列車が増発になつたのに対し、増員を要求して助役交渉をした時のことを書いたものです。書上つたものを厂史評論六十六号にのせてもらいましたが、或る人は、「これは厂史ではない」といゝ、一緒に働いている人達には「俺達はこんなに甘くない」といわれ、他の職種の人には、「整備の方で起きたことで、余り関心がない」とてんで相手にされませんでした。

とにかく書くことが苦手なので三回も書き直し、うそも入れず、ありのまゝを書いたつもりでしたがこんな結果でした。しかし当時は、職場の多くの人達と話合わずに、僅か数人で書いてしまつたからだとだけの結論で終つてしまいました。其の後私達で話合つて、これは品川客車区の中の整備徹夜だけに起きたことであり、客車区全体の中で見なかつたこと。国鉄全体に起きている種々の問題の中でとらえなかつたこと。僅か数日の出来事にせよ、長い動き

＊ページの数字は原本において誤植となっています（六花出版編集部）

の中でとらえなかったこと。職場の多くの人達の意見をきかなかったこと。等が反省されました。しかし、此の交渉の中から、おぼろげながら幾つかの問題が出てきました。それは此の交渉が徹夜だけの問題で終ってしまったのは、徹夜で受持つことになっていた「特急サクラ」という特定な一本の列車だけをみて、其の他にも何本もあった臨時列車の中で見なかったからではなかろうか。又検査の職場（注4）と整備の職場（注5）との間には共通の問題もあるけれど、異った問題もあり、互に反発しているような問題もあるのではないだろうか。同じ整備の職場でも日勤組（注6）と徹夜組（注7）との間にも共通の仕事の中にも違った要素があるのではないか。こんなことが口に出されましたが、それっきりでした。

注4、車輛の故障部分を検査して直す。
注5、車輛の内外を掃除したり洗ったりする。
注6、昼間だけ勤めている。
注7、三交替制でA、B、Cの三組に分れ、三日の一度の割合で徹夜する。

（七）、

其の後、職場では人員の削減や、列車増発といった具合に次から次へと問題が起きてくるのに、一向に職場の人達と其れ等のことで話あえず、斗争要員位の人達と僅かに話合うぐらいでした。私達の組合も、世界の動きだとか、資本主義の矛盾だとか、職場の話しでも誰がどう云ったとか、抽象的なところで話あうに過ぎず、職場の人達からは、「お前達の話は、むずかし過ぎる」といわれるだけで、たゞ頭をかかえるだけでした。しかし私達は、空虚に頭をなやますだけでどのようにとらえ、どのように話したら良いのか反省もしませんでした。そればかりか私達はばら〳〵に離れてしまい、僅かに二人だけになってしまいました。こんな状態だったので職場の職運動も、いっこうに進まず、新聞一つ出せませんでした。この為職場の会に関心をもっていた職場の人にも運動は広がらず品川客車区に来ていたF学生たちも離れていってしまった。あとに残った者も何度か会をやめようかと思ったこともありましたが、とう〳〵最後まで続けました。これは抽象的な云い方ですが、幾多の斗争を振返える中で、品川客車区の過去の伝統が私達の心の隅に残っていたこと（欠陥は欠陥として）。職場の力の中に私達が続けていけるだけの要素があったこと。私達が斗争をする中で、

＊ページの数字は原本において誤植となっています（六花出版編集部）

文学国会等で極く浅いものではあったにしろ学ぶ中で資本主義の矛盾を少しでも解ってきたこと。又当時職場の中の人達や職厂の会の人達の中に今まで話したこともなかった家庭（生活）の問題等を正直に話合える人達がいて　互にはげましあえたこと。学生は就職が困難なこと労仂者のある人は　父が日雇をやっていて家には暇もなく喋べりをしていること。

　又別の人は両親がなく給料が安いので兄弟に世話になって、苦ずらい中でがまんしていること。或る人は小さな会社に勤め僅かな収入で両親を養っていること。別の人は、父が商売に失敗して二度も差押えを受けたこと。等々でした。労仂者と学生たちはこの様にして職厂運動を守って行きました。ちょうど草木があの冬の厳さをたえぬいて春を待つように

(八)

　其の後三十年度の分会大会（註８）でばらばらになっていた私達の一人が組合史編集の提案を出して予算を組み、品川客車区の厂史を検べることになりました。分会の執行部で話合った結果、二十七年度以前の資料は焼いてしまったものもあり資料が少ないので、多く残っている二十七年度以向の年表を作り、　出来るところから始めていくという形式では来ましたが　いざ進める段になって、どのようなものを検べ出したら良いのかという研究の資料集めや、どのように整理したらよいかという編の方、又進める上で方々に聞出しにいってもらったりする人、質等の具体的にとりかかるところで解らなくなってしまいました。私達は「職場の厂史をつくる会に御願しましたが　当時職厂の会では援助するだけの人がなく　一部の人が出来るだけ援助するといってくれましたが、私達も分会執行部に職厂の意義を積極的に話すことが出来ず、理解されないまゝ、私達だけで進めたので　とうとう何も出来ずに組合史年表を三十二年度の分会大会でけずられてしまいました。

　このことから私達は組合史にしろ、職場の厂史にしろ、具体的にとりかかる前にその意義をてっていに討論する必要があること。幾つかの組合で出来ている組合史、職場の厂史を研究しその経験をきくこと、学者の意見を聴くことや学生の協力も勿論ですが、一緒に仂いている組合員の中から、具体的な仕事に当ってくれる人を探し出すこと。以上のようなことをめん密に計画を立てなければいけないこと

*ページの数字は原本において誤植となっています（六花出版編集部）

を痛感しました。

註8、中央、地方、支部の下に品川客車区分会がある。組合員約八〇〇名

(八)

今年(三十二年)に入り国鉄でもいろいろなことが起りました。三月二十三日の斗争(註9)、運賃値上反対の斗争、最低賃金確立の斗争、新潟における斗争、十月新ダイヤに対する斗争、ベースアップ。職単結問題等の斗争等が次から次えと起きました。職場の人達の間にはこれらの斗いの中から新しい話題が出てきました。私達はそれを出し合った結果、来客との問題、当局が国民という問題、孤立した斗争の問題、組合中斗の交渉態度に対する不満……等々が出ているのが解り、品川客車区の厂史をしらべる場合でも、日々の全産業の中でしめている位置、国民生活での役割、国鉄労働組合が全産業の労働組合にあたえる影響、そしてこのことから、政府や当局の国鉄労働組合に対する弾圧、五ケ年計画の内容、派閥、職能別の影響と、いった問題をしらべる中で具体的に職場の一つ一つにどのように現われてきているかをしらべることにしました。私達はこの線にそって職場の人達の協力を得るために幾人かの人に話しかけました。しかし其れ等の人達から家庭の事情と共に「どうも、ばくぜんとして解らない」と理解されるまでには致りませんでした。そこで私達は再度検討した結果、私達自身で、出来るだけ職場に起きている矛盾点をしらべ出して、それをもう一度組合員にしめし、検討してもらう中で、協力者を作ることになりました。これが私達品川客車区職厂サークルの報告です。私達は今数人しかおりません。この現状の中から今までの経験を何度も検討する中で、職場に起きる具体的な問題をとり厂し矛盾点(註10)をしらべいろいろ社会に起きる問題や、本の理論と照しあわせ乍ら職厂運動を労働者、学者、学生との協力の中で進めるつもりです。

註9、期末手当を当日出すことになっていたが、自民党の圧力で当日出さないと云ってきたことに対しての斗争

註10、職場における色々の問題、なやんでいる点、例えば私達と職制との問題とか、検査と整備との問題等々

Sサークルの生い立ち

（一九五四年秋―一九五七年二月）

一、

一人が一人をよんで来て、

「職場の厂史をつくる会」Sサークルを作ったくたちは、みんな「厂史研究会」の会員であった。Sに「厂研」が生れたのは、一九五四年後半のことである。Sはかなり大きな会社であり、組合もある。しかし職場での生活は、その表面のはなやかさに比べ、労働の条件は悪く、味気ないものであった。組合は、なぜかほど遠い存在のように思われた。たまたま勇気をふるって組合に相談しようという気になっても、組合の役員の人たちは、職場の上役の人が多く気おくれがしてしまう。それだからといって、直接自分と一緒に働いている人達とさえ話し合う機会などなかったし、自分の持場以外の人達とは殆んど話す事はなかった。「何でも自由に話し合える場がほしい」という要求をもって「厂研」は生れた。（後数人の学生が参加した）会社の中で場所を持てず、組合を通して友達を誘うこともできない状態だったが、文字通り一人が一人の友達をさそってくるというやり方で、二人、三人と会員は増えて行った。

この「厂研」の人たちが中心になって、ハイキングに行ったり、話し合ったりする「伸びよう会」というのも出来た。やがて、職場でもつわけにはいかなかったが、年一回の祭典には有志という形で半ば公然と「うたごえ」に参加するようになった。組合の役員も若い人の占める割合が大きくなっていった。

それにつれて「厂研」の人たちの日常生活もしだいにいそがしくなってきた。「厂研」だけでなく、すこしずつであったが組合の事にも、「うたごえ」にも、或いは、「土曜会（組合や職場のことを話した）にも出るようになった。又ニュース（厂研ニュース、当時週一回発行のち"よせなべ"も発行するようになった。全て厂研の人たちが中心になっていた。これ等の動きから、私達は職場全体が少しづつ変って来たのを感じた。

「厂研」では、もちろん「厂史」を勉強した。そこで勉強した厂史は、中学校や高等学校でならったものとは相当ちがったものだった。「階級」とか、「支配者、被支配者」とか「搾取」とかいう言葉などん／＼飛び出してきたし、その广史の見方は「労仂者の立場」に立つものだということだった。そうした内容をときには「いやだ」と思いながらも、現実に仂いていると云う立場が次第にそれ等を近づけさせてくれた。

　このようにして「广史というものは、大多数の仂いている人たちによってきずかれ、押しすゝめられてきた」ということや、現在の日本は「資本主義社会で、そこにおける労仂者階級の状態はみじめである」ということなどを、「广研」の人たちは学んだのである。もともとこの「广研」の人たちは必ずしも「广研」をつくろうとしたのではない。一人ぼっちの状態から抜け出し、自分の考えていることを人に知ってもらい、人の話を聞き、お互いに十分話し合い、少しでも良くしていきたい――そういう「場」を求めていたのである。それにしてもたゞ漠然と話すのでは永つゞきしないし、定期的に集まるためには何か勉強をやっていた方がよい。そして勉強するなら「广史」かやりたいということで「广研」になったのである。だから、この「广研」には職場の労仂者のサークルとしてはあたりまえかも知れないがたゞ単に、「广史を知る」ということでなく「自分の職場の状態を話し合う――考える――解決の方法を見出したい」という現実意識（斗争）み、その底を流れていたといってよいと思う。ところで労仂者であるこの「广研」の人たちにとって一つの事を考える（受動的に覚えるというのでなく主体的に考える）にあたって、その具体的な対象は自分の生活であり、職場や労仂の状態などである。广史の勉強は別にして、家のことや、職場のことなどを話し合いたいということが云われ、実際にそういう機会を積極的に作った。こうしたことは、実は、勉強でおぼえたことに内容を与え、それを直ちに身につけさせてくれるはずである。他方話し合いだけが無意識に行なわれると、一つのところを堂々めぐりし、いつも同じことがくり返されるようで面白くなくなってしまう。それだけではやはり駄目なのである。勉強の必要性もそこにあったのである。話し合いと勉強、というともに必要なことがうまく統一されなかったけれど、それでも熱心に努力はつゞけられた。㊟その後いろ／＼の努力がはらわれた。しかし「广研」の役割を明らかにせず、全てを「广研じに求めたことに無理があったと思う。ここでは、この問題に深く立ち入ることは出来ない。ただこういう状態だったということをのべたまでである。

私たち「職場の厂史をつくる会」Sサークルの会員は、こういう「厂研」の会員だったのである。私たちはいろ〳〵の経験をつみ、周囲のことに対する理解が深まるにつれて、生活、職場をよくしたいということを、より意識的に考えるようになっていった。このとき、私たちの頭の中には大きな疑問があった。「私たちは労働者なのか―本当に搾取されているのだろうか」という疑問である。たとえば「厂研」の勉強のときも、「価値をうみだすのは何だろう」ということが問題にされた。「商品を売るという労働は何ら新しい価値をつけ加えないとしたら、どういうことなのであろう、私たちは搾取されていないのだろうか？」ということが熱心に討論されたりした。どうも労働者ということがピンと来ないのである。これは、私たちが非生産的な労働（商店）に従っていることにも関係するだろう。

そのような時期を経て「厂研」を中心にあつまった人たちは、誰でも、ものすごく忙しく活動する様になっていった。これが「職厂Sサークル」が生れるまえの状態である。この頃のことを、会員のＩさんは次のように語っている。「読みたい本も読めず忙がしい〳〵と云いながら自分でブレーキをかける事が出来なかった。そんなに一生懸命やりながら、私には常に自信が持てずふら〳〵していた。そして自分のしていることがお店の中にどんな力になっていくのか解らなかった。不安にもなっていた。そんなことからじり〳〵と非常に焦った日が何日もつづいた」と。

皆な、職場の状態をよくしたいと考え、そのために努力は惜しまなかった。だが、こうした状態を打開する必要があった。

（一九五七年二月）

(二)　「職厂」誕生

私たちは、日々の労働から生まれる労働者としての意識をじよ〳〵に固めてきた。そして私たちなりに、さまざまの形で斗争に参加してきた。しかし斗争の経験も浅く、加えて公然とした活動の形をとりにくい状態の中で、ともすれば障害にぶつかることも多かった。気がくじけたり、自信をなくしたりするごとがあまりにもしばしばあった。前項でのべたように忙しさにおいまくられるといったような状態もそうである。「我が手で我が目を押さえ無中でつっぱしっている」ようなありさまだったのである。

　このような状態をうちやぶり、なんとかして、斗争を発展させようと努力がつゞけられた。私たちはちょっとのことでくじけたりしないような行動への確信、自分たちの要求の正当なこと、組合を中心とした労働運動の正しいこと、……そういうことをはっきりとつかみたいと考えた。自分たちの生活や職場、あるいは、労働の状態というものをたんに感情でその断片をとらえるのでなく、より深く正確に、その本質をとらえ、そこに、行動をがっちりと支えてくれるような確信をつかみたいという要求はこのようにしてかたちづくられてきたのである。こゝで簡単に「職場の歴史をつくる会」と、この職場（S）の人たちとの関係にふれておこう。「職歴」Sの人たちが「職歴」の存在を知ったのは、一九五五年の秋の事である。それ以来、機関誌等は発行のたびにかゝさずもちこまれたし、総会その他職歴の会合にも出席するようになった。しかし、それだけだった。

その項「職歴」は全体として、その方針をうちだすことができず、低調であった。一つの職場で、どのように運動を拡げていったらよいのか、はっきりとわからなかった。だから、Sの人たちにしても、「職歴」のもつ一般的な目的の正しさと、重要性とが漠然とわかるような気もしたが、それが自分たちの職場とどういう関係があり、自分たちのやっていることにどういう意味を持つものか全然わからなかったのである。また、何をやったらよいかもわからなかったのである。やがて、五六年後半から「職歴」再建の努力がはじまり、それまで二年あまりの経験を検討するなかで、新しい方針をうち出し、運動の着実な一歩をふみだしていった。Sサークルはこのような動きの中で結成されたのである。四人の労働者と、二人の学生（職歴会員）がそれに参加した。

　「職歴」のもつ意義と、自分たちの職場の状態と、そしてどういうふうに展開するかということを、十分検討して、私たちはサークルを作った。このとき特殊性を強調することは必要であった。ところが、この強調は、その特殊性ばかりに目をうばわれて、視野の狭い好きな人達だけがかたまってしまう様な傾向を芽生えさせてしまったのである。㊟※　その上、これまでいろ〳〵一緒にやってきた職場の人たちとの間に、若干のマサツが起り、この傾向を助長してしまったのである。これはSサークルがサークルとして、それのもつ目的を追求し、着実に成果をあげるには、そして責任ある仕事をするためには当然サークルの仕事に自分の力を集中しなければならず、まえにのべたような、めくらめっぽうに忙がしい状態に終止符をうち、自分の行動を整理しなければならないことからおきたものである。自分のやろうと思ったサークルのことに全力をあげるということは全く当然なことであるが、そうすると、他の面での運動がとまってしまうというふうに考えた人がいたのである。「職厂」の仕事の重要性はわかる。だけど今このSでは持つべきでない」という考えが一部にあったのである。この人たちも、Sでの運動を前進させようと努力していた人たちである。「職厂」Sサークルをつくった人たちもそうである。この考えの相違は、あくまでも十分な説明と話し合いで解決すべきであったのに、それが出来なかった。

両方とも感情的に行って、適切な処理ができなかったのである。

㊟たとえば、サークル員は、必ずしも「職厂」の会員でなくてもよいというようなことを決め、したがって「職厂」運動の全体的なうごきと密接につながることができなかった。

いろいろな困難をのりこえ、これならばやれるという、比較的はっきりとした目標をたててはじめたサークルであった。それは、自分の要求を実現してくれるはずである。しかし、その背後には、こうした閉鎖的な片寄った考え方があったのである。サークルの団結は外に発展するものとならず、内に小さく固まってしまうような性質をもってきてしまったのである。私たちの創造のよろこびにもえたうごきは、たしかに注目を集めた。事実かなり多くの人がサークルの回りに集ってきた。しかし、残念なことに、それを結集することが出来なかったのである。

三、「大根物語」からスタート

私達は最初次の二つのテーマに選んだ。

(1) 個人の厂史
(2) 厂研の厂史

いづれも「自分の経験したこと」を中心にしたも

のである。この様な個人的なテーマが取りまく環境などを認識の出発点にするのは、それはそれで正しいと思われる。唯、その場合、そこから「職場の多数の人達の共通点」を正しく取り出し、それをテーマの中心に据えなければならない。そうでなければそのサークルは総体に職場の多数の人達の協力など得られるわけはなく、職場の中に広く根を張る事が出来ず、発展はおぼつかなかっただろう。出来たものは自分だけにしか、或は自分と全く考えを同じくする小数の仲間にしか理解されないようなものとなってしまうであろう。

私達は先にあげた様な個人的なテーマを選んだ。発足したサークルには、前項でのべたようなあやまりがあり、それがこのテーマに結びついたら、サークルにとって大きな失敗をもたらしてしまう。事実そう云う傾向がわずかに芽生えたのである。新らしく会員になろうとした人は何をやったらよいのか解らないと云った様な事を引き起してしまい、せっかくの会員を増やす機会をのがしてしまった。この様な状態の時「大根物語り」が取り上げられたのである。自分の働いている会社の事を書くんだから誰でも書けるだろう。書く練習にもなるし、やはり職場全体も見てをかなくてはいけないのだろう。と云つた位の事で取り上げられたのであつた。必ずしも自分達の誤りに気づいてこのテーマを意識的に取り上げたのではなかった。若し、こうした「大根物語り」と云うテーマの持つ意味を、はつきりと把える事が出来たならば、もっと充実したものが出来たかも知れない。しかし当時は全く、それを無意識にしか出来ないような状態だった。それにもかゝわらずこの「大根物語り」が最初の作品として生まれたと云うことは、こうした誤りの存在することを表面に出し、私達の反省をうながしたのである。

この作品にはそれまでの活動の良い点、悪い点をそのまゝ反映している。この作品に対する批判はすでに運営委員会を始め、職場の人達からもなされ、又私達もそれらの批判をきくなかで反省した。ここでは運営委員会の意見を中心にして簡単にまとめてみよう。

良い点

(1) 職場の状態、労働の状態を、その事実はまだきわめてわずかしか取上げていないにしても追求し、明かにしようとしている。

自分自身の生活の中で、職場の中で、私達はどの様な状態にあるのか、それを具体的に追求し、把握しようと云う要求がサークルに発足当時にあった。それが一応実を結んだのである。

悪い点

(2) 経営者に対する労働者側の状態については、一面的な、視野の狭い見方が強く、労働者の団結を前進させる様なものにならなかった。こゝにそれまでの悪い面が集中して表われていると思う。それに何も私達が望んだのではないにしても、視野の狭い閉鎖的な傾向が、一面的なものゝ見方、主観的な考え方をさせてしまったのである。団結をすゝめることを望みながらかえってそれを害する様な理解しか出来なかったのである。組合に対する不信も、男子組合員に対しての不満も、自分たちのやって来たこと、また現にやっていることの意義ずけにしても、それはたしかにそう云う面もあったのだろう。しかしそれが組合を強化し、男子組合員との団結を強め、さまざまのサークル活動をより大きく発展させる様な作用をしないならば、やはりどこかに誤りがあったのである。具体的にみえて、抽象的にとゞまってしまい職場の人達は「当り前である」ことはみな成程と思う事ばかりだ。だけど、自分もそこに働いている一人なのに何かぐっとせまってくるものが無い」と云う様なものとなってしまったのである。

この様ないろいろな欠陥はもっていたが、自分達のサークルの活動の中から作品を作り出したと云う事はその後の発展に大きく作用した。たしかにはじめのうちは、自分のやっていることが何なのか解らず悲感的な空気が強かった。そして各方面から寄せられた批判を正しく取入れて活動を前進させると云う事が出来なかった。それにもかゝわらず次の様なことを学ぶことができたのである。

(1) それまでのやり方の欠陥をはっきりする事が出来た事。

今迄述べて来たサークルの弱点を明かにした。又会のやり方についての反省をも与えた。それまで例会は、学習の外はほとんど事務的に仕事の分担を決めるのにとどまり「調査――書く」と云う仕事は全く個人主義的な方法がとられていた。それは、共同研究、集団創造と云う方法とは程遠かった。

それを例会を、研究の場にしよう、もっと内容ある討論が出来る様にしようと云う事になったのである。

四　運営委員会を中心とする「職場」全体とのつながりを強化する事が出来た事。

「職場の歴史をつくる会」の一つの大きな特色は真に偏見や、差別なくあらゆる企業の労働者が一つの目的のもとに集まっていることである。ところがSサークルの発足にあたってSと云う所の「職場」の特殊性だけが大きく出され、その反面この職場全体のもつ特色——優れた特色を十分に生かす事が出来なかった。この事が又、Sサークルの視野のせまさの克服をおくらせることともなったのである。義務の様な事で最少限度各部に顔を出すと云う様なつながりしかもてず、Sサークルの会員としての活動と、職場会員としての活動がほとんど結合していなかったのである。それが「大根物語り」と云う、サークルの生み出した一つの果実を媒介として、運営委員会との間の連絡が密になり、サークルの一人を運営委員として送り出す様になった。こうして運営委員を通して職場全体の動きとつながる様になった。

それはこれまでの視野の狭さと云う弱点を明らかにし、一歩一歩、改めていってくれたのである。その結合がつよまるにつれて、その克服は進んだのである。こうした中で「サークル員は必ず職場の会員であること」と云う原則を打立てる事が出来た。これは「職場」のもつ特色を最大限に発揮するところにSサークルの職場全体における役割を増すことができる。いや、そうしてこそはじめて「職場の歴史をつくる会」Sサークルの存在の意義があきらかになることを教えてくれたのである。

四

（五七年八月——九月）

弱さの点で統一

私たちは、運営委員会を中心とする「職場」の助言や職場の人たちにはげまされて、新しい一歩をふみ出すことが出来た。ここで忘れてならないのは、批判の集中した直後の自信の欠除の苦しみの中で暗中モサクしながらも、例会を定期的に開き、大根物語り、のもつ欠点を職場の人たちとのつながりを深めるなかで是正していこうとした。（例へば、公開合評会やアンケート調査など）一時の停滞からふみ出す力はこうした苦しい努力が基礎となって生まれたのである。この頃Sの組合は役員の改選期が迫っていた。それまで会社はもとより組合にさえ知られないようにこっそりとサークル活動を続けてきた人たちは（"よせなべ"という会報をだしている）、組合選挙の不健全なこと（たとえば代議員は輪制と相談してはじめて決まるとか、いやでも応でも順番制になっているとか、執行委員はいつのまにかどこかで人選され、その人選に従って形式的に投票するとかいったこと）に注目し、女性の執行委員を送ろうという婦対部の人たちと一緒になって選挙活動をはじめた。Sサークルの会員も、もちろんさまざまの形でこの斗争に参加した。ここでサークルとして特に注目すべきことはこの斗争の後半において、たんに、Sサークルの会員が個人として積極的に活動したということだけでなく、サークルそれ自体としても、或る程度の役割をはたすことができたということである。といってもサークル独自の仕事を放棄して全面的に選挙活動したということではない。（それでは、サークルとして間違いだと思う）そうでなくて、職厂運動から得たこと、（機関誌8号のいゝやいかん父の厂史――魂ありまみれて、などに教えられた点、竹村氏の追悼会の結論となった"弱さで統一していこう"ということを挙し）それを、選挙とその後の諸斗争の前進のために展開し、発言し、全体で考えるように努力したことをいうのである。㊟

このようにして、S内における諸斗争と結合し協力関係を確立していった。さきに"職厂"全体との連帯を強めることができ、いま、S内の諸斗争との正常な協力関係を結びつゝある。これはどれだけ私たちSサークルの活動をやりやすくしてくれたか想像も出来ないほど大きい。職厂を通じて全労働運動と結びついていることは、一つの職場のそれも一つの小さなサークルであってみれば、ともすれば落ち入りやすい、視野のせまさから救ってくれる。職場の斗争の中で積極的な役割をはたし、正常な関係をうちたてることは、サークルとしての活動をスムースに進め職場の人たちとの結びつきを固めてくれる。そして、私たち自身、この内外のうごきの中で、自分たちのやっていることを正しい位置にすえ、確信をもって前へ進むことが出来るようになるのである。

㊟ この斗争に参加するなかで、他にいろいろサークル活動のありかたなどについて学ぶところがあった。それは別にまとめたいと思う。

Sサークルは「職厂」サークルである。Sサークルは、Sという職場にあり、その会員はS労働組合の組合員である。「職厂」は、全労働運動につながっているし、S労組の諸斗争はまた、全労働運動の一翼となっている。私たちのサークルは小さなものであり、出来ることもわずかなことかも知れない。だけどその一つの小さな集団が一つの小さなことをやるにしても、その正しい位置を自覚するなかで、始めて責任と同時に仕事をすゝめるにあたっての積極性を増し、着実に進むことができるのだと思う。この点が少しでもあいまいにされるならば、立派な果実を生むことができないばかりか、サークル自体もその意義を十分に自覚することが出来ずに、ちょっとの失敗やつまづきによってつぶれてしまうのではないだろうか。

五、生活を書こう。（五七年七月――現在）

以上のべたことと時期は重なるのであるが最後に現在のサークルの活動内容をみてみよう。"大根物語"をめぐっての批判、反省も一段落つきそれを更に深め内容を豊かにするための活動が始まった。

八月、九月と"賃金"の問題に中心点が置かれて、研究、調査が進められた。この活動のうちで会社と組合との間に結ばれた賃金体系（労働協約、給与の項）の粗雑なこと、能力給が大きな比重を占め、それは勤務態度によってきまること、勤務態度は考課表という直接の職制の主観的な観察によってつけられたものによって決められること。この考課表が職場の人たちの間にいやな感情をもたらすこと……等々。要するに、自分たちの賃金というものが、いかに不合理であるかということを追求していった。また、数十人の人たちに協力してもらって、（アンケート）、その感情、実態を具体的に明らかにしようともした。全て、こうした努力は、「大根物語」を深め、より具体的にするはずだった。こうした調査、研究がかなり進んだとき、九月二十八日の例会が開かれた。私たちにとって大事な例会だったので少しその時の様子をふり返ってみよう。

出席の人もかなりあった。新しく会に入った人が一人いた。これまで調べたことを、近く発行予定のサークルの機関誌第一号に、どのようにして発表するかということが主な議題であった。それまで「賃金」の問題にとりくんできた人がつぎのようなことを語った。

「これまで私たちの賃金が不合理なことはよくわかった。そして低いことも事実だ。しかし私たちの職場の人たちの生活を見ていると、多くの人はたとえいくらかを家に入れたにしても、給料の相当な部分を小遣として使っている。だから足りなくなるといっても小遣が足りなくなるのであって、もっと給料が多い方が良いけれども、今のまゝでも必ずしも困らない。だからなかなか賃上斗争なんか本格的に出来ないのではないか。ところが他面こういう人たちも一緒になって斗わないと賃上げなんか成功しないのだし、こういう人が相当数いるということが私たちの会社の特色であって、この点を十分考えてみなくてはいけないのぢやないか。こういうことも考えると、これまで調べたことは全々無意味だったとは思はないが、実際上それがわかっただけではどうしようもないのじやないか」。この話を聞て新しい人は、小遣いに困るというのが特色だということに反対した。この人は、家庭から独立し、自分の給料だけで下宿生活をしている。会社に入ってから現在の独立するまで、そして独立してからいろいろ変ったことなどを熱心に話し出した。他所へ行くと、まず八百屋や魚屋などの値段が目に入り、自分の住んでいるところの値段と比べてしまう、といったような、この人には賃金が低いということは、小遣に困るといったようなことではなく、生活自体を全部規定している切実な問題だった。その話の中には自分のもらっている給料の不合理なことが、実際の生活に結びついて出てきた。こういう話が進んでいくなかで、家に両親と生活している人でも、表面上は小遣に困るようであっても、例へば自分も独立しようとすると、自分も現在の給料では自信がないし、入る金がへって困る家もあるのじゃないかということも話された。時間もなくなって、今日話したようなことで、まとめようということで、その日の例会は終った。あとで でていた人はみんな、今日は充実した例会だったと思ったのである。

なぜ充実したものを感じたのだろう。（当日出席しなかった人にも、後で話したら、例会の内容が本ものになったというような感じを受けたといっている）、少し整理してみよう。

①賃上げというたゝかいの点から問題を見直したこと。もともと、Sサークルそのものの目的には（それに加わった人たちの要求は）、生活、職場の実態をよりよくしよう、ということがあった。だから"賃金"の問題の調査研究も、その不合理なことを理解するのが目的であったのではなく、よりよい賃金を獲得するための一つの重要な手段であったはずである。"賃上げ"という目標に達するための、調査、研究であり、そのために不合理の具体的な実態を明かにしようというのであったのである。それが、労仂協約をしらべたり、アンケートを整理したりする仕事をつゞけていくうちに、この調査そのものが、"賃上げ"という目的からははなれて、目的のようになってしまう傾向が出てきた。たから時には、「こんな事調べて何になるんだろう」という疑問が起り、調査の仕事に積極性がうすれてしまうこともあったのである。斗争という点が抜けて、目的と手段が混同してしまったのである。

②団結の要求が語られたこと。

「小遣いで困るというのが特色だ、その人たちも一緒にならなければ」ということは、その正否はともかくとして、"賃上げ"には、いろ／＼条件の違う人も全組合員が団結しなければならない。それにはどうしたら良いのだろう、という当り前えの事かも知れないが、重要なことが、はっきりと問題意識となってきたことをあらわしている。これまでも、こんなことは解っているつもりだった。だけど、この当りまえのことが、自分たちの一つ一つの活動の中につらぬいていることが、必ずしも明らかでなかったのではないかと思う。

③より具体的になってきたこと。

①、②の点があいまいになっていたことが、実はそれまでの調べたことに明らかに現われている。資本主義社会における賃金の不合理性一般が「大根物語」とそれを深める中で、Sにおける不合理性の追求というように、たしかに一歩近づいてきてはいる。しかしその場合も、Sという職場の具体性の表面をなぜただけにすぎなかった。具体的

にみえたことが、その職場の人に言わせれば抽象的だったのである。それが①と②でのべた点からスポットをあてると、一人の人の生活そのもののなかに不合理性が発見できた。これは、たまたま、その人が独立生活をしていたから出来たわけではないと思う。独立生活している人、家庭経済の中心的位置を占めている人、……Sの労働者にもいろいろな層があること、そして、そういうさまざまな人、一人一人の中に、不合理性が具体的にあらわれていることを発見させてくれたのである。

斗争と団結という問題意識が、よりつっこんだ具体性をあきらかにすることを要求する。

以上を、もう一度整理しよう。

①生活、労働条件の改善（労働者の地位の向上）という目的を、一時たりとも忘れないこと。そのための具体的状態の追求であること。

②それは「斗争―団結」という問題意識によって誤りなく正しい方向に導かれること。

私たちのサークルが研究したものは、それが職場の人たちの共感と支持を得て、その間に湯水の如くしみこんでいかなければならない。そのためにはやはり、これまでにのべてきたことを一つでも欠いてはならないと思う。

具体的にするということは、いいかえれば、人間的に表現するということになるだろう。人間的に表現するには、不合理性一般を理解することで立ち止ってはならず、徹底的に追求をつづけなければならないのだ。そうすれば根本をつかまえることが出来るのである。「人間社会にとって、根本とはまさに人間そのもの」なのである。人間的に表現するということは、何も読みやすくするというテクニックの問題ではない。作品では、サークル員相互の間でも「人間がその正当な位置を占めなければならない」ということなのである。

八ケ月余を経て、ようやくこゝまできた。やっと本格的な軌道にのれたといってもよいだろう。こうした新しい方向のなかで、新しい人達を会員にむかえることができた。しかし、これがまた出発点なのだ。以上のことが解ったということは、次の作品は完全なものが出来るということではない。私たちS

サークルでは全員、いま〃賃金について〃（題未定）に取りくんでいる。なかなか思うように出来ない。それは本当に個人では出来ない。集団研究、集団創造のむずかしさをキモに銘じている。近いうちに発表の予定であるが、どこまであきらかにすることが出来るだろうか。これは理想と実際のサークルの実力との間の矛盾だろう。でも、私たちは、一つ一つの仕事の中で、少しづつこの間の距離をうずめていきたいと思っている。

あとがき

私は、Sの人たちと知り合いになったのは一九五五年夏の頃のことである。それ以来「厂研」を中心としたいろいろのことを話し合ってきた。そして当然のことながらSサークルには最初から参加している。

この文章は、この間のことをまとめたものである。私が構想をため、それをもとにしてサークルの人に何度も討論してもらう点かで、いろいろ直してもらった。そしてこのような形になったのである。これが、編集にかけられる直前、私は、流感にとりつかれてしまい、多くの人たちに大きなめいわくをかけてしまった。運営委員会やSサークルの人たちを始め、耺厂の人に助けてもらわなかったら、まだ、出来なかったろう。どうも病身で、めいわくをかけることが多いけれど、これからも、一生けんめいやることを誓ってお礼の言葉にかえさせていただきたいと思う。

（一九五七年十一月九日）

思給局耺厂サークル報告

今後の活動のために

清水澄夫

まえがき

恩給局組合は三周年を迎えると言うので大わらわになっています。偶然の一致でしょうか、耺場の厂史をつくる会も誕生して三年を迎えます。しかしこの二つの誕生が偶然に起きた現象だとすまして良いでしょうか。そう簡単にすませないと思います。三年前（昭和二十九年）日本の情勢は大きな矛盾につゝまれていました。ビキニ島の原爆実験に伴い日本の家庭台所は原爆マグロで生活がおびやかされ、ついで死の灰をかむった久保山さんの死、そして労働者の斗いは近江絹糸、東京証券、日鋼室蘭とあいついで起りました。これらの問題を囗民は久保山さんの死や、近江絹糸、日鋼等の人達だけの問題ではなく自分の問題として考ようとしたのです，これらの情勢の中で恩給局の職場にも「恩給局は官庁街の近江絹糸だ」と言う声が起り組合が結成されたのです。

恩給の組合も職場の歴史をつくる会も三つの誕生を迎えます。三つ子の魂百まで、のことばどにもあるように、このあたりで会も組合もしっかりとした土台をつくることが大切でしょう。

職場の歴史の初期の活動

何故「恩給の歴史」が書かれたのでしょうか」「恩給の歴史」が河出新書で出版されましたのは昨年のことでした。「恩給の歴史」に直接製作に当った四人の人達は、既に恩給の職場を去ってしまい、一人中間さんが恩給局の職歴サークルの者と一緒に活動しているのが恩給のサークルの状態です。私達は「恩給の歴史」が何故書かれたのか考えてみました。

私達が恩給局に入り、日給二百四十五円という低い賃金をもらい仕事をするにも休みの時間もゆっくり休むことが出来ないで、毎日まいにち陣の人と成績を上げようと必死になって働いていました。朝恩給局の門をくぐるたびに要うつでたまらなかったのです。しかし組合が結成され年末斗争やゴールデン、ウイーク斗争を圣験する中で色々なサークルが出来な人たちが職場が明るくなり、仕事をするにも張合が出て来ました。これは何だろうか……成たして私達が変ったのだろうか、という疑問が「恩給の歴史」の書かれる原因となったと思います。

「恩給の歴史」の良い面、悪い面

「恩給の歴史」が発表されるや恩給局の職場に大きな反響を呼びました。同じ職場で働いている人が真実の恩給の職場の実態を書かれていると言うので職場の人々は仔奇子をもって買い求めました，又ゴールデン、ウイック斗争といった組合の盛りの時期だったので組合員は「恩給の歴史」を読もうという要求があったと思います。その反面、反省すべき多くの欠陥があります。第一に「恩給の歴史」が発表された後の問題であります。それは何かと言いますと職場の歴史が創作発表の目的のために活動しているサークルではないということです。それにもかかわらず私達が過去に現われている現象面を見る時「恩給の歴史」を発表してしまえばもう終いだ、というようなほっぱり投げ出しの面があったと思います。

それでは何故三人の人はほうりっぱなしてサークルを去ってしまったのでしょうか、この疑問が第二の問題になります。

「恩給の厂史」の製作に当られた四人の人達は、先にも書きましたように組合結成に中心になっていた人達だけあって、書かれている内容が何か活動する人達が〃厂史〃の中にあって組合員の姿が見えないという声がありました。四人の人達は「恩給の厂史」を書かれるときに〃何故自分達が変ったであろうか〃という問題があったと思います。にもかゝわらず自分達の生活変化や、職場が明るくなって来たことが具体的に書かれていなかったのです。

執筆に当られた三人の人達が、職場や自分をみつめる中から生活をほりさげて書いてもらいたかったと思います。その後サークルが中絶してしまいましたが、職場の厂史は書き上げれば終りという性質のものだけにこの時のサークルの在り方は私たちにとって反省になりました。

二　これまでの反省から

恩給の職場の厂史サークルは「恩給の厂史」の成果と欠陥を基礎に新しい職場の厂史活動に発展していきました。

恩給局の組合が作られる原動力となったのはサークルの発展でありました。恩給の組合を作るに当つた人達は直ぐに〃組合をつくろう〃と働きませんでした。〃歌を唄おう〃〃学習をしよう〃といって集ったのでした。「恩給の厂史」の中に「学習が終った後は日計表や、プールの使用禁止など、めまぐるしく起ってくる職場の問題を学習会が終った後、討論するようになり、、、」とそして〃心ゆくまで声をはりあげ、誰れにもはゞかる事なく歌えるようにするには、どうすればよいのか」と云う事が書かれています。恩給局の職場に学生が多かったのですが、学習をして自分達の知識を豊富にしようという考えよりも、学習をする中から身近に起る自分達の生活を考えることが組合の結成へと持って行かれたのだと思います。この様な点を深くほりさげるようにして書けば「恩給の厂史」は一部組合活動家だけが表面に現れて活動しているだけではなく、それらの人々を支える群像が浮び上り〃恩給の厂史はさらに強い感銘をあたえたと思います。私達恩給のサークルはこれらの問題を今後〃生活の厂史〃を書く中で発展させてゆきたいと思います。

三、生活の歴史

恩給職場の歴史サークルは「恩給の歴史」を基礎にして大切な〃生活の歴史〃を書く運動を起しました。この時期に組合活動に非協力的であつた組合員が〃自分の生活の歴史〃を書こうと積極的に申し出てまいりました。それが「魂あいふれて」の発表に至つたのです。発表前に「或る組合員の歴史」と題してプリントにして三十部職場に配布しました。その中で多くの人の参加のもとに合評会をやろうと思つておりましたが、発行部数の三分の一の人しか参加が得られませんでした。

それには大別すると二つの欠陥がありました。

(一)、組織的な欠陥

サークル員の少数のために連絡が特殊の職場に限られてしまつたこと。

(二)一部の職場の人のみが職場の歴史をつくる会をしつているだけで、恩給局全職場に職場の歴史の意義が徹底されていず、合評会の際にも具体的な会の性格をプリントにしないで、配布の際に口頭で説明するといつた形式がとられたこと、そして合評会があまりに早くやられたことです。

この〃或る組合員の歴史〃を改題して職場の歴史機関誌八号に「魂あいふれて」を発表しました。これが発表された時にも幾つかの批判が出ました。生活の歴史であるにしろあまりにも主観的な面があり、社会的な背景や、組合員の構成、賃金の問題等がぼかされていつた声が出されました。このような批判が出されたのも、一人の人が製作に当つたという欠陥があつたと思います。反面成果としても幾つかありました。職場のある人が「このような事があつたのか」と憤激する人さえありました。又ある執行委員は「これらの問題を念頭に入れて組合運動を進めて行かねばならない」と言つておりました。

恩給局に働いている人達の大部分は地方から出て来ているので、夢に思つていた東京が現実の社会の複雑さを誰もが経験して来た事だけに「魂あいふれて」は職場の人の共感を得ることが出来ました。ある人は、これを読んで「俺も書こうか」と云い出す人さえありました。

四、これからの活動をどうすすめるか

学習活動

恩給局耺厂サークルは過去何回か学習計画をたててまいりましたが、みんな計画倒れになってしまいました。何故計画倒れになってしまったのでしょうか、これらにはサークル自体の内部の矛盾があり、学習をしたいという意識はあるのですが、何か忙がしいから学習が出来ないといった声が学習を進めるための阻害となった原因ではないかと思っております。

私達は、〃厂史〃を書く上に何故学習をせねばならないでしょうか、すべてのサークルに言えることですが、サークルが次第に発展すると理論の不備のために、あるものは〃もうサークルの行詰りだ〃〃俺はもうサークルについて行かれないこと云う声や、今までの経験をそのまゝサークル活動にあてはめようとする型が出て来ました。これは何が原因するでしようか、これは理論をしつかりと身につけていなかつたために確信が持てずに起る現象だと思います。そのために私達はサークル活動に確信をもつために学習を是非せねばならないと思います。

耺場の厂史をじつさいにつくる仕事

「魂あいふれて」はまだ未完のまゝです。完成するためにも、今後一人だけが創作に当るのでなくサークル員全員が協同で創作に当って、より完成した〃厂史〃に作り上げたいと思っております。そして「魂あいふれて」のような生活の厂史を多く発見してその生活の厂史を基礎に具体的に耺場の実態を厂史に書いてみたいと思います。この様な努力のつみ重なりの中に本当の〃恩給の耺場の厂史〃が生まれると確信しております。

Aサークル集った会員

耺場の厂史を作る会が発足して三年になる迄の間に各耺場にはサークルが次々と作られてきました。そしてサークルの中での活動を通して会全体を推し進めるような形態になってきました。

しかし耺場にサークルを作る事ができず、又現在サークルがないところで個人で会に参加してきた数人の人達がいたわけですが今秋、組織部が中心となってAサークルと云う、耺厂の会員ではあるがどこのサークルにも入っていない人達が集る会を計画し、各サークル未加名の会員九名が集って発足致しました。

しかし各人の職場環境が異っているため全員揃っての発足会が行はれず、二、三回会を重ねてサークルを如何にもってゆくかを討議しました。

勿論、目的は各人の職場に行く〳〵はサークルを作ろう、そのためにカになり合うと云う事なのです。

そして顔合せの際　各人の職場について語り合ってみました。

今迄サークルを作る事ができなかった人達の職場であるだけに、その職場の話は色々、波瀾万じょうな話が続きました。

この様な中で、少しでも柔らく人達が仲良く　より良く生活をするようになるために、又サークルをこの様な中に進めて行くためにどうしていったらよいかを考えながら、皆各人の職場の状態を聞き合いましたがその話を紹介します。

Kさんの話

Kさんは近頃会に現われないようになったのですが心配してその職場に会いに行った人の前に現われたKさんは消耗しきった青い顔をしていたのです。

そのKさんの職場である出版社は、社員や五名位のところですが、二年前に入社したKさんが、今では社でも、二、三番目位の古顔になっているように職場に耐えられずにやめる人が大変多いところなのです。社長と云う人は、社会党の役員をやっている人で、しかし社内ではワンマンな企業者で社員のぎやく待では名高い人物なのです。社員同志が一緒に、社外へ出たり、帰社時間も共にするのをきらい、又社員が原稿取りに外出するとすぐ執筆者に電話して何時に帰ったかを調べたり、個人的に中傷したり故意に人をおとし入れて首を切るといった人物で勿論、社員が団結するなどは最も恐れているので、最近社内で組合結成の動きがありその中心にKさん有りとにらんで、事々に当ってくるようになりました。

Kさんは今、大全集を一人でその原稿集めから整理割付、広告、月報の出版迄一手にやらされ、徹夜して作成した広告原稿を社長に一目でボツにされる等、その嫌がらせに耐えられず「やめさせて下さい」と云うと「今やめられると困る」の一言、連日仕事に追われて心身共に務っているところに、生活を共にしてきた芽さんが、喀血し入院をせまられ、困パイしきった状態なのです。

Iさんの話

電気の部分品を作っている中小工場、組合はあるが、現在組合活動はあまり活発でなく組合幹部に対する組合員の不満が多いようです。

社長は、クリスチャンの理想主ギ的な人で、応々社の経営方針と矛盾する方針をとり、夜学生は優待してその勉学費も社から出しているような事もあったが、これについては組合から異議を出して企業経営に力を入れるべく社と関係のある機械電気関係の夜学にのみ援助するように方針が変えられた等、他に見られないユニークなところがあります。又サークル活動もキリスト教関係の活動など社からの援助をおしまず、組合関係の会を開く時間をねらって同時刻に社でも、講演会、映画会を開くなどの柔軟ながら、対抗してきているような状態であります。

Aさんの話

Kさん同様出版の仕事をやっているが、さらに小規模で、将来と共に、同経営の印刷工場がある。

小さな職場がそうであるように、やはり社長によってすべてが左右され、又社員の不満も社長にむかってのものが多い。この社長は昔同志として非合法活動をしてきた人物で、現在も、中小零細企業の企業者としての苦しみを代表するに何の思想の変りはないと言訳するが、「人はありあまっているから嫌な人はやめて貰う」と云う、人間ベッ視と、挑戦する立場はあくまでも資本家で、社員同志がまとまる事をきらい仲間われをするような傾向を喜こび、自ら将来、営業面にマサツを起させる。しかし従業員が、まとまって一つの要求を出し、一つ一つ獲得してゆくじゅうやり方で、通勤費、健康保険を獲得できました。その結果、一人が結核とわかり長期欠勤をヨギなくされ、今はその人が何ケ月社からサラリーを貰う事ができるかを皆がみつめているといった状態で、「自分達にも関係しているんだから、皆きりを、せで　、とする人と、「何ケ月たったらサラリーを出さなくするか見ようとする人の方が多いのです。

お互いの生活について語り合い、皆ではげますと云う事が、一番大切なところでありながら、お互いの生活の苦しさ、壁があまりにわかりすぎて、一つ一つ具体的な生活の改善（カクトク）と云う事では話がまとまるが、本当に一体となって事をする。話合うと云う事ができないと云う事を、どうしたらよいのだろうかと疑問をもっている。

スポット

旧聞にぞくするが、10月6日（日）は家族を含めたレクリエーションの日です。当日参加予定者は家族を含めて三十名前後いました。行く先は野猿峠でしたが当日は朝より雨が降っていましたので参加者は無いと思いましたが、雨が降っていたのにかかわらず、新宿京王線入口には時間まで十人の参加者がいました。参加者は竹村（母）竹村、松崎、円、岡埼、岩瀬、菊地、太田、松本、宮沢以上十名の人達でした。

組織部としては野猿峠へ行く事についての計画わしておりましたが、雨の降った場合については考えていませんのでしたので、当日参加者は少数でした、と思っていますが、今後色々の点についても考えて行きたいと思っております。又家族の参加者もありませんでしたのでこの点についても皆んなで考えたいと思います。参加者の中で当日の行動について話し合いました。行く先は錦糸町（総武線）の天然温泉に行く事に決定しました。参加者の内で松崎君は試験の為行く事が出来ませんでしたがその後岩瀬君が参加しましたので計十名が天然温泉に行きました。入場券は百二十円でした。その中に入って、皆で今後やる事を話し合った中で、将棋、囲碁等を賃りて遊んだ、又各々の金でトランプを買いました。全員で遊ぶゲームをトランプでやった。七並べでした。国鉄グループとMグループにわけ、国鉄グループのメンバーは竹村（母）、竹村、岡崎、岩瀬、宮沢、Mデパートグループは松本、太田、円、岩浪、菊地の以上で遊んだ、一番を3点、2番を2点3番を1点で行いましたが、国鉄グループが十九対十一で勝ちました。又混制メンバーで行った。そのメンバーはA組は、竹村（母）、竹村、太田、岩瀬、宮沢、B組は松本、円、岩浪、岡崎、菊地のメンバーでしたが5回戦やりましたが、十五対十五になり、その後A組が勝った。以上色々の楽をやりながら温泉に入り今までのつかれを一度に取りながら一日中楽しく四時三十分まで遊びました。

以上が当日の参加者の行動でしたが、その中で組織部の無計画の為に、色々の話し合う事が出来なかった点については反省したいと思っております。

組織部

と月総会のあと　会は今迄よりも活発になり、ていさりもと〻のったように見えました。まず運営委員会ニュースが新しく発行され砂川の厂史、労仂運動史の研究とか新らしいテーマをか〻げて再出発したように見えたのです。しかし実状は以前と同じに運営委員の一部の者の上にそれがか〻って来て、前から批判されていた．好きなものにやらせておけというう傾向　或は何もせず批判ばかりする傾向がいぜんとして残っていました。この原因は、会員どうしが、たゞ会の仕事或は会費をおさめる義務などでだけ結びつき、一人一人がどんな生活の中から　どんな要求で会の仕事に参加しているのか、互に理解せずにいたというところにあったのです。そのため、一部会員が自分の生活を犠牲にして会の仕事にうちこんでいるのを、好きなものにやらせておけという、ような非情な態度でながめ、会の仕事が　一人一人苦しんでおり　だれにとっても大切な、そして今まであまりにもかえり見られなかった生活の問題につながるのだということを理解出来ないという状態が続いていたのです。

このような時に竹村さんのお父さんが八月十三日になくなられました。竹村さんは前から会のこのような傾向に気づかれ、お父さんの病気のことを強くうったえられ、見舞に行ってくれと会員にいっておられたのでした。お父さんの葬式の中で、会員ははじめて自分達の会の非情さを意しきしはじめたのです。お葬式に集った会員は今迄になくすなおになっていました。その夜の集りではお互いの父母のことを話し合い竹村さんのお父さんと一緒に、イ君の幼い時になくなられたお父さんのめいふくとまたＯ君のお母さんのめいふくをいのりました。その中で詩が読まれ国鉄のうたが唄われました。職場の人達って何んて情のあつい人達なんだろうという、それに参加したＳサークルの一会員の言葉からも、その時の様子を知ることが出来るでしょう。

この時をさかりにして会は次才に変りはじめました。会員相互のあいだに依頼感がまして来たのです。今までつよそうな顔をして職場の斗争のことばかり話していた人も、一番悩んでいることは　自分達個人の生活や家庭でのいざこざなどであることがわかり、自分達は皆同じだということがわかって来たのです。こうした中から皆で会をたてなおそうという声がおこり、まず運営委員会を更にしっかりかためようという動きが高まりました。

八月二十五日には、再び充実した運営委員会が開かれニュース第二号が出されました。その席上運営委員会を強化する一つの手段として理論の学習会を開くことが決定され、また竹村さんのお父さんの追とう会にみんなのお父さんのことを語る会をやろうということが決まったのです。このような会員個人の生活の問題は前から一部の会員の間では話し会われて来ましたが、このころからはじめて運営委員会ででもたとえばF君の生活の実状が議題としてとりあげられるようになったのです。そして理論の学習会にも親孝行についてという一項を入れたらということがこういう事から出されたのです。

このような時期にむかえた父の歴史を語る会は大きな力を会にもたらしました。家庭の問題は今まで各会員にとって一番大きな悩みであったにもかかわらず、それを会でとりあげて具体的に話をすすめることが出来ないようなふんいきであったため、結局個人的に悩み、自分だけで解決しようとしていた会員が多かったのです。決してすべての会員がこの席上で自分の家族の問題を真剣にさらけ出したわけではありませんが、中でも最も苦しい立場に置かれていた二三の会員がその苦しみを次第にうったえたことは会員に大きな感動をもたらしました。そして最初はお父さんの悪口を云っていたものも、もう一度しゃべらせてくれたら云いたいことがあったのにとくやしがるしまつでした。

これ以後会の話題は本当に充実して来ました。その後に結成されたAサークルの席上でも、今までめったに自分のことを話したことのなかったAさんが熱心に職場のことや胸をやんで苦しんでいる友達のことをうったえられたことなども今までになかったことでした。そしてサークルにおいて手近やっていた賃金の問題をはじめて一人一人の生活の面から考えて行くという新しいスタイルがとられはじめたのもこのころからでした。一人一人とってみれば独立している人もあり親がへりの人もある。しかし親がえりの人が自立しようとすれば家計に穴があいて出来ない。自立している人はわずか八千円ちょっとの給料ではくらすのがやっとのことだ。こうした話しあいの中から我々は皆生活はちがっても同じ立場で団結しあえる労働者だという確信をつくりだして来たのです。また恩給サークルの一会員がこの話しから、今までSサークルの人達をうらやましいと思っていたがやっぱり同じ労働者なのだとしみじみ思ったと話していたのは注目すべきことだと思います。

　このごろ会の内には新しい空気が生れて来た、又サークルの話の中にも今まで出て来なかった話が出るようになって来ました。

　それまでの会の中での話やサークル内の話では職場の問題を中心に話して来ました、それら職場の問題が会員の一番の悩みであるかのように話し合っていましたが、各会員の一番悩んでいる問題は他にありました。自分達の生活や家庭での家族や両親との問題が一番大きな悩みでした。夜遅く家に帰る日が我々会員の人達の内には多くさんおります、そのような色々の問題を個人的に悩み、個人的に自分だけで解決しようと悩んでいる会員が多いのです、それら悩んでいる会員の内にも会員の中でも一番元気な六さんも入っていたのでした。ある日六さんが竹村さんに初めて自分の家の問題を話しました、両親がなく祖母と一諸に叔父の家で生活しております、その様な家族的な問題で六さんの元気な内にも一抹のさみしさが生れて来ているのでした。その話合で六さんや、竹村さんが会での話には家族の問題で話をする会員がいなかった事に自分達の家の問題を出し合って話して行く中で気がつきました。

　その様に他の会員でも、家族の問題や個人的な問題で悩んでいる人達が多くさんおりましたがそれを会でとり上げて具体的に話を進めて行く事が出来ませんでした。

　この様な会の空気の内で竹村さんのお父さんが死んで行きました、その父さんの葬式に参加した会員の中でお父さんを語る会をもってみたらという声が出ました、父さんを語る会を開くにあたり竹村さんの父さんばかりでなく会員全員の父さんを語る会にしたらという新しい声が生れ、それが父さんを語る会を開く事に発展して行ったのです、しかしその父さんを語る中でまだ、本当にお父さんの話や家族での問題を話す人達が多くありませんでした、皆の話はお父さんの悪い点ばかり上げて話していきました。お父さんの良い点を出して話して行く会員はおりませんでした、それらはまだ会員の中で父母の正しい理解が出来ていなかったからだと思います。

その父さんを語る会を開いた時を境として今までとちがった新しい芽が会の中で生れ、自分達の問題を出し合って話して行くように発展して来ました、その話の中でこんど学習会をやり、その学習会の中でも、家族での問題や生活の問題、母さんの問題で話し合って行きたいという声が出ております。

理論学習会について

九月二十日～二十三日までの四日間、最近の日本経済について、国鉄の労働組合について、厂史の研究法等について、それぞれ専門の講師をよんで学習会を開きました。

これは前期総会以来の職場に職厂サークルをひろめるために説得活動を強めなければならないという決定にもとずき、まず運営委員の質的な向上をはかるために持たれたものです。まだ一回目なのですぐ応用出来たわけではありませんが、非常にプラスになったと思います。

しかし今度の学習会で分ったことは職場の問題と結びつかない問題の出しかたは、きくだけで深い討論にならず、抽象的討論に終ってしまい、すぐに応用出来るところまではとうていいけないということです。今後はもっと、職場の人達がいろいろ話し合っているような問題を運営委員会で整理し講師の人にも充分そのことを含んでもらって学習会を持つことに決めました。

国民文化集会について

十月二十六日、二十七日の両日にわたり、国民文化集会が教育会館で開かれました。

『職場の厂史を作る会』では二十六日の才二分科会「労働者の厂史運動について」に出席しました。この才二分科会は「組合史編纂」「厂研の歩み」そして「職場の厂史を作る会」の三グループから構成されており、議事進行、その他事務一般を職厂が担当しました。この日は、労働者、学生等多数の参加者があり予想外の盛況さでした。なお、砂川からの出席者があった事は非常に嬉しく思いました。』砂川の厂史を書いて欲しい〃と前回の総会以来、再び希望して居りましたが是非取り上げて行きたい問題だと思います。

耺厂からの発表者は、国鉄、恩給局、Sサークル等去年には見られなかった新しい会員が進出していました。

トツ／＼として不馴れながら、〃生活〃が語られて来た事は大きな進歩だと思います。

Sサークルの生活状態の発表を聞いた或る会員は「こう云う事なら、僕達と一緒に出来る」と云って感激していました。

しかし分科会全体の空気としては、まだ／＼一般の人達の話し合いまで行くには相当な困難を感じます。

そしてなお「組合史編纂」「厂研の歩み」「耺厂」の三グループが各々バラ／＼であり、討論し合う状態までには行っていませんでした。こそ／＼とした二、三人のおしゃべりがあったり、一グループの発表が終ると帰ってしまう人が居たりした事から考えてみても、三本立ての形態がむしろ無理でないかとさえ考えられます。問題範囲が広がり、出された問題が集中的に討議されてないと思えるのです。本年の準備は、去年短い期間でバタ／＼やってしまった失敗にこりて、早くから、長期の計画を立て、実行に移しました。

去年の無計画から、計画性のある準備へ発展は出来たのですがそれだけに一部の個人負担が非常に重くなってしまいました。

あっち、こっちへ交渉に出かけたり、手紙を出したり、その他種々の準備が個人にのみ負いかぶさってしまいましたがもう少し組織的に動ける所もあったのではないかと考えます。しかし、あれだけの参加者が得られたかげにはこれ等の努力があったからこそであり、来年度には是非組織的に準備する事を考えなければいけないと思います。

会が次期総会までにやる事

次期総会までに運営委員会の基本方針にしたがって次の五項目をやって行きたいと考えています。

(一)各サークルが月に一返責任をもって、耺場交流を行う事にしました。十一月総会より次回総会までの間三ケ月間を次の三つのサークルが責任もって耺場交流を行って行く事にしました。

十二月には　国鉄サークル
一月　には　こサークル
二月　には　尽給局サークル
その職場交流の内容については各サークル内の色々の問題があるので、各サークルと運営委員会とが相談して職場交流をやる事。

(二)学習会を二月中旬に運営委員会が責任をもって行います。前回の学習会の内で反省された点をあらため、次会には会員中より講師を選択して生活の問題や職場の問題、文化の問題を中心に行って行きます。

(三)地方会員との連絡については今まで形式的な問題で連絡して来ましたが今回よりは具体的な問題、例えば機関誌の内容についてとか地方会員のなやみを書いてもらい、その様な点で連絡して行きたいと考えています。

(四)新会員の獲得は、今までのような個人的な説得によるものでなくサークルや運営委員会その他色々の会議を通じて組織に行う事にします。

(五)忘年会、新年会を開く

会計部活動についてのまとめ

Ⅰ、はじめに

才二回総会で会計部は会の今までの財政状態を検討し、その中から次のことを当面の活動方針としてとりあげて会の財政状態を改善することに努力してきた。

前期総会では当面の仕事として

1、滞納を整理して赤字をなくしてゆく
2、各サークルを利用して会費を集める
3、会の財政状態を誰にでもよくわかるように整理しておく
4、事務処理の正確化と迅速化
5、三ヶ月以上理由なく滞納したら会員としての資格を失なう

等を約束した。

Ⅱ　成果

それからの活動の結果、次の成果をあげることができた。

1、当時約四〇〇〇円あった滞納を約二〇〇〇円に減少させた

2、会費を集めるのにサークルを活用することは有効であった。たとえばSサークルに入っている会員からの会費の納入は非常に確実であった。

3、運営委員会、各部の会合にわずかではあったが交通費を支給することができた（支給額は一カ月平均約二〇〇円）。ただし十月は支給できなかった。

4、たとえ一部分ではあったが、借入金を返済することができた（岩波君に五〇〇円、黒崎さんに、一〇〇〇円）。

5、会計の事務処理は一応スムーズに行なわれている（会計報告の別表参照）

III 欠陥

しかし、このような成果をあげることができたとはいえ、会の財政状態は相変らず火の車で、本質的には改善することができなかった。それは別表の決算報告を見てもよくわかる。

そのため次の欠陥が生じた。

1、組織部との連絡が不十分であったために会員一人一人の状態がよくわからず、会費を集めるのに支障があった。たとえばAサークルに入っている小松君の状態について会計部が知ったのはかなり遅い。また、会との連絡のない人もあるが、そういう人の場合は会費を集めることが困難であった。特にAサークル結成以前はこの傾向がいちじるしかった。

2、現在なお、収入の絶対的な低さのために会の活動に対応する予算案がつくれなかった（この点についてはまた後で述べる。）

3、会の収入の低さから事務所費の納入がまだ不安定である。たとえば九月分はK会員の立替え、十月分も一部分は会員の立替えである。また、八月分は一部分未納になっている。

4、サークルの不安定なところは会費の納入も不定である。（国際電々、恩給局、Aサークルなどが悪い）。

5、現在まだ一部の会員の個人負担や犠牲によって会の財政がまかなわれているという欠点が克服されていない。たとえば、事務所費の納入が確実でないため竹村さんの家庭にめいわくをかけている。この事務所費の納入も会員個人から借入れを行なっている状態である。また連日、事務所を使用しているにもかかわらずガス代、水道代等の日常経費について援助することができない。会員が会のために活動してもが運営費ですら十分に払えず、自腹を切っているこくが多い。

6. 各種の組織活動（運詩の勉強会、国民文化県会など）に対して財政面から援助することがほとんどできなかった。

7. 三ヵ月以上滞納すると会員としての資格を失なうという規定の実際の適用にあたって組織部との連絡や会計部独自の事務処理が速かに行なわれなかった。（この点については、滞納している人にさい促状を出したところ、五人が会を脱退することを明らかにしたが、これは組織部に連絡した。他の高額滞納者の処置については組織部との連絡がまだ充分でなく、また会計部としてもその人達の実情をよくつかんでいないのが現実である）。

8. 財政状態の改善が会の組織活動と不可分であるにもかかわらず、この問題について組織部と運営委員会との対策の協議が十分に行なわれなかった。このため会計の処理は次のように変更した。

9. 今まで二十五日締切りの決算を月の末日に変更する。（これは形式の整備と、収入が月末に集中するためである）。

当分の間、予算案はつくらない。（収入と支出が全然バランスがとれず、常に収入が支出に追われている状態なので、予算案をつくっても形式的な意義しかなく、それによって運営した場合かえって会の活動をストップさせる危険性がある等の理由からである。

Ⅳ　成果と欠陥のまとめ

以上が第二回総会以後の会計部活動の成果と欠陥である。会員数が少ないため、会収入が少なく、そのためいつも赤字に追いまわされているというのが数字の上からみた現状である。これを別の観点からみると、会の組織活動が弱いということになる。予算案がつくれないような状態のところに会の組織活動の弱さが象徴的に現れていると思う。

いまだに滞納があるということは会計部としての独自の活動が不十分であったといえることはもちろんである。しかしこの財政問題の中には、それだけで処理しても解決することのできない大きな重大な問題が含まれていて、財政状態の改善も組織活動と不可分であることが、いろいろの成果と欠陥の中によく示されていると思う。

Ⅳ、これからの方針

会計部の過去の実践の総括の中から出て来た成果と欠陥の上に立って次の方針を提案する。

会の活動を財政面から保証できる予算案が組める状態に速かに到達することを目標にする。

一部の会員の個人負担や犠牲によって会の財政がまかなわれるという状態をただちに改め、会の財政が会員全部の平等の負担によってまかなわれる状態にする。

a 会費を前納制にする。

今まで事務所費は分割払いと借入れ、会の活動費は前借りという状態が多かった。これは会費の納入が月末に集中するためであるから前納制にする。これはすでに一部実施しているが、移行の時期は三十三年一月とし、例えば年末一時金が入った時二カ月分前納する等の方法により実現する。

b 会費の増加

現在収入の絶対額が低いのであるということからも当然である。

c 借入金の返済

借入金は別表、会計報告書にある如くである。

これを毎月どんなに少額づつでもいいから返済してゆく

d ゆとりのある人にはできるだけ多く前納してもらう。（田中さんは来年二月から十一月までの十カ月分を前納した。この会費は現在機関誌に貸してあり、会の機関誌活動を助けている）。

e 会のための活動に対しては正当な手当を支払う（現在これを全面的に実施することは不可能であるので、このためにも会の財政の全面的な向上かのぞまれるのである。会の財政を充実してゆくことに平行して可能なところからだんだん実施してゆく必要がある）

f 三カ月滞納者について

会の規律を保ち、また事務処理をスムースにしてゆくためには、ある程度の規定は必要である。しかし、現在の会の状態からみてこの規定の機械的な適用はさけるべきである。

機関紙部の反省

七月総会以後、機関誌8号を発行した。ということ以外なにも部としてすることが出来なかった。

ニュースの発行も、自主的な編集委員会制度も実現することは出来なかった。部会そのものも、8号の発行以後は開くことが出来ず、ようやく最近（十月になって）、数人の新しい人を迎えて、これまでの反省やら、9号の編集のことやら、部そのものの活動をきずきつゝあったところである。

この間に、部としてはたした唯一つの仕事、機関紙8号のことについての報告と反省を述べ、機関紙部の活動報告にしたいと思う。

(1) 発行まで

編集、カッティング、印刷、製本までを含む。

十分とまではいかなかったが編集会議も開かれ、7号とちがって、会員の作品が集められた。たまたま竹村さんのお父さんの御不幸があって、その追悼会を準備するなかでうまれた作品（いゝやいかん）ものせることが出来た。

こゝでのべたいのは、カットから製本までの作業についてである。7号の場合（自費出版制の第一回）カットを頼んだ清水君に全部まかせたような形になってしまった。8号の場合、それがすこし改められ数人の会員が印刷を製本の作業を手伝った。しかし十分に協力体制が組まれたとは云えなかったのである。これらはつまらない、けれども大切なまた負担の多い仕事である。会全体の協力をつよめなければいけないと思った。

(2) 販売について

発行部数ならびに現在（十一月十五日）売上部数は次のとをりである。

表1

発行部数	300
会員	38
贈呈	58
売上	92

非会員内訳（売上）	
居給局	22
国鉄	12
Sサークル	32
国際電々	6
網地	4
本條	1
その他	15

(3) 会計について

8号の収支は左のとをりである。表にみるとをり赤字がでてしまった。まだ相当部数、棚の上にねむっているのである。これが全部売れれば赤字は解消する。

表2、

支出の部

表　紙	800.－
原紙、本紙	1,050.－
カッティング	2000.－
合　計	3,850.－

収入の部

92部	2760.－
計	2760.－

赤字 1090

まだまだ売るという努力が足りないのではないかと思う。私たちが機関誌を売るということは、大きな意味をもっているはずである。もっと〱この会の財産であり、会発展の基礎である機関誌を広めるために努力しなければいけないと思った。一回割当てられて、それだけ売ったらもう終りというようなことでなく、ひごろ積極的に使うようにしたり。（十一月二十日まで第二次販売運動中である）

(4)最後に――とくに強調したいこと――

清水君にまかせたら、後は出来るまで、我関せずの態度をとり激動もなにも出来ないようなことでは絶対にいけない。一人一人の力を集めて仕事をすゝめていくという気持がたりなかったのではないか。

会員一人一人の機関誌なのだということを徹底しなければいけないと思う。今後、どのような形で機関誌が出されていくにしても、この気持だけは少しもうすめてはならずこのことを一人一人のすみずみまでしみとおらせてはじめて内容も一歩〱向上していくものと思う。

組織部資料
1957.11.1

―― 主な行事 ――

1957年
7月 ―→ 11月

7月	2/日	1957年第2回総会　於国際電々 午後3－9 〔参加者第1部　25名位 第2部　30名位延60名位〕 品川サークル海へ行く	第1部合評会 （機関誌第7号） 第2部総会 ◎新潟斗争
8月	3日 13日	砂川へ行くこと決定　（中止） 竹村民郎さんの父の死	（6～16） 第3回原水爆禁止世界大会
9月	14日 15日 18日 20日 ～ 23日 28日	国鉄サークル正式結成 父を語る会（機関誌第8号） Aサークル結成 理論の学習会 Sサークルの転期	（22） 砂川斗争における一大弾圧
10月	6日 10日 21日 26日 ～ 27日	レクリエーションに行く（10名位） Sサークル大菩薩に行く 国民文化集会打ち合せ 国民文化集会	（4日） 人工衛星の第1号を打上げる
11月	17日	1957年第3回総会	（1日） 国際共同行動日本大会 （日比谷）全国81万 （3日） 人工衛星第2号

会則改正について

第六条
一、議長一名　二、副議長二名　三、事務局長一名
四、運営委員若干名　五、事務局員
（三項）削る
（五項）事務局員は会計監査、連絡その他の事務の処理にあたる。
第九条
（二項）運営委員会は議長、副議長、事務局長及びサークル代表者によつて構成される
（三項）削る
（四項）サークル代表者とあるのを削る
第十条　削る

会の動き

一九五七 七、二十一	総会（於国際電々）（三―九）参加者延六十名
二十五	運営委員会（六―十）参加者八名
〃	運営委員会ニュース第一号発行
八、三	砂川へ行く（中止）
二十四	運営委員会（六―十）参加者五名
二十五	運営委員会ニュース第二号
九、七	運営委員会（六―十）参加者八名
九	運営委員会ニュース第三号
〃	Sサークル
十	Aサークル
十四	国鉄サークル
十五	父を語る会（国鉄労協会館）
〃	機関誌第八号発行
十七	組織部集会
十八	Aサークル
二十〜二十三	理論の学習会
二十五	会計部集会
二十六	国鉄サークル

九、二十七	運営委員会（六ー十）
二十八	運営委員会ニュース第四号
三十	機関誌会議
十、三	組織部集会
五	会計部集会
六	ハイキングに行く（雨の為天然温泉に行く）参加者十名
七	組合史協議会（六、三十〜九）
八	国鉄サークル
十一	運営委員会（七ー十）
十二	機関誌部集会
十四	Sサークル
十五	組織部集会
二十一	〃
〃	運営委員会ニュース第五号
〃	国民文化集会準備会
二十二	機関紙部集会
二十四	Sサークル
二十五	機関紙部集会
二十六	国民文化集会　第一日
二十七	〃　第二日
二十八	運営委員会（六、三〇ー十）参加者九名
二十九	運営委員会ニュース第六号
〃	国鉄サークル
十一、五	第九号編集委員会
六	原稿編集委員会

十一、六	原稿編集委員会
七	〃
八	〃
九	〃
十	
十一	国鉄サークル

編集後記

私達の会も今年で三周年を迎える事になりました。「石の上にも三年」という諺がありますが、三年間の私達の会の動きや、各サークルの動きを三周年記念号第九号に乗せる事になり、九号を編集しながら三年間の色々の出来事を思い出しながら編集しました。

機関誌九号を総会まで発行する予定で、ガリ切りから印刷までみんなの手でやり夜おそくまで、三年間の出来事を話しながら早くみなさんのお手もとにとどくようがんばって来ました。

職場と生活

10

職場の歴史をつくる会編集

目次

友達が家を建てた話

上田敏助

友達が家を建てた

今年も友達から年賀状をもらった。年令は大体私と同じ位の連中である。年に一回よこすものだから、年賀の挨拶の後にちょっぴり近況を知らせてくれる。

「俺も女房をもらったし」

「俺は昨年の十月に結婚したが若さを失わないでいるつもりだよろしく頼む」

又「昨年十二月の末長男誕生致しました」などから「俺は新しい家を建てた、××駅下車七分帰郷の際によりたまえ」など、これらの友達は勿論國鉄に勤めている連中である。國鉄就職十三年結婚したり、こつこつ金を貯めたりして家を新築したりしたって決っして不思議ではないのである、がしかし、私は未だ結婚も出来ないし家を建てるなんて何時のことやら思えば大きな差がついたものである。就職十三年といえば一寸した個人の会社なら古株にもなったろうが現在の私にはまだ一年生である。何故ならば、この十三年間に鉄道教習所を入れて五回も職場を替えているからである。何故替えなければならなかったか、どうしてそうなったかは、鉄道就職時から振返って考えてみよう。

就職前

出発は悪かった。二十年の三月、秋田の山奥の高等小学校を終えた。山奥と云えば、ほんとの山奥である。鳥も通わぬくらいだが借金取だけはよく小まめに歩いた様だった。フラス

五十数名で中学校へ行ったのは、たった三人だけ三人も満足に卒業したのは一人位であとは中退か自然退校だったらしい。その満足に卒業したのが小学校の先生になった。そんなところが私達の村である。

八年間の学校生活の中で勉強らしい勉強したのが小学校三年生まで大体入学した年に支那事変が始り五年生で大平洋戦争が始った。都会の子供達はどうか知らないが、田舎の子供達はその環境を利用され戦争のため大いに働かされた。四年生から夏は夏で食糧のたしになるとかで、「しいの実拾い」。割当が二斗か三斗であった。如何に田舎は山ばかりといってもきりがある。朝から晩まで、全校生徒に荒されては、近い山には殆んど木の実はなくなり折角の日曜日は遠い山々へ遠征に出かけた。冬は冬で縄ない紅葉すような手ではなかったが、マメが出来た。それからだんだん仕事が増えてきて、夏は藷掘り、冬は供出米の運搬手伝等徹底的にこき使われて晴れて卒業、今も人から云われる、雪国で育ってスキーもやらないのかと「やれない」何故だか知っているかと聞けば誰も答えられない。戦争も末期だし、いい加減に軍人志願もあきらめてもらい頃だったが私共は未だ必らず日本帝国は勝つと信じて疑わなかったし、そう教えられていた。在学中、受けた軍人志望の試験は労力不足で落ちるし、卒業して、ぼやぼやしていると、徴用工に引っぱられる恐れがあった。よれよれになって帰郷する徴用工達はみじめであった。それなら自分から進んでどこかの軍需工場へ就職しようと

云うことになって、東京の工場を五、六人で希望したが、出発真際になって、東京空襲のため焼失したからだめだと云うので、それでは勿体ないとばかり、一番不足している鉄道でもらい受けようと誰れかと誰れかが話しが決ったらしく、私達に知らされたのは、話したいから何日の何時まで職安に来てくれというハガキであった。そこで始めて君達を鉄道でもらったから今ここに職名をあげるから好きなところを希望するがよいと係の人が云った。彼の説明ではすべて努力次第で駅長にでも区長にでもなれるという話しであった。「勉強して試験を受ければどんどんのぼっていく」現に十八才の機関士だっている。本線の機関士だぞ」当時機関士は私共にとっては非常にえらそうに見えた。十八才の機関士、すごい魅力だった。大部分は機関区に希望した。私は目がよくなかったので車電区に決めた。機関区に就職した同級生の二人は二十四年のクビ切りで機関車みがき庫内手全員整理のためあっさりクビ切られた。その中の一人は自衛隊もう一人は網走で再乗りと、それぞれ別れてしまった。

鉄道に入りたいなど、は夢にも思った事なかった。あの車引きのような帽子と詰衿の服が気に入らなかった、それよりも何よりも鉄道員という言葉が気にいらなかった。しかし仕方がなかった。鉄道へ入って、も軍隊へ志願出来る。それまでがまんしようと思った。就職は秋田車電区に決った。自分の家から秋田市までは遠かった。電車で一時間近く列車で二時間半連絡悪ければ五時間もかかった。秋田市は自分達にとっては大きな街だった。駅構内は一日中汽笛と軍用列車で満ちていた。汽車に始めて乗ったのはこの時である。寮は駅前の三階建の旅館を寮にしたあった。百五十人ばかり入っていた。八畳の部屋で、二人のところへ、トランク一つ持って入れられた。二十と十八の男達で保線区つとめだった。押入はなく床の間は下駄箱の代りになっていた。皆んな山奥から出、来た農家の二、三男で田の持っていなかった。長男で入ったのは私ぐらいなもので不思議がられた。二十年の六月である

新しい職場

新しい職場は私が想像したようなところではなかった。就職の際の係の人でさえ車電区などしいう鉄道の現場はあまり知らなかったに違いない。おそらく本や何かで一寸読んだ位で車電区の仕事は列車に電灯をつけて歩くのが主な仕事だという説明しかできなかった。これを聞いた私は、これなら大した仕事でもなさそうだと思ったのも当然だった。まして長くいるつもりはさらになかったのだから、その一期間だけでも楽な仕事をしたかった。車電区の一番下ッぱの職名には二つあった。車電手と技工である。いわゆるその車電手が努力次第で区長にもなれるという話しである。技工はいつまでたっても技工で最後になっても技工長どまりだと人々は云っておった。ところがあとで知ったことだが出世の第一歩の車電区から車電掛に昇格するには小学校もろくろく卒業していない連中には一寸むづかしく検定試験や鉄道教習所の試験が通らなければ

いくら、まじめに仕事に精出しても、何年たっても私にはなれなかった。駅前の鉄道寮には、その万年組の技工や車電手が五六名ごろごろしていた。彼等らは私の先輩だった。先輩という言葉は、いつ頃からはやって来たのか、とにかく一番後に入って来た私には、すべて会う者は先輩だった。その先輩達だって数えの十七、八で二十という人は、二三人で、それもいつ兵隊に引っぱられるか、はらはらして、ろくに仕事の手につかず一番はばをきかしたのは、この十七、八の少年達生れながらの臆病者で先生や先輩などに抵抗しようなど、はいさゝかも、おもわなかった私は、なぐられたためしがなかったが、私より一月前に入ったKという近眼の少年は漁夫の子らしく気が荒かった。しかし先輩には勝てないらしくなぐられたようだった。いつだったか、仕事を終えて、うす暗くなってから風呂に入っていると先輩が二人やってきた。「おい」と云う、「はあ」二人は顔を見合せた。一人が云った。「お前先輩より早く風呂に入っていいのか」しかしそんなことなどはいわゆる素直に謝ればよかったし別に苦痛にはならなかったが、どうにもならないのが困った、寮の飯の少いことである。小学校時代自分の家に田こそなかったけれど「めし」だけは腹一杯たべられた。だが寮のめしは、あまりにも少なかった。厚い、どんぶりに七分目位しか入っていなく味噌汁は湯呑より、いくらか大きい位の容器に、実の入っていない塩汁みたいなものであとは何にもなく、それっきりであった。これだけなり何にも仕事をやらなくとも、たまらないのに、いやな仕事をしながら期待していたのは食物の事ばかり

それがこんなもんだから、その辛さは格別だった。食物の少いところで働かせられている人々の話しは就職する前から聞いていたが経験したことはなかった。それが今度は実際に其の場に当ったわけである。家から米は若干もらっては来たが、三食を完全に満腹するまでには到底できなかった。晴にはガスがあった。これも始めて見た。至極便利なものだなあと思った。へんな話しだけれど職場から帰って来て夕飯をたべると、たまらなく腹がへってくるのだった。ガスコンロは数少く、そのまわりには米を入れた鍋を持った寮達が並んでいた。そんなものだから飯をたいて食べるのが一晩中で精一杯だった。飯のおかずは駅前の店に買いに行けば、ないわけでもなかったが高かったし大部分の寮生は味噌汁に自分の家から運んで来た野菜を煮て食べていた。

腹のすくことも辛いことながら、職場のいやな事も、それにおとらなかった。職名は技工ということになって列車用発電気の修繕場というがらくたもので一杯の小汚い職場に案内されて、そこで会後十年間私にとっては忘れられない「親方」と呼ばれる背の小さい頭のハゲた四十五、六の目鏡をかけた男に紹介された彼はこゝの修繕場の親方だったが技工長ではなかった。技工長は隣の職場の列車用蓄電池関係の仕事をしている背の大きい鼻のでかい、かっぷくだけは堂々たる男で同じ年ごろだった。その隣の職場には駅などで使用している合図灯用電池改修をやってるところで、そこにはやはり年をとった親方がいた。

彼も背が大きく、ハゲではいなかったが白髪だった。この三人は技工達の親方でいづれも名前す下に太郎がついていて一くせあって互に仲が悪く、いづれもそれ相応したアダナをもらっていた。ハゲ頭はヤカンでかっぷくのよい男はガモでミラガは、ゴリ等こんなことを知ったのは勿論ずっと後で、誰れ知らせるともなく憶えてしまった。そして後年これらの親方共に交互に使われて、その性格も亦知らずにおぼえてしまった。で最初は、そのヤカンの下で仕事である。と云っても、何やってよいか、わからない、し、いわゆる、その先輩共の手助けである。ここでは大体一年間ぐらいで客車の下に吊してある列車用電灯の発電気のおろしたのを分解し悪いところは修繕して、それを試験して、又送り出してやるところである。だから職場の中は其の部分品で乱雑で、モーターの、うなりで、うるさく油くさい、においが充満して、七月近い暑い空気の中では、頭がボーとして、それにすきっ腹ときているから条件が揃っていた。晴れた青空の下、裸になって太陽の光をあびて黒い土を耕していた。私たとっては耐えがたい苦しみだった。それに、そうゆう機械類に全然興味がなかった。又発電気という言葉さえ聞いたこともなく、学校では電気を習ったこともなかった。先輩達は七、八名いたが、何やっているのか、あまり忙しそうでなかった。鉄の皿に分解した発電気の真　部分をみがき粉で光らす仕事を彼等は後輩に、いつけるのだった。みがき粉で、みがくと鏡の様に光った。しかし翌日は又艶がなくなってしまった。それをみて先輩は「あいつの仕事は粗末だ」と文句をいうのだった・いやくな

は粗末だ」と文句をいうのだった。いやくな
がら座って仕事をしていると時間が長かった。昼飯が待ち遠しく何回となく、時計をみた。ようやく昼になって弁当を開けると、めしは隅の方で丸まっていた。五回位、口をあけるとなくなった。友達もいた。例のKという近眼の少年である彼は、自分の家から通勤しているので彼の弁当のふたははち切れそうだった。羨しがらせたのは彼の弁当のおかずである。新鮮な小魚の煮つめたのであるが山で育った私にとっては、よだれが出そうだった・そこによく彼は気がついて、「寮はひどいべこれ食え」と云って魚をつまんでくれた。「あゝうめえな、えゝな通っている人はし彼はなかくちゃかりして貸与されないのに誰れから借りたのか、ナッパ服を着込んでおまけに学生帽に真新しい鉄道の帽章をつけて、立派な鉄道員、私からみれば大きらいな鉄道員にみえた。今のように公休は毎週あるわけではなし、殊に試傭として採用されている、私にはいつ休まれるかわからなかった。腹が減る、頭が痛い、仕事がいやだ、腹一杯食べたい。静かなところへ行きたい。昼休構内においてある客車の中で私は人にかくれて泣いてしまった。家へ帰りたい、とにかく一目母の顔をみたい、どうしたらよいか、勤務時間は朝七時から五時迄である。六時頃起きると汽車が汽笛をならしながら煙をはいて南の方へ飛んでゆくのが、寮の窓から見えた。あれに乗れば家へ帰られると思うと矢もたてもたまらなかった。もらって来たスルメも、もうなくなってしまった・腹が大丈夫かと思った。今だってスルメ等

一人で一枚食べた事なかつたのだ。四、五日でもつて来た食糧は全部なくなつてしまつた。家へハがきを書いた「めしが少くて死にそうだ」返事は来なかつたし統制でうるさい米を送つてもらうことはできなかつたが何か欲しかつた。それにしても、一緒に来た同級生の二人は機関区で何やつてるだろう。暇をみて機関区の方へ歩いていつたら、ぴかぴか油だらけの彼等にあつた。彼等は一応機関区専用の寮に入つていたので、今迄逢えなかつた。彼等も同じだつた。「これが実社会だなあ、つらいもんだ」と話し合つた。

汽車が又南の方へ走つていた。"

「あれに乗つたり行けるんだが」と三人一緒た顔を見合せた。二つばかり年上の先輩に相談した。「やめたいけれど、どうしたらよいか」と聞いたら「やめられない、その中に馴れる、がまんするんだよ君」と彼は云うのだつた。

丸顔で上唇にくらべ下唇がつぼんでいるので雀のような口をして、おかしかつたが悪い人間ではなかつた。その後、ずつと彼とも友達になれた。

その恵まれない環境の中で、みんなに導たされながらも、とにかく正直に生きるということは、むづかしいことだが彼は実際にやつてのけたのであつたが、現在はその無理がたゝつて、胸の病気のため、鉄道病院に入院中である。彼は云つた。

「試備中で見込がなかつたら採用されない」

「そんなら、どうすればよいか。」と聞いたら、「悪いことをすればくびさ」である。そんなことをしてはだけ努めといましめた。悪いことをやれたつて、私には出来なかつたが、出来るなら円満た辞める方法を教えてもらいたかつたが、教へ年十八の彼にはそれ程の智恵はなかつた。

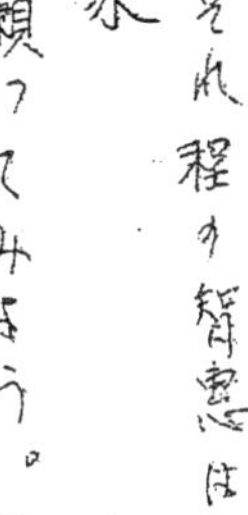

私の家

親方に頼つてみよう。たとえ虫の好かない親方であろうと、こうゆう切迫した事情を話したら何とかしてくれるだろうと思つて、どきどきしながら、もう腹が減つてどうにもならないから一日でよいから家へ帰るので休ませて下さいとそれこそ涙ながらに、訴えた。なんだかんだと云いながらも彼はでは一緒に事務室へ行こうと云つてくれた。事務室には、その車引きの帽子をとつて、ハゲ頭を下げて入つていつた。そのあとから戦闘帽をとつて私が続いた。"事務室の中では何回となく彼はそのハゲた頭をふり、手まねをしてこれが急いで家から出、来たものだから、いろいろ忘れものがあり弁当もなくて困つている。なんとか助役さんお願いしますと、云つているのである。助役は、ゆつくりうなづいてくれた。親方は机の上にある出勤簿へ、ハンコを明日のところへ押せと云つた。出勤扱いの休にしてくれたのである。そして今日二時の汽車で帰してやるというのである。こんなに嬉しいことはなかつた。頭を何回となく下げた。

それで昼休寮に帰つて支度して来いと云うので寮に飛んでいつて、明日の分三食分全部のめしをもらつて腹に詰込んだ。夕の分は、すでに朝の中になかつたのである。雨が降つていたが気にならなかつた、土産物と思つて雨の中を街を歩いた。職場へ帰つたときは、昼休みを過ぎていた。親方は顔色を変えてがミ〱云ったが、二時五分の列車までであと、いくらもなかった。手を洗ってすぐ行けと云った。青年学校の服にゲートルをしつかり巻き、持参人式の鉄道のパスを借りて飛ぶ様に三番ホームへ走った。上野行きは混んではいたが三、三の駅を過ぎると座れた。雨も晴れた。ガタこ〱という鉄路のひびきは快った。家へ帰れるんだ意外の景色は、もう田植もすんで青い苗が一面に広って、木々の緑は、したたり落ろる様な鮮かさだった。川が流れている葉ぶきの家、なつかしかった。もう初夏である。数えてみた。この長い期間は就職して今日で丁度十日目だった。十日長いなあ山を登る汽関車のほえる様な汽笛の響き。山奥の私鉄の駅についたのは五時半頃だった。そこでばったり機関区に行った同級生が来るところへ会った。彼等は私より一日早く理由をみつけ暇をもらって帰郷して又秋田へ帰るところだった。自分の家から頼まれた卵をリュックから出して、かえしてくれた。腹一杯食って来い。彼等は名残り惜しそうだった。ふるさとは変りなかった、この橋も、この石ころも、当り前である。たった十日しかたっていないはずだ。家へ着くと、さっそく、あんなところへは、もう行きたくない、辞めたいと云うと、今やめたところで、どうにもならないでないか、仮に辞めて家へ帰って来たところで、田もあるわけではないし、ブラ〱しているのと徴用に引張られるというのだった。徴用と聞いては矢張り考へた。これ以上、ひもじい想いと仕事も辛いだろうと、でも徴用に引張られるまで家におって腹一杯たべた方が、良い様に、—

も思えた。祖母は「どんないやな仕事でも、徴兵検査まで、がまんしろ、其の後、自分の好きな仕事でもあったら替えたらよい」と云うのだった。いわば遠い秋田まで就職してすぐもどってくる事は世間態も悪いというのだった。当時の私の家は、大家族だった。にもかゝわらず働き手は父一人だった。他の野良仕事やいろいろ雑多な仕事は母や叔母達がやったにしても、一文の金が入るわけでもなかった。女達と、子供達は、家中騒いでいた。中風の祖父、祖母、父母、叔母三人、上の二人の叔母達は東京からの疎開者だった。いづれも亭主は應召中で三人と一人の子供達を連れておる。私の妹達四人と、ざっと数えても十四人いた。父は山の男だった。村の山師にやとわれては近所の山々の木を切り又は木の皮をはぎ、丸太を運搬するのが主な仕事だった、月に二十日も働けば、よい方で、手間賃はいつも親方から、前借していた。山師が請負った山の仕事を父達は早くやってても祝酒といって、まづ、どぶろくを飲ませられて、手取る現金は、いつも少かった。だから父と母は喧嘩した。勿論金の無いことから始めるのだが、いろ〱附随したものも一緒になってしまうのだった。泥棒にも三分の理がある通り、ましてや夫婦どちらも理屈はあったが私は、どちらにも味方するなど、いう気持は起らなかった。父は養子だった。母の兄弟大人の中今応召中の叔父が一人男なので、長女の母に養子をもらって、この数多い家族を養っているわけなのである。この様な、やゝ複雑な家族関係は私たにとっても決っして無関係ではない。田舎ではこうした家庭はいくらもあった。誰れかが悪い根性を起こしたら忽ちこの均衡は破れてしまったろう。曲りなりにも、保っていたのは、この夫婦喧嘩のせいでなかったかと考へたのは、ずっと後、父が死んでからである。ところで、まあなんとか我まんして勤めることにして、若も少年兵志願の募集があったら、それに応募すると云って、あきらめることにしたが、内心はなんとか諦めてやろうという気だった。晩食はいくらも食べられた。味噌汁とめしだけで沢山だった。その翌日の別れは辛かった。あといつ遊びに来るかと、流石に祖母は涙声になって聞いた。一日いっぱい、だまって食べ通しなので腹はこれ以上入らない位で胃袋がぐうとあがってくる程だった。真白いでかい握飯を十ばかり他に炒り豆、干餅などリックにぎっちり詰込んで、ゲートル巻いて出発するのだった。秋田へ向う列車の中で、向合って座った、知らない、おばあさんが、可哀想だと云って、この汚い戦闘帽をかむった、いじらしい少年に赤い櫻桃を分けて呉れたことは忘れられなかった。

私の仕事

一夜明けると又いやな職場へ行かなければならなかった。親方には疎開の叔母達が持って来た化粧石けんをお礼としてやった。彼はやゝうろたえていたが、受取った。もっと他の食糧を、あてにしたかも知れない。何故ならば、今後私が帰郷する毎に、なぞをかけるのだったし、何もなければ不機嫌で皮肉を云うのだった。彼は若い頃東京の方へ職工として働きに出掛けたことを自慢していた。腹一杯食った話、いろんなものを買った話等、そして最後に火事で、みんな焼いてしまったというのだった。そんな自慢話よりも、私がいやなのは、心にもない、おせじを云うことである。彼のおせじに合わせ彼の謎を解し、何かを運んだり、彼は喜ぶのだったが、私には出来なかった。のちのち、彼が退職するまで私は彼によく思われなかった。手が器用でも頭が空っぽでも、彼の気質と弱点を知っている事務室の人方に対しては、見る目も辛い程卑屈な態度をとるのだった。出すのは舌も出すのが惜しく、もらうものは、何んでもよいということを露骨に表している人物だった。その修繕場には長くはいなかった。プラットホームにある充電室に行けという命令が出た。そこには五、六名の先輩達がいた。彼等の仕事は駅に出入する列車の電灯設備の保守である。ハンマーもって列車が停車すると車輛の下に、もぐり発電気の状態を調べ、ベルト調車の部分を、ハンマーで、とんとんたたいて廻ったり車内の電球が切れたりしたら取替えするのと、後部標式と云って尾灯をつけ替えたりする仕事もあった。当時は片一方しか附けていなかった。後部標式は貨物列車の場合は蓄電池を入れてやるのである。これがビトーレヤと云われる車電手のホームでの仕事である。その他に各駅で使用している合図灯用の蓄電池をその詰所の一部で充電してあった。朝各駅から箱で送られてくる。放電した電池をみんな集め並べて電流を流して又元通りの明るさになる程にして、夕方それを各駅に送り返すのである。これが私の仕事なので

—8—

ある。それには責任者として、先輩と二人でやるのであるが、その先輩は、当時数え二十一くらいで名誉の召集を目前に控え、仕事に協力しよう等と云う気にはなれず、朝来ると、心カ話して、夕方さも疲れた様な顔して、風呂に入りに行くのだった。いわば一番の年長者だった。彼は余程若い者にきあいをかけるのが好きと見え、よく私に不動の姿勢をとらせ、どこ〳〵へ行って参りますと云わせ、声が低いといっては二回も云わせ、他の連中と一緒に得意になっているのだった。こゝには私は一長かった。二年位居たろうか、この先輩の親方になよい〳〵べら〳〵しゃべる、ヤセ型の鼻目鏡をかけた若い男が尋ねて来た。最初は、わからなかったが、だん〳〵に解って来た。

職場には未だ女子職員が働いていた。その中の一人と、その先輩が仲が良くなって、結婚するまでにもなったらしかったが、邪魔者が入って来た。それが面白いことに三十才後の若い助役である。小柄で、真面目そうな顔した彼が、現在の妻が、子供を生めないので、若々しい、均斉のとれた、先輩の彼女に妻を追い出すかの結婚しろとか、なんとか云ったという話しなのである。そこで先輩の彼氏は断固斗う事に決め、彼の郷里の先輩たるか、のメガネの男に頼んだわけなのである。わけを知ってしまえば彼等の会話の意味も明らかになってくるのである。「あいつに手を出すなと、おどかしたら、奴め青くなりやがって、ハヽヽヽイという調子であった。こういう情報はあの抜目のない近眼のKから聞いた話であるが、終戦後、先輩とは、同格になって、ひやかしたが、本当らしかった。この助役には、私は相当キアイをかけられ又叱られた。だから、よけいなことを忘れずに覚えているわけである。後に先輩の実家で盛大に結婚式をあげたとき、事務室一同を招待したが、かの助役も、のこ〳〵出掛けていったという話しは流石に助役だけあったと感心したものであった。

敗戦

敵機の空襲は対岸の火事ではなかった。草深い東北のこの街にもやって来た。一度などは機関区の庫の前に爆弾を投下して、構内従業員をおびえさせ又走行中の昼間の旅客列車を襲い女の車掌が死んだとか、血まみれの列車も入場して来る日もあった。だが誰れもが負けるなどという気も、しなかった。連隊のある市ゆえ、兵隊がうロ〳〵する程街の中に溢れていた。この兵隊は夜中に空襲警報が鳴り出すと、がちゃ〳〵と剣をならしながら営門を出、何処かえ避難するのが寮の二階から暗いながらも見えた。ある晩などは、家へ帰ってたらふく食べて、夜秋田駅に降りたとたん、空襲警報そしてB29の爆音が聞えだした。ところがこっちの方は、早く寮の便所へ行って用をたすと思って急いで降りたのであるが如何せん、死んではおられないと思って一旦駅前の防空壕の中へ入ったものゝ、とてもがまんができなくて命をかけてそこを飛出しふるえながら用を足した時もあった。空襲警報のサイレンがなると、寮の連中は職場へ走って行かなければならなかった。入換をやっている構内を夜横切るのは危険であったが、日頃、生意気な先輩が危いと云って、抱きしめて、貨車の入換から、のけてくれたときは、私は彼を見直した。八月十四日の晩は敵機が大量にやって来て、港の製油所を爆撃した。ものすごい音と、火の光に私達は線路の鉄橋の下で震えながら聞いた。広島と長崎とに落した新型爆弾でも落されたら、皆殺しにされてしまうという男の声は震えていた。そして翌日正午ラヂオで重大放送あるという事を聞いた。

八月十五日はいつもと変らなかった。真夏の太陽はじりじりと照りつき、通勤通学列車は相変らず混んでいた。私の仕事は午前中で大体かたがついた。先輩の許しを得て正午になると駅前の管理部のところへ走った。君が代が奏せられ人々は一つぽに集っていた。不動の姿勢で頭を垂れていた。畏しくも天皇陛下の玉音を始めて聞けるのである。囚人服みたいな青いナッパ服は電池用の硫酸のためボロボロにされ、丸刈りの頭には陽の光はあつかった。ラヂオの音具合が悪く、よくようのない太い声が流れてくるのだったが、何云っているのか、さっぱり解らなかった。ロシヤが参戦したから、そのため陛下みづから國民奮起をうながしたものだと思って聞いていたが皆んな、すゝり泣きして頭を垂れているのが馬鹿に感激したものだと思って又ホームの職場に帰ると、先輩達が云っていた。

「日本が敗けたそうだなあ」

「そんな事ないだろう。敗けるわけがないではないかし」と云うと「お前何聞いて来たのか、あれは敗けたので放送したんだ」おかしい、断じてそんな事はないと論じたが、やっぱり敗けたことには違いなかった。その晩の鉄道寮の食堂は満員だったが、皆んな、うなだれていた。いつもの様に誰れも、あらそって食べようとしなかった。誰れともなく話しかけ、ため息ばかりついていた。鬼畜米英が日本へやって来る。何故軍隊は、本土決戦やらないのかという。いきどおりの声だった。翌日、職場へ出掛けると、詰所は鎖錠したまゝ、だった。通勤服をきたまゝ、べたりと地面に座ってしまって敗戦の話しだった。仕事どころでなかったが、汽車は相変らず走っていた。寮に帰れば帰ったで、ものゝ解りそうな男のところへ、ごっそり集って、今後の日本の事を心配しながら話し合うのだった。男は、みんな奴隷にされ女はアメリカへ連れて行かれると云うものか、あれば、こゝら辺は、大丈夫だろう、大都会だけかも知れない。など

辞職願

敗戦のお陰で徴用もなくなったし、辞めて家へ帰って腹一杯めし食べて、気持の良いところで働ける。ということが、そのときの私の希望だった。九月、十月になると線路工手の同年輩の連中は続々やめて行った。近眼のKも辞めることになり先づお前が先に辞表を出せと云うので先輩達から文句を聞いて私事一身上の都合により……と書き封筒に入れ、びくびくしながら事務室へ行き、事務助役の机の上に置いて逃げる様にして、そこを出た。翌日は公休だった。家へ帰って事情を話したら流石に怒った。機関区に行った同級生の一人も辞めて帰って来たが、母親に連れられて又頼みに行ったそうだ。一体辞めて何なるつ

もりだ。田もないから百姓も出来ないし、父親みたいな、手間取りはいやだと、母は云った。それよりも、世間の人から逃げて帰ったと云われるし若し辞めるなら、ちゃんとした職が見つかってからでなくては駄目だと云うのだった。そういえばそうだ。しかし辞表は、すでに出してある。いやだまって出、おればよい。だまっておればよ、し向うから辞めろといえば辞める覚悟で、小学校のとき着た学童服を鉄道制服の着替にもって、翌朝知らん風して出勤した。ところが寮にいる先輩がやって来て、どこから聞いたのが、私が辞表を出したのを知っていて、こっそりさゝやいた。今に助役がやって来て聞かれるから俺達には関係なく、あまり腹が減ったからと云えと、親切に助言してくれたが、素行のかんばしからぬ、あの連中が、わけの解らない私をそゝのかして辞表を出させたものと、事務室では、判断したらしかった。助役はやはり尋ねて来ていろいろ聞かれたり叱られたりした。ハゲ頭の親方にも話したら、俺が何とかしてやるというので事務室の方べ行った。このことを彼に話したゝめ、後々まで、彼から謎かけられた。あのとき、俺のお陰でお前は助かったと、それに対して私は云ったものである。「あのとき辞めていたら何とか別の方へ進んでいたろう」 だから彼からは快よく思われないのも当然である。本当のところ区長がわざわざ私の家まで訪ねて来ていろいろ事情を聞いて、あの辞表は私の創作であることを知り辞表を返して行ったと、次の公休のとき家へ帰ったとき家の人から知らされた。

戦い終って

こうなった以上なんとかしなければならない。いづれ辞めるにしても、中学校ぐらいは出、何処かへ勤める準備しなければならないと考へ、職場の中で夜学へ通っている人のところへ行っていろいろ入学の事を聞いた。彼は頭がよく真面目だったが、二十四年の首切りのとき病気で休んでいたため、あっさりくび切られ間もなく死んだという話だった。夜学の入学試験は筆記試験が急に口答試問に変り、あわてふためいてしまって、「五枚で三円の紙が一帖でいくらか」という質問に答えられず見事不合格に終ってしまった。ごヤケクソになって、その頃大金の十円で三つのカステラ焼を駅前のバラック建のマーケットで、たらふく食べたことを覚えている。当時は今後の日本こそは学問の道でしか進むより他はないということが徹底して、今迄教課教えていた鉄道青年学校では、急に社会科や数学等を教える事になった。その中にも生徒が、だらしない恰好をしていると、「お前達はその態では敗戦の仇は討てないぞ」と目を光らす教官もいないわけではなかった。今迄なら日、二日の青年学校が一ケ月みっちり勉強させたのは、何んとしても嬉しい事だった。その期間中に始めてきく事が多かった。アリストテレス　民主々義　真理の探究　等、けっこう楽しかった。封建的ということは、せまい自分の視野でしか、ものを見ないやり方で大きい目で世界を見ないことだ、又今の日本は大海の中に浮んでいるボートの様なもので、こゝで我々が

反省もなければ、忽ち沈没するだろうと、皇太子を教えたという先生が東京から来て演説をした。瞳を光らせて私達は聞いた。あの頃は読むべき本は私は持っていなかった。何をどう読むすか、というより読む本がなかった。だから駅前マーケットに貸本屋が出来ると、すぐ借りに行った。大しても良い本らしいのがなかった、でも何でもよかった、久米正雄の螢草や破船など一晩で無中になって読んだ。貸本屋の、おばさんは、あまり早く読んだので、びっくりしていた。早く読まれると商賣にならないのだ。給料はいくら貰っていたか、記憶にない。本は、その割に高くて、買えなかった、店先にも、あまりなかった。小学校の教科書にのっていた。長塚節の「土」を上下二冊買うのに二ケ月かゝった。そんなの読んでも寮では話し合える人は私の周違にいなかった。戦後の寮の秩序はみだれていた。鉄道のあらゆる職務の人が入っている関係上、門限に制限なく自由放任の珍しい寮だった。志操堅固な機関士が年上の晴の女と、ねんごろになり毎晩尋ねて来られ近所の部屋に迷惑をかけたり、塩買いに行って駅の女子職員と通じてしまい、幼馴染の彼女をあっさり振ってしまう機関助もいた。バスの女車掌を連れて来ては、人がいるのに一緒に寝たりするのもいた。寮の二階からは、向うの旅館が見え、お客が、女中と、たわむれているのも見えたりして敗戦は我々のあまり精神的苦痛にはならないようになっていた。そして学向こそ日本の生きる道とは真面目な少年達の合言葉だった。

食糧は相変らず出廻らなかった。公休日は必らず

家へ帰った。二、三日前も食込んで、家から帰るときは、三日分の握めしと米を背負って来た。仕事の方も、ホームの充電室から小型電池試験室へ連れて来られ、技工長直属の下で鉛をとかして小型電池の部分品の鋳上げをやらせられた。公休の前の日二時に家へ帰してもらえば明るい中に家へ帰れる。それで帰らなければ、十時頃になってしまう不便さだった。仕事は忙しくなかったが、技工長は快よく返事はしてくれなかった。したとしても自分一人で判断できず、必らず助手なS助役のところへ伺いに立てに行くのだった。一度など、どうせS助役に聞くすだから直接に願ってみようと思って云ってみると、彼は、しばらく返事しなかった。そしてこちらをみようともしないでこう云うのだった。

「こうゆう事は技工長に聞け」

だが女子職員が彼に願うときは快よく聞いたのは私は忘れなかった。助役も三四人いるから彼がいないときは別の気持のよい助役に聞いて早く帰るときもあったが、何しろSは担任の助役である。どうしたものか休の翌日S助役に呼ばれて大いに叱られてしまった。今考えてみると当時の私はひどくこたえた。本当は、わかるはずがないのだが、がモ技工長の思いやりのない態度からである。彼は、ストーブに石炭を入れて燃やし適当に燃えたころ取出し、それに木をぶっかけ木炭代用のコークスを作り一週間位ためては袋に入れ、かついで行くのだった。だから石炭はものすごく必要だった。採暖用の石炭は配給されてあるには、あったが、亜炭に近い品質で熱くならなかった。

そのために近くの機関区の貯炭場から上質の石炭をかっぱらって来なければならなかった。それがあの様にコークス作りされては盗んで来る、こっちの方が、たまらない。すると技工長自らかごを持って出掛け背をかゞめて石炭を運んでくる姿は、おかしくもあり、みにくかった。この技工長は、どうしたわけか私に対してはよくしてくれなかった。無口で仕事が能率があがらなかっためかも知れないが、当時は塩がなくて各家庭では塩求めにやっきになっていた。区長は考えた。大きな電熱器に器をかけ、それに海水を入れて蒸発させれば、只で塩が得られる。その事を技工長に話せば、彼は感激して我々のところへ硫酸の空ビンをもってとりに行けと命ずる。東北の十月は寒い。まして海水は氷の様である。他の人達は交代させたのに私の場合だけ二日も続けて行かせられた。でも次にはあっさり仇をとってやった。鉄道物資部の薪運搬に入手が足りないので各駅区に割当てそれをやらせた。又我々が行かせられたが、現場の駅に降りたが誰れも来ておらなかった。車電区から二人でやって来たので二人でそこら辺を一日中散歩したり、ねころんだりして退場時間、技工長に電話をかけた。「只今帰りましたが、まっすぐに寮に帰りますからお願いしますし その頃は仕事があるのか、ないのか、とにかく下っぱの連中は、もう上の者の雑務手だった。失敗してできなかったが、食糧増産のため増産隊を組織して構内に我々を耕作させようとした。人の好い雀の唇の先輩の下は区長の家政婦みたいな存在だった。水くみ 薪割り

小細工仕事、それでいて馬鹿にされ相手にされないばかりか盗難事件があると、いの一番に容疑者にされるのだった。彼の父親は彼の幼い時に病死し兄弟を、ごっそり残された。母親と彼は、苦しい生活を続け、彼自身孤児院みたいなところへあづけられたりしたが、美しい心だけは失わなかった様だ。彼の生活の苦しいのは、職場で知らない者はなかったが、意地の悪い事務助役は彼の母親が扶養手当をもらいながら魚など行商しているのを見つけ彼を呼び叱りつけ、今後扶養手当を取消すように云われた。びっくりした彼は母親を事務助役の家へ乾魚など持って、ひたあやまりにあやまらせ又元通り手当をもらう様にしてもらったとか彼は後に私に話してくれた。車電区はその事務助役の何かしら縁故のあるものばかりでしめられていた。下手に悪口も云われないのだ。

鉄道教習所

夜間中学の入学に失敗した私は鉄道教習所へ入ろうと決意を固め、甲種工業学校と同格の中等部電気科に志望し一回目はこれも見事失敗してしまった。もう従来のツルカメ算の数学の問題は見当らなかった。新制中学の妹の本を借りて勉強した。教習所さえ出たら何とかなる。先づ入所することだ。

二十三年の三月、國語 数学 作文 の三課目を多くの受験者と共に受けた。又数学は失敗だった。もう あきらめていたら、合格したから口答試問受けよという通知を受けた。すっかり喜ん

だところがよいが、この口答試問が苦手である。去年も同職場から、この二次試験で不合格になった人もいるので、余程慎重にやらなければならない。二次試験は鉄道管理局で行われた。春とはいえ体はぶるぶる震えてしようがなかった。これから何人不合格かお互に顔を見合せた。

「民主々義は何か」と聞かれたら「人民による人民のための人民の政治」 尊敬する人物は、楠木正成だめだ、誰れがええかなあ」軍人や忠臣がだめなら私共は一寸思い当らなかった。控室は興奮した少年達の話し合いで満ちていた。私の番に来た。教習所の教頭その他三人位で質問するのだった。「数学は好きか」と一番先に聞かれた。思いあたるところあって「冷り」とした。

「四年に一度　年があるのは何故か。」試験官は、にやり

「四年に一日余まからです。」

と「余るか」と云って苦笑した。

「鉄道員で世間から認められるには、どうするか。」

「満員の列車だったら、座っていたら席をゆずります」 「君の職場内ではどうか」

「仕事を真面目にやります」

「真面目にの！」 「はい真面目にやって成るべく鉄道事故を少くし信用を得ればよいと考へます」 「そうか」 それで終りだった。

あとは野となれ山となれ、そのまゝ寮に帰り布団を敷き早速寝たが実は眠れなかった。

合格の通知があってから、いつ入所するのか解らなかった。新潟県の高田にある分教所に決ったのである。四月の下旬になると、市の公園にも桜の花が咲き心が浮き浮きした。なんとなく楽しかった。よく一人で花見でざわめく夜の公園をぶらついて歩いた。職場でも花見をやった。公園の裏の草原で勿論花など見える場所ではなかった。ドブロクを飲んで騒いで大した花見でなかったが、機関区から配転した若い者達もいて賑やかにやったのが印象に残っている。何故なら、私が一年半振りで又元の職場へ帰って来たときは、その若い連中は首を切られて、もう職場には見えなかった。そして或る者は病気で死に或る者は与太者みたいになったり臨時人夫になったりしたという話しを聞いただけで、二度と逢えなかった。

入所は五月五日に決っていよいよ出発、前途への希望と不安、いやだった。三年間の職場とのお別れ、三年後は行方は、これからの希望によって決るから車電区との縁はもうこれで切れた事になるが、出発の時すでに新しく転勤して来た区長は「とにかく卒業したら又車電区に来てくれ」という言葉だった。当時秋田は新潟鉄道局の下にあり、教習所には、いわゆる、新潟、長野、山形それに秋田と選ばれた少年達が入所するのである。秋田から電気科には三名、鉄道工場から一人と計四名、夕方の急行列車に乗り直江津に着いた、夜中、五月といえ流石寒かった。高田には翌朝まで列車がないので駅のペンチで騒いで、待った。朝の一番列車であこがれの高田中等部に着いた。場所は、高田市の郊外にあり、元の軍隊の建屋だった。宿舎は、やはり軍隊の払下げそのまゝで汚い部屋に、ごつい木のベットが四つづゝ向いあって八箇あった。真中に引出しの附いたテーブルがおいてあった。たったそれだけの部屋だ

った・部屋割は各県ごっちゃになって、始めて他県人と同居することになった。毎日の日課は規則正しく「諸君は選ばれて鉄道の中堅者となるのだ」と所長の入所式の挨拶の様に、朝六時起床部屋の掃除、点呼、七時朝食というように、すべて寮内にある釣鐘をならすのだった。一年生は各科に分れ三百名近くいて、電気科の生徒は三十名、流石地元新潟の連中が一番多く、我が秋田は一番少かった。今迄の職務も色々だった。一番多いのは、汽車のカマたきの事、機関助手である。彼等は辛い蒸気機関車に乗るのがいやで、勉強して、電気科に入り電気関係の職場や電気機関車の事務員になりたいのが希望だった。年令も満十六から満二十才まで、大部分、坊主頭だった。口答試問のためわざわざ坊主にした者もいたようだった。私自身、丸坊主で真面目そうな顔していたようだった。学科は、たしか六時間か七時間のように覚えている。三年もいるのだから一年は先づ普通学科が多いということだった。だが電気の初歩の科目があった。電磁理論という奴だ。入所式を終えて、その科目の教官が我々を前に云ったものである。「この学科は電気科で一番大切な学科だから、其のつもりでやる。まあ今学期は半分位は落第させてやる」私達はお互に顔を見合せ、震え上ってしまった。いやしくも、合格して来た以上、落第などしたら面目ない、と、事実彼は、びしびしやった。教えたことを次の講議の前に必らず、指名して質問するのだった。質問に答えられなければ、最大限の侮じょくの言葉を使われては、勉強

せざるを得なかった。彼は鉄道委託生とかで、大阪帝大を出たという話だった。いわゆる鉄の特権階級とよばれる組で、後に我々が高田を去る時は、鉄道を辞めて、女学校の教師になっていて送別会に来て、大いに、ホラをふいて、ドブロクを飲んで酔っぱらって、窓から小便をして見せたりする男だった。國語　数学　東洋史　物理　社会、英語其の他の学科は新制中学と高校の教科書をごっちゃに使用して教えられた。

食糧は相変らず悪く、まづく少く腹はいつもペコペコだった。晩には、飯ごうに米を入れて軍隊用の蒸気釜で、みんな一緒にたいてもらうのだが、その飯は、まづく水気があって火でたいた様なものではなかった。私達は勉強した。とにかく自分達の県の面目にかけても落第してはならなかった。落第したら、すぐ知れ渡ってしまうのだった。生れて始めて英語は、てんで、のみこめなくて単語は丸暗記するより他はなかった。ノートには同じスペルを何十回となく書いて機械的に覚えようとするのだが、一夜明けると、全部忘れてしまうのだった。新緑の五月、六月。寮の部屋にばかりくすぶっていた。私達は一旦解放されて、町へ出てみると、青葉のにおいが、空気が、体中に感じるのだった。「辛いなあ、三年間勤まるだろうか」遠い秋田の方へ想いを馳せたりした。第一学期の試験、一週間不眠不休の中で終えた。何とか落第はまぬかれた様な点数をとったつもりだった。それが終ると、全校揃って二泊三日ぐらいで海へ行く事になった。海辺の学校を借りて宿泊して泳げる

若や泳げないものを分けて、それぞれ指導して泳がせるのである。すべての事を忘れ、子供らしく騒ぎ遊んだのは、この夏ばかりでなかったろうか。教室の板の間にかやをつり板の間に寝込んで興奮して眠れない、生徒達、演藝会の、のど自慢日中の快い疲れ、鉄道員ではなく学生なのだ。中学校にも行けなかった生徒達は学生になりたかった。帽章には、鉄道のを取って別の帽章をつけ、帽子の針金をとって学生帽みたいに直し髪を長くして、詰衿に金ボタン、一高生の着る様な、マントを着たり、誰れが見ても、学生に見えたし見せたかった。鉄道に就職しながら少いとは云え夏休みがあるのだ。私は鉄道員ではなく学生なのだ。もう得意だった。食糧難のため月に三泊四日位の休暇を与えて、教習所では生徒を郷里に帰すのだった。日本海の海岸を一日いっぱい乗っても、私は自分の家へ着けなかった。夕方秋田市に着いて元の寮の友達のところへ一泊し翌朝山奥の故郷へ向い、家にはたった一日か一日半、それこそ、たらふく食べて握飯を作ってもらい米をもらって別れを惜しみながら文はるかなる越後の國めざして旅立って行くのだった。今考へると、馬鹿らしく思う程よく真面目に毎月往復したものである。或るときは、いくらか早く着くので夜行の貨物列車に寒さに震えながら乗り込んだり、私達の一番楽しみは、鉄道制服の衿に㊫のマークをつけ普通の鉄道員よりは偉いと思い込み威張って歩いた。この外泊だった。みんないろんなものを持って来ては、くれたり、もらったりして食べたものだが、中に面白い奴もいた。彼は自分の家から

持って来たものは、絶体我々の前に出そうとしなかったばかりか、勿論大したものは持っては来なかったが、皆んなが、木のベットに入る頃大きな火鉢の残り火を吹いて、大豆を、ブルキ板でいるのだった。そして、それを枕の下に持って来て、食べるのだった。「おかんなんだか、変な音がするぞ」と向うから、ひやかされても相手にしなかった。少し、ちぢれ毛で、どす黒く目ばかり、ぎらぎら光らせ終戦直後出た石けんみたいな感じの少年だったが、トルストイの幼年時代という本を大事そうに表紙をかけて持っていた。小学校六年卒業しただけで、國鉄大井工場に給仕として就職して、その後疎開して越後の方へ転勤して来たそうで、兄貴だけが神田の電気学校を出て鉄道の発電区に就職して云るといっていた。同じ兄弟で、そんな差別されて何とも思わないかと聞けば、でも兄貴だけは仕方がないさ、あとは自分の努力次第でやれとおやじはいっていると、あっさりしていた。頭もよく、知らない事は聞けば教えてくれたが、とても私は好きになれなかった。後に彼は一番出世して田舎のある駅の技術掛で、もう妻子もいるという事をきいた。何か食物があると知らない振りも出来ないで、彼を呼ぼうかと思っていると、それよりも早く、彼は白い歯を出して笑いながら、こちらへ寄って来るのだった。

両親のいない生徒もいた。ものすごく頭がよく、いつも試験の成績は満点か、それに近かった。ノートは本みたいに整理して講議中ふざけている連中は、よく借りて写していた。長年わづらって死んだ父の葬式のときの事。父は北海道で東京

で働いていた母と結婚したとか話した。中でも彼の得意の話しは地方巡幸で戦後天皇はよく地方都市を歩かれた、その時駅員のある者が「君が代」を一斉に歌わせようとして、ひそかに、ドラムを持って、ころあいを見て、大きくドーンとやった。流石のかつての大元帥陛下も、ぱっと驚かれたそうで、その時の天皇の表情が忘れられないと彼は我々を笑わせるのだった。客車と客車をつなぎ合せる連結手もいた。彼は海軍に志願したが復員してから、駅に入ったそうで、なんとかして電気関係の仕事をしたいと思って来たと云っていたが、こつこつ勉強して最後に一番で卒業したが、その秀才が東京へ遊びに行って叔父さんのところの高校に入っている娘と映画へ行ったらなんと、その娘に内外映画の知識をまくしたてられて「俺はぶったまげたぜ」と云っていた。苦しい事もあったが、楽しい学生生活を三年も送られるかと思っていたが出来なかった。例の「独立採算制」「公共企業体」の注紋が我々のところへも伝って来たのだ。その事で所長は全校生徒、五百名を集めて教習所の今後のあり方を説明した。「結論から申しますと、中等部は、本年度をもって廃止と決りました。……」一しゅん、静となったが、あちこちに、つんつんと鼻をすする様な音が聞えだした。泣きたいのをがまんしているのだ、二十三年の秋だった。

三年生は来年二月卒業、二年生は三月、一年生私達は補講として半年間だけ勉強して来年の九月まで、卒業、勿論中等学校卒業の資格は得る事は出来ない。この場合は部内だけ通用する資格しか得られなくなる。これには日頃勉強めきらいな連中もがっかりしてしまい、こんなったら、きらいな勉強するより、エロ本でも読んでいた方が、よかったといって泣き笑いをした。私ばかりでなく、あわよくば、ここを卒業して鉄道を抜けてやろうという者が多かったのだ。一体総司令部で鉄道の教習所まで廃止させる理由は何か、私達には不可解だった。教官でさえ、次の様な事しか云えなかった。「今国鉄では赤字赤字と云ってるけれど、教習所みたいなよけいなものに金かけている。教育は文部省でやればよいし国鉄はその任務を果す事に全力をつくすことが大事である。」そのために好きな普通学科は減らされたり、なくなったりして、電気知識一般を速成で教わることになった。頭の悪い奴は、よく教師の教え方が悪いというが実際私には面白くない、学科ばかりで点数は、五、六十点で教官にも知られる様になった。又ここを出たところで、そんな学科を利用するわけがないしうまく試験さえ通ればよいと図々しくなってしまった。この様にして想い出ふかき、二十三年を暮れ二十四年になり三年生、二年生は続いて教習所を去り殺風景な兵舎の学舎には、二百名たらずの我々だけ残った。高田の町はあまりよい所ではなかった。重く暗い雲がいつも空をおおい、ゆううつな天気ばかり多かった。でも春になると町は桜の花で埋れてしまうのだった。兵舎の周りにも大きな桜の木がずらりと生えてあって、満開になると兵舎が見えなくなるくらいだった。私はわけもなく町の中を一人で散歩した。一年もいると、やはり、親しみが湧いて来るのだ。ぽか〳〵と陽気になると、よく川端の土手で昼寝した。田んぼで仂いているのは、みんな女ばかりなのに不思議がったりした。

その高田とも六月一杯でお別れだった。

いよ〳〵新潟市の本所へ引越である。本所には設備もよく、きれいだったが、中等部、五百人収容するだけの部屋はなかったが、二百人ぐらいならよかった。又そこには専修部とよばれる、主に現場の直接必要な学科を教えている、短期間の生徒達は若干残っていた。この類は、鉄道ではどうしても、必要なのだ。私達がいった時は線路科の生徒達が残っていた。

彼達はこゝをでると、工手長には必らずなれる身分だった。年令も、三十才以上で、制服制帽姿で礼儀正しかった。

首切り

二十四年の夏、記憶のよい人なら誰でも知っている年である。国鉄十万の首切りのあった年だ。入所の当時は三十名いた。我々のクラスが家庭の事情で、三名退所した現在、二十七名の中、九名が、首切られたのだ。まさか我々の仲間だけは、当局も切られないでおくだろうと思っていた。一次首切りでは、教習所の女職員がやられた。雨の日だった。首切りを通告されて、君は明日から来なくてもよいと云われたに違いない。教室の窓から、級友達の傘が雨にぬれて歩いて行く。ほんとうに泣いているような足どりだった。中等部を出て、東京の学校へ入るため本庁あたりに給仕をして転勤した先輩達も、一人残らず切られたという情報も入って来た。鉄道はいやだけれど、失職になったら困るのだ。卒業間際で、あっちこっちの工場を見学して歩いたが、その往復は土ほこりをあびながら、首切りの話ばかりだった。今から考えば、切られる連中はどうも予感したらしく、大丈夫だろうかときくのだったが、私の場合は、いやな鉄道だ切られたら、なんとかなるだろうと思っていたから、「切りやじないさ、切るだったら、もうとっくに切ったよ、大体切る奴をこうして勉強させておくわけがないではないか」と案外落着いていた。首切りの日が近づいて来たという、空気が、我々の中にも、じかに感じて来た。もう勉強どころではなかった。「もし自分達は首切られたら、先生達はその対策をどうするつもりか」とくってかゝる生徒もいた。年功から云えば、当然我々は切られる運命にあったから、必死だった。「どうしろたうて君、どうも出来ない、そんな事より勉強だ」と云ってしまって、先生と我々はケンカになるのだった。

運命の日はやって来た。担任の教師が事務員を連れて教室へやって来た。流石に生徒は緊張していた。「只今より名前を呼ばれた人は下の事務室まで来て下さい」と事務の人は一人、一人名前を呼んだ、顔色がさっと変って立って、呼ばれた生徒は教室を出ていった。私は呼ばれなかった。秋田から来たのば一人も呼ばれなかった。冷静にかまえたつもりだったがかすかに手がふるえていた。教室に残ったのば十八名、お互に顔見合せて助った事を確認しあった。

首切られ級友は今度はどこへ就職するのか、生徒達の或る者は、警視庁の巡査に早速受験したり、或る者は田舎へ帰って百姓やるといって、泣きそうな顔もていた。或る者はよせ書帳を持って来てお別れに何か書いてくれと云った。私は書いた。君大空をみたまえ、こんな事があろうがなかろうが関係なく果しない大空を、希望を持ちたまえ……全く無関係の詩であったが、センチな彼は、誰からも書いてもらっていた。この男が、後に首切り過ぎたので又採用採用されて、結婚して子供まで生れたと年賀をくれたものだ。

ところで、私達は卒業しても、行くところはやはり、元出て来た職場に決ったようだった。九月の末、三十名のクラスが十八名で、又全部の生徒百名ぐらいでささやかな卒業式をやった。全く希望のない門出だった。

お互に写真を交換し合って、気持よく別れようとして、駅まで迎えに来てくれた。クラスの連中と握手して、一年半振りで、又元の秋田車電区へ向った。

区長に、「又こちらへ勤める事になりましたから、よろしく願います」と云ったら、役の態度は入所する時の笑顔に反して冷たかった。「君を採用するか、どうかうちでは今定員が余っている」と言って、よい顔をしなかった。でもういう態度をとったという事は、あとで思い当る事があった。私は命じられたまゝ、さも当然のように、又之の職場に復帰したと単純に思い込んでいた。

それを常識を知らないと云われるものだった。

この事は、四ヶ月後に予告なしに、転勤を命ぜられる原因ではなかったろうかと、思われた。

一年半振りの車電区は大分異っていた。之に仲の悪かった、三太郎の中、二太郎はやめて見えなくなって、一人、発電機のヤカンが、技工長として、相変らずものぼしそうな顔していた。同年配の職員は大分監理されて、新たに、配置された、列車用蓄電池修繕場には、若いのは私一人だけだった。

S助役も、健在だった。なんだかはっきりしないこの職場の空気は、私にとっては、やはり就職した当時のいやな気持と変りなかった。とにかく、教習所生活を中断されたのは、残念だ。最初から正時制に入ってやりなおそう。来年の四月に入学することにして楽しみにしていたのだが、それも思い通りにはゆかなかった。

或る日、結核で入院している世話になった先輩を訪ねていった。彼は、今迄なんでもなかったのだが、結婚して暫くしたら発病した」と云って、元気そうに見えたが、それから一年後、彼は死んだというしらせを、私は転勤地で聞いた。当時の直電区で、肺の病気で休んでいる人は相当いた。だから、朝の点呼などで、区長は「寮生活者はよし庵に注意してやらなければ、病気になる可能性があり」と云うのだったが、当時矢張り寮生活している私を気軽に、此の果大館へ転勤させてくれた。

転勤

二十五年の冬、S助役は、詰所のところで胸を張って、おごそかに、宣言した。「二月一日付で、君は大館車電支区へ転勤になるから、知らせておく」と云ったきり、すた〱事務室へ帰っていった。大館から、秋田までのきよりは秋田から自分の家までの距離と同じくらいである。断ったりどうだろうかと思ったが断るべき理由がみあたらない。何故私をえらんだのか表面にあらわれた理由は、彼は寮に入っているから、どこへ行っても同じだという事らしかった。

家へ帰ってその事を話したら、又遠くなった。しかし馘になるよりはよいと家の人達は云うのだった。小学校の同級生三人の中、機関に入った二人はくびになったものだから、家へ帰ると、誰からも会う人達にその事をきかれた。彼等は何故馘になったのが、お前一人残ったのは相当の理由があるだろうという事なのだ。馘切られる罪名に偶然なっていたからと説明しても、「そうか」と満足にきいてはくれなかった。何かをさぐろうとするのだったが、事実はそれだけの事に過ぎないのだ。

二月は眞冬である。列車は一時間、二時間遅延するのは普通になっていた。誰も見送り人はおらなかった。そんな友達もおらなかった。とにかく大館についたら、私の代りに秋田に転勤するから、そのあとの寮に入る様にしてあるという事だけは連絡してくれたようだった。秋田から三時間近く北国大館へついた。二、は秋田犬の産地だけは知っていたが始めてである。古ぼけた中世紀みたいな駅を出ると雪の上を車が通ったとみえ、道路はぐにゃ〱にまがって歩きにくかった。

秋田車掌区も田んぼの中にあるが「大館車電支区も、雪で眞白くなった田んぼの中にあった。従事員も三十名前后で、支区長は長く秋田の助役をつとめた人で、半白の部厚い鬚をきれいに分けていた。その鬚の示す様に、あとでわかった事だが仕事や事務は几帳面だった。すべてのデータはグラフに表し、統計とることを趣味である様な人だった。小学校を出て、支区長まで昇進することは普大低では出来ないのだ。流石、秋田の区長は工業学校は出ていたが、だから、こそ転動に際して、私におせじにも、すでに教習所出たことは何等資格ない事を知りながら、「学校を出ると私もところ〴〵歩いたものだ君もよい経験だ」と云ったものである。

職名は技工から車電手になっていた。これで努力次第で、区長にもなれるのかと苦笑した。なんのことはない、車電掛を大館から秋田へ一人とるから、かわりに技上やってはまずいのだ。車電手ともなれば、客車内の電灯設備保守で、今迄の仕事とは違う。そこは支区長気をきかしてしばらく、今迄通りの仕事の方がよいだろうと云つて、蓄電池の方にまわしてくれた。私とたった二人だが、一人は親方だった。後は機関士だったがそれにミキリをつけて車電区に配転したのだが、何故今迄ずっと車電区につとめていた連中が、責任者にさせられなかったといえば、一言にいえば、車電区に、それだけの事の責任者になるだけの頭を持っている者がないということのようだった。事実機関士は三十前だったが、なんでも知っていた。私もちょい〳〵テスト、された。教習所へ行って何習って来たかと、しかしそう意地は悪くはなく、社会主義と共産主義の相違がわからないから知らせてくれといえば、素直に教えてくれた。全く当時は社会的という事さえ知らなかった。

彼は驚くべき読書家だった。チヤタレイの事や、公崎のその耽美的な小説の事をいろ〳〵教へてくれたら、大岡の武蔵野夫人にひどく感激したとみえ、私にその本を貸してくれたりした。そもて仕事のあい間〳〵に雑誌、世界というのを読んで現在、「総合雑誌ではこの本が一番だと云うのだった。「魅せられたる魂」を読みながら彼は、「この著者を知っているか　知らないのか、ノーベル賞もらった有名なフランスの作家だ」と教へられてくれた。一体どういう風な本がよいのか私にはさっぱりわからなかったが、とにかくなんでも読みたかった。教習所一年半の中で印象に残った本は「モーパッサンの「女の一生」やトルストイの「復活」デユーヤの「椿姫」それから、東条が獄中で読んだという吉川の親らん、何故この本を知ったかと云えば、「A級戦犯者の前期を書いた「平和の発見」を教習所で宣伝してあったので、友達が買った。それを借りてよんだわけだ。給料も少なかった。店頭には色々本はでてあったが、金を出して買うのが惜しいような気がした。給料は二十四年の十月に本俸四千四百円だった。ということだけは知っている。その後に昇給もあったらしいが、昇給は我々のところに昇は用事がないと気にもかけなかった。

ところで、秋田高校の定時制に入る気でい

たのが出来なくなったので・仕方なく・大館の定時制に入ることになった・学校は小高い丘の上にあって面白いことに昼間も定時制の生徒が勉強している・独立の校舎だった・普通の落ちた連中が・昼間の定時制に集に入り同じ資格で卒業出来るから職員で結構先生達を喜ばしたようだった。

卒業まで四年間かゝるから・二三年に編入して貰ようと思って交渉したが如何にせん・資格がなかった・若いとはいえ一年生としては満十九才では中学校終えて来た者からみればとしよりの方だった・でも彼等とはすぐ友達になった・海軍の父に戦死された丸顔の少年・製材工場に勤めている色白のかわいい少年・菓子屋に勤めているのんきそうな子供・彼のそばにいくと・いつも生くさかった・中には髪の毛にごってりポマードをつけてくる銀行勤めの男もいたが・大低は中学を終えたばかりの経済的や家庭的に恵みない少年少女へ女もの二人ぐらいいたし達だった・中でも製材工場の少年はかわいそうだった・卒業して多数の希望者の中から選ばれて・電力会社に勤めて喜んでも束の間ふとした病気で死んだという話だった・寮は職場から十五分ぐらいのところにあった・元の旅館を鉄道で買収したとかこの問題は寮長とまかない人との争のもとだった。独身寮の寮長は永年勤務者の終着駅だった・普通寮長は賄の会計・雑役・事務等をやるわけだが・この寮長はうまいことに賄のオバさんに請負わせていた。たかゞ二十人ぐらいの雑役なんて知れたこと・朝起きると玄関わきの寮長室で・お茶のんで座っているばかりだった・この寮長はラジオで天皇の声をきゝ・涙を流して陛下の声とばかり感激するのだった・賄人は元の旅館の主だったのでどういう手続で・その買収がはっきりせず・まだ自分のものと主張して・寮長と仲が悪かった・その事は大して我々に関係はなかったが・賄をうけ負わせている関係上・賄がひどく悪く非衛生所で・住み心地悪いところだった。部屋には・同じ職場に勤めている三十近い人だったが・県南から気軽に県北に転勤させられた不運な男で・リンゴの産地弘前が近いので・ボストンにリンゴを一杯負って来ては押入にぶち込んで・夜中にガリ〱たべて・うす気味の悪いセキをしていた・胸をながく・わずらって休んで・この頃出たばかりだった。彼の父親は機関士で・運転中殉職したそうで現建設大臣松本の出身地なので、彼こそ我が郷土の生んだ偉人として自慢していた。しかしその男も又再発して・荷物を丸めて寮をで、再び帰って来なかった。後から人に聞くと・死んだとか云ってあったそんな事で、私も少々うすきみ悪くなったので、或る日、公立病院で、レントゲンをとってもらった。二三日後結果ききにいったら、どうも左の胸がはっきりしないというのである、病名はやゝこしい名前で忘れてしまったが、ショックをうけた。車電区特有の病気に自分も、かゝってしまったのか、肺病、ああ　でも自分でもなんでもないし、寝汗もかゝない、医者は仕事しないで休んだ方がよいと云ってくれたので診断書をもって、支区長のところへ見せた。彼もびっくりして早速、鉄道診療所でもう一回みてもらえと云った。しよく託医の診断書でも、一応診療所でみてもらわなければ休まれない規定があったようだ。それにしても鉄道診療所の医者は、殆んどいい加減な医者ばかりだった、地方の鉄道診療所はあてにならなかった、その医者も例にもれず、とりあえず三ヶ月の診断書を書き、一日おきにカルシュームの注射に通院しろ、というのだった。

公休の日に一日では帰れないので、一日年休とって家へ帰ってその話をすると、ひどく心配してしまい、父などは「肺病タカレ」が出てしまった、と歎くのだった。家にいてゆっくり休んで養生した方がよかったが、悪いことに、近所に医者もおらず何よりもいやなのは周囲のうるさいことである、「胸の病気で休んでいる」散歩もろくにできやしない、やはり寮に帰って、ぶらぶらしていた方が、頭が悪いが気が楽だった。

どぶねずみ

其の年の七月から十二月まで、一月・二月と診断書がのびて、とう〱休んでしまった、なおったか、なおらなかったかわからないけれど、二十六年の正月から、又出勤することになった。其の頃寮によく共産党員と称する人達が、訪ねて来た。その中には、今まで寮に入っていた男もいたが、いつの間にか敵になったらしく「私前機関区から大館へ来たら忽ち理由も云わずに馘にされた」と云ってあった。二十にはならなかったが、その彼と同年輩の男女と三人で訪問する夜もあった。一人が話して、それに答えると、一人がメモをとって、話をすゝめた。話は主に朝鮮戦争はアメリカや南鮮のいんぼうであり、北鮮こそ受けて立った正義の戦いであると云った。「でも新聞では北鮮だと書いてあるで」「新聞？何新聞？」あれは御用新聞でみなでたらめだ、と一点張りだった、どうも私は北鮮には信用がおけなかった、勿論ソ連にも　と云うのは、教習所の教官で、北鮮から引揚げて来た元農学校の校長は、週番の当番にあたったとき、週番室に座って、目をつむって回想しはがら終戦后の北鮮からの脱出の話をきかせてくれた。生死をかけた脱出の結果始めて三十八度線を越えた時の感激は忘れられないと話を結ぶのだった。自分の学校の後輩はすでにどこどこの高校長になっているとかいろいろ昔話して夜を過ごした事もあるので新聞を読んだとき、北鮮ならやりかねないと思い込んでいた。「ソ連が日本を占領したら我々はこの様な自由な生活はできなかったろう。アメリカであって幸だ」と云ったら彼等は口を揃えて商業新聞の宣伝にひっかかっちゃだめだと云うのだった。隣の部屋には機関士がいたが彼は彼等と親しくしては困るといい、さわらぬ神にたたりなしとて話もしなかったが、転業に似合わず、生花をやり近所の娘等の末診をうけていた。「私今かっとうしている」機関士は「葛藤」がわからなかった。「心がいろいろみだれて困ってる」と娘が解説して云った。こんな会話を隣の部屋から聞えてくると気にかかってしようがなかった。機関区こそ不思議な生物の温床だった。

警察予備隊を始めての募集があり国鉄を馘になった知っている男は受けたがだめだった、馘になった理由がはっきりしないからだと彼はしょげてこうなれば土方の日雇になるより他はないと元気がなかった。

定時制に入っている生徒も二三人予備隊にでかけた。生徒ばかりか先生まで、でていく仕末だった。其の中の一人が学校に便りよこした。すべて洋式で、アメリカ並だと

転名が車電手だから、主任の六機関士と別れて、車体めぐりをやらせられた。大館にはパリッとした鋼鉄車は一両から二両で、あとは本製車のガタガタした古ぼけた客車ばかりで、これが、山奥のローカル線を、ぎしぎし鳴らせながら走っていた。始めはその車体の上の方にある電気設備なんていうと大げさだが、室内灯のスイッテ関係の接続部分のみがきと電灯のグローブみがき、馬と称するハシゴをかついで、ボロで、みがき粉をつけて構内に入場して来た客車を、いわゆる検査するのである。この仕事を「上廻りや」と云う。下廻りやは車体の下につるしてある発電機と配電箱と蓄電池箱を検査して背をかゞめてぐるぐる廻る仕事、およそ、どこか汚いと云ったって客車を掃除する線洗滌線程汚いところはないだろう。客車の便所につまった・糞尿がすゝぎ落され、又果物のくず、くさったのが青くよどんでいて、一種のドブだった。転場の名前に電の字が付いているから電気関係の仕事しているとはいうもののモグラか掃除屋が、適切だった。この車体関係の主任は元助役で、人員整理や公共企業体の被害をうけて、戦后、大望の助役の地位から降転した

男で、今まで助役さんど呼ばれた人々から名前で呼ばれるのが、いささか不満の様だった。彼は支区長を評して、ひそかにてなあに支区長だって、我々に毛の生えたようなものよ」というものの、決して必じしもそうではなかった。いつでも支区長に対してはびく〳〵していて気の毒だった。職場の同僚の大部分は、そこら近在の農家の二三の男で比較的まじめで、あの大量整理の網をくぐって来た若者達であって、健康で人が好くて、割合親しみ易かった。中には特別な男もいないではなかった。朝出勤すると、事務室にある出勤簿にハンコを押しにいく、支区長はいつも早く事務室の机に座っていた。我々には入口で、お早うございますと入るが、彼だけは、わざ〳〵支区長の机のところへ行って、支区長さんお早うございますとやるのだった。それでいて他人がそのような態度にはせゝら笑っている男だった。

機構改革

本庁、鉄道局、管理部、現場と四段階になっていた。国鉄の機構が、本庁、鉄道管理局、現場と三段階に改革が行われると、下部の機構もいろ〳〵改革されだして来た。車電区と検車区と合併するというのも、その一つであって、今迄の車電関係の上役達はやっきになって、これを阻止しようとして運動を始めた、検車と合併したら、歴史の浅い車電は忽ち主導権をにぎられてしまい日かげもの扱いされて立瀬がないというのが本音だが、表面はあくまでも車電区の特殊な業務を関係各所にうったえるわけだがあまり効果がなかった様だった。その趣旨を徹底させるため、秋田の区長は各支区に遊説にくるのだった。なんとしても大打撃受けるのが彼だからである。両前の鉄道の外套に身を固めた区長が駅に到着する頃、支区長は威儀を正して出迎えに行った。乗員一同を集めて君等はどういう考えかと聞かれても別に我々には大した変化はないと思っていたから、はっきり答えられなかった。

それらの努力にもかゝわらず、遂に合併する事になり、客貨車区という舌をかむような新らしい区が出来た。検車区はいうまでもなく貨車や客車の電気部分を除いた、保守整備修繕をやる職場だから、考えようによっては同じ車を取扱っている車電とは、同類みたいなものだった。支区長はよく朝の点呼に列車電灯の保守に関して或る例をひき其の回答を車電手等にきいてテストするのだったが客貨車区になってからも、助役に降ってしまったが、よく旧部下に対して、そのような質問を試みて、電気のむずかしさを旧検車の連中に認識させるのだった。

こうして仕事は面白くはなかったがのんきだった。或る時などは、貨車で輸送中の豚が死んだので、それをその連中がもらいうけ料理したところがよいが、悪臭ははなはだしく、遂にゴミ捨場にほつぽり出し一週間ぐらい構内をにおわせていた。たんぼの面が青々となる頃で、農婦達の姿もちらほら見え出し大威張りで、彼女等は立小便やるのが仕事しながらよく見えた。

しかしこの状態もながく続かなかった。客貨車区の誕生によって今迄電区でやっていた、発電機の定期検査を鉄道工場へ移転して、そこの要員に、各客貨車区から数名ずゝ配置させるという情報が流れて来た。よくは知らないけれども　大館でも何名と割当があったらしく、元支区長はいろいろ物色していたのだ、そこへ目がつけられたのは家の方に近い私である。彼は決して強制したくはないがと前置しながら　ちびりちびりと話して来て決意を醒めるのだった。とにかくこっちから希望した様にやらなくてはまずいのだ。理由は決った。「家も近いし、もっと電気関係の勉強もしたい。したがって設備の完備している工場へ行きたい」二十六年の八月である

一年半もいると、北国のへんびな街といえど愛着があった。学校にも友達が出来たし出来るならば一緒に卒業したかつた。でも決ってしまえば不安と期待が湧いてくるのだった。鉄道工場は秋田の郊外の工場でありながら全然知らなかつたし　町にも降りたことなかった。一行三名それぞれ分散して寮に入った。

土崎工場、始めての印象は、うるさくて時間的に制約されてしまうことに窮屈なところでおそろしく一日が長かった。殊に秋田から我々の親方へ作業掛となって来たのは、例のヤカンである。彼はこの町の出身だから文句なく決って来たようだった。知ってくる人も三四人またS助役とのライバルト氏　居の一寸変っている家政婦的な男等で心強かったが、新たに今迄の工場内の電気関係をやっていた班をひっくるめて電機転場を新設し　その転場長となって来たのは　これも例の秋田の区長、客貨車区長にはなれなかったようだ。どうも首のいやな空気がそのまゝこゝえ移って来たようで、晴々しなかった。

寮は殺風景なごつい寮で、廊下は砂でざら〱していた。私の入った部屋には二十五六になる技術掛が一人入っていた。一般技工ばかり入っている寮には珍しいインテリなのだ。旧制の高工を出ている話だった。その彼は私に工場の印象はどうだときいた。「やかましくて、仂く時間が長くていやなところだ」

と云ったら、失望したような顔して尋ねて、「工場の組合をどう思う」と重ねて尋ねるので「組合なんかさっぱりわからない、大体そんなのかんかん心がない」「そんな事では駄目だ、組合にもかんかん心持たなければ――」それ以上云わなかったけれど、彼はめったに口きかなかった。

定時制を中断したのが心残りがあったので早速、秋田に編入試験、うけにいった。定時制にも格があるとみえ、無理して、秋田まで来なくとも、土崎にも学校がある、そっちの方行ったらどうだと係の教師は面倒のようだったが、私も一種のみえもあって、是非入学させて下さいと頼んだ。こゝも通学するには隣の駅でありながら、列車の便が悪く来る時はよいが帰りにはもう下りの列車はなかった。

止むを得ず市電を利用しなければならず、国鉄に勤めて正月買うのをはいささか残念だったが、定期を買って、列車なら十分でいくところ、ごとん〱云わせ、正味三十分かかって家までというと、もう十分かかった。

二年に編入したら、国鉄駅員も四五人いた土崎工場からも三人ぐらいいて、知り合ってしまった。彼等の望はいうまでもなくこゝを出て、東京へ転勤して、大学に入ることだったが、満足に実行したのは一人ぐらいなもので、そう簡単にはいかなかった。私自身でも出来るならそうしようとひそかに思っていたのだ。担任の教師は私より二つぐらい年上の男で、英語の教師だった。職場も

仕事は全然面白くなかった。設設したばかりなので「今にもこわれそうは物置小屋を改造したので、設備も完備とは夢の話だった。電機職場は六十名ぐらい、仕事の分担は客車配線係、工場構内の架線関係機　機関車の蒸気タービンと私達の列車用発電機等に分れ、作業掛の名前をつけて　何々組と称して土建屋みたいだった。当時工場では客車の鋼体化改造の眞最中で、一番忙しいのは、その配線組で、開業草やの我が班はいつも応援を頼まれ、ヤカン作業掛はあまりぱっとしない奴で、器用でない気にくわないような大人しいような者を選んで、応援に行かせた。それにいつも採用されたのは私達二三人に決っていた。これを私達は人身売買と云ってヤカンをにくんだが、彼はこんな連中には昇給させなかった。当時は一号俸あがれば三百円ふえる事になり　もうあがりないと云ってじっとしてはおられなかった。百%来ない昇給の賃金は一体誰が決めるのか。又その評定の基準は何なのか「これだけあの男と同じなのに何故今回昇給できなかった理由は何ですか」と一回目は矢張り聞いたものであったが、「俺は知らない、職場に聞いてくれ」

と、どの作業掛も云う、勇敢なある男は、職場長までききに云ったら、作業掛にきいてくれと云われたとか、数々の同じでは、勤務の評定は作業掛が責任があるから、昇給の鍵は作業掛にあるとみていた。昇給資格が半年であったが、三年ばかり一年毎に三百円づゝ昇給した。百%来ないなら交互に昇給させれば慰められるかも知れないが、其の間連続昇給して、最初低かった同僚はそう〳〵追い越してしまった。

　昇給期が近づくとみんなそわ〳〵してお互の腹をさぐり合った。一寸した冗談がすぐ昇給の方につながって面白くなかった。昇給通知は事務室で職場長から直接辞令をもらうことになっていて、其の時間には昇給者はぞろ〳〵と職場から事務室の方へ向って行く。あとに残ったのは、昇給しない連中ばかり。するとヤカンは自分のところへ呼んでいった。「今日はだめだったが今后という事があるからしっかりやってくれ」と云って、こっちではどういうわけで落されたか、その理由によって反省し考えなくちゃならない。といえば、はっきり答えられず、最后には、彼等特有の「いいあんばいにやってくれ」でごまかすのだった。面白い事に結婚したら、絶対その次の昇給は確実だったが、例外もあった。そのわけは、彼が結婚式に、作業掛を招待しないからだ。

　工場内でうっかり人の悪口は云われなかった。下手に云おうものなら、あとで大恥かくのだった。親子兄弟、そればかりか従兄弟、叔父、妹の夫、姉の夫、数えたてたら切りがない程、こゝの工場は、縁故関係でつながっていて他人の家の事は、自分の家以上によく知っていた。よきにつけ悪きにつけ、その情報は早く、知っているのは俺ばかりと思っていたらとんでもない恥をかくことになる。苦しい生活している人もいないではなかった。驚くべき号俸で、親子何人も汚い鉄道公舎でくすぶっている人もいたが、大低は、自分の家をもって畑をもっていて、最大限に市価より安い鉄道物資部を利用して、鉄道員としてのよさをまんきつしているように見えた。どうしても苦しいなら区読の豪華な秋祭りも質素にやるべきなのに、年々派手になり、少い夏期手当を費ってしまい、赤字まで出す状態だった。

　何分にも周囲が田園であり、農家であり、少ない給料も、兼業ががっちりしているだけに、きまって入る現金と安定性は、街の人々の信用を買うのには十分だった。寮の若い者は月賦で家具や電蓄を仕入れ、貯金をして末々の家庭建設に余念がなかった。

　二千数百人の工場は、ここら辺には滅多にないのだ。油で汚れたナッパ服、黒いかたまり、大浴場の騒音、集団として生物、労働者の群

何やるにしても大量に人が動く・黒いカタマリが・移動する時・巨大な生物に見えて来た・私には新らしい発見だった・

職場の空気になじめなく仕事がいやだ・しかし工場内には図書館があった・小説一晩で読むのにもってこいの読みやすい本谷崎の本・石阪洋次郎の本・寮では夜学校から帰ってくると・高工出は少し酔っぱらっていた・谷崎のような本を読む事はプチブル的だと云うのである・文学的にすぐれたと云われるこれらの本を読んで何故ためにならないのか・私にはわからなかったが・プチブルという言葉はなんとなくいやな言葉だった・彼は「労働者は労働者の読むべき本がある・君は映画はどんなのをみたか」「あんまりみてない」「どっこい・生きてる」は「みない」「戦火のかなた」は・みてない？」「それで印象に残った映画は「？」「アメリカ映画の小鹿物語がよかった」「どこが」「小鹿をころされた子供が夢で小鹿を追っていくあの場面とすばらしい音楽」彼はそして芸術とはどういうものであるかわかっているかなどといろいろきいた・そして彼から・工場の図書にあるから・桑原武夫の「文学入門」を読みたまえ」とす、められた・

冬になると・彼の高工の同級生で・やはり工場のインテリが・冬の間だけ通勤が困難だから一冬この部屋で泊ることになった・彼等の話の中で・私はいろんな本の名を知った・「山彦学校の無着先生はえらい」とか・島木健作の生活の探究は一寸むづかしい」とか・

二十七年・工場での仕事も大体落着いて来た・窮屈だった勤務時間も気にかけなくなった・仕事は相変らず・配電箱の部分品の分解及びみがき・この配電箱は列車か走っているときは発電機から電気を流して室内の電灯をつけ・停車したら・ステームに蓄電池から電気をとる様に特別製の配電盤である・より電産で停電ストがあった時は・列車内で電灯が消えた時は・お客の中で又電産ストやったなと云ったとか・笑ひ話みるが本当はこの配電が向題なのである・

・状やがみがいて分解した部分品を組立ててカンで調整してでかしくやると・それを試験をやって・各客貨車に送ってやるのである・普通は依業掛は直接仕事なぞしないで・普通は事務室にいるものだが・ヤカンは試験方法は永年・自分でやっているのが一番よいと思い込んで・他人にはやらせないで・助手を使って自分でやっていた・人にはこれを特殊技能と称しているそうだ・生れつき無器用な私はとんだへまをやると・彼はよく教習所で何習って来たのだ・何千円の損害などとわめくのだった・新らしい部分品を貰いにいくと・自分のものでも呉れるかの様に出ししぶった・能

辛の悪い奴にものやったって損するという職人根性かららしかった。後に仕事になれてくると彼は要求するだけいくらもくれた。一番気にくわないのは年休をとる時である。とにかく三拝四拝しなければ、快よく呉れたためしがなく、さも自分で休ませるかの様に「田舎のお祭だから休ませて下さい」と云うと「お祭大事か、仕事大切か」と云ってしまって流石云い過ぎたと思い、大口あいて、カカカと笑うのだった。彼の口ぐせは、工場は区と違うという言葉だった。その実自分は全然区にいる時の様な振舞だった。私に向ってよく目がね越しに我我の仂いている方をチロリ〳〵やるのだった。忙しくもないのに能率あげねばならないと思ってか、我々の所へとくそくに来るのだった。だが彼が退職間近になる頃は、流石工場になれたとみえ、大人しくなったとかそして退職と決った時は涙を流して、一人一人に今迄の事をあやまり、退職のあいさつをしたそうである。

大館より家には大分近くなったので、休みたびに行って相変らず食べて来た。四月の末とはいえ、夜などはまだ寒く、山岸には残雪が横たわっていた。いろり端に大勢集って、この寒い夜を話し合った。二番目の妹が中学を来年出る。高校に入れようかどうかなどと父も居た。母も祖母、叔父、子供達、がや〳〵にぎやかな晩だった。「苦しいけれど、今の子供達には高校ぐらい出してやらねば」という叔父は二十八才で村役場の書記、すでに子供二人で、二十年に中風で死んだ祖父のあとをうけ、この家を相続している。「学校を出ても嫁にいかせるところはない　百姓に行くのなら、学校へ行っても無駄だ」と父親、「やる気になれば中学だけでも充分だ」と母親、「かゝらないようでも高校に入れるとなると、相当費用がかゝろよ」と叔父の嫁、「近代女性は高校ぐらいでなくちゃ百姓の嫁だって勤まらないぞ」と生意気に云ってやった私、本人の妹はにやり〳〵やっている。一見平和そうな家庭的なだんらんだった。母は明日帰る息子のために、御馳走作っていたが、父が横からちょい〳〵手を出して子供とおんなじだと母に叱られた。

翌日家にじっとしても退屈なので、早目に家を出て、途中の駅でイタリー映画「白い国境線」を観た。私は大分寮の部屋のインテリ達の影響をうけていた。「文学入門」は読んだし、「山彦学校」を読んで感激し、去年の秋のサンフランシスコの条約は決して日本の将来にプラスするようなものではなく、むしろ単独講和することにより戦争の危険が大きくなると思うようになっていた。映画のみ方も変って来た。

秋田へ帰って寝たのが十一時すぎだった

曇空から雨が降り出し雷さえ鳴りだし部屋のガラス戸をガタ〳〵ゆさぶり・いやな晩だった・翌朝職場へ出ると・作業掛がやって来て 一片の紙を渡して「君の家から電報だ・君しかし家へ行って来たばかりだろう」と変な事を云う・急用でもあるのかと思って・開いてみた・チチシス グコイ ハハ「心臓マヒか」と作業掛がきいた彼は先にみていたのだ いたづらの電報にしてもひどすぎる とにかく家へ帰らねばならない 間違いだろう・でもこんな間違いなんてあるわけがない 頭がぼうとなった・雨は夕から降り出しく止まない 駅に何って歩きながら・目が自然にうるんで来て・涙が流れた・あのがんじような父が死ぬわけがない・しかしもう死んだんだ・原因は何か汽車はのろ〳〵しておそかった・

家の中はこんざつしていた・すでに親戚の顔は全部揃っていた それらをかきわけ奥の方に寝かされた父のところへ行った・

白い布を父の頭から誰かゞとってくれたと急に胸がこみあげて大声で泣いてしまった・正しく父であり 二十年間 親しみなれた父の顔である・居をきりっと結んで本当に眠っているような顔・バカなまねするとな今にもカバって抱きあがってくるような顔・静かに手を父の顔の上にのせた・氷の様に冷たかった・とう死んでいるという事が・ぴったりする冷たさなのだ・

死因は凍死という事だった・四月の末の山国のきびしさは其の台、雪を降らせたのだった其の日父は、一つ山越えた親類から頼まれて杉の丸太の皮はぎに行って、仕事終った帰りにお祝いにと其の家で・ドブロクを飲まされたのだった、荒れて来たから家人が泊ってゆけと云われたのを、是非家へ帰らねばならぬと云って、夜おそく其の家をで、二三丁行ったところで道路の脇の田んぼで眠って死んでしまったという話だった・あれ程・酒に自信があった・父がこんな風に死ぬわけがないと思ってもそれより考えようがなかった・あの晩おそくまで父を待った母は、あきらめて・寝る時うす気味悪い風が吹き、なんとなく寝苦しい晩で、朝人に起こされ、きかされた時は・目の前が真暗になり べたと座ってしまった・と私に話した・

翌日は葬式だった・職場からも代表として助役が一日がかりで来てくれた、土葬である父とは一生会えないのだ・棺にとりすがって泣いた・墓は家の前の川越えた向い側の小高丘にあり葬列はそろ〳〵続いて寺の階段を登った。

風が吹くとまだ肌寒く黒い土の中から 黄色いフキノトウがあっちこっち顔をだしていた・冬の実家のオヤヂが私にしみ〳〵言った・「昔はこの村も仕事があってよい村だった・

それだから、俺はオメエのオヤジをムコに呉れたんだが、もう死んでしまった。

私の知る限りでも、こゝら辺一帯の杉林で山の仕事は金は安いけど、なくなるということはなかった。だからこそ、五反百姓でもなんとかして生活できたのだ。それが戦争中の乱伐と戦后の建築資材の昂騰の結果、近所の山には禿山に変ってしまって山仕事は山の奥の奥まで、行かなければ仕事にならなかった。父の仕事は働いても働いても楽にならなかった。子供達は食べ盛りで、末子はまだ小学校一年生であった。酒は好きだった。なんの宴会も最后までがんばっていた。母が云うと、次の宴会は一番先に帰って来て、早く帰ると云ったらこの通りだしと得意顔だったが其の次は一番最后。勿論宴会と云ったってドブロクを牛の煮込んで山の男達の祝酒なのだが、親方は其の祝の分はちゃんと手間賃から差引いていた。

今迄はあまり家で苦しいときは給料の中からいくらやったりしたが、今度はそういうわけにはいかなくなった、少しでもよけい毎月やらなければ、到底この大家族は暮してゆけないのだ。葬式の翌日、大阪の紡績工場へ行っている妹が帰って来た。彼女は遂に父の葬式に間に合わなかった。会社では今盛んに希望退職者を求めていたので、妹はやめて来なければならなかったと云った。

美わしい五月はやって来たが、私にはさっぱり面白くなかった。二週間も休んで、五月の連休を終えて久し振りで職場へ顔を出した。ヤカンは早速云った。今度オヤジも死んだから、一生県命まじめにやってみんなの同情を得る様にしなければならない

父が死んだからまじめに、それなら今迄不まじめにやっていたのかとききたかったが默っていた。同僚達は父の急死に同情して百円づゝ集めて香典としてくれたが、ヤカンは事務室の方でも出すので遠慮したとか、事務室の方では一人四十円ぐらいしかならないのだ。この事はあのS助役のライバルのMから聞いた。彼とはほんとの友達になっていた。

早く忘れるという努力は辛かったが、忘れたいと思えば思う程、父の想い出が湧いてくるのだった。幼い息子を背負って一年に何回も実家へ往復した父。二年間も支部でこきつかわれ、命拾いして帰って来たときの父の失奮した目の動きと小学校三年生の息子の手を握ったふるえる手。父とはもう少しやさしく話し合えばよかったのに、いつも牧やの世代と違うんだと云って相手にしなかった事の後悔、寝ても起きても忘れられなかった。

読書

定時制もずい分休んでしまったが、又出ていった、担任の教師は去年と同じであったが学校の図書係も兼ねていて、よくこういう本を読んだりとすゝめるのだったが、或る日「君達も日本の小説ばかりでなく外国のすぐれた小説も読んでもよいとしだから「チボー家の人々」や、「怒りの葡萄」なら案外読みやすいからすゝめる」と云った。父の死后小説は何も読んでいなかったし何か長編小説でも読んで、気をまぎらそうとしていたから、よく部屋のインテリ達が話し合った、チボー家の人々を読む事にして第一巻から読み続けた。エロチックなところもあったが「父の死」などから共感するところがあってぐい〳〵私をひきつけていって「一九一四年の夏」等は、すべてのことを忘れ感激してしまった。戦争に正義の戦争などない　世界の人々が戦争する様なことは何にもないのだ。それをある様にみせるのが戦争によって儲けようとする、戦争屋ばかりなのだ。そのために青春の喜びも家庭のだんらんもみんな一様に吹っとばされてしまうのだ、

十日ぐらいかゝって全巻読んだ。図書係は云った。最后まで読んだのは君一人だけだから感想を書いてくれと頼まれた。あまり感激したので、そのまゝ思った通り十枚ぐらい書いた。最后に一九五二年七月記と書きそえた。

夏が来た。父のいないお盆はひっそりした。子供達が全部集まっても、足りないとみえ母は父の写真を見て、今にも出て来そうな顔していると云って笑った。海水浴はよく一人で誰もいない浜へ出かけた。岩だらけの浜には誰も来ないのだ。シャツをぬぐと潮風がさっとやって来て気持がよかった。残念ながらろくに泳げなかったが、岩から岩までの五六米は泳げるので裸になった。面倒くさいからパンツまでとってしまった。海水はあおく澄んでしおからかった。寒くなると岩にはい上りコーラを乾した。暑くなると又入った。

一人旅と読書はその頃にとっては私の唯一の楽しみだった。にぎやかなお祭りがやってくると早速山道歩きにかゝった。高い山へ登ろうなどという気がおこらなかったが、誰も歩かない山道を身軽に一人で歩くのが好きだった。たまに村人達に会うと彼等はおじぎして子供達は先生と云ってげら〳〵笑うのだった。街のお祭りのため工場の公休を振替するならわしだった。翌日は「昨日はお祭りだったから今日は能率あげなくてもよいから怪我だけしないように」と工場長があいさつすることになっていた。

定時制卒業

定時制の生徒は大鉛と同じ、若い生徒が多かった。中学生からそのまま、ふんいきをもってきていた。すばらしくできのよい生徒もいたが、細君の事を木ノ君などと呼んで笑われる生徒もいた。定職もっている生徒も半分ぐらいであとはアルバイトみたいで、出席率はあまりよくなかった。友達も出来た。家具を作りをやっている少年で私とよく、うまがあった。性格がそっくりなのである。物事に馬鹿みたいに集中できず軽くあっさりやって知ってるつもりでも、いざ試されるとろくな答が出ないので、二人で笑ってしまった。国鉄の給料も少ないが、彼の方はもっと条件が悪かった。歴史の先生は若く本職は歴史専門でないが、ついでに教えているようなやり方だった。期待もくなかった。彼はよく再軍備問題をひやかして、当然日本は再軍備やるのが本当だと云うのだった。「一回ぐらいの敗戦でこのまゝ隷属したら、植民地国のあのみじめな無気力な国民を見るがよい。あのようになってしまう」と強調するのだった。予備学生であったとかで、九死に一生を得た話をよくしたが、彼の試験問題で、明治維新は何故おこったかというのに私はあっさりでつかかって、黒船の来日と幕府の衰思と下級武士達に与えた国学のイデオロギーが大きな推進力とか書けなくて、今思うとかどく観念的は考え方しか持っていなかった。

秋になると鉄道慰安会が行われる。いわゆる東京の一流芸能人なるものを呼んで、工場内の食堂を舞台にして三日間二千人職員の家族二人を招待して昼夜つづけられる。家族達は何をさておいても集った。各職場長クラスが整理人になって殺到する見物人を案内して感謝されるのだった。国鉄こそ最もかわありしたところと家族達にも記憶させるにはこんなお祭りさわぎで十分だったのだ。そういう街の空気の中病気あがりのHはよく私に云った。君も今から心掛けて金を貯めて家を建てる準備した方がよいで。東京なぞへ行って学校へ入ったって何にもならないぞ」と云ってくれた。そのHも最近死んだという便りがあった。でも私はどうしてもその気になれなかった。定時制の同僚はうまくやって東京方面へ転勤して勉強しているとか、今現在では、家への援助をたち切って金をためる事なぞ出来ない相談だし、結婚してもこゝ五六年は出来っこないし、それまでにどうしても、大学にでも入ってみたかった。

大学を出たところでどうという事はないが勿論いやな鉄道だけれど、もう父が死んだ現在、やめるわけにもいかない。このやり場のない空気の中で、一生生活していく事は私にとっては辛いことであり、せめて三流四流でも大学で勉強出来ることは、小学校しか出ていないものの望みだった。転勤する機会は卒業するまでなかった。卒業式は三月の末だった。卒業証明は晝間部の生徒と同じというのがミソだった。雨が降って道路の雪がとけて、ぴしゃ〱で長靴はいての卒業式の記念写真とった。オーバーとればラシャの鉄道制服のそでがすり切れているので、そのまゝ外套着てとってもらった。二十九年の早春だった。

コーラス

職場では、家政婦的なあの男は工場へ来ても矢張り変りなかった。職場長の薪の運搬、大掃除等のときは、作業掛から命ぜられ、いつも文句云わずに黙々と命令に従って、区にいたときとは全然違っていなかった。職場の建屋も新らしく鉄筋でたてられガラス張りで暖房装置までついてあってガラスが大量に使用してすばらしかったが、その保守は大へんだった。誰か偉い人がくるというと、仕事をやめさも、ホーキで床をはかせ、ガラスをみがかせ、職場長は入口にでおむかいにいき、足を揃えて挙手の礼をして新職場に案内するのだった。

工場内の青年部は毎年へる一方だった。最低年令で私達だったからである。考えれば戦后ずっと後輩としての務ばかりだった。家政婦の男はまじめだったから我がり職場の青年部の班長になっていて、私にコーラスに入れとすゝめるのだった。音痴だから駄目だと云うと、みんな音痴だから恥しがる事はないと云って、トロイカや草原　歌を、その特長のある唇を開き歌って教えてくれた。今迄歌などは声たて、うたった事なかった。ぼんやり音楽をきくのが好きだけれど、自分からうたうといつも音程が狂ってしまい、まして声を立て、うたうなんてことは到底できなかったが、彼があまりすゝめるのと、練習風景がわきあいあいだから、一回だけでもよいからと云うので、或る晩でかけた。うたごえ運動はようよう全国的になって地方の都市にもひろがりつゝあった。中でも前進的な劇団わらび座は秋田周辺の村々に根をはって、その健康で明るい顔と踊りは県下の労仂組合の青年達に絶大な人気があった。我が工場の青年部も其の例外でなかった。

人の前でドレミファさえとなえぬ者にとっては声を出してうたうということは相当の勇気が必要である。それをなんとかやらせるのはやはり指揮者と部員の明るい友情である。同じ音痴でも一人では駄目だ、音痴のグループの中へとけこんでゆけば、とにかく歌らしい歌が出来、ごく労仂者の声は若い女性達にとつては何かしら魅力があつたらしく、私達のコーラスはあつちの村の青年達と交歓したり、こつちの町とコーラスと遊びであつたりした。若い娘達とフオークダンスやるのは悪い気はしなかつた。スポーツは腹がへるという理由で敬遠して以来やらなかつたが、フオークダンスも腹がへつたかあまり難儀しないで楽しめた。コーラス部員は殆んど青年部の役員が、それと友達の歌好きまじめな青年達ばかりで、練習も数重ねる中役員達のいろいろな活動と一体になくて出席者は少なくなりコーラスにならない時もあつたが　週二回五時半頃から七時まで出席した。一つの歌を覚えてしまうと、早退休の日に誰もいない浜辺へ行つてでかい声でどなつて書寝した。

コーラスに入つた関係上、年末斗争、夏期手当要求斗争などの大会やデモなどにすゝんで参加せざるを得なくなつた。斗争やデモは工場に来る前には経験のない事だつた。

こゝではすべての労仂者は動員だつた。食堂はいつもその大会会場になつてコーラス部を主とした青年行動隊は場内外の万全を期し時間を決めて組合員全部を参加させるべく工場内の各職場めぐりをやつて、残つている者を、引張り出した。「大分に参加するもしないも本人の自由だし」という男もいたが、がやがやとガラの悪い連中に囲まれては　其の言葉は白々しかつた。ボイラーの陰で誰かかくれていると云うので行つてみると、親友の下だつた。「頭が痛いから一寸休んでいる」と云つたが、それは口実だつた。そういう場合は一定の手続をとる様に組合では各自に納得させていたのである。彼の気持はわかりすぎる程私は知つている。彼の考えはこうなのだ。

毎年の行事のように斗争する必要がないではないか、ちやんと手当はどのくらいと決めておけば、こんな子供だましみたいな大会やデモは必要でない。大体こんな事やつていくらか手当の額があがるということはあまりにも当局となれあいみたいだし、それよりもその時間を仂いてより多くの金額を決めるべきだというのである。この事に関してはちよい〳〵前にも話し合つたが、彼は資本の蓄積こそ我々の賃金をあげる最もな条件だから、デモやストは考えものだし、それに一地方の組合の決議や要求が当局と中央の組合とのなれあいにどれだけ影響するのかと云つていたが、私は彼の説を全然否定することも出来なかつた。当時の私の心の中だつてそういう気持がかくされていやしないか。彼がはつきり云つたまでの事と思うと、あまり勇かんな事も云えなかつた。彼は続けた。「退職してからまで仂めところへ仂きにゆく。

程みじめなものはない。四十代で一応仂かなくてもよいようなベースを作らなければ駄目だ。それまでに無理のきく若い中にやらなければ」要するに貯金しておこうという事だったが、これに対して「統一と団結こそ我々労仂者の偉大なる力である。そんなプチブルでは社会主義への途は遠い」などと彼に対して、私は大みえを切る事は出来なかった。どこも狂っていない感情もこまやかな平常な人間なのだ。彼の家は百姓で彼は唯一の現金供給者だった。駅場単位の駅場長交渉はなか／＼面白かった。祝儀やお祭によんだりよばれたりしている主従関係の中で、真向うから組合として駅場長と対決して、駅場内の不平や不満をのべることは、相当の勇気のいることだった。それだから、こそ、他の駅場から口の悪い「オルグが四五人やって来て、駅場長を囲んでしまい　彼等は口々に云うのだった。「或る特定の人ばかりが連続昇給して他の人達は昇給させないということは　どういうことなのですか」「うまいことやってるんじやないだろうな。こゝの駅場長にかぎって」流石に駅場長は顔色変えたが、彼等はへいちゃらなのだ。名前さえ知れていないし、まして恩恵なぞ何一つうけていないのだ。それが同じ駅場の連中ときたらそういうわけにはいかない。次期昇給には必らず、影響するし、残業も他の人並にやらせて呉れないだろうし、オ一に辛い別の仕事にまわされたら大変だし、へんなところからボロを出されないとは限らないのだ。殊に作業掛のヤカンなどは、退職間近いとしごろなので、人々の間にかくれて、ふるえながらこの交渉をみつめていた。

東京へ

四月とはいえ、風はまだ肌寒かった。ある朝の点呼で、駅場長から「東京の鉄道工場で欠員があるから、希望者があったら私のところへ申込んで下さい」一般の人々には反応がなかったが私には絶好のチャンスだった。私はなかば東京へ転勤して大学へ入ろうという希望はあきらめていたが、でも毎日が物足りなかった。こんな仕事やってこんなところで一年くらす、なにかじめ／＼した駅場の空気　本当は鉄道をやめたいところだが、父の死に逢い、やめるわけにもいかなくなってしまったが、小学校しか出ない私はなんとかして大学に入ってみたかった。大学できたところでどうにもなるわけでもないが、同じ仕事しながらも、大学を出たという事だけで、救われるような気がした。家を建てる事や結婚の事ばかりに熱をあげている連中よりはずっと偉いような気がした。

でもこのとしになっても家庭の事も考えず・誰も知らない東京へ出て行くということは人々にとっては気違いざたである。東京へ転勤することを職場長に話したら「君もいい加減でこゝらで落着いたらどうだ」・一体どんな理由だ――「はあ・こゝにも自分の家はないし、それに今の中に東京へでゝ勉強したいと思いますので」「勉強か、それよりか早く結婚した方がよいぞ・ぼや〳〵してションが長になってしまうぞ」「今の家庭の事情では到底結婚なんて考えられないし、その四、五年の間勉強したいと思います」

このとしになって火の中へとび込んでいく虫の様に思えたかも知れない。みんな反対した。私はうまく自分の本心をごまかした。

大学出ときけば・わけもなくすうはいしたり、又反抗したり、俺だって大学でたら彼等とは変らない人間になれる。インテリの仲間に入れる。そのような本心を、家庭の事情や東京の生活は田舎よりはいいだろうし、寒くなくて雪が降らないのか何より暮しやすいだろうと、はたからは察生活しているから気やすく転勤希望したような印象を与えさせた。この街にも夜間の短大も開校されてはいたが、本当の必要でいく人ならともかく、大部分は大学に入っていない。短大生という殊なにひかれていた定時制から入学希望した連中は残らず全部入学できる様なところだから矢張りあいつは偉いとみとめられるには東京の大学にいくより他はなかった。それだけの「みえ」や劣等感のために地方で国鉄に勤めているという比較的安定した職業とみられている特権まですて、いく理由には、結婚している先輩や未来の家庭解決している同僚達からは笑われるに決っているし、定時制を卒業して二三年たってもなかばあきらめるからも東京の大学へ行こうという考は自分の心の中へしまっておいて彼等とは普通とおり付合っていた。殊にうたごえの仲間や・知りあった労仂組合の役員にはこんな考えをもっていたのかと思われたくなかった。

私が東京へ転勤する事を、友達にもうたごえの仲間達にも知らせたのは大体二週間ぐらい前であった。みんな不思議がった。

早速Tが訪ねて来た。

「俺はどうもおめえの心がわからねえな、一体どういうわけで今更東京などさ出てゆくのかえ」

「どういうわけたって……こゝに自分の家もなえし、それにいろ〳〵勉強もしてみたい」

「勉強か、そういう理想もええけど、俺だったらおめえの環境でも決して誰も知ってる人もいねえ東京などさは出てゆかないなあ」

私がにやく笑っている事が余程気にくわなかったと見えて　彼は「今迄そだいことをそぶりにも見せねえで俺も自分の事はおめえにくわしく知らせたがなして以前からその話を知らせてくれなかったのか」私は答えようもなかった。三年間の彼との付合いとわいえ　彼の事は殆んど知り得に　数いる兄弟の中で最后に長わずらいの父の死を見送ったのは　彼とその下の妹だけだった

妹と二人で一家の主人となったものの三年前から　結婚を約束している　恋人がいるが、今の状態の中ではなか〱結婚できないのだ、しかし彼は、俺だったら、どんな条件がよくても、こゝからはでていかないというのだった。友達と思っている私にこの様子行動を知らない中にされたのは、僕にとっては裏切られた感じだろうか

こゝ、十年来私にとって本当の友達と云える人間があったろうか　人間がおったろうかというよりも、私が友達になれない人間なのか　心の底から打ちとけて話しあえない素直でない心が私の中にあるのか　考えてみると今迄知りあった人々の中で、ほんとに信頼されたり信頼したりする関係が生れた事があったろうか、近所のKであれ、教習所のクラスメートであれ、赤桟関土であれ、定時制の学友であれ、うたごえの仲間であれ、その中に入ってはゆくか、決してとけこめなかった。

又Sが訪ねて来た、

「よう転勤とり消せ、原因は何か失恋か、でもねえだろう、そんなふうには見えねえし

それよりも早くヨメもれえ、おめえの一家をこの地に引越したらどうだべ　兄貴の嫁の妹でえかったら世話してやるぞ」

「結婚なんてできっこないし　引越なんぞとんでもない、色んなところ歩いてみるさ」

「俺も前には東京さでもで、えこうかと考えた事がある、しかし今はそんな気にはなれなえな、おめえだってもう少ししたら考えるよ。だからやめろよ」

私より二つばかり彼はとし上だけれど、勤務は誠実で定時制も普通科と工業を卒業した努力家であって、何の郊外の静なところへ十二三坪の家を建て、あとは妻を選ぶばかりだった。上役のウケもよく独身者としては最高の給料だった。

Gはいった。「東京さでていくなんてよっぽどのバカ者だよ。お前は」Gは家では大きな商賣をやっているし一応夜の短大もでているし、彼にとっての目下重要な事は、どんな娘と結婚したらよいかが彼のなやみであって、ホラかうそか知らないけれど、よく女にこんな事云ったら泣いておこったと私に自慢したりしたが、私が暇さえあれば　工場の月番から本を借りているのをみて「小説で一番面白

いのは、「富田常雄」のだろう」という男だった。

　私が、今までに若い娘達と話したりお茶をのんだりしたのは、うたごえに入ってからである。教習所卒業の時、新潟のある男が「俺が一番不思議がったのは、君が女の話をしない事だ、まじめな男だ」と私を評したが、決してまじめだから女の話をしないわけでなく、考えてみたって、どこから、娘達と付合える条件があったろうか、寮で朝起きると、転場へ出て、夜帰って、めしをたいてたべ、小説よんで寝る。日曜日は家へ帰り、一日一杯家の中で、食って帰る」寮は転場の目と鼻の先だから、自分で、工夫や努力をしない限り、娘達と会える機会は全然ないのだ。だから始めてみる娘達は、みんなきれいにみえ、音痴ながらも、コーラスにはまじめに参加したので、娘達ともようやく冗談きけるようになった。東京へ行くと決った時、彼女達は私に云った。

「行ったって又もどってくるでしょう。」

「ほんとに東京の人になるの」

「人間も変るでしょうね」

　家へ帰っても適当に話したら、ちよい〱転勤しているので、又二三年たったら田舎へ帰られると思ってか、あまり反応はなかったが、送金は間違いなくやってくれれば文句ないようだった。

　東京は始めてではなかったが、遊びに行っても、いつも日帰りで、浅草のいかがわしい看板のあるところをうろついたり、デパートを下から上へ登ってヒやかせば、もう一日は終りで夜行列車で帰るのが普通だった。

　誰も知ってる人がいない東京へいく事については、矢張り不安だったが、何回も転勤しているので、最初はその地になれなくて困るが、一年もたてば、大丈夫なれるだろうという事だけが私だった。

　一緒に転勤する四五人の連中も、大学へでも入ろうという者達だった。

都会の中で

　国鉄大井工場は電車専門の修理工場だった、旧転場で仂いていた様に、電気機械の部分品の修理でもやらせると思ったら、全然畑違いの電車の屋根の上にある、パンタグラフの分解をやらせられた。下から見れば小さく見えるパンタも、おろして地面におくと、大きくて油だらけで汚なかった。今迄すわってした時とくらべ、たったりしゃがんだりして分解するのには、大分疲れたし、何より疲れさせたのは、ひっきりなしに音をたてゝ動いているグレーンやモーターの音、ごみとほこりは暑い夏をそれ以上暑くさせた。それだけなら夜ぐっすり眠れたら疲れもとれたろうが、夜眠れないのだ。東京の鉄道寮は変っていた。寝床が押入みたいになっていて上下二段が、向あって四つあって、畳はなく、ごつい木の椅子と机が表の窓の下にあった。まるでカンゴク部屋のような印象をうけた。窓の下は国道で、トラックやバスがひっきりなしに通過したり、ときたま、戦車みたいなのが、物すごい地響きをて通っていく、ろくに眠りもせず、満員電車にわり込んで、職場は職場でなれない仕事で疲れるし、寮に帰っても畳でないから横になれない、床の中に入ると暑苦しくてどうにもなれない。勉強どころでない、なんとかして眠る方法を考えなくてはならない。毎晩うつら〱している中に少々あわてて来た。眠れないのは俺ばかりだろうかと思って一緒に来た運中にきくと、彼等はいづれも「最初はうるさかったが、今は大した事もなくゆっくり眠れる」それでは、俺が悪いのかと思つて、鉄道病院へ行った。

相手になったのは生意気そうな若い医者だった。「夜眠れないて？全然眠らなかったら今頃は死んでしまう。眠れないと思うから、実際には眠っていても眠れない気がするだけだよ。大体、田舎の秋田あたりから、東京の大都市へでてくるからそうなんだ。」疲れと寝不足でふら〱しながらも私は何をバカヤローと思った。こんなごみくさいところが何が大都会だ。こんな青白い生意気な奴に、都会ノイローゼのせいなどと云われて、黙って空気のきれいな地方工場で仿いていた方がよかったなあと思った。

大学という言葉は、地方できくのと東京できくのとでは、なんと大きな違いがあるのだろう。大学出、文学部を出たなどと地方で東京の友人の消息をきくと、自分がみじめに見えてしようがなかったが、この東京できく大学は全然えらく見えないのだ。

或る日大学へ行っている男にきいてみた。

「大学を出て鉄道は止めますか」

「いや十年も勤めて、もうやめられないよ」

「では、折角学んでも生かされないでしよう。

「退職してからの事を考えてるのさ、五十五文で停年になっても、就職出来るように今から準備しているし、年に四万かゝって四年で十六万円。これぐらいなら、退職してからも元はとれるし、若し鉄道を中途でやめても教員の免許をとってるから大丈夫」

こんな気持で大学へ通っている男もいたが職場での大部分の人々の話は、金が欲しい住む家が欲しいというのが、緊急な望だった。

こうした状態の中で、私は東京へ出て来たのは、大失敗だったと思うようになった。望通り大学に入り卒業したところで、もう鉄道はやめられない。退職して又就職出来るような学科をえらんだら、或いは望もってるかも知れないが、そうでもない、きこえのよい文学なんてえらんだら、退職して就職出来る望はおそらくもてないだろう。転勤する前にもう少し将来の事を考えられなかったか、私を引とめた友人達の見通しのよさ、その気になれば家だって建てる事が出来るのに、しかしこの東京では、どうにもなれないではないか、この暑さ、この騒音、心身の疲れのはげしさ、もうほんとうにノイローゼだった。

職場でも、夜熟睡できないので　つったってはかりいたので、見かねて親方が云った。「夜眠れないのは、何か心配事があるからだ、それを除かなくちゃ、東大病院へ行ってもなおらない。たった一つなおる方法がある。どうだ」東京へでて来たのは失敗も失敗だけど、今のところ、すべて忘れて、じっくり眠りたかった。「はあ、おねがいします」と云ってしまった。

連れてゆかれたのは、若しやと思っていたが創価学会の集りだった。親方の好意もあるので知らない振りしていた。会員は二三十人も集って、てんでに体験談発表だった。インテリくさいメガネをかけた奥様風の人も、其の効果のてきめんなのに改めて、信仰に入ったと発表した。支部長らしい頭のはげた男が私をさして「こんな若いのに神経衰弱みたいな顔して情ないものだ、入りなさい。たゞお祈りするだけでよいのだ」創価学会なんて、今迄気狂いばかり入っているのだと思ってたから、ほんとうは東京からでれば眠れるんだと心で云いながら、そこをでてしまった。とにかく、ぐっすり眠らなければ体がこわれてしまうと思って、田舎へ帰って十日ぐらい休む事にして、転勤して、二ケ月振りで夜行列車に乗った。

夏とばいえ、田舎の夏は涼しかった。それにもかゝわらず、後悔の念で一杯で、矢張りぐっすり眠れなかった。家の人達も、げっそりやせてしまったのに心配して、本当に今度の転勤は、もう二度ともどれない転勤だと云っても、死んではならないから、もう一日旧職場長のところへ云って願って来いと云うのて、それもそうだと思った。将来の事を考えたら、一時の恥はものの数ではないと思って、なにがしの土産物を持参して、職場長の自宅へ訪ねていった。人がこんなことをしているのを、今迄は笑っていたのに、残念だった。職場長は「君の真意がわかりかねる。一体どんなつもりで行ったのか」「はあ、ほんとうは勉強するつもりでいったのだけれど、経済的にも容易でないし、それに部会の環境は、俺に自信が持てなくなりました」「あれ程わしが考えろと云ったのに、」「でも、行ってみなければわからないので」

散々に云われたが、仕方がなかった。最後になんと少してやってやろうと云って呉れたが もうこの言葉はあてにならなかった。地方工場の人員は工事量が減少したと云う理由で、ぐんぐんへらされ 出るとも又入るなどとは到底できないことだった。再び東京へもどっていくのは辛いことだった。将来の生活という事が 東京へでて二三ケ月でこんなに切実に感じた事がなかったが、田舎の友人達は、もうズッと前からしっかりした考えをもっていたものである。結婚する。家を建てる。その両方でなくとも一つでも冒険に考えたら、東京などへ出て来なかったろうに、毎日こんな事を考えては後悔し、同職場長へ頼みにいったたらしなさ、思っただけでも、立っても座ってもおられないような気がした。自分の弱さを、家庭の事情で東京の生活は望ないなどと云った。あさましさ、ノイローゼばますますひどくなった。

　このまゝでは俺は一体どうなるのか、毎親も扶養しなければならないし、思えば、大失敗したものだ。将来の事を考えたら、不安でたまらないのだ。この無数の人間の集っている中で一人でも自分以外の事を考えてくれる人がいるだろうか、不安と思ったら、すべてが不安だった。

　或る日、すいみん楽をもらって飲んで寝た。死ぬきはなかったが、よけい日に飲んだ。押入の床の中で目がさめた時は、一晝夜半眠ったらしかった。部屋には誰もおらず、立つとふら〱した。外は相変らずうるさく熱い陽の下で、ほこりとごみが渦巻いていた。

　電車に乗ってあてもなくでかけた。あてもなく降りたとたん、電車のドアーが勢よくしまって、私のメガネをふっとばした。

　なんとなく不安でさびしい気持はやり切れなけ。ふら〱と酒屋に入った。のんで飲めない酒ではなかったが、すゝんで飲んでみようと思った事がなかったが、底高のガラスのコッフ酒をぐっと飲み乾した。まずかった。喉につかえてセキがでそうだった。二杯、三杯と飲んだ。死んだオヤジの事が浮んで来た。

　この気持を味わいために飲んだんだなオヤジは、思いつめた事が ちぎり・ちぎりになって彼方へ飛んでゆく。四十五才まで 狂いもせず、ドブロクを飲み〱働いたのか、オヤジは俺より偉いのか、今オヤジと一緒に飲めたらよかったな」目の前に座っている男の顔がだん〱かすれてきた。

「しっかりしろ、お前はオヤジ以下になってしまうぞ、しっかりしろ」自分に云いきかせながら店を出た。

　帰りの電車は満員だった。もう夕方だった。一日の疲れと暑さのため、人々の顔は活気がなかった。「不景気面した貪乏人奴」、思い切り、どんと体をぶつけて中に入りこんだ。

　ノイローゼと不眠は徐々になおりかけて来たが、俺はだまされたと思えば、又なんてとかして地方へ帰りたかった。

　都会の工場に勤めているのは大半は、地方からの転勤者で矢張り夢と希望を抱いて来たのだろう。当局はそんな田舎者の心理をよくおぼえて、いつも希望転勤という名で、生活の条件の悪い都会え、比較的めぐまれている地方の工場から、比較的まじめならぬ奴を引張りだす。東京の人はほんとに少ない。いても親が田舎から出て来た家から来ているのが多い。東京でまともな生活している家なら、鉄道工場の油職工にはならないのだ。

　私は日記付は十日の午前からつけていたが東京へでゞ半月ぐらいでやめてしまった。「真白い動物達が次から次へとわめき立てながら、ウス汚いブタ箱の中へ入れられ押しこめられ、運ばれてこきつかわれ、くた〱にされ又同じようにおくりかえされる。東京はいやなところだ」と書いたのが最後だった。

　もうじたばたしてもどうにもならない。

　もう一回田舎の静かなところで考えようと思いついて、真冬の一月の末、田舎では大余の雪が降積りアナ穴生活だった。これ程の雪と山がありながら、満足なスキーをはいている子供が見あたらないのだ。雪のない東京の人々がわざ〱ごみくさい駅にならんで、スキー乗りに出掛けるというのに。

　農地改革があろうなかろうか、耕していな土地のないものはどうにもならない。一年たっても、全然楽らない。田舎の生活、こんなところで生れ、そんなところで育ち、そして働きながら、
　家の棚の上にある私の日記はなんとつまらない夢や望ばかり並べたてゝいる事だろう。ページを二三枚めくってみたが、読む気になれなかった。

　家の人は、私があっちこっちふら〱転勤しているのは、としごろになって結婚もしないで落着かないからだと云って、田舎へもどって来たら早速結婚させると云って、母も、「今まで金を送ってもらって援助してもらったが、子供達も中学をでるし、大分楽になるから、早く嫁をもらわねば」と云った。こっちは嫁どころでない。もう田舎へもどるにももどられないし、なんとかして東京で働いて生活していかなくてはならない。将来の不安や希望のない職場での仕事の中で、どうしたら、生き〱と生きてゆかれるかが、今の私の大きな問題だ。

　「趣味やこってやるものがないからノイローゼになるのだ。何かにこらなくちゃと叔父が慰めた。そうかも知れない。大学へ入ろうとしたのも、あれをやりたいからとした

のでもなく単なるミエや劣等感にすぎなかつた。だからあんなに動揺したのだ。思つただけでも恥じかつた。

上野行きの急行列車は、吹雪の中をついてホームについた。私は又東京へもどらねばならなかつた。母がわざ〱見送りに来た。リンゴ一カゴ買つて持つて

汽笛がなつた。「さようなら」「体を気をつけてな」ごつごつと列車は速度を増して暗い吹雪の夜をひた走りに東京へ〱と向つた。

終り

昭和三十三年五月十五日　発行
編集兼発行人　東京都港区芝高輪一ノ一
国鉄労組品川客車区分会内
職場の歴史をつくる会

●――編・執筆者紹介

竹村民郎（たけむら・たみお）

一九二九年　大阪市生まれ

元大阪産業大学経済学部教授

主要著書　『大正文化帝国のユートピア　世界史の転換期と大衆消費社会の形成』（増補）三元社、二〇一〇年

『竹村民郎著作集』全五巻　三元社、二〇一一～一五年

古川誠（ふるかわ・まこと）

一九六三年　福島県生まれ

関西大学准教授

主要著作　『戦前期同性愛関連文献集成』解説　不二出版、二〇〇六年

稲賀繁美（いなが・しげみ）

一九五七年　東京都生まれ

国際日本文化研究センター副所長／総合研究大学院大学（兼任）教授

主要著書　『絵画の臨界：近代東アジア美術史の桎梏と命運』名古屋大学出版会、二〇一四年

永岡崇（ながおか・たかし）

一九八一年　奈良県生まれ

日本学術振興会特別研究員

主要著書　『新宗教と総力戦　教祖以後を生きる』名古屋大学出版会、二〇一五年

編集復刻版
「職場の歴史」関係資料集 第1巻 ISBN978-4-86617-036-7

第1回配本［第1巻〜第2巻］分売不可　セットコード ISBN978-4-86617-035-0
2017年11月30日発行
揃定価　本体40,000円＋税

編　者　竹村民郎
発行者　山本有紀乃
発行所　六花出版
〒101-0051　東京都千代田区神田神保町1-28
電話 03-3293-8787　ファクシミリ 03-3293-8788
e-mail : info@rikka-press.jp

組版　昴印刷
印刷所　栄光
製本所　青木製本
装丁　臼井弘志